T4-AIK-786

DISCOURS 42-43

SOURCES CHRÉTIENNES

N° 384

GRÉGOIRE DE NAZIANZE

DISCOURS 42-43

INTRODUCTION, TEXTE CRITIQUE, TRADUCTION ET NOTES

PAR

Jean BERNARDI

Professeur émérite à l'Université de Paris-Sorbonne

Ouvrage publié avec le concours du Centre National de la Recherche Scientifique et de l'Œuvre d'Orient

LES ÉDITIONS DU CERF, 29, BD DE LATOUR-MAUBOURG, Paris 7e

1992

La publication de cet ouvrage a été préparée avec le concours
de l'Institut des Sources Chrétiennes
(U.R.A. 993 du Centre National de la Recherche Scientifique)

ISBN 2-204-04595-0
ISSN 0750-1978

INTRODUCTION

La démission du siège de Constantinople et les circonstances du *Discours* 42[1]

Le *Discours* 42 a été généralement pris pour celui que Grégoire de Nazianze, évêque de Constantinople et président du deuxième concile œcuménique, aurait prononcé devant le concile au début de l'été 381 pour lui présenter sa démission du siège épiscopal de la capitale, siège qu'il occupait de fait depuis le début de l'hiver précédent et de droit depuis les premiers jours du concile[2]. L'auteur s'exprime d'ailleurs à maintes reprises en des termes qui visent à accréditer une telle interprétation. Aussi la majeure partie de la tradition manuscrite présente-t-elle l'ouvrage sous ce jour dans un sous-titre parfaitement explicite. Il a été, nous dit-on, prononcé « en présence des 150 évêques », formule qui désigne souvent le deuxième concile œcuménique tout comme la participation de 318 évêques est censée caractériser le concile de Nicée. Certains manuscrits[3] ajoutent même une précision supplémentaire : la séance se serait tenue dans le *martyrium* de sainte Anastasie.

1. Cette introduction au *Discours* 42 reprend en grande partie le texte d'une étude publiée sous le titre « La composition et la publication du Discours 42 de Grégoire de Nazianze » dans le *Mémorial Dom Jean Gribomont*, Rome 1988, p. 131-143.

2. C'est le cas des Mauristes ainsi que du dernier biographe de Grégoire, P. GALLAY, *La vie de saint Grégoire de Nazianze*, Lyon-Paris 1943, p. 210.

3. Cf. DCJ.

Rappelons brièvement le détail des faits établis les plus essentiels. Le 27 novembre 380, Grégoire avait pris possession du siège épiscopal de Constantinople, à l'initiative de Théodose qui venait d'expulser l'arien Démophile après le refus de ce dernier de souscrire au symbole de Nicée. Après s'être abstenu quelque temps de s'asseoir sur le trône réservé à l'évêque, Grégoire avait consenti à le faire, mais nulle autorité ecclésiastique n'avait confirmé le transfert à Constantinople de l'évêque non installé de Sasimes. Au surplus, on sait que la légitimité de Grégoire était vivement contestée par Maxime, que des évêques égyptiens avaient consacré par surprise en 380, et dont les prétentions étaient appuyées non seulement par l'Égypte, mais encore par Rome et par l'Italie. Les choses en étaient là quand Théodose réunit dans sa capitale le grand concile destiné à rétablir en Orient l'orthodoxie nicéenne et à compléter le symbole de Nicée en ce qui concerne le Saint-Esprit. Le concile se réunit d'abord sous la présidence de Mélèce d'Antioche, et l'un de ses premiers gestes fut d'entériner la désignation de Grégoire pour occuper le siège de Constantinople. La mort rapide de Mélèce (dont Grégoire de Nysse devait prononcer l'oraison funèbre[1]) allait faire resurgir le lancinant problème d'Antioche. Deux hommes revendiquaient la possession légitime de ce siège : Mélèce, qui avait l'appui des Orientaux, et Paulin, autrefois consacré par Lucifer de Cagliari et qui bénéficiait du soutien des Égyptiens et des Occidentaux. La majorité des chrétiens d'Antioche s'étaient ralliés à Mélèce. La mort de ce dernier offrait une occasion de mettre fin à la division : c'est du moins ce que pensait Grégoire, qui proposa d'en finir en désignant Paulin pour lui succéder. Le président du concile ne fut pas suivi et Flavien prit la place de Mélèce. C'était un échec pour Grégoire.

1. Cf. l'édition de A. Spira dans W. Jaeger et H. Langerbeck, *Gregorii Nysseni Opera*, IX, *Sermones*, Leide 1967, p. 343-416.

D'un autre côté, celui-ci voyait sa propre désignation contestée par Occidentaux et Égyptiens réunis. L'évêque de Thessalonique était même porteur d'instructions écrites du pape Damase. D'un côté, on avançait les canons disciplinaires de Nicée, qui avaient interdit les transferts d'évêques; de l'autre, on se fondait sur l'usage suivi en Orient où ces dispositions n'avaient jamais été appliquées. Grégoire pouvait également tirer argument du fait qu'il n'avait jamais pris possession de l'éphémère siège de Sasimes et qu'il n'y avait donc pas eu de transfert.

Contesté par l'Occident, désavoué par l'Orient et malade par-dessus le marché au point de rédiger un testament qui a été conservé, cet homme hypersensible préféra céder la place et se retirer en Cappadoce. Le texte que voici correspond-il à des paroles réellement prononcées devant les évêques du concile pour leur jeter à la face une démission spectaculaire? La réponse à faire à une telle question est résolument négative : encore faut-il examiner avec soin les arguments susceptibles d'être avancés dans un sens comme dans l'autre.

Écartons pour commencer l'indication fallacieuse de ceux des manuscrits qui assignent au discours le cadre de l'Anastasie. Anastasia est le nom que Grégoire avait donné à la chapelle improvisée qui avait abrité en 379-380 les orthodoxes de la ville groupés autour de lui. Le terme symbolisait la résurrection de la vraie foi à Constantinople après une longue domination sans partage de l'arianisme. L'Anastasia était probablement à l'origine ce qu'on appelle une basilique privée, c'est-à-dire la salle d'audience attachée au palais d'une grande famille : en l'occurrence, celui qu'avait légué à ses héritiers l'un des derniers préfets du prétoire de Constantin, Ablabios[1]. Une cousine germaine de Grégoire, Théodosie, sœur d'Amphilochios

1. J'ai essayé d'identifier les membres de cette famille : cf. «Nouvelles perspectives sur la famille de Grégoire de Nazianze», *Vigiliae Christianae* 38 (1984), 352-359.

d'Iconium, était entrée dans cette famille par son mariage. C'est elle qui avait pris l'initiative de faire venir son cousin à Constantinople pour y rétablir la vraie foi après la disparition tragique de Valens. L'Anastasia n'était nullement un *martyrium* : ce n'est que plusieurs siècles plus tard qu'on fit venir les restes d'une Anastasie qu'on prit sans doute pour l'éponyme de ce très ancien lieu de culte[1]. Quant à la mention de la présence des 150 évêques, cette expression, tardive dans sa littéralité, ne saurait être sortie de la plume de l'auteur du discours, pas plus qu'elle ne pourrait émaner d'un contemporain. Mais si la formule doit être écartée, son contenu mérite examen, car Grégoire s'exprime à de nombreuses reprises comme s'il avait effectivement en face de lui les évêques du concile et comme si le clergé ainsi que les fidèles de Constantinople étaient également présents dans son auditoire.

C'est ainsi que les premiers mots du discours interpellent les évêques : « Que vous semble-t-il de notre affaire, chers pasteurs et collègues[2] ? » et tout aussitôt les fidèles sont pris à leur tour à témoins : « si <ce plaidoyer> est véridique, appuyez-le de votre témoignage, vous qu'il concerne et devant qui je parle, car vous êtes ma défense, mes témoins et ma couronne de fierté[3] ». Et plus loin : « Voilà ceux que nous vous offrons, chers pasteurs, voilà ceux que nous vous présentons, ceux qui constituent notre présent d'hospitalité pour nos amis, nos hôtes et nos compagnons d'émigration ...[4] » ou encore : « Nous avons pour notre part apporté une certaine contribution à ce que vous voyez ici[5]. » Le chapitre 11 tout entier désigne aux évêques les unes après les autres les diverses catégories de

1. Cf. R. Janin, *La géographie ecclésiastique de l'empire byzantin*. I. *Le siège de Constantinople et le patriarcat œcuménique*, t. III, *Les églises et les monastères*, Paris 1953, p. 26-29.

2. *D*. 42, 1, 1.

3. *D*. 42, 2, 1-4.

4. *D*. 42, 10, 1-3.

5. *D*. 42, 10, 17-18.

pasteurs et de fidèles réunies dans l'église à la manière dont un responsable présente ses subordonnés à un supérieur en visite d'inspection. Ces témoins de l'activité passée de l'évêque que sont les fidèles sont expressément invités à déposer en sa faveur : « Ils en rendront témoignage, je le sais bien, ceux qui parmi vous ont des sentiments nobles, ou plutôt vous le ferez tous, puisque c'est vous tous que nous avons cultivés comme on cultive une terre[1]. » La profession de foi trinitaire qui occupe les chapitres 14-18 est présentée comme la réponse faite sur ce point aux enquêteurs que sont censés être les évêques (« il faut peut-être répondre à votre désir et exposer le contenu même de notre foi[2] », et la phrase qui conclut cet exposé interpelle à nouveau les juges de la foi : « Ce que j'en ai dit <je l'ai fait> pour vous faire constater en quoi consiste la marque propre de mon enseignement et vous faire voir si je suis associé à vos combats ...[3]. » L'orateur ira jusqu'à interpeller les évêques en les appelant ὦ ἄνδρες : « Voilà, messieurs, la justification de ma présence que je vous destinais ...[4] », la suite de la phrase prolongeant l'interpellation. Quant à l'offre de démission développée au chapitre 20, elle s'adresse bien à des évêques qui sont censés être physiquement présents et à nul autre : « Donnez-moi le salaire de mes peines ...[5] », « mettez à ma place quelqu'un d'autre ...[6] » et plus loin : « choisissez-en un autre[7] ». Et le chapitre 25 tout entier interpelle encore des évêques que l'orateur feint de tenter de persuader de lui rendre sa liberté. On ne tirera pas argument des deux chapitres de péroraison, car cette envolée oratoire, qui adresse des

1. *D.* 42, 12, 8-10.
2. *D.* 42, 14, 1-2.
3. *D.* 42, 18, 19-22.
4. *D.* 42, 19, 1-2.
5. *D.* 42, 20, 2-3.
6. *Ibid.*, 6-7.
7. *D.* 42, 24, 14.

adieux longuement détaillés à la capitale, à ses divers monuments ainsi qu'à ses habitants, trouverait aussi bien sa place dans une œuvre écrite avec recul que dans un authentique discours. Au demeurant, il est trop évident qu'un orateur qui prend congé de l'Orient et de l'Occident réunis[1] ne prétend nullement s'exprimer devant l'univers tout entier rassemblé pour l'entendre.

Ainsi donc ce discours se présente par de nombreux aspects comme une allocution qui aurait été prononcée par l'éphémère évêque de Constantinople pour rendre compte de son mandat à ses collègues du concile et pour leur demander d'y mettre fin. Faut-il pour autant le prendre au pied de la lettre ? Rien n'est moins sûr.

Tous les manuscrits font figurer dans le titre du discours le mot συντακτήριος, qui désigne dans la terminologie rhétorique un discours d'adieu. Une phrase de l'auteur conseillerait d'éliminer le mot. Il écrit en effet : « En ce qui vous concerne en tout cas, préparez vos discours pour saluer notre départ (τοὺς προπεμπτηρίους... λόγους) : de mon côté, je vous répondrai par mon allocution d'adieu (τὸν συντακτήριον)[2]. » L'orateur qui s'exprime en ces termes n'appelle donc pas συντακτήριος, *au moment où il écrit cette formule*, le discours qu'il est en train de rédiger : il réserve ce qualificatif pour une réponse éventuelle à de non moins éventuels προπεμπτήριοι λόγοι à venir de ses collègues. Si on pose comme un principe absolu l'absence de toute contradiction chez l'auteur du discours, on sera amené à éliminer son titre. L'inconvénient majeur d'un tel raisonnement, c'est qu'il conduit à admettre soit que le discours était anépigraphe, soit que le titre original a été éliminé et remplacé dans un processus qui dépasserait largement le cadre d'un banal accident de transmission. Je croirais plus volontiers que ce discours a été muni par son auteur d'un

1. *D.* 42, 27, 7.
2. *D.* 42, 25, 17-19.

titre qui cadre plus ou moins bien avec le contenu général de l'ouvrage tout en étant en contradiction avec l'une de ses phrases. Cela peut arriver quand un auteur vient à donner un titre, sans le relire attentivement, à un ouvrage longtemps resté dans ses papiers sans être divulgué, un ouvrage peut-être même laissé inachevé. Cela peut arriver surtout si cet auteur éprouve le besoin de diversifier les titres de ses ouvrages, quitte à tomber parfois dans l'à-peu-près, si ce n'est dans l'inexact. Les trois quarts du discours relèvent en fait du genre judiciaire, de sorte qu'ἀπολογητικός λόγος est un titre qui lui conviendrait bien davantage. On n'échappe pas à l'impression que, cette dernière catégorie étant déjà suffisamment représentée dans son œuvre antérieure, notre auteur a préféré présenter, si l'on peut dire, cet ouvrage sous un autre emballage. Il ne s'agit pas là d'un réflexe épidermique, mais, bien au contraire, nous semble-t-il, de l'illustration d'une des idées maîtresses de Grégoire en tant qu'écrivain. Profondément heurté dans sa sensibilité d'intellectuel par la décision prise par Julien d'exclure les chrétiens de l'enseignement, il semble avoir voulu démontrer, en illustrant tous les genres enseignés par l'école, qu'un chrétien était capable d'enseigner la rhétorique aussi bien que quiconque et même d'en renouveler les méthodes ainsi que les thèmes. L'ἀπολογητικός étant déjà suffisamment représenté dans ses œuvres, il a préféré placer un discours censé accompagner son départ de Constantinople sous la rubrique encore vierge du συντακτήριος.

Quoi qu'il en soit, bien des raisons internes et externes conseillent de voir dans cet ouvrage un texte rédigé un certain temps après le concile.

A plusieurs reprises, l'orateur s'exprime comme s'il avait devant lui, réunis pour l'écouter, les évêques du concile en même temps que le clergé et les fidèles de la ville. L'insistance mise à interpeller les uns aussi bien que les autres montre que l'orateur veut accréditer auprès de ses lecteurs l'idée qu'il parlait en même temps aux uns et aux autres. Il

est difficile de croire qu'une circonstance ait existé où ces deux publics aient pu se retrouver sous un même toit. Les débats d'un concile réuni par Théodose se tenaient dans l'enceinte de Sainte-Sophie, proche du palais impérial. C'est d'ailleurs cette église que Grégoire cite la première dans sa péroraison au moment où il entame la série des adieux. Il est peu probable qu'une séance du concile, même exceptionnelle, ait pu se dérouler avec la participation du clergé de la ville et de ses fidèles.

D'autres détails viennent d'ailleurs contredire une fiction à laquelle l'auteur ne semble tenir qu'à moitié. Ainsi, lorsqu'il interpelle ses auditeurs en usant de l'antique ὦ ἄνδρες de la tradition classique[1], il use d'un langage plus adapté à un public de lecteurs lettrés qu'au cadre de l'éloquence ecclésiastique habituelle. Mais lisons le passage. «Voilà, messieurs, la justification de ma présence ... si elle a déçu votre attente, grâce en soit rendue tout de même, car elle n'est pas à désavouer sur tous les points, je le sais parfaitement, *et je ne peux que vous en croire, vous qui me le dites.*» La dernière formule suppose que son rédacteur a déjà enregistré des réactions à son discours : à supposer que le discours ait été réellement prononcé, elle n'a pu que faire l'objet d'une addition à l'occasion de sa rédaction définitive. De la même façon, l'homme qui se dit «libre et obscur comme je le suis[2]» ne saurait être l'évêque de Constantinople dans le moment même où il présente sa démission : elle convient à peine à l'homme retiré dans sa Cappadoce natale. Autre indice d'une rédaction tardive : elle figure tout à la fin du discours. «Adieu, grande cité éprise du Christ» s'écrie Grégoire, qui ajoute aussitôt : «Je rendrai ce témoignage à la vérité, même s'il s'agit d'un zèle qui n'est pas éclairé : *la séparation nous a rendus plus conciliants*[3].» Bien évidemment, cette notation a été rédi-

1. *D.* 42, 19, 1.
2. *D.* 42, 22, 20-21.
3. *D.* 42, 27, 1-3.

gée après coup. Les additions que nous venons d'évoquer n'écartent pas nécessairement l'hypothèse d'un discours réellement prononcé, proche dans sa teneur générale du texte publié, mais cette hypothèse se heurte à bien d'autres objections.

Ce que nous savons des réactions parfois brutales des membres des conciles réunis au ve siècle rend peu vraisemblable que Grégoire ait osé provoquer en face ses collègues comme il lui arrive de le faire tout au long du chapitre 22, en assimilant leur comportement à celui des factions du cirque et leurs passions à celles des parieurs ou des *supporters*, voire des chevaux eux-mêmes, sans parler de la futilité des enfants. Et comment aurait-il osé leur dire en face une vérité aussi blessante que celle qui consiste à rappeler leurs variations doctrinales successives à la remorque du pouvoir ? Il en va de même de la condamnation méprisante des comportements de grand seigneur affectés par nombre d'évêques, ou de leurs excès de table. Quelle assemblée d'évêques tolérerait-elle qu'on accuse devant elle tels de ses membres de vomir sur les autels et de faire payer par les pauvres le luxe de leur train de vie[1] ?

Sur un tout autre registre, on lit à la fin du chapitre 22 des confidences personnelles qui n'étonnent nullement le lecteur moderne, habitué à ce genre d'étalage de sentiments depuis la fin du XVIIIe siècle, mais qui surprennent vivement si on les replace dans le contexte général de l'antiquité tout entière. « Par-dessus le marché, j'éprouve une réaction qui est à peu près celle-ci : dans la plupart des cas, je ne m'accorde pas avec la majorité et je ne supporte pas de suivre le même chemin qu'elle. C'est peut-être sauvagerie et ignorance de ma part, mais c'est ainsi que je suis. Je m'afflige de ce qui fait plaisir aux autres, et ce qui leur est désagréable me fait plaisir[2]. » Revendiquer une singularité

1. Cf. *D.* 42, 24, 7-13.
2. *D.* 42, 22, 24-30.

personnelle est un trait de romantisme qui n'appartient qu'à Grégoire. Écrite au IVe siècle, une telle déclaration a de quoi surprendre : on imagine mal qu'elle ait pu faire l'objet d'une expression publique dans un cadre solennel.

Ce discours n'a donc jamais été prononcé, ce n'est même pas le résultat d'une mise en forme ou de l'arrangement d'une allocution plus ou moins improvisée. Il faut ici recourir au témoignage de l'auteur lui-même. Nous avons affaire à un homme qui s'est volontiers raconté et qui n'est pas avare sur le chapitre des détails biographiques. Il a raconté plus d'une fois sa vie et il s'est expliqué sur la chronologie de son séjour à Constantinople, particulièrement sur les conditions de son départ. Grégoire a présenté sa démission au concile qui l'a acceptée sans trop y mettre les formes, puis il est allé chercher au palais l'approbation de Théodose et il s'est mis en route. Nulle trace dans ce récit d'un discours prononcé devant le concile : les 33 vers du poème *De vita sua* (v. 1823-1855) qui retracent la déclaration adressée aux évêques ne sauraient passer pour un résumé de notre discours, avec lequel ils ont très peu de points communs. On a cru trouver dans les vers 1909-1913 de ce poème une « allusion à ce discours d'adieu [1] ». Je ne vois pour ma part rien de tel dans un passage qui rappelle les efforts prodigués par l'évêque démissionnaire pour consoler et rasséréner des partisans, dissiper leurs rancœurs et, à la limite, empêcher la constitution autour de son nom d'un groupe fractionnel comme il en surgissait facilement en pareil cas. Qu'on en juge plutôt :

> Ἔθαλπον, ᾔνουν, τοῖς κακοῖς συνεκρότουν
> τὸ βῆμα, τοὺς ἔξωθε, τοὺς ποίμνης κτίλους,
> ὅσον παλαιὸν καὶ ὅσον προσήλυτον,
> τοῦ πατρὸς οὐ φέροντας τὴν ἐρημίαν,
> ἐπισκόπων τε τοὺς λίαν πεπληγότας [2].

1. P. Gallay, *op. cit.*, p. 210, n. 5.
2. *Gregor von Nazianz. De vita sua*, éd. Chr. Jungck, Heidelberg 1974.

Le plus probable est que Grégoire a offert en quelques mots sa démission aux évêques dans des termes très proches de ceux du poème autobiographique, que cette offre n'a pas été prise au sérieux (ce qui explique qu'elle ait été combattue mollement[1]) et qu'il n'a plus reparu devant le concile après avoir obtenu l'assentiment impérial. Revenu en Cappadoce au cours de l'été 381, il a jeté sur le parchemin les idées et les sentiments qu'il n'avait pas exprimés à l'occasion de son départ de Constantinople et qui étaient à l'origine de sa décision. La plume était libre là où la parole eût été dans la réalité enchaînée.

Ce brûlot anticlérical[2] fut-il du moins publié par son auteur ? S'il connut une diffusion de son vivant, ce que rien ne permet d'exclure *a priori*, l'examen de la tradition manuscrite dans son détail donne à penser que les témoins que nous avons collationnés dérivent d'un unique exemplaire dont la teneur n'a pas été livrée au public par son auteur lui-même.

Le texte du *Discours* 42 et sa composition

Il est inutile de redire ici tout ce qui concerne les témoins sur lesquels cette édition est fondée. On se reportera aux volumes précédemment parus, et notamment à ceux dont j'ai pris la responsabilité[3]. Rappelons cependant les données essentielles.

Les manuscrits qui contiennent la totalité ou la presque totalité des discours de Grégoire de Nazianze se répartissent en deux groupes que distinguent le nombre des

1. *De vita sua*, v. 1868-1870.

2. Sur un fond d'ironie (cf. 1.10.11) se détachent des critiques voilées (cf. 13) ou plus nettement formulées (cf. 14) et de longues et dures attaques (cf. 19 et 21-24).

3. *Discours 1-3* (*SC* 247), Paris 1978 ; *Discours 4-5* (*SC* 309), Paris 1983.

œuvres reproduites, mais surtout l'ordre dans lequel celles-ci sont présentées. Trois manuscrits sont représentatifs du groupe qui classe les discours dans l'ordre 2-12[1]. Ce sont : 1. le *Mosquensis synodalis 57* (Vladimir 139) du IXe siècle (S), où le Discours 42 se trouve aux folios 307-317 ; 2. le *Marcianus gr. 70* (D), du Xe s. (f. 339-348) ; 3. le *Coislinianus 51* (C), du Xe siècle (f. 356-367v). De son côté, l'*Ambrosianus E 49-50 inf.* (A), écrit en onciales et datant du IXe siècle, qui appartient au recueil des 52 discours (M) si on tient compte du principe de classement fondé sur l'ordre de présentation des discours, appartient, en ce qui concerne le *D.* 42, à la famille de texte de SDC. Le *D.* 42 s'y trouve aux pages 659-676. A est lacunaire à partir de 25, 5 (μετὰ εὐχῶν) jusqu'à la fin du discours[2].

Six manuscrits représentent le groupe qui, classant les discours dans l'ordre de succession 1-2-3[3], constitue par ailleurs une famille de textes en ce qui concerne ce discours. Dans le *Palmiacus 43-44*, du Xe s. (Q), le *D.* 42 se trouve aux folios 182v-198v. Deux des manuscrits de cette famille, le *Parisinus 510* (B)[4] et le *Vindobonensis Suppl. gr. 189* (J) sont des onciaux, J étant de surcroît un palimpseste. Reconnu par O. Mazal, il a été daté par lui des VIIIe/IXe siècles[5]. Les œuvres qu'il contient sont, dans l'ordre, les suivantes : *Discours* 38, 39, 40, 45, 44, 41, 21, 43, 24, 15, 32, 25, 34, 33, 36, 26, 42 ; *Lettres* 101, 102, 202 ; *Discours* 4, 5, 13. Le *Discours* 42 occupait deux cahiers de la façon qui suit[6] :

1. «Famille» M de Sinko.
2. Le *Discours* 42 ne figure pas dans le *Palmiacus 33* (P).
3. «Famille» N de Sinko.
4. Le *D.* 42 se trouve dans les f. 239v-249.
5. O. MAZAL-P. Th. HANNICK, «Zwei neuerworbene griechische Handschriften der Österreichischen Nationalbibliothek», *Jahrbuch der Österreichischen Byzantinischen Gesellschaft*, XVII (1968), 189-195.
6. La première colonne, en chiffre gras, donne le numéro du cahier, les chiffres grecs étant ceux qui sont lisibles sur le manuscrit. La

30	3	AB *D*. 42, 1-2	1, 1 Πῶς	2, 14 σκοτόμαινα
	17	BA *D*. 42, 2-3	2, 15	3, 33 ἄθεον καὶ
	91	BA *D*. 42, 3-5	3, 34 τὸ πάσχειν	5, 5 πραεῖς
	31	BA *D*. 42, 5-7	5, 5 εἰς	7, 1 τῆς
	26	BA *D*. 42, 7-8	7, 1	8, 15 μεγαλόψυχος
	84	BA *D*. 42, 8-10	8, 15 προαιρέσεως	10, 15 ἄν
	24	BA *D*. 42, 10-13	10, 15 ἄλλο	13, 9 ἑαυτῶν
	6	AB *D*. 42, 13-15	13, 9 ἵνα	15, 10 τό-
31	32	BA *D*. 42, 15-16	15, 10 -δε	16, 32 ὥσπερ τὴν
λα′	170	BA *D*. 42, 16-19	16, 32 παλαιὰν	19, 1 ἀπόλογος
	X			
	82	BA *D*. 42, 20-22	20, 26 θα]λάσσῃ	22, 20 εἶς
	77	BA *D*. 42, 22-24	22, 20 εἶναι	24, 4 Ἠγνόουν
	X′			
	165	BA *D*. 42, 25-27	25, 17 οὖν	27, 5 τοῦ
	25	BA *D*. 42, 27 ; L. 101	27, 6 κακοῦ	L. 101, 6 καὶ τὴν

Un certain nombre de feuillets de J sont perdus, de sorte que ce témoin fait défaut dans les passages suivants : 19, 2 (παρουσίας) ; 20, 26 (θαλάσσῃ) ; 24, 4 (γὰρ) ; 25, 17 (Ὑμεῖς μὲν)[1].

Dans le *Mosquensis Synodalis 64* (Vladimir 142), du IXe siècle (W), le discours occupe les f. 285v-294 tandis que dans le *Vindobonensis theol. gr. 126* (V), du début du XIe s., il se trouve dans les f. 252-260. Citons enfin le *Mosquensis synodalis 53* (Vladimir 147) du Xe s. (T) où il occupe les f. 284-294.

deuxième colonne donne la numérotation des folios du manuscrit dans son état actuel. Les lettres X, Y ou Z correspondent à des folios manquants. La lettre A signifie qu'une page occupe actuellement une position de recto, la lettre B correspondant à une situation de verso. On trouvera ensuite les références à la présente édition du début et de la fin du texte de chaque folio. Les mots grecs sont indiqués lorsqu'ils sont clairement lisibles. La référence à la *Lettre* 101 renvoie à l'édition donnée par P. Gallay des *Lettres théologiques* (*SC* 208), Paris 1974.

1. J'ai publié la table des matières détaillée de J dans « Un nouveau témoin de la tradition manuscrite des discours de Grégoire de Nazianze : le palimpseste Vind. Suppl. gr. 189 », *Le Muséon* 97 (1984) 95-108.

Il y a donc deux familles de texte, comme l'illustrent les exemples suivants :

ASDC	QBJWVT
1, 23 δεῖν	om.
1, 29 add. δικαίως	
4, 23 συμπλείοσι	πλείοσι
5, 16 τί μεῖζον	μεῖζον
7, 9 ἀκαθαρσίαν	κάθαρσιν
10, 7 ἄξια	om.
12, 8 εὖ	om.

Néanmoins, les cas sont fréquents où B s'accorde avec ASDC contre QJWVT :

ASDC B	QJWVT
1, 5 συνέκδημον	ἔκδημον
3, 32 βάρος ὁμοῦ καὶ	om.
3, 33 τῷ (τὸ AS) πάσχειν	om.
5, 15 μικρόν	ὀλίγον
7, 19 μυριάδων	om.
7, 25 τῷ ἀριθμῷ	om.
10, 16 καὶ τιμωμένων	om.

Mais l'aspect le plus intéressant de la tradition manuscrite de ce discours réside dans un certain nombre de courts passages si mal coordonnés à leur contexte que la question de leur authenticité mérite d'être posée, bien qu'ils figurent dans tous les témoins.

C'est déjà un peu le cas de la parenthèse ψευδόχριστος ἦν de 3, 31-32. Évoquant la mémoire de l'arien Valens après celle du païen Julien, Grégoire écrit en effet : ὁ δεύτερος, οὐδὲν ἐκείνου φιλανθρωπότερος, ὅτι μὴ καὶ βαρύτερος ὅσῳ τὸ Χριστοῦ φέρων ὄνομα (ψευδόχριστος ἦν), « Le second n'était pas meilleur que l'autre. Il était même plus lourd à supporter, dans la mesure où il portait le nom du Christ (c'était un faux Christ)... ». Il est bien vrai que notre auteur aime à multiplier les parenthèses, mais celle-ci a un tour un peu forcé qui brise la continuité du discours et elle n'est pas loin de faire figure de corps étranger. Elle est cependant mieux rédigée qu'une glose de lecteur et il y a d'autant

moins lieu de mettre en cause son authenticité que le mot ψευδόχριστος fait partie du vocabulaire de l'auteur (cf. *D.* 11, 6). A la limite, on pourrait y voir une note marginale de l'auteur ajoutée sur son exemplaire personnel. C'est une hypothèse que suggèrent d'autres passages que nous allons examiner, encore qu'on puisse voir ici la marque d'une rédaction plus écrite qu'oratoire.

Au chapitre 15, 8-11, on lit ce qui suit : Οὔτε τοῦ ἀνάρχου τὸ ἄναρχον φύσις, ἢ τὸ ἀγέννητον· οὐδεμία γὰρ φύσις ὅ τι μὴ τόδε ἐστίν, ἀλλ' ὅ τι τόδε. Ἡ τοῦ ὄντος θέσις, οὐχ ἡ τοῦ μὴ ὄντος ἀναίρεσις, « L'absence de principe ne constitue pas la nature de celui qui est sans principe, pas plus que le fait d'être inengendré, car aucune nature ne se définit par ce qu'elle n'est pas : elle se définit par ce qu'elle est. L'affirmation de ce qui est, non l'exclusion de ce qui n'est pas. » Sur le plan grammatical, le membre de phrase Ἡ τοῦ ὄντος θέσις, οὐχ ἡ τοῦ μὴ ὄντος ἀναίρεσις se rattache très mal à son contexte, mais il est trop bien rédigé pour pouvoir être considéré comme une simple glose : en revanche, c'est bien ce que pourrait écrire un auteur qui reprend en mains un manuscrit rédigé depuis quelques mois ou quelques années et ajoute en marge une phrase à demi-rédigée, susceptible de servir de pierre d'attente à une révision du texte.

La même remarque peut être faite à propos des premières lignes du chapitre 18 : Πρὸς ταῦτα, Μωαβίταις μὲν καὶ Ἀμμανίταις μηδὲ εἰσιτητὸν εἰς ἐκκλησίαν ἔστω Θεοῦ (λόγοις διαλεκτικοῖς τε καὶ κακοπράγμοσιν), οἳ... « En conséquence, que l'entrée dans l'Église de Dieu ne soit même pas permise aux Moabites et aux Ammonites (de méchants propos de dialecticiens), qui... ». La parenthèse veut être l'explication d'une allusion scripturaire que l'auteur avait cru transparente dans son premier mouvement, mais dont il perçoit avec le recul du temps qu'elle ne l'est pas nécessairement. Là encore, la correction n'est faite qu'à demi. Un vulgaire glossateur n'aurait probablement pas pris la précaution d'employer le datif, d'utiliser deux épithètes et de les lier au moyen d'un τε καί.

Au chapitre 22, 11-14, Grégoire stigmatise les variations publiques des évêques, qui changent de doctrine au gré des circonstances : οὐκ αἰσχυνόμεθα τοῖς αὐτοῖς χρώμενοι τῶν ἐναντίων ἀκροαταῖς, οὐδ' ἐπὶ τῶν αὐτῶν βεβήκαμεν, ἄλλοτε ἄλλους ποιούσης ἡμᾶς τῆς φιλονεικίας. Εὐρίπων μεταβολαί τινες ἢ ἀμπώτιδες, « Nous n'avons pas honte de tenir devant le même auditoire des propos opposés, et nous n'avons pas gardé les mêmes positions parce que la polémique nous met tantôt d'un côté et tantôt de l'autre. Ce sont des inversions de cours sur l'Euripe ou des mouvements de marée. » Le groupe de mots Εὐρίπων μεταβολαί τινες ἢ ἀμπώτιδες constitue évidemment une addition, ou plus exactement une note de l'auteur incomplètement rédigée.

Moins sûre est la conclusion à tirer de la parenthèse qui module la première phrase du chapitre 24 : Τάχα δ' ἂν καὶ ταῦτα ἡμῖν ὀνειδίσαιεν (καὶ γὰρ ὠνειδίκασι)... « Il se peut qu'on nous adresse aussi ces reproches (au demeurant, ils ont bien été formulés)... ». L'expression est curieuse, puisque au potentiel accompagné d'un *peut-être* succède tout aussitôt un parfait qui atteste la réalisation de ce qui vient d'être envisagé comme une simple hypothèse. La parenthèse se comprendrait mieux si elle constituait une addition apportée avec quelque recul à la rédaction primitive. Dans un premier temps, l'auteur a évoqué les reproches qu'on pouvait lui adresser et il les a énoncés par écrit. Un peu plus tard, des critiques précises sont revenues à ses oreilles ou encore la réalité du grief a frappé davantage son esprit. Se relisant, il ajoute cette brève note dans la marge.

Il nous faut encore citer un autre passage, qui, nous semble-t-il, témoigne d'une rédaction en cours et encore inachevée. L'orateur prête la parole à Dieu et met dans sa bouche une série d'antithèses qui illustrent et expliquent à la fois sa rigueur passée à l'égard des chrétiens ainsi que son indulgence actuelle. Ταῦτα διὰ τὴν ἐμὴν δόξαν, ὃς δοξάζω τοὺς δοξάζοντας, lisons-nous au chapitre 7, 10 : « aujourd'hui <s'explique> par ma gloire, car je glorifie ceux qui me glorifient », pouvons-nous traduire. Mais cette

traduction masque en réalité une incorrection, le relatif ὅς ne pouvant guère avoir pour antécédent l'adjectif ἐμήν. Cette incorrection disparaît si on rattache directement la proposition relative ὅς δοξάζω τοὺς δοξάζοντας aux citations bibliques des lignes 4-6. La teneur primitive du texte était Ἐν θυμῷ μικρῷ ἐπάταξά σε καὶ ἐν ἐλέῳ αἰωνίῳ δοξάσω σε, ὃς δοξάζω τοὺς δοξάζοντας. Ce chapitre 7 s'est constitué autour d'une série de passages scripturaires qui en formaient l'ossature, l'auteur intercalant ensuite ses commentaires en habillant, pour ainsi dire, ce squelette de chair. Dès lors, le passage prend la forme que nous lui connaissons : Ἐν θυμῷ μικρῷ ἐπάταξά σε καὶ ἐν ἐλέῳ αἰωνίῳ δοξάσω σε [μεῖζον τὸ μέτρον τῆς φιλανθρωπίας, ὑπὲρ τὸ μέτρον τῆς παιδαγωγίας. Ἐκεῖνα διὰ τὴν πονηρίαν, ταῦτα διὰ τὴν Τριάδα προσκυνουμένην. Ἐκεῖνα διὰ τὴν ἀκαθαρσίαν, ταῦτα διὰ τὴν ἐμὴν δόξαν] ὃς δοξάζω τοὺς δοξάζοντας καὶ παραζηλῶ τοὺς παραζηλοῦντας. Le passage intercalé, que nous avons mis entre crochets droits pour plus de clarté, avait été probablement porté par l'auteur dans la marge de son manuscrit. Son insertion détermine la légère incorrection que nous avons signalée.

Si le cas était unique, on pourrait présumer que l'auteur avait procédé lui-même à cette insertion. Compte tenu des exemples que nous avons signalés plus haut, l'hypothèse qui s'impose à notre esprit est que tous les témoins collationnés dérivent d'un exemplaire d'auteur qui portait dans ses marges diverses additions. Cet exemplaire a été retrouvé dans les papiers de Grégoire à sa mort et les additions marginales ont été incorporées dans le texte par le premier éditeur à une date indéterminée. Non seulement les Pères du concile de 381 n'ont rien entendu des critiques qui leur étaient destinées, mais encore cette philippique d'outre-tombe ne les a probablement jamais atteints. Autre conclusion à tirer de ces faits : la possession des manuscrits des écrivains modernes nous a habitués à comparer les états successifs de bien des ouvrages, à saisir sur le vif leur genèse ainsi que les modes de composition de leur auteur.

Cet exemplaire d'auteur nous donne la chance unique d'opérer de la même façon en ce qui concerne un écrivain ancien. Allons plus loin : si ce que nous avons constaté dans le Discours 42 de Grégoire de Nazianze est vrai, l'ensemble de ses discours méritent d'être revus de près. Nous parlions, en effet, plus haut de la prédilection générale que Grégoire semble avoir pour les parenthèses : on ne peut plus exclure que ce que nous appelons des parenthèses aient été, en totalité ou en partie, des additions marginales de l'auteur ou des repentirs. Dans la mesure où cette hypothèse se vérifierait, les modalités de la publication de l'œuvre s'en trouveraient éclairées.

Quand ce discours a-t-il été rédigé ? A coup sûr, il a été composé en plusieurs étapes. La couche de texte la plus ancienne a des chances d'être proche du départ de Constantinople : en entreprenant la rédaction de cette œuvre, Grégoire se livrait à ce que les psychologues appellent une rédaction compensatoire. Nous avons cité plus haut une expression qui détermine un *terminus post quem* : Grégoire se dit, en effet «libre et obscur» au moment où il s'exprime, μετὰ τῆς ἀφανίας ἐλεύθερος[1]. L'homme qui tient un tel langage n'a plus aucune responsabilité pastorale : non seulement il n'est plus l'évêque de Constantinople, mais il s'est également déchargé de façon définitive de la responsabilité de l'Église de Nazianze, ce qui s'est produit au cours de l'année 383. La mort l'a surpris en 390, avant qu'il ait pu ou voulu donner forme définitive et achevée à cette œuvre. Le Discours 42 de Grégoire de Nazianze est une œuvre inachevée que son auteur n'a jamais publiée.

Les raisons de cette réserve sont assez claires : écrire un tel discours, le reprendre en mains de temps à autre et y ajouter parfois un mot ou l'autre constituait un exercice de défoulement qui ne présentait guère d'inconvénient ;

1. *D.* 42, 22, 20-21.

publier des paroles aussi dures pour l'épiscopat eût revêtu une portée tout autre. Au demeurant, Grégoire risque à plusieurs reprises des allusions peu amènes à la personnalité de son successeur à Constantinople[1]. Le nom de ce successeur, Nectaire, était connu de tout le monde au moment où ce texte aurait été diffusé, et Nectaire est mort plusieurs années après Grégoire. Or ce dernier entretenait avec lui une correspondance dont le ton et l'existence même cadrent mal avec les réserves du discours[2]. Grégoire songeait-il à une publication posthume à intervenir après la mort de tous les intéressés? C'est possible, car les défauts criants de l'épiscopat qu'il critiquait sans ménagement étaient de ceux qui dépassaient les personnes et qui demandaient une réforme. C'est en ce sens qu'on peut dire que les Discours 42 et 43 forment les deux volets d'un diptyque, la personne et la carrière ecclésiastique d'un Basile fournissant les traits du modèle à proposer aux successeurs à venir des évêques décevants de 381.

Les circonstances du *Discours* 43

L'oraison funèbre que Grégoire de Nazianze a consacrée à son ami est, à coup sûr, l'une de ses œuvres les plus importantes. Elle l'est par son ampleur, car c'est de beaucoup le plus long de ses discours ; mais elle l'est aussi par la richesse de son inspiration, par les ambitions affichées et par le caractère vital du sujet traité pour celui qui, non sans appréhension réelle ou feinte[3], avait entrepris de se mesurer avec lui. C'est qu'à l'égard d'une personnalité aussi tourmentée que celle de Grégoire, Basile avait joué

1. Cf. les chapitres 20, 24 et 25.
2. Cf. les *Lettres* 88, 91, 151, 186 sans parler de la *Lettre théologique* 202, à l'occasion de laquelle Nectaire joue plus le rôle d'un dédicataire que d'un simple correspondant.
3. Cf. *D.* 43, 1, 25-2, 6.

un rôle capital. Ce romantique avant la lettre, qui sentait constamment son existence lui échapper[1], n'espérait la retrouver qu'en Dieu seul, objet d'une attente passionnée, au-delà d'une mort fortement perçue comme une délivrance de la chair et du monde. En attendant, il fallait tenter de vivre et l'amitié exigeante et forte de Basile avait été pour lui pendant trente ans, depuis les abords de la vingtième année jusqu'à la cinquantaine, le seul appui et le seul recours humains. Grégoire avait vécu subjugué par Basile. Lorsque ce dernier disparaît, le 1er janvier 379, Grégoire vient de prendre congé de lui. Bientôt, cet être humainement fragile se trouvera jeté au cœur d'une des mêlées les plus agitées d'un siècle qui n'en manquait pas. Cet évêque sans Église à diriger avait accepté, peu après la mort de Valens (9 août 378) de se mettre à la tête de la petite communauté orthodoxe de la capitale et d'essayer de rétablir à Constantinople l'orthodoxie nicéenne, battue en brèche depuis quarante ans. Pendant deux ans et demi, il mène alors une lutte solitaire et difficile qui s'achève au milieu de 381 par un triomphe assorti d'un échec personnel. Le concile s'est plié devant l'autorité impériale et le règne de l'orthodoxie commence en Orient après plus d'un demi-siècle de tâtonnements et de reculs. Mieux, la divinité du Saint-Esprit est proclamée par le concile. La ligne théologique défendue par Basile et par Grégoire triomphait, mais Grégoire était brisé. Cet homme que son profond besoin d'affection rendait éminemment vulnérable avait rencontré incompréhension, intrigues, médiocrité et duplicité chez ses frères, les évêques réunis en concile. Surtout, il était profondément sceptique sur la sincérité des membres du concile, et il s'était refusé à cautionner la profession de foi qu'ils avaient adoptée, faute d'y voir figurer le mot *consubstantiel*, seul susceptible à ses yeux d'exprimer la divinité du Saint-Esprit. Brusquement, il avait

1. Cf. entre autres le poème *Sur la nature humaine* (1, 11, 14).

démissionné du premier siège épiscopal de l'Orient et il était rentré dans sa bourgade natale, cette Nazianze minuscule, qui n'avait ni remparts, ni hippodrome, ni même bains publics, dans cette Cappadoce où Basile n'était plus. Quel monastère eût reçu un personnage aussi encombrant que l'ancien évêque de la capitale ? On sait qu'il accepta de diriger une fois de plus pendant quelques mois la petite Église de Nazianze, dont le modeste siège n'aiguisait guère les ambitions. C'est alors qu'il retrouva la compagnie d'autres évêques, peut-être moins supportables que ceux qu'il avait fuis une première fois quelque temps après la mort de son père. C'était le temps où, sous l'impulsion de Théodose et des conciles successifs réunis à Constantinople, une nouvelle orthodoxie s'instaurait. Pour conserver leurs sièges, les évêques de la Cappadoce II s'empressaient d'afficher leur adhésion à la doctrine trinitaire, n'hésitant pas à se réclamer de ce Basile qu'ils avaient critiqué quelques années plus tôt et dont ils avaient alors jugé le caractère hautain parce qu'ils supportaient mal ses origines aristocratiques, sa culture, son génie et sa popularité.

A Césarée cependant, métropole de la Cappadoce I, Helladios, le successeur de Basile, entretenait la mémoire de celui qui l'avait précédé et l'anniversaire de sa mort était célébré. Peut-être Helladios s'était-il acquitté lui-même du discours d'usage le 1er janvier 380, et il est probable que Grégoire de Nysse, dont l'œuvre nous est conservée, prit la parole en 381 [1]. Notre Grégoire était alors à Constantinople et ne pouvait guère quitter la ville. Le 1er janvier 382, tout conseillait de faire appel à lui et c'est peut-être à cette date, la première utile mais non la seule possible, qu'il célébra publiquement la mémoire de son ami. Quoi qu'il en

1. *PG* 46, 738 C-817 D. Cf. J. Daniélou, « La chronologie des sermons de saint Grégoire de Nysse », *Revue des Sciences Religieuses* (1955), p. 351.

soit, le texte que nous avons en mains n'a que des rapports assez lointains avec l'allocution qu'il prononça ce jour-là. Il est, semble-t-il, beaucoup trop long pour avoir été imposé tel quel à des auditeurs. Il n'est pas certain que le long développement consacré aux souvenirs des années passées à Athènes ait été pour plaire à des auditeurs qui n'avaient pas bénéficié du même privilège et qui nourrissaient, pour certains, des préventions à l'égard de la haute culture. Il est peu probable qu'ils aient apprécié le rappel des préventions qui avaient entouré autrefois l'accession du héros du jour à l'épiscopat et des chicanes ecclésiastiques qui l'avaient suivie. Enfin, cet éloge déroge aux habitudes les mieux établies d'une façon que des auditeurs n'auraient pas supportée, car l'auteur y parle trop de lui-même et de façon souvent avantageuse, sans craindre, surtout, de mêler aux éloges du défunt les critiques de sa conduite. Il y a donc tout lieu de penser que le texte parvenu entre nos mains résulte d'un large remaniement opéré par l'auteur au cours des dernières années de son existence dans la solitude d'Arianze.

Une oraison funèbre

En dehors des éloges de martyrs, qui présentent un caractère particulier, Basile n'a laissé aucune oraison funèbre. Grégoire de Nysse en a prononcé quatre[1], ce qui n'est pas pour surprendre de la part d'un homme qui avait enseigné la rhétorique. Il est encore moins surprenant que Grégoire, tout habité par une vocation manquée de professeur d'éloquence, en ait composé un nombre plus élevé

1. Ce sont celles de Basile (*PG* 46, 788 C-81 D), de Mélèce (*PG* 46, 852 A-861 B), de la princesse Pulchérie (*PG* 46, 472 A-489 B) et de l'impératrice Flaccilla (*PG* 46, 877 C-892 A). Les trois dernières ont été publiées dans W. Jaeger et H. Langerbeck, *Gregorii Nysseni Opera*, IX, I, Leide 1967, p. 345-490.

encore. L'éloge de saint Cyprien[1] comme celui des Macchabées[2] doivent être mis à part, puisqu'ils concernent des martyrs, mais celui de saint Athanase est à ranger aux côtés de celui de Basile[3]. Avec Grégoire l'Ancien, Grégoire célébrait sans doute également la mémoire d'un évêque, mais il s'agissait surtout de son propre père[4]. On sait que sa sœur, Gorgonie, qui avait été une chrétienne exemplaire, a également fait l'objet d'un éloge[5], mais il y aurait lieu d'être un peu surpris en constatant que la première en date des oraisons funèbres composées par notre auteur est celle d'un frère[6] dont la vie, sans avoir été scandaleuse, pouvait difficilement être donnée en exemple[7], si on n'avait pas l'impression que l'homme de lettres et de parole qu'est resté toute sa vie cet évêque s'était saisi avec empressement de la première occasion qui lui était donnée de déployer ses talents d'orateur[8]. Grégoire n'a pas enseigné la rhétorique à Athènes comme il l'avait un instant envisagé[9], mais son œuvre tout entière témoigne d'une

1. *Discours* 24, in *Discours 24-26*, éd. J. Mossay (*SC* 284), Paris 1981.

2. *Discours* 15, *PG* 35, 912-933.

3. *Discours* 21, in *Discours 20-23*, éd. J. Mossay (*SC* 270), Paris 1980.

4. *Discours* 18, *PG* 35, 985-1044.

5. *Discours* 8, *PG* 35, 789-817.

6. Césaire, médecin à la cour de Constance, s'était attardé auprès de Julien l'Apostat au point de créer un scandale à Nazianze et de s'attirer de la part de son frère un vigoureux rappel à l'ordre (*Lettre* 7). A son décès, sa famille vit surgir de nombreux créanciers.

7. *Discours* 7, *PG* 35, 756-788. Ce texte a été publié et traduit avec notre discours par F. Boulenger, *Grégoire de Nazianze. Discours funèbres*, Paris 1908.

8. Grégoire manifeste, notamment dans ses poèmes, un profond attachement à sa mère. On est donc surpris que celle-ci soit le seul membre de la famille dont la mémoire n'ait pas été honorée d'un discours. Il est possible que l'anniversaire du décès de Nonna soit intervenu dans des circonstances qui ne permettaient pas à son fils d'être présent.

9. Cf. *D.* 43, 24 et les n. 1 et 2, p. 180.

ambition précise, celle d'être par l'écrit un grand sophiste chrétien[1]. C'est à dessein qu'il a illustré tous les genres littéraires de l'époque[2] : nul doute que l'oraison funèbre était celui qui devait le tenter le plus par les possibilités de tous ordres qu'il offrait, et notamment parce qu'il permettait d'ériger en modèles des existences marquées des valeurs propres du christianisme.

Grégoire déclare, non sans une fierté de brillant élève, que Basile et lui-même avaient suivi les enseignements de tous les maîtres qui enseignaient à Athènes lorsqu'ils y séjournaient[3]. Parmi ces sophistes, Himérios est le seul dont nous ayons conservé des fragments importants. Ici ou là, nous aurons à signaler telle ou telle façon de s'exprimer qui dénote une influence persistante du maître sur l'élève[4]. Ce qui est sûr, c'est que notre auteur, piqué au vif par la loi scolaire de Julien[5], qui prétendait exclure les chrétiens de l'enseignement, tient à montrer qu'il n'ignore rien des méthodes et des procédés de l'école. Le plan de son discours est conforme aux exigences des traités de rhétorique[6]. Encadrés par un προοίμιον (1-2) et un ἐπίλογος (81-82), les thèmes de l'ἐγκώμιον se succèdent dans un ordre qui ne doit rien au hasard. Il évoque en premier lieu les

1. L'exorde de notre discours prévient le lecteur : le sujet traité par un homme qui a «depuis longtemps renoncé à toute ambition» est un sujet propre à décourager «ceux dont l'éloquence est la vie et qui se sont consacrés à ce seul et unique objet que constitue une réputation acquise à traiter des sujets de ce genre». Comment mieux dire que l'auteur avait renoncé à un aspect du métier de rhéteur, l'enseignement, mais nullement à publier.

2. Les *Discours* 1 et 2 sont des ἀπολογίαι, le *D.* 3 est une κατηγορία, les *D.* 4-5 relèvent du ψόγος, le *D.* 24 est un προπεμπτήριος λόγος et le *D.* 42 un συντακτήριος, sans parler des œuvres qui relèvent d'un mélange des genres, de la correspondance et des poèmes.

3. Cf. *D.* 43, 22, 9-13.

4. Cf. la n. 1, p. 158, qui accompagne le texte du *D.* 43, mais aussi les n. 2, p. 152 ; 4, p. 168 ; 1, p. 169 et 2, p. 179.

5. Cf. *D.* 4, 6, 17-18.

6. Cf. les traités de Ménandre et Théon dans SPENGEL, *Rhetores græci*, Leipzig 1853-1856.

biens extérieurs (τὰ ἔξωθεν) dont avait joui son héros (3-24), les ancêtres paternels et maternels et les parents immédiats, l'éducation reçue d'abord dans le Pont, puis à Césarée, à Constantinople et surtout à Athènes. Vient ensuite un exposé de la carrière de Basile : la période du sacerdoce (25-36) suivie de l'épiscopat (37-59), exposé conduit avec le souci de mettre en valeur les principaux aspects de l'activité de Basile et sans grande préoccupation de chronologie. Les vertus de Basile (τὰ περὶ ψυχήν) font l'objet d'une présentation systématique (60-64) avec laquelle fait corps un rappel de son enseignement oral ainsi que des écrits qui le perpétuent (65-69). Un long développement établit à l'aide d'une série de comparaisons que le héros ne le cédait à aucune des plus hautes figures de l'Ancien et du Nouveau Testament et que nul n'est en état de l'égaler (70-77). Le récit de la mort et des funérailles clôt l'exposé (78-81).

Il n'est pas d'ouvrage de Grégoire de Nazianze où la volonté de s'inscrire dans les cadres définis par l'école soit plus évidente que dans celui-ci. Ici ou là apparaissent des mots qui relèvent du vocabulaire de l'enseignement[1], mais c'est dans l'exorde qu'apparaît le plus nettement l'intention de faire de l'ouvrage comme une sorte de chef d'œuvre au sens ancien du terme. Basile est présenté comme un maître de rhétorique qui, de son vivant, donnait habituellement à son élève des sujets (πολλὰς ... ὑποθέσεις) à traiter. L'éloge funèbre du disparu est situé d'emblée dans ce cadre scolaire, puisqu'il est donné comme «un magnifique sujet de compétition» (ὑπόθεσιν ἀγώνων μεγίστην)[2] tandis

1. Citons, entre autres, des mots comme διάλεξις : 17, 24; διατριβή : 17, 8 ; διήγημα : 3, 9 ; 4, 8 ; 8, 7 ; 13, 12 ; 14, 20, 25 ; 19, 17 ; 37, 20 ; ἐπιδεικτικῶς et θεατρικῶς : 25, 3-4 ; ἑταιρία : 17, 8 : ἑταῖροι : 20, 19 et 24, 10 : προμελετᾶν : 17, 15 ; σοφιστικὸς θρόνος : 13, 22-23 ; νέηλυς : 16, 10, 36 ; 17, 16 ; παιδευτήριον : 13, 5 ; τριβών : 17, 14.

2. Le mot ὑπόθεσις est employé quatre fois en quelques lignes dans l'exorde (1, 1, 4, 7, 13). On le retrouvera en 10, 19, 20. Sur ἀγών, cf. 1, 4 ; 2, 2 ; 20, 7.

que l'auteur se présente lui-même comme un professionnel de la parole parmi d'autres (τοῖς περὶ λόγους ἐσπουδακόσιν)[1], dont le but n'est pas moins d'illustrer la littérature que d'honorer la mémoire d'un mort[2].

Cet évêque qui cite Homère et Pindare et qui a lu les Tragiques, qui fustige ceux des chrétiens qui méprisent la culture profane et les compare à des borgnes[3] entend bien s'inscrire dans la tradition littéraire grecque et il sacrifie d'autant plus volontiers aux normes en vigueur qu'il est anxieux de se faire reconnaître par un milieu intellectuel étranger et hostile au christianisme. Grégoire sait pourtant s'affranchir des règles de l'école. Il le fait, bien évidemment, en s'inspirant constamment de l'Écriture et en la citant souvent : l'inspiration chrétienne de l'œuvre est patente à chacune de ses lignes. Mais il y a encore et surtout en lui un écrivain d'une grande originalité dans la mesure où, associant étroitement sa destinée à celle de son ami[4], il n'hésite pas à parler longuement de lui-même, de ses sentiments, de sa vie, de ce qu'il considère comme ses échecs, et où il ose même adresser des reproches à ce Basile dont il est en train de sculpter la statue pour la postérité[5].

1. *D.* 43, 1, 5.
2. Cf. *D.* 43, 1, 24-25.
3. Cf. *D.* 43, 11 ; 12, 17-20.
4. La chose est sensible dès les premiers mots du discours et elle se vérifie à chaque page. C'est ainsi que tout le récit des années passées à Athènes (15-24) est moins dicté par les nécessités de l'éloge d'une personne qu'inspiré par la nostalgie des années heureuses. De même, Grégoire revit le découpage de la Cappadoce en deux provinces, qui affectait l'influence de Basile, comme la source de ses propres malheurs.
5. Cf. *D.* 43, 24, 14-15 : « Ici, je me mettrai quelque peu moi-même en cause, mais je mettrai aussi en cause (κατηγορήσω) cette âme divine et irréprochable. » « Il m'avait trahi », 24, 20. « Dans ce projet, j'ai peur d'avoir été moi-même traité en accessoire : je ne vois pas quel autre terme décent il faudrait employer », 59, 11-12. « ... l'attentat et le manque de loyauté dont nous avons été l'objet, dont le temps lui-même n'a pas effacé l'amertume », 59, 16-17.

Un modèle

Parmi les thèmes qui courent à travers l'œuvre entière de Grégoire, il en est un qui lui est propre : c'est la critique du personnel de l'Église, prêtres et surtout évêques. Pour ne citer que les textes majeurs, le *Discours* 2 et le *Discours* 42 ainsi que plusieurs des poèmes[1] relèvent de cette inspiration à laquelle le *D.* 43 fait également écho dans la mesure où l'évocation de la silhouette d'évêques indignes sert en quelque sorte de repoussoir et de faire-valoir au modèle dont Basile se voit assigner le rôle.

Ces évêques, qui sont la majorité, le sont devenus «à l'improviste», il ont «reçu la sagesse en même temps qu'on les décrassait[2]», car les promotions épiscopales se font dans le désordre[3] et «le plus saint de tous les corps (τάγμα)... court le risque d'être le plus ridicule, car le premier rang résulte moins de la vertu que de la malfaisance[4]». Ces notations négatives n'ont pas d'autre but que de faire ressortir l'éminente qualité d'un Basile appelé à servir de modèle. A l'appel de l'orateur une longue suite de patriarches, de prophètes et d'apôtres ouvre la marche à celui qui, s'étant hissé à leur niveau, prend désormais place à leurs côtés de telle façon que les yeux doivent rester fixés sur lui, et l'auteur n'hésite pas à conférer à son héros le titre de saint. Basile est «pour le public le modèle (τύπος)

1. Cf. les deux grands poèmes autobiographiques II, 1, 1 et II, 1, 11, mais aussi les poèmes II, 1, 12, 13, 17. Le poème II, 1, 11 a fait l'objet d'une édition critique commentée assortie d'une traduction allemande de la part de Chr. Jungck, *Gregor von Nazianz, De vita sua.* Heidelberg 1974. Il en va de même du poème II, 1, 1 ; cf. Rolande-Michelle Bénin, *Une autobiographie romantique au* IV*e siècle : le poème II, 1, 1 de Grégoire de Nazianze*, thèse dactylographiée de l'Université Paul Valéry, Montpellier 1988.

2. *D.* 43, 25, 25-27.

3. *D.* 43, 26, 2.

4. *D.* 43, 26, 11-14.

de l'ordre à respecter[1]». Le contexte de cette affirmation montre bien où se situe l'articulation essentielle des pensées développées par notre auteur. A ses yeux, la majorité des évêques de son temps ne sont pas de bons pasteurs parce que, n'ayant pas été préparés à exercer leurs responsabilités, ils n'en sont pas dignes. Si quelques-uns vont jusqu'à «vomir sur les autels», faisant ripaille aux dépens de ce qui appartient aux pauvres, comme on le voit dans le *Discours* 42[2], si l'appât du gain et l'amour du pouvoir animent un Anthime de Tyane[3], la majorité ne sort guère de la médiocrité qu'illustrait cet Eusèbe, qui avait précédé Basile sur le siège de Césarée[4]. Basile n'était pas, comme la grande majorité des évêques de l'époque, un notable brusquement baptisé et investi des plus hautes responsabilités, il avait été successivement lecteur, diacre et prêtre avant d'accéder à l'épiscopat[5]. Surtout, il avait pratiqué une longue et difficile ascèse et possédait une grande familiarité avec l'Écriture. Tels sont les aspects essentiels de la figure de Basile qui le désignent à l'imitation. Mais il en est encore un auquel Grégoire attache une très grande importance et qui distingue également l'homme de ses collègues. Certes, les évêques possèdent une certaine culture : ils ont fréquenté l'école du γραμματικός et ils sont assez frottés de rhétorique pour être capables de prendre la parole en public, mais leur formation intellectuelle est limitée et leur bagage philosophique est pauvre. Basile a, au contraire, reçu la formation profane la plus complète qui soit et il a hérité de toute cette culture grecque que bien des chrétiens

1. *D.* 43, 27, 2-3.
2. *D.* 42, 24, 6-9.
3. *D.* 43, 58.
4. *D.* 43, 28 ; 33, 24-28 : «celui-ci ... avait été installé récemment sur son siège et ... respirait encore quelque chose de l'air du monde et de la matière ... [il] n'avait pas encore été formé aux choses de l'Esprit».
5. Cf. *D.* 43, 25, 19-28 ; 26, 26-29 ; 27, 3-10.

ignorent quand ils ne la méprisent pas[1]. Basile est ce que nous appellerions un intellectuel accompli parce qu'il maîtrisait toutes les disciplines et l'auteur insiste sur sa παίδευσις. C'est ce qui a fait de lui, par la parole et par l'écrit, le maître de doctrine que doit être un évêque digne de ce nom et le champion de l'orthodoxie. Les qualités diverses de Basile constituent la trame même du discours et chaque page en évoque l'un ou l'autre aspect, mais un long développement (60, 14-66) évoque d'une façon plus systématique les vertus morales que sont l'ἀκτησία, l'ἐγκρατεία, la παρθενία et la πτωχοτροφία, vertus philosophiques et vertus monastiques. En définitive, ce qui fait de Basile le modèle des évêques et ce qui fonde sa grandeur[2], c'est le caractère complet de la panoplie de ses vertus chrétiennes et de ses qualités humaines.

Une œuvre personnelle

Pourtant le portrait n'est pas sans ombres. Celui que l'auteur appelle une «âme divine et en tous points vénérable[3]», cet homme énergique et indomptable qui a su affronter directement le vicaire du diocèse de Pont, le préfet du prétoire Modestus et l'empereur Valens lui-même, avait été un moment un étudiant déçu au point d'en être démoralisé par ses premiers contacts avec Athènes et d'avoir besoin du soutien et du réconfort apportés par son ami[4]. Au terme de leurs études communes, il avait osé trahir son ami en l'abandonnant à Athènes[5]. Ces deux notations sont sans doute brèves, elles n'en brisent pas

1. *D*. 43, 11, 4-7.
2. Cf. *D*. 43, 1, 1.
3. *D*. 43, 2, 5-6.
4. *D*. 43, 18.
5. Trahir est le mot que Grégoire n'hésite pas à employer, *D*. 43, 24, 20, dans un contexte où le récit même de l'auteur donne à penser que les torts étaient plutôt de son propre côté.

moins les conventions universelles qui imposent de ne mêler aucune critique à l'éloge public d'un mort. L'auteur ira beaucoup plus loin dans la même direction quand il évoquera la conduite de Basile devant les conséquences de la division de la Cappadoce en deux provinces distinctes. En 372, Valens créa une Cappadoce II en lui donnant Tyane pour chef-lieu et en lui rattachant les régions sud et ouest de l'ancienne province[1]. Sur le plan religieux, cette division faisait échapper la nouvelle province à l'influence de Basile et elle risquait d'affaiblir les positions occupées par l'orthodoxie. Basile réagit en créant aussitôt de nouveaux sièges épiscopaux en Cappadoce II et en installant son frère à Nysse et son ami à Sasimes. Le nouveau métropolite héritait ainsi d'une majorité épiscopale qui bloquait toute évolution. Grégoire approuve chaudement cette tactique[2] et il finit sur une note apaisée[3], mais l'événement lui arrache un cri d'indignation douloureuse qu'il faut citer : « Dans ce projet, j'ai peur d'avoir été moi-même traité comme un accessoire : je ne vois pas quel autre terme décent il faudrait employer. Moi qui admire tout dans cet homme — et je ne saurais dire à quel point —, il y a une seule chose que je ne puis approuver (je ferai l'aveu de ce que j'ai ressenti : le public, d'ailleurs, ne l'ignore pas) : c'est l'attentat (καινοτομία) et le manque de loyauté (ἀπιστία) dont nous avons été l'objet, dont le temps lui-même n'a pas effacé l'amertume (λύπη). Là se trouve, en effet, l'origine de tout ce qui s'est abattu sur moi : le cours irrégulier pris par ma vie, la perturbation de celle-ci et l'impossibilité de pratiquer la philosophie[4] ou d'avoir la réputation de le faire, bien que ce second point ait peu d'importance[5] ». Grégoire s'est largement expliqué sur la

1. Nazianze faisait partie de la nouvelle province.
2. *D*. 43, 59, 1-10.
3. *D*. 43, 59, 20-25.
4. C'est-à-dire de mener la vie monastique.
5. *D*. 43, 59, 11-20.

nature de l'événement qui provoque chez lui pareille indignation après plus de dix ans : en lui arrachant son consentement à l'ordination épiscopale, Basile lui avait barré définitivement le chemin du monastère et l'avait rivé aux charges pastorales. Au demeurant, il faut bien voir que ce n'est pas la responsabilité de ce que nous appelons un diocèse qui provoque ce mouvement de rejet chez notre évêque, car il n'a que des paroles d'affection pour le clergé et les fidèles qui lui avaient été confiés[1]. Ce qu'il n'a pas supporté, ce sont les contacts avec les autres évêques, à Constantinople surtout, mais probablement aussi en Cappadoce.

L'oraison funèbre de Basile nous parle donc du grand Basile, et elle le fait dans les règles, mais elle nous parle aussi des évêques tels qu'ils se présentaient dans l'Orient du IVe siècle. Elle nous parle aussi de Grégoire, de ce qu'il avait aimé, de ce qu'il admirait, de ce qu'il désirait comme de ce qu'il abominait. Ce morceau d'hagiographie éloquente est l'œuvre d'un poète.

Données biographiques

L'étude du *Discours* 43 permet d'apporter quelques précisions d'ordre biographique tant en ce qui concerne Basile que l'auteur lui-même. « Nous avions autant de professeurs qu'il y en avait à Athènes et autant il y avait de professeurs, autant il y avait d'endroits où on nous écoutait ensemble et où on parlait de nous », écrit Grégoire[2]. Deux de ces professeurs peuvent être identifiés sans grande difficulté : il s'agit de Prohærésios et d'Himérios. Prohærésios était chrétien, seul de son espèce, semble-t-il, à Athènes. Au surplus, il était d'origine arménienne, c'est-à-dire issu d'une province limitrophe de la Cappadoce et en relations

1. Cf. *D.* 42, 9-12, 26 ; *Poèmes* II, 1, 5 et 6, II, 1, 16.
2. *D.* 43, 22, 9-13.

avec elle. Grégoire a consacré l'une de ses épitaphes à ce maître de sa jeunesse[1]. Il n'est cependant pas impossible que quelques nuages aient traversé leurs relations. «Je trouve que les Arméniens sont une race qui n'est pas franche, mais pleine de dissimulation et de dessous[2]», écrit dans un moment d'humeur notre auteur. J'ai attiré ailleurs l'attention sur ce qui me paraît être la raison majeure de ce jugement abrupt, l'empoisonnement par le roi d'Arménie, Arsace III, de son épouse Olympias, fille du préfet du prétoire Ablabios et parente, à ce titre, de Théodosie, cette cousine germaine de Grégoire qui l'avait appelé et accueilli chez elle à Constantinople[3]. Il n'est pas impossible que Grégoire ait cru avoir à se plaindre de cet autre Arménien qu'est Phohærésios, lorsqu'à la fin de ses études à Athènes il avait envisagé un moment de rester dans la ville pour y enseigner. Il semble que des offres d'étudiants d'apporter leur clientèle au nouveau maître que Grégoire envisageait d'être ne se soient pas concrétisées. Compte tenu de ce que l'on sait sur le climat d'âpre concurrence qui régnait entre professeurs, compte tenu également du fait que ces offres émanaient vraisemblablement d'étudiants en majorité chrétiens, il est assez vraisemblable que Prohærésios ait veillé à retenir auprès de lui la clientèle qui risquait de lui échapper au profit du jeune Grégoire[4].

Mais c'est sur les relations de Grégoire avec Himérios qu'il est possible d'apporter quelques précisions. Plusieurs passages du *D.* 43 ne sont pas sans ressemblance avec les fragments conservés de l'œuvre d'Himérios. C'est ainsi que, pour évoquer les nobles origines de la famille de son ami, Grégoire cite «Pélopides et Cécropides, Alcméonides,

1. *PG* 38, 15.
2. *D.* 43, 17, 5-6.
3. Cf. J. Bernardi, «Nouvelles perspectives sur la famille de Grégoire de Nazianze», *Vigiliae christianae* (1984), 352-359.
4. Cf. *D.* 43, n. 3, p. 156; 1 et 2, p. 180.

Éacides et Héraclides[1]» à la manière même d'Himérios[2]. Plus loin, on retrouve sous la plume de Grégoire, au moment où il entreprend de décrire les rites d'accueil des nouveaux étudiants à Athènes, une expression qui figure par deux fois chez le même Himérios[3]. Les exemples mythiques d'Abaris et de Pégase sont invoqués par Grégoire comme ils le sont par Himérios[4]. La valeur probante de tels rapprochements a un caractère à coup sûr limité, Himérios n'étant certainement pas le seul professeur de rhétorique à avoir usé de ces ornements du discours, mais il convient de verser au dossier des rapports entretenus par Himérios avec nos deux Cappadociens une pièce maîtresse.

Le *Discours* 18 d'Himérios se réduit à un titre suivi de 22 lignes de texte, mais ce titre dit que le discours est dédié par le maître à *son premier auditeur venu de Cappadoce*. Athènes est loin de la Cappadoce et les étudiants cappadociens devaient y être rares. Grégoire, nous l'avons vu, déclare que Basile et lui-même avaient suivi les leçons de tous les maîtres qui enseignaient à Athènes, donc celles d'Himérios. Le *Discours* 18 de ce dernier souhaite, dans le cadre d'un cérémonial connu, un heureux départ à cet étudiant parvenu au terme de ces études. Or que dit Himérios ? « Notre richesse ne réside pas dans l'or du trésor d'un Gygès ou de la Lydie, mais dans certains garçons dans la fleur de leur jeunesse et dans la maturité de leur âge, de fière allure (σοϐαροί) et portant la tête haute (ὑψαύχενες), issus qu'ils sont du centre de la poitrine de Zeus[5]». Il nous

1. *D*. 43, 3, 17-19.

2. Cf. *Himerii declamationes et orationes*, éd. A. Colonna, Rome 1959, IX, 163 ; XXV, 53 ; XLIV, 28 (Pélopides) ; XLIV, 30 (Cécropides) ; XXIX, 12 (Alcméon) ; XXV, 53 (Éacides) ; VI, 111, 121 ; XXVI, (16) (Héraclides).

3. Cf. *D*. 43, 16, 2-3 et n. 2, p. 152.

4. Cf. *D*. 43, 21, 15-16 et n. 4, p. 168.

5. *Or*. XVIII, 19-22, *op. cit.*, p. 107. Porter la tête haute est l'attitude de celui qui est habitué à commander, mais c'est aussi le réflexe du cavalier.

paraît probable que ce fragment d'Himérios est ce qui reste du discours d'adieu prononcé par ce dernier en 358 à l'occasion du départ d'Athènes de Basile et du faux départ de Grégoire. Basile partait seul, mais les deux garçons étaient si intimement unis que le professeur continue à les associer dans son esprit en usant du pluriel. Ce qui nous intéresse ici, c'est la silhouette hautaine des deux garçons, le sentiment d'agacement qu'elle était suceptible de provoquer chez certains, mais aussi la promesse d'une grande destinée qu'il plaisait au maître de laisser entrevoir.

Le texte du *Discours* 43

Le recueil des 52 discours, dénommé «famille N» par Sinko est représenté par les manuscrits AQBJWVT, le recueil des 47 discours («famille» M) par SDPC.

A Dans l'*Ambrosianus E 49-50 inf. (gr. 1014)* le *D*. 43 occupe les pages 215-282 sans lacunes ni déplacements. L'ordre des discours est 1-2-3-7-8-6-23-9-10-11-12-16-18-19-17-43-14.

Q Le *Palmiacus 43-44* présente les discours dans le même ordre que A. Le *D*. 43 y occupe les folios 163ᵛ-212ᵛ.

B Dans le *Parisinus græcus 510*, l'ordre des discours est légèrement modifié. Au lieu de 18-19-17-43-14, on trouve 18-43-19-17-14. Le *D*. 43 se trouve dans les folios 104ᵛ-136ᵛ.

J Les œuvres contenues dans le *Vindobonensis Supplementum græcum 189*[1] sont, dans l'ordre, les *Discours* 38-39-40-45-44-41-21-43-24-15-32-25-34-33-36-26-42; les *Lettres* 101-102-202; les *Discours* 4-5-13[2]. Le tableau suivant permettra de situer le *D*. 43[3] :

1. Cf. *supra*, p. 18, n. 5.
2. En ce qui concerne la table des matières du palimpseste J, cf. *supra*, p. 19, n. 1.
3. Pour l'interprétation de ce tableau, cf. *supra*, p. 18-19, n. 6.

14	215 BA	*D*. 21, 33-34	33, 21 τῶν μεγίστων	35, 13
	108 AB	*D*. 21, 35-36	35, 13 ῥημάτων	36, 18 διαλλακτήριον
	151 BA	*D*. 21, 36-37	36, 15 καὶ πομπαῖον	1, 12 οἷς
		D. 43, 1		
	36 BA	*D*. 43, 1-2	1, 12	2, 28 ἐνταῦθα
	43 BA	*D*. 43, 2-5	2, 28 κείσθω	5, 5 ἀνα-
	152 BA	*D*. 43, 5-7	5, 5 -δήσαθαι	7, 13 περιτ-
	105 AB	*D*. 43, 7-8	7, 14 -τοῖς	8, 25
	212 BA	*D*. 43, 8-1	8, 25 παρ' ἑαυτοῦ	10, 22 ἐλα-
15	27 AB	*D*. 43, 10-12	10, 24 -ττον	12, 4
	162 BA	*D*. 43, 12-13	12, 4 Δαβίδ	13, 16 καί
	X			
	38 BA	*D*. 43, 14-16	14, 25 διηγη]μάτων	16 ,16
	41 BA	*D*. 43, 16-17	16, 16	17, 17 τῷ
	X'			
	157 BA	*D*. 43, 19-20	19, 7 ἄνθεσιν	20, 25 ἔστιν
	30 AB	*D*. 43, 20-21	20, 25 ἣ	21, 7
16	X			
	Y			
	Z			
	11 BA	*D*. 43, 26-28	26, 21 συ]νεκέρασεν	28, 16 λαοῦ
	14 BA	*D*. 43, 28-30	28, 16	30, 17 Πατρὸς
	Z'			
	Y'			
	102 BA	*D*. 43, 34-35	34, 2 ἄλλα	35, 12
17	140 AB	*D*. 43, 35-37	35, 14 Λόγῳ	37, 9
ιζ'	X			
	45 BA	*D*. 43, 39-41	39, 6	41, 2
	136 BA	*D*. 43, 41-43	41, 2 ἀπίστων	43, 5 πολὺ τῶν
	135 BA	*D*. 43, 43-45	43, 6 αἱρετικῶν	45, 9 σαφῶς
	50 BA	*D*. 43, 45-47	45, 10 ἦν	47, 14 ἐπιχειροῦντας
	X'			
	147 AB	*D*. 43, 49-50	49, 6 δήμευσιν	51, 10
18	X			
	197 AB	*D*. 43, 54-56	54, 11 ἀνα]-σῴζεται	56, 1 πολ-
	73 BA	*D*. 43, 56-57	56, 1 -λοῦ	57, 15 ἄλλο
	Y			
	Y'			

	70	BA	*D*. 43, 60-62	60, 7 ἀπλήστους	62, 3 ἡμᾶς
	200	AB	*D*. 43, 62-63	62, 4 ἐκ	63, 14 ἱστορίαις
	X'				
19	158	AB	*D*. 43, 64-65	64, 12 καὶ	65, 13
ιθ'	177	AB	*D*. 43, 65-67	65, 12 τίς δὲ	67, 7
	57	BA	*D*. 43, 67-68	67, 7	68, 27 τι[νος
	X				
	X'[1]				
	54	BA	*D*. 43, 77-79	77, 6	79, 13 ποιήσας
	174	AB	*D*. 43, 79-81	79, 13 ταῖς	81, 1
	161	AB	*D*. 43, 81-82	81, 1 πᾶς	82, 19 ἄξιον

Comme on le voit, le palimpseste J a perdu plusieurs de ses feuillets.

W Dans le *Mosquensis synodalis 64* (Vladimir 142) le discours occupe les folios 96-123^{v}. L'ordre des discours est le même que celui de AQ.

V On trouvera le *D*. 43 aux folios 81^{v}-105^{v} du *Vindobonensis theol. gr. 126* ainsi qu'aux folios 96-130 du *Mosquensis synodalis 53* (Vladimir 147) (T). L'ordre de V reste celui de AQW, tandis que celui de T est celui de B.

On sait que les manuscrits de la famille M de Sinko, SDPC, présentent les œuvres dans un ordre tout différent.

S Dans le *Mosquensis synodalis 57* (Vladimir 139), le *D*. 43 se trouve dans les folios 317-348. Situé vers la fin du volume, il est précédé des *D*. 21, 15 et 42, et suivi des *D*. 4 et 5.

D Le *Marcianus gr. 70* observe le même ordre que S. Le *D*. 43 occupe les f. 348^{v}-380^{v}.

P Le *Patmiacus 33*, qui date de 941, a perdu la quasi-totalité de notre discours : il n'en reste que les f. 140 et 141. L'ordre semble être le même.

1. L'espace disponible entre les f. 57 et 54 correspond à quatre pages manuscrites seulement ; or le texte à insérer exigerait une dizaine de pages : il est donc à présumer que le manuscrit présentait ici une lacune de texte importante.

C Enfin le *Coislinianus 51* donne le *D.* 43, dans le même ordre, aux folios 368-404v[1].

Sur 28 passages où les deux familles de texte s'opposent nettement, il y en a 16 où les leçons de SD(P)C s'imposent de préférence à celles de AQB(J)WVT qui présentent dans ce cas des omissions.

2, 33	τὸν λόγον SD C VT²	om. AQBJWVT
13, 4	ἐκεῖθεν	om. AQBJWVT
16, 29	σόφον τε SDPC	om. AQBJWVT
24, 16	γὰρ SD C	om. AQBWVT
24, 26	συνέϐη SD C	om. AQBWVT
32, 5	ἐν ἑαυτῷ SD C	ἑαυτῷ AQBWVT
32, 11	ἡ θεῖα γραφή SD C	ἡ γραφή AQBWVT
33, 6	ὑπάρχει SD C	om. AQBWVT
33, 9	τε SDPC	om. AQBWVT
33, 18	περιῆν SDPC	om. AQBWVT
36, 1	ἦν SDPC	om. AQBJWVT
46, 3	ἐπιϐουλοὶ SD C	om. AQBJWVT
48, 12	σοι SD C	om. AQBWVT
55, 22-23	τοῦτο δώσω τῷ λόγῳ SD C	om. AQBJWVT
58, 13	ἡμῶν SD C	om. AQBWVT
73, 9	ἱστοροῦνται SDC V² T	om. AQBWV
77, 7	μηδὴ νοηθὲν SDC T	om. AQBJWV

En revanche, dans 6 passages au moins, la leçon de SDC paraît devoir être écartée.

C'est ainsi qu'en 1, 14, le καί qui est devant λίαν ὀρθῶς est une répétition de celui qui précède.

En 6, 7-9 tous les manuscrits de la famille N écrivent ἐπί τινα τῶν ποντικῶν ὀρῶν λόχμην (πολλαὶ δ' αὗται... ἐπὶ πλεῖστον διήκουσαι) καταφεύγουσι. On lit en revanche dans SDC ἐπί τινα τῶν ποντικῶν ὀρῶν καταφεύγουσι λόχμην. πολλαὶ δ' αὗται... ἐπὶ πλεῖστον διήκουσαι τῶν ὀρῶν. La répétition de

1. SDC, et surtout D, pratiquent abondamment l'élision. Le ν euphonique est irrégulièrement distribué. Afin de ne pas surcharger inutilement l'apparat critique de ce livre, les variantes de ce type n'ont été indiquées que lorsqu'une raison précise suggérait de le faire : quand le texte adopté diverge de celui des Mauristes ou lorsqu'une variante se réclame de manuscrits appartenant aux deux familles.

ὁρῶν suffit à écarter la leçon de SDC.

En 7, 11, SDC ajoutent après l'adverbe πλουσίως un οὕτως maladroitement placé. Cet οὕτως devait se trouver primitivement dans la marge, appelé pour le justifier par le ὥστε de la ligne suivante.

Il en va de même pour le verbe ὑπάρχει qui, en 12, 21, répète dans SDC après ἐκεῖθεν celui de la ligne précédente.

En 52, 7, un verbe est ajouté dans SDC après βῆμα (τέτακται dans S, τέτακτο dans DC) dans une formule introduite par ὅση τε : or l'auteur n'exprime généralement aucun verbe dans ce cas. Il s'agit d'une glose du passage inspirée par le προτεταγμένον de la ligne suivante.

Enfin, en 62, 7, la leçon de SDC, ἀσαρκίαν au lieu de σαρκί, est évidemment fautive.

Restent cinq passages où le choix de l'une ou l'autre leçon ne s'impose pas. Il s'agit de 5, 5 ; 12, 3 ; 16, 8 ; 38, 5-6 ; 42, 3.

Un petit nombre de brefs passages, qui nous paraissent constituer des gloses introduites dans le texte, figurent dans l'ensemble des témoins que nous avons collationnés. Ce sont :

1. 1, 23-24	ἐπ' οὐδενὸς οὖν τῶν ἀπάνπων, οὐκ ἔστιν ἐφ' ὅτῳ οὐχὶ τῶν ἀπάντων
2. 21, 5- 6	ἑορτάς, θέατρα, πανηγύρεις, συμπόσια
3. 21, 14	ἄλλος οὗτος Φρύγιος μῦθος
4. 21, 22	εἴδωλα
5. 22, 14-15	τῆς Ὁμηρικῆς δέλτου τὸ θαῦμα
6. 41, 18-19	τῷ διαβόλῳ
7. 57, 18	θυμὸς ὁ δεινὸς ὁπλίτης ἢ στρατηγός
8. 68, 29	ταὐτὸν δυναμένοις
9. 72, 14	τὸν τοῦ Πνεύματος

Le premier de ces passages a été écarté par F. Boulenger «faute de pouvoir [lui] trouver un sens acceptable[1]». En ce

1. *Grégoire de Nazianze. Discours funèbres en l'honneur de son frère Césaire et de Basile de Césarée*, Paris 1908, p. LXXIV. Il s'agit en fait de trois tentatives d'interprétation du texte.

qui concerne le second et le quatrième, cf. les notes qui accompagnent le texte. Le troisième et le cinquième manifestent un même souci de référence. En *D*. 43, 41, 18-19, τῷ διαβόλῳ est une explication maladroite de τῷ πονηρῷ καὶ ἀγρίῳ συί. On se reportera aux notes qui accompagnent les septième, huitième et neuvième passages.

Il est bon de préciser les principes suivis dans la rédaction de l'apparat critique des deux discours. Nous nous sommes efforcé de l'alléger le plus possible. C'est ainsi que les variantes sans grande signification qui n'affectent qu'un unique témoin ont été en général écartées. Néanmoins, on a cru bon de donner les indications relatives à l'orthographe d'un mot quand celle-ci paraît flottante, comme celles qui sont relatives à l'élision ou au ν euphonique toutes les fois où nous nous écartions du texte des Mauristes.

Je tiens à remercier d'une façon toute particulière le P. G.-M. de Durand qui a bien voulu réviser ce travail et le rendre moins imparfait. Sa compétence, sa rigueur et son amitié m'ont été également précieuses.

SIGLES

Recueil des 52 Discours[1]

A	*Ambrosianus E 49-50 inf. (gr. 1014)*	saec. IX
Q	*Patmiacus 43-44*	saec. X
B	*Parisinus gr. 510*	circa 880
J	*Vindobonensis Suppl. gr. 189*	saec. VIII/IX
W	*Mosquensis synodalis 64* (Vladimir 142)	saec. IX
V	*Vindobonensis theol. gr. 126*	saec. XI in.
T	*Mosquensis synodalis 53* (Vladimir 147)	saec. X

Recueil des 47 Discours[2]

S	*Mosquensis synodalis 57* (Vladimir 139)	saec. IX
D	*Marcianus gr. 70*	saec. X
P	*Patmiacus 33*	an. 941
C	*Parisinus Coislinianus 51*	saec. X
v	Mauristae	
Bo	Boulenger (*D.* 43)	

1. « Famille » N de Sinko.
2. « Famille » M de Sinko.

TEXTE ET TRADUCTION

PG 36

Συντακτήριος

457 A **1.** Πῶς ὑμῖν τὰ ἡμέτερα, ὦ φίλοι ποιμένες καὶ συμποιμένες ὧν ὡραῖοι μὲν οἱ πόδες εὐαγγελιζομένων εἰρήνην καὶ ἀγαθὰ [a] μεθ' ὧν ἐληλύθατε, ὡραῖοι δὲ τὰ πρὸς ἡμᾶς οἷς εἰς καιρὸν ἐληλύθατε, οὐχ ἵνα πρόβατον πλανώμενον ἐπιστρέ-
5 ψητε [b], ἀλλ' ἵνα ποιμένα συνέκδημον ἐπισκέψησθε ; Πῶς τὰ τῆς ἐκδημίας ὑμῖν ἔχει τῆς ἡμετέρας καὶ τίς ὁ ταύτης καρπός, μᾶλλον δὲ τοῦ ἐν ἡμῖν Πνεύματος [c], ᾧ κινούμεθά τε ἀεὶ καὶ νῦν κεκινήμεθα [d], μηδὲν ἴδιον ἔχειν ἐπιθυμοῦντες μηδὲ ἴσως ἔχοντες ;

10 Ἆρά γε συνίετε παρ' ὑμῶν αὐτῶν καὶ καταμανθάνετε καὶ λογισταὶ τῶν ἡμετέρων ἐστὲ χρηστότεροι, ἢ δεῖ,

QBJWVT ASDC

Titulus, τοῦ αὐτοῦ VT C || συντακτήριος BASC (ὁ σ. A) || ἐλέχθη ἐν τῷ μαρτυρίῳ τῆς ἁγίας ἀναστασίας ἐν κωνσταντινουπόλει D || εἰς τὴν τῶν ἑκατὸν πεντήκοντα (ρν' JWTD om. B) ἐπισκόπων παρουσίαν BJWVTADC || ἐν τῷ μαρτυρίῳ τῆς ἁγίας ἀναστασίας λεχθείς C || ὁ συντακτήριος V[mg]D (συντακτήριος D)

1, 5 συνέκδημον : ἔκδημον QJWVTC[pc]v || 9 μηδὲ scripsi : μήτε vel μήτ' codd. v

---

1. a. Is. 52, 7 ; Rom. 10, 15. b. Cf. Matth. 18, 10-14. c. Cf. Gal. 5, 26 ; II Tim. 1, 14. d. Cf. Act. 17, 28.

---

1. Sur ce titre, qui ne correspond qu'imparfaitement au contenu de l'ouvrage, voir l'introduction, p. 7-17.

2. Il est difficile de modifier la traduction reçue d'ὡραῖος dans cette citation scripturaire, mais on doit observer que l'auteur joue surtout sur la nuance de sens qui fait dépendre le charme d'un objet du moment où celui-ci se présente (cf. εἰς καιρόν). La citation ne va

DISCOURS 42

Discours d'adieu[1]

1. Que vous semble-t-il de notre affaire, chers pasteurs et collègues, vous dont les pieds sont beaux, puisqu'ils appartiennent à des messagers de la paix et des bonnes choses[a] qui sont arrivées avec vous, beaux à nos yeux aussi, car vous êtes venus à nous opportunément[2], non pour ramener une brebis égarée[b], mais pour visiter un pasteur lui aussi déplacé[3]? Que pensez-vous de ce déplacement qui nous affecte et quel en est le fruit ? Ou plutôt, quel est le fruit de l'Esprit qui est en nous[c], qui toujours nous pousse et qui nous a poussé maintenant encore[d], alors que nous désirons ne rien posséder en propre et que peut-être nous ne possédons rien[4]?

Serait-ce que vous saisissez les choses par vous-mêmes, que vous comprenez et que vous êtes pour notre affaire de

pas sans une ironie grinçante, si on veut bien songer que, parmi les «bonnes choses» apportées à Constantinople par les évêques, figuraient les instructions du pape Damase, qui contestait la régularité du transfert de Grégoire du siège de Sasimes sur celui de la capitale.

3. Le parallélisme des deux membres de phrase est parfait à la condition d'adopter la leçon συνέκδημον (cf. *infra*, 10,3 et *D.* 40, 41). Il y a là une allusion à l'accusation, formulée contre l'auteur, d'être un évêque intrus à Constantinople, mais le composé la formule d'une façon plus abrupte que le mot simple, puisqu'il assimile la situation de l'intéressé dans la ville à celle de tous les évêques qui y sont momentanément présents.

4. Ne rien posséder est le propre de la condition monastique que Grégoire aspire à retrouver, mais la fin de la phrase concerne la perte éventuelle du siège de Constantinople.

καθάπερ τοὺς στρατηγίας ἢ δημαγωγίας ἢ διοικήσεως
B χρημάτων λόγον ἀπαιτουμένους, δημοσίᾳ καὶ αὐτοὺς ὑποσχεῖν ὑμῖν τὰς εὐθύνας ὧν διῳκήκαμεν; Οὐ γὰρ αἰσχυνόμεθα
15 κρινόμενοι, ὅτι καὶ κρίνομεν ἐν τῷ μέρει καὶ μετὰ τῆς αὐτῆς ἀγάπης ἀμφότερα. Παλαιὸς δὲ ὁ νόμος, ἐπεὶ καὶ Παῦλος τοῖς ἀποστόλοις ἐκοινοῦτο τὸ εὐαγγέλιον[e], οὐχ ἵνα φιλοτιμήσηται — πόρρω γὰρ τὸ Πνεῦμα πάσης φιλοτιμίας —, ἀλλ' ἵν' ἢ βεβαιωθῇ τὸ κατορθούμενον ἢ διορθωθῇ
20 τὸ ὑστερούμενον, εἰ ἄρα τι καὶ τοιοῦτον ἦν ἐν τοῖς ὑπ' ἐκείνου λεγομένοις ἢ πραττομένοις, ὡς αὐτὸς παραδηλοῖ περὶ ἑαυτοῦ γράφων· ἐπειδὴ καὶ πνεύματα προφητῶν προφήταις ὑποτάσσεται[f], κατὰ τὴν εὐταξίαν τοῦ πάντα καλῶς οἰκονομοῦντος καὶ διαιροῦντος Πνεύματος. Εἰ δὲ
25 ἐκεῖνος μὲν ἰδίᾳ καί τισιν, ἐγὼ δὲ δημοσίᾳ καὶ πᾶσιν ὑπέχω λόγον, μηδὲν θαυμάσητε. Καὶ γὰρ χρῄζω μᾶλλον ὠφεληθῆ-
C ναι τῇ τῶν ἐλέγχων ἐλευθερίᾳ ἤπερ ἐκεῖνος, εἴ τι φαινοίμην ἐλλείπων τοῦ δέοντος, μή πως εἰς κενὸν τρέχω ἢ ἔδραμον[g], καὶ οὐκ ἔστιν ἄλλως ἀπολογήσασθαι ἢ ἐν εἰδόσι τοὺς λόγους
30 ποιούμενον.

2. Τίς οὖν ἡ ἀπολογία; Καὶ εἰ μὲν ψευδής, ἐλέγξατε· εἰ δὲ ἀληθής, μαρτυρήσατε ὑμεῖς ὑπὲρ ὧν καὶ ἐν οἷς ὁ
460 A λόγος. Ὑμεῖς γάρ μοι καὶ ἀπολογία καὶ μάρτυρες καὶ

1, 13 αὐτοὺς : αὐτὸν A αὐτὸς SC^{ac} || 14 διῳκήκαμεν : διῳκήσαμεν QVA διοικήσαμεν S || 19 διορθωτῇ : δικαιώθῃ J || 20 εἰ : ἐάν A || 22 πνεύματα : πνεῦμα JWS || 25 μὲν om. QBJWVC || 29 καὶ : add. γὰρ ASDC^{ac} || ἀπολογήσασθαι : ἀπ. δικαίως C ἀπολογεῖσθαι δικαίως ASD

---

1. e. Cf. Gal. 2, 2. f. I Cor. 14, 32. g. Gal. 2, 2.

---

1. Situation et vocabulaire sont empruntés à la plus ancienne tradition de l'éloquence athénienne.

2. Comme on le verra, le discours tient plus du plaidoyer (celui-ci occupe environ les trois quarts de son étendue) que du συντακτήριος

bons contrôleurs [1], ou bien faut-il qu'à la manière de ceux à qui l'on demande raison de l'exercice d'un commandement, d'un gouvernement de province ou d'une administration financière, nous vous présentions, nous aussi, publiquement les comptes de notre gestion? Nous n'avons pas honte d'être jugé, puisque nous sommes juges à notre tour et puisque la même charité s'exerce dans les deux cas. Elle est ancienne, cette règle, puisque Paul communiquait, lui aussi, son évangile aux apôtres [e], non par ostentation, car l'Esprit est éloigné de toute ostentation, mais pour trouver soit confirmation de ce qui était exact, soit correction de ce qui était défectueux, dans le cas où il y aurait eu lieu quelque chose de ce genre dans ses paroles ou dans ses actes, comme il le laisse lui-même entendre en écrivant à propos de sa propre personne : «puisque les esprits des prophètes sont aussi soumis aux prophètes [f]» en vertu du bon ordre établi par l'Esprit qui organise et répartit toutes choses comme il faut. S'il a rendu, lui, des comptes en privé et devant quelques personnes, tandis que je le fais, moi, en public et devant tous, n'en soyez nullement surpris. C'est que j'ai plus que lui besoin de tirer profit de la liberté de la critique dans le cas où il apparaîtrait chez moi quelque déficience, «de peur que d'aventure je ne coure ou je n'aie couru pour rien [g]». D'ailleurs, on ne peut présenter sa défense autrement qu'en prenant la parole devant un public informé.

2. Quel est donc ce plaidoyer [2]? S'il est mensonger, faites-en la preuve, mais s'il est véridique, appuyez-le de votre témoignage, vous qu'il concerne et devant qui je parle. Car vous êtes ma défense, mes témoins et ma

λόγος annoncé par le titre. Le vocabulaire crée le climat d'un contexte judiciaire et le procès est censé se tenir devant les évêques en présence des fidèles de la ville et de son clergé, cités comme témoins. C'est une problématique que l'auteur affectionne : cf. entre autres *D.* 2, 80, 102, 110; *L.* 138.

καυχήσεως στέφανος[a], ἵνα τολμήσω κἀγώ τι τῶν τοῦ
5 ἀποστόλου νεανιεύσασθαι. Τοῦτο τὸ ποίμνιον, ἦν ὅτε μικρόν
τε καὶ ἀτελὲς ἦν ὅσον ἐπὶ τοῖς ὁρωμένοις, καὶ οὐδὲ ποίμνιον,
ἀλλὰ ποίμνης τι μικρὸν ἴχνος ἢ λείψανον ἀσύντακτον καὶ
ἀνεπίσκοπον καὶ ἀόριστον, μήτε νομὴν ἐλευθέραν ἔχον μήτε
μάνδρᾳ περιεχόμενον, πλανώμενον ἐν ὄρεσι καὶ σπηλαίοις
10 καὶ ταῖς ὀπαῖς τῆς γῆς[b], ἄλλο ἀλλαχοῦ διεσπαρμένον τε
καὶ διερριμμένον, ὡς ἕκαστον ἔτυχε σκεπόμενον ἢ νεμόμενον
καὶ διακλέπτον ἀγαπητῶς τὴν ἑαυτοῦ σωτηρίαν, οἷον ἐκεῖνο
τὸ ποίμνιον ὃ λέοντες ἐξῶσαν[c] ἢ ζάλη διέλυσεν ἢ
σκοτόμαινα διεσκέδασεν, ὃ θρηνοῦσι μὲν προφῆται, τοῖς τοῦ
15 Ἰσραὴλ ἀπεικάζοντες πάθεσι παραδεδομένου τοῖς ἔθνεσιν[d],
B ἐθρηνήσαμεν δὲ καὶ ἡμεῖς, ἐφ' ὅσον θρήνων ἐπράττομεν
ἄξια. Τῷ ὄντι γὰρ καὶ ἡμεῖς ἐξώσθημεν καὶ ἀπερρίφημεν
καὶ ἐπὶ πᾶν ὄρος καὶ βουνὸν διεσπάρημεν ὡς ἐν ἐρημίᾳ
ποιμένος[e], καὶ πονηρός τις χειμὼν κατέσχε τὴν ἐκκλησίαν
20 καὶ δεινοὶ θῆρες ἐπιπεπτώκασιν, οἳ μηδὲ νῦν μετὰ τὴν
αἰθρίαν ἡμῶν φειδόμενοι ἀλλ' ἀναισχυντοῦντες εἶναι καὶ τοῦ
καιροῦ δυνατώτεροι, καὶ σκυθρωπή τις σκοτόμαινα ἐπέλαβε
πάντα καὶ συνεκάλυψε, πολὺ τῆς ἐνάτης τῶν Αἰγυπτίων

2, 11 σκεπόμενον : σκοπούμενον B || 12 διακλέπτον : σκέπον D || ἀγαπητῶς : ἀγαπητικῶς BDCv om. QJWVT || 14 σκοτόμηνα SD || σκοτόμαινα διεσκέδασεν : σκοτομήναι διεσκέδασαν A || 15 παραδεδομένου τοῖς ἔθνεσιν om. T τοῖς ἔθνεσιν QT[pc] || 16 ἐθρηνήσαμεν δὲ καὶ ἡμεῖς om. S || ἐπράττομεν : ἐπάθομεν A || 21 φειδόμενοι : φεισάμενοι S || 22 σκοτόμαινα : σκοτόμαινα καὶ ἀπάνθρωπος S σκοτόμηνα καὶ ἀπάνθρωπος D σκοτόμηνα A

---

2. a. Cf. I Thess. 2, 19. b. Hébr. 11, 38. c. Jér. 27, 17. d. Cf. Éz. 34, 12. e. Cf. Éz. 34, 6.

---

1. Depuis quarante ans et jusqu'à l'arrivée de Grégoire, les orthodoxes de la capitale n'avaient ni pasteur ni église à leur disposition à l'intérieur des murs de la ville, ce qui signifie sans doute qu'ils se réunissaient à la campagne, comme le feront à leur tour les

couronne de fierté [a], si j'ose à mon tour me vanter comme l'apôtre. Ce troupeau, il y eut un temps où il était exigu et imparfait, dans la mesure où il était visible : ce n'était même pas un troupeau, mais un maigre vestige de troupeau, un reste sans organisation et sans évêque, mal défini, privé de libre pâturage, sans bergerie pour le contenir, errant dans les montagnes, les grottes et les cavernes de la terre [b], éparpillé et dispersé dans toutes les directions, s'abritant ou paissant comme chacun le pouvait, et bien content s'il parvenait à assurer son propre salut à la dérobée [1]. Il était pareil à ce troupeau chassé par les lions [c], dispersé par la tempête ou désagrégé par l'obscurité, sur lequel se lamentent les prophètes en faisant un rapprochement avec les maux d'Israël livré aux nations [d], et sur lequel nous avons, nous aussi, poussé des lamentations dans la mesure où notre sort le méritait. Car il est bien vrai que, nous aussi, nous avons été chassés, rejetés et dispersés sur toutes les montagnes et collines, comme il arrive en l'absence du pasteur [e]. Un violent orage s'est abattu sur l'Église et des monstres redoutables ont fondu sur elle, qui ne nous épargnent pas, même maintenant que le ciel est clair [2], mais qui ont l'impudence d'exercer une influence plus grande que l'époque ne l'admet [3]. Une sombre nuée a tout recouvert, tout enveloppé, bien plus lourde que la neuvième plaie

ariens à compter du 25 novembre 380. La situation des protestants à Charenton après l'édit de Nantes s'inspirera de ce régime.

2. Sur θήρ, cf. *D.* 2, 44.

3. Cette époque se caractérise par l'avènement de Théodose et le rétablissement de l'orthodoxie nicéenne. En s'exprimant de cette façon, l'auteur fait une concession à l'opinion de ceux des évêques (des Égyptiens surtout) qui attendaient du pouvoir l'abaissement total des ariens ainsi que des païens, jugés les uns et les autres encore trop influents, et qui reprochaient à l'évêque de la capitale de n'avoir rien fait pour obtenir ce résultat malgré les bonnes dispositions du nouvel empereur.

πληγῆς βαρυτέρα, τοῦ ψηλαφητοῦ λέγω σκότους [f] ὑφ' οὗ
25 μικροῦ δεῖν μηδὲ ἀλλήλους ἰδεῖν ἐδυνήθημεν.

C **3.** Καὶ ἵν' εἴπω τι συμπαθέστερον ὡς πατρὶ τῷ παραδεδωκότι θαρρήσας, Ἀβραὰμ οὐκ ἔγνω ἡμᾶς καὶ Ἰσραὴλ οὐκ ἐπέγνω ἡμᾶς, ἀλλὰ σὺ πατὴρ ἡμῶν εἶ [a] καὶ πρὸς σὲ βλέπομεν, ἐκτὸς σοῦ ἄλλον οὐκ οἴδαμεν, τὸ ὄνομά σου
5 ὀνομάζομεν [b]. Διὰ τοῦτο ἀπολογήσομαι, πλὴν κρίματα λαλήσω πρὸς σέ [c], φησὶν Ἱερεμίας, ἐγενόμεθα ὡς τὸ ἀπ' ἀρχῆς, ὅτε οὐκ ἦρξας ἡμῶν [d] καὶ ἐπελάθου διαθήκης ἁγίας σου καὶ ἀπέκλεισας ἀφ' ἡμῶν τὰ ἐλέη σου [e]. Διὰ τοῦτο ἐγενήθημεν ὄνειδος τῷ ἀγαπητῷ σου [f], οἱ τῆς Τριάδος
10 προσκυνηταί, οἱ τέλειοι τῆς τελείας θεότητος πρόσφυγες, καὶ μὴ τολμῶντές τι τῶν ὑπὲρ ἡμᾶς εἰς ἡμᾶς κατάγειν, μηδὲ τοσοῦτον ἐπαίρεσθαι κατὰ τὰς ἀθέους γλώσσας καὶ θεομάχους ὥστε τὴν δεσποτείαν ποιεῖν ὁμόδουλον. Ἀλλὰ παρεδόθημεν δηλαδὴ διὰ τὰς ἄλλας ἁμαρτίας ἡμῶν καὶ τὸ
15 μὴ ἀξίως τῶν ἐντολῶν σου ἀναστραφῆναι, ἀλλ' ὀπίσω τῆς
461 A διανοίας ἡμῶν τῆς πονηρᾶς πορευθῆναι [g]· διὰ τί γὰρ ἕτερον ἀνδράσιν ἀδικωτάτοις καὶ πονηροτάτοις παρὰ πάντας τοὺς κατοικοῦντας τὴν γῆν ;

2, 25 δεῖν om. QBJWVTC^{pc}

3, 2 Ἀβραὰμ : add. γὰρ ASDC^{ac} || 4 ἄλλον : θεὸν S || 6 λαλήσω : ἐρῶ B || 8 τὰ ἐλέη : τὸ ἔλεος B || 11 καταγαγεῖν ASD || 14 ἄλλας om. SD^{ac} || 16 πορευθῆναι τῆς πονηρᾶς BDC

---

2. f. Ex. 10, 21.

3. a. Is. 63, 16. b. Is. 26, 13. c. Jér. 12,1. d. Is. 63, 19. e. Cf. Ps. 24, 6 ; 88, 50. f. Cf. Ps. 78, 4 ; Is. 26, 17. g. Cf. Nombr. 32, 7.

---

1. Autrement dit, la pression arienne avait réduit ceux qui conservaient l'orthodoxie dans leur cœur à une clandestinité qui ne leur permettait même pas de se connaître les uns les autres et de se rejoindre. L'auteur fait peut-être preuve d'un optimisme excessif

d'Égypte, je veux parler des ténèbres palpables[f] qui nous ont presque empêché de nous voir les uns les autres[1].

3. Et, pour tenir un langage plus propre à exciter la compassion, je dirai, en homme qui a mis sa confiance dans celui qui l'a livré[2] comme on se fie à un père : «Abraham ne nous a pas connus, Israël ne nous a pas reconnus, mais toi, tu es notre père[a]», et c'est vers toi que nous tournons nos regards, «nous ne connaissons que toi, c'est ton nom que nous prononçons[b]». C'est pourquoi «je plaiderai ma cause, mais je parlerai de jugements avec toi[c]», dit Jérémie. «Nous sommes devenus comme au commencement, à l'époque où tu n'étais pas à notre tête[d]», «tu as oublié ta sainte alliance et tu nous a exclus de ta pitié[e]». C'est pourquoi nous sommes devenus opprobre pour celui que tu aimes[f], nous, les adorateurs de la Trinité, les parfaits suppliants de la parfaite divinité[3], nous qui n'avons pas l'audace de rabaisser à notre niveau ce qui nous dépasse, ni celle d'agir à la manière des langues athées et ennemies de Dieu en nous élevant au point de faire de la souveraineté notre égale en servitude[4]. De toute évidence, nous avons été livrés à cause de nos autres péchés et pour ne pas avoir vécu d'une façon digne de tes commandements, en suivant au contraire notre pensée, qui est mauvaise[g] : quelle autre raison aurait pu faire que nous soyons au pouvoir des hommes les plus criminels et les plus méchants parmi tous les habitants de la terre ?

dans son interprétation des ralliements à l'orthodoxie provoqués par la nouvelle politique religieuse.

2. Dieu.

3. Le *D.* 21, 37, 17 salue Athanase du titre de «parfait adorateur de la Trinité parfaite» (tr. J. Mossay, p. 193).

4. L'arianisme rabaisse le Verbe au niveau de la créature en lui refusant la pleine et entière divinité, mais il y a quelque outrance polémique à gommer la différence que les ariens mettaient entre le Verbe et le reste de la création.

Ὁ πρῶτος Ναβουχοδονόσορ ἐξέθλιψεν ἡμᾶς, ὁ μετὰ
20 Χριστὸν κατὰ Χριστοῦ μανεὶς καὶ διὰ τοῦτο μισήσας
Χριστὸν ὅτι δι' αὐτοῦ σέσωστο, καὶ τῶν ἱερῶν βίβλων τὰς
ἀθέους θυσίας ἀντιλαβών. Κατέφαγέ με, ἐμερίσατό με[h],
ἐκάλυψέ με σκότος λεπτόν[i], ἵνα μὴ ἀποστῶ μηδὲ θρηνῶν
τῆς γραφῆς. Εἰ μὴ ὅτι Κύριος ἐβοήθησέ μοι[j] καὶ χερσὶν
25 ἀνόμων δικαίως αὐτὸν παρέδωκεν, ἐκτοπίσας εἰς Πέρσας
— οἷα τὰ τοῦ Θεοῦ κρίματα —, καὶ ὑπὲρ αἱμάτων ἀνοσίων
αἷμα ἐχέθη δίκαιον, ἐνταῦθα μόνον οὐδὲ μακροθυμῆσαι
ἀνασχομένης τῆς δίκης, παρὰ βραχὺ παρῴκησε τῷ ᾅδῃ ἡ
ψυχή μου[k].

B 30 Ὁ δεύτερος, οὐδὲν ἐκείνου φιλανθρωπότερος, ὅτι μὴ καὶ
βαρύτερος ὅσῳ τὸ Χριστοῦ φέρων ὄνομα — ψευδόχριστος
ἦν — καὶ χριστιανοῖς βάρος ὁμοῦ καὶ ὄνειδος, οἷς καὶ τὸ
ποιεῖν ἄθεον καὶ τὸ πάσχειν ἄδοξον τῷ μηδὲ ἀδικεῖσθαι
δοκεῖν μηδὲ τὸ μεγαλοπρεπὲς ὄνομα τῷ πάσχειν προσεῖναι

3, 21 Χριστὸν : αὐτὸν A || 27 μακροθυμῆσαι ἀνασχομένης τῆς δίκης : μακρ. τῆς δίκης οὐκ (del. οὐκ C) ἀνασχ. BADC ἀνασχ. μακροθυμῆσαι τῆς δίκης S || 28 παρῴκησε : παρῴκησεν ἂν A || 31 τὸ Χριστοῦ : τὸ τοῦ Χ. S τοῦ Χ. v || 32 βάρος ὁμοῦ καὶ : om. QJWVTC[pc] βάρος ὁμοῦ τε καὶ v || 33 τῷ : τὸ JTASDC || 34 τῷ πάσχειν om. QJWVTC[pc] τὸ π. AS

---

3. h. Jér. 28 (hébr. 51), 34. i. Jér. 28 (hébr. 51), 34 ; cf. Ps. 54, 6. j. Ps. 93, 17. k. *Ibid.*

---

1. Sous le nom de Nabuchodonosor, il s'agit de Julien l'Apostat (361-363).
2. Même formule dans *D.* 21, 32, 6.
3. Julien fut le premier empereur baptisé, puisque selon une habitude née des persécutions, ses prédécesseurs, Constantin et Constance II, n'avaient reçu le baptême qu'à leur lit de mort. Fervent chrétien dans sa jeunesse, Julien avait même exercé les fonctions de lecteur. Les vingt mois de son règne avaient bouleversé les chrétiens, déconcertés par ce retournement de sens de l'histoire. Cf. notre édition des deux pamphlets de Grégoire, *Discours* 4-5, *Contre Julien* (*SC* 309), Paris 1983.

Le premier, Nabuchodonosor nous a écrasés[1], celui qui, venu après le Christ, a déchaîné sa fureur contre le Christ[2] et qui a haï le Christ parce que le Christ l'avait sauvé, celui qui a abandonné les livres saints pour les sacrifices des athées[3]. «Il m'a dévoré, il m'a divisé[h], le brouillard m'a enveloppé[i]», dirai-je sans m'écarter de l'Écriture jusque dans ma plainte. «Si le Seigneur ne m'avait secouru[j]» et ne l'avait justement livré aux mains des criminels après l'avoir éloigné en Perse (tels sont les jugements de Dieu!), et si ce sang n'avait été justement versé pour les sangs impurs (c'est le seul cas où la justice n'a pas supporté de prolonger sa patience), «mon âme aurait bien vite fait sa demeure dans l'Hadès[k]»[4].

Le second n'était pas meilleur que l'autre[5]. Il était même plus lourd à supporter, dans la mesure où il portait le nom du Christ (c'était un faux Christ[6]) et constituait un fardeau en même temps qu'une honte pour les chrétiens : en s'exécutant, ils étaient impliqués dans l'athéisme[7] : en souffrant, ils restaient sans gloire, étant donné qu'on ne voyait pas en eux des victimes et que le

4. Au printemps de 363, Julien, marchant sur les traces d'Alexandre, entreprend une grande expédition contre le royaume perse. Celle-ci s'achève en juin sur un désastre où Julien trouva la mort dans des circonstances obscures. En appliquant aux meurtriers de l'empereur le qualificatif de «criminels», l'auteur retient ici l'une des thèses avancées, puisqu'on n'appelle pas criminels des ennemis affrontés en combat régulier : des soldats romains auraient éliminé leur chef, accusé de conduire ses troupes à l'anéantissement en prolongeant une résistance inutile. Ce témoignage ne semble pas avoir été invoqué jusqu'ici.

5. Valens (365-378), qui avait reçu le baptême arien, avait pratiqué en Orient une politique vigoureuse en faveur de l'arianisme. Cf. *D.* 43,30-33 ; 44-54.

6. Sur cette parenthèse, cf. Introduction, p. 20-21.

7. S'exécuter consistait à donner son adhésion au symbole arien, qui rejetait le terme ὁμοούσιος, inscrit en 325 dans le symbole de Nicée. Le mot «athéisme» est utilisé parce que l'arianisme rejetait la pleine divinité du Verbe.

35 τὴν μαρτυρίαν, ἀλλὰ κἀνταῦθα κλέπτεσθαι τὴν ἀλήθειαν, πάσχοντας ὡς χριστιανοὺς ὡς ἀσεβεῖς κολάζεσθαι.

Οἴμοι ὅτι ἐπλουτήσαμεν ἐν τοῖς κακοῖς, ὅτι πῦρ κατέφαγε τὰ ὡραῖα τῆς οἰκουμένης[l]. Τὰ κατάλοιπα τῆς κάμπης κατέφαγεν ἡ ἀκρὶς καὶ τὰ κατάλοιπα τῆς ἀκρίδος κατέφαγεν 40 ἡ ἐρυσίβη. Εἶτα ὁ βροῦχος[m], εἶτα οὐκ οἶδ' ὅ τι πρὸς τούτοις C καὶ ἄλλο ἐπ' ἄλλῳ κακῷ φυόμενον. Τί ἂν τις ἐκτραγῳδοίη πάντα τὰ τοῦ καιροῦ κακὰ καὶ τὴν τότε κατασχοῦσαν ἡμᾶς, εἴτε εἴσπραξιν χρὴ λέγειν εἴτε δοκιμασίαν καὶ πύρωσιν[n]; Πλὴν ὅτι διήλθομεν διὰ πυρὸς καὶ ὕδατος[o] καὶ προήλθομεν 45 εἰς ἀναψυχήν[p], εὐδοκίᾳ τοῦ σῴζοντος Θεοῦ.

4. Ἀλλ' ὅ μοι λέγειν ἀπ' ἀρχῆς ὁ λόγος ὥρμητο, τοῦτο τὸ γεώργιον ἦν ὅτε μικρόν τε καὶ πενιχρὸν ἦν καὶ οὐχ ὅπως Θεοῦ, τοῦ τὸν κόσμον ὅλον γεωργήσαντός τε καὶ γεωργοῦντος τοῖς καλοῖς τῆς εὐσεβείας σπέρμασί τε καὶ 5 δόγμασιν, ἀλλ' οὐδὲ πένητος ἑνὸς τῶν ἐνδεῶν καὶ μετρίων, ὥς γε ἐδόκει, ἀλλ' οὐδὲ γεώργιον ὅλως, οὐδὲ ἀποθηκῶν οὐδὲ ἅλω τυχὸν οὐδὲ δρεπάνης ἄξιον, οὐδὲ θημὼν οὐδὲ δράγματα ἢ δράγματα μικρά τε καὶ ἄωρα καὶ οἷα τὰ ἐκ 464 A δωμάτων, μήτε χεῖρα πληροῦντα τοῦ θερίζοντος μήτε τῶν 10 παριόντων εὐλογίαν προκαλούμενα[a]. Τοιοῦτον ἡμῶν τὸ γεώργιον, τοσοῦτον τὸ θέρος· μέγα μὲν καὶ εὔσταχυ καὶ πῖον τῷ θεωρητῇ τῶν κρυπτῶν καὶ τοιούτου γεωργοῦ πρέπον εἶναι ὃ πληθύνουσι κοιλάδες ψυχῶν[b] καλῶς τῷ

3, 40 οἶδ' ὅ τι : οἶδα ὅτι A οἶδα ἄλλο τι S οἶδ' ἄλλο τι D || 41 κακῷ φυόμενον : φυόμενον κακόν S || 45 Θεοῦ om. Q^{pc}JWVTSC^{pc}

4, 1 ἀπ' ἀρχῆς ὁ λόγος : ὁ λ. ἀπ' ἀ. W ὁ λόγος A || 7 θημὼν : θημωνία A θημονία D^{txt} -ιῶν BSD^{mg}C^{ac} || 10 εὐλογίαν προκαλούμενα : προκαλούμενα εὐλογίαν QJWVT τὴν εὐλ. προκαλ. A προκαλ. εἰς εὐλ. S

---

3. l. Cf. Joël, 1, 20. m. Joël, 1, 4. n. Cf. Prov. 27, 21. o. Ps. 65, 12. p. Cf. Ps. 65, 12.

4. a. Cf. Ps. 128, 6-8. b. Cf. Ps. 64, 14.

beau nom qu'est celui du martyre ne s'attachait pas à leur souffrance, la vérité étant là encore escamotée, puisqu'on les punissait comme impies alors qu'ils souffraient comme chrétiens.

Hélas, car nous avons été comblés de maux, «car le feu a dévoré les beaux fruits de l'univers[l]»! Les restes de la chenille, le criquet les a dévorés; les restes du criquet, la rouille les a dévorés. Après est venue la sauterelle[m] et, après, je ne sais quoi encore et une succession de malheurs. Pourquoi prolonger cette tragique évocation de tous les maux de l'époque, de ce qui nous accabla alors, quel que soit le nom qu'il faille lui donner : châtiment[1], mise à l'épreuve ou purification par le feu[n]? Ce qui est vrai, c'est que nous avons traversé le feu et l'eau[o], et que nous sommes parvenus au rafraîchissement[p] par le bon vouloir du Dieu qui sauve.

4. Eh bien — c'est ce que je voulais dire au commencement[2], il y eut un temps où ce domaine était petit et sans ressources, indigne, non seulement du Dieu qui a fertilisé et qui fertilise le monde entier au moyen des belles semences de la piété et de ses arrêts, mais indigne même, semblait-il, d'un seul pauvre tiré de la moyenne des besogneux. Ce n'était même pas du tout un domaine, et il ne méritait pas d'être pourvu de greniers, ni peut-être d'aire et de faux. Ni meule ni gerbes — ou alors des gerbes petites, faites de blé non parvenu à maturité et comme celles qui couvrent les maisons, des gerbes qui ne remplissaient pas la main du moissonneur et qui n'appelaient pas la bénédiction des passants[a]. Tel était notre domaine; voilà ce qui constituait notre moisson. Il était grand pourtant, fourni de beaux épis, opulent aux yeux de l'observateur des choses cachées, et bien digne d'un tel cultivateur, ce domaine couvert de vallées d'âmes[b]

1. Le mot εἴσπραξις ne figure pas dans la *LXX*, mais on le trouve chez Origène, *Com. in Matth.* 13,1.
2. Cf. *D.* 2, 110, 1.

λόγῳ γεωργουμένων, οὐ μὴν γνωριζόμενον τοῖς πολλοῖς
15 οὐδὲ εἰς ἓν συναγόμενον, ἀλλὰ κατὰ μικρὸν συλλεγόμενον
ὡς καλάμη ἐν ἀμήτῳ καὶ ὡς ἐπιφυλλὶς ἐν τρυγητῷ μὴ
ὑπάρχοντος βότρυος[c]. Προσθήσειν μοι δοκῶ κἀκεῖνα καὶ
λίαν κατὰ καιρόν· ὡς σκοπὸν ἐν ἐρήμῳ εὗρον τὸν Ἰσραὴλ[d]
καὶ ὡς ῥάγα μίαν ἢ δευτέραν ὥριμον ἐν ἀώρῳ τῷ βότρυι,
20 εὐλογίαν μὲν Κυρίου τετηρημένην[e] καὶ ἀπαρχὴν καθιερωμένην, πλὴν ὀλίγην ἔτι καὶ σπάνιον καὶ οὐ πληροῦσαν
στόμα ἔσθοντος καὶ ὡς σημαίαν ἐπὶ βουνοῦ καὶ ὡς ἱστὸν
B ἐπ' ὄρους[f] ἢ εἴ τι ἄλλο τῶν μοναδικῶν τε καὶ οὐ συμπλείοσι
θεωρουμένων. Ταῦτα μὲν τὰ τῆς προτέρας πενίας καὶ
25 κατηφείας.

5. Ἀφ' οὗ δὲ ὁ πτωχίζων καὶ πλουτίζων Θεός[a], ὁ
θανατῶν καὶ ζωογονῶν[b], ὁ ποιῶν πάντα καὶ μετασκευάζων[c] μόνῳ τῷ βούλεσθαι, ὁ ποιῶν ἐκ μὲν νυκτὸς ἡμέραν[d],
ἐκ δὲ χειμῶνος ἔαρ, ἐκ δὲ ζάλης γαλήνην, ἐκ δὲ αὐχμῶν
ἐπομβρίαν[e], καὶ τοῦτο δι' ἑνὸς δικαίου πολλάκις εὐχὴν ἐπὶ
5 πολὺ διωχθέντος, ὁ ἀναλαμβάνων πραεῖς εἰς ὕψος καὶ
ταπεινῶν ἁμαρτωλοὺς ἕως γῆς[f], ἐκεῖνο πρὸς ἑαυτὸν εἶπεν·
ἰδὼν εἶδον τὴν κάκωσιν τοῦ Ἰσραήλ[g], καί· οὐ μὴ προσθῶσιν
ἔτι τῷ πηλῷ καὶ τῇ πλινθείᾳ ταλαιπωρεῖν[h], καὶ εἰπὼν
C ἐπεσκέψατο καὶ ἐπισκεψάμενος ἔσωσε καὶ ἐξήγαγε τὸν λαὸν
10 αὐτοῦ ἐν χειρὶ κραταιᾷ καὶ ἐν βραχίονι ὑψηλῷ[i], ἐν χειρὶ
Μωσῆ καὶ Ἀαρών[j], τῶν ἐκλεκτῶν αὐτοῦ, τί γίνεται καὶ
τί θαυματουργεῖται; Ἃ βίβλοι καὶ μνῆμαι φέρουσιν. Ἐκτὸς
γὰρ τῶν κατὰ τὴν ὁδὸν θαυμασίων καὶ τῆς μεγάλης ἐκείνης
βομβήσεως[k], ἵν' εἴπω τι συντωμότατον, Ἰωσὴφ εἰς Αἰγύ-

4, 14 γνωριζόμενον : γνωριζομένων J γνωριζόμενον πῶς S ‖ 15 ἀλλὰ κατὰ μικρὸν συλλεγόμενον om. J ‖ 17 καὶ om. S ‖ 18 σκοπὸν : συκῆν v ‖ 19 ῥᾶγα C ῥῶγα ABJWD ‖ 21 πληροῦσαν : πληροῦσα A πληροῦν JC[pc] ‖ 22 ἐσθίοντος ASDC[mg] ‖ 23 εἴ om. ASD ‖ συμπλείοσι : πλείοσι QBJWVTC[pc]v ‖ 24 θεωρούμενον A ‖ μὲν : add. οὖν AS

5, 1 ὁ πτωχίζων καὶ πλουτίζων : ὁ πτ. καὶ ὁ πλ. A ὁ πλ. καὶ πτωχεύων S ‖ 2 ζωογοῶν : -ποιῶν D ‖ 6 ἑαυτὸν : αὐτὸν QTC αὑτὸν BJWv ‖ εἶπεν : εἰπὼν BJWSC ‖ 10 κραταιῷ v ‖ ἐν βραχίονι : βραχίονι BJ ‖ 14 ἵν' v : om. codd.

bien cultivées par la parole. En vérité, il n'était pas connu du public et il n'était pas remembré, mais il faisait l'objet d'une cueillette progressive, comme le chaume durant la moisson, comme au grappillage de la vendange quand les grappes font défaut[c]. Je crois devoir encore ajouter ceci, qui est particulièrement de circonstance : j'ai trouvé Israël comme une mire dans le désert[d], comme deux ou trois grains mûrs sur une grappe verte, bénédiction du Seigneur conservée[e] et prémices consacrées, encore petite cependant, rare et incapable de remplir la bouche de celui qui mange, semblable à un repère sur une colline, à un mât sur la montagne[f] ou à n'importe quel objet isolé et visible de peu de personnes à la fois. Voilà ce qu'étaient notre pauvreté et notre détresse primitives.

5. Mais à partir du moment où le Dieu qui appauvrit et qui enrichit[a], celui qui fait mourir et qui fait vivre[b], qui crée et qui transforme tout[c] par sa seule volonté, qui fait la nuit jour[d], l'hiver printemps, la tempête calme plat, la sécheresse pluie[e] — et cela souvent pour exaucer la prière d'un unique juste depuis longtemps persécuté —, qui élève les doux et humilie jusqu'à terre les pécheurs[f], s'est dit : «J'ai bien vu les mauvais traitements infligés à Israël»[g] et «je ne veux pas qu'ils continuent à souffrir de l'argile et de la fabrication des briques»[h], et où, après avoir parlé, il a visité son peuple et, l'ayant visité, il l'a sauvé et fait sortir à main forte et à bras étendu[i], par le bras de Moïse et d'Aaron[j], ses élus, que se passe-t-il et quels sont les prodiges qui s'accomplissent ? Ceux que rapportent livres et mémoires. Si on laisse de côté les prodiges qui eurent lieu tout au long de la route et ce vaste bourdonnement[k] pour aller au plus court, c'est

4. c. Cf. Mich. 7, 1. d. Cf. Os. 9, 10. e. Cf. Is 17, 6 ; 65, 8. f. Cf. Is. 30, 17.

5. a. Cf. I Sam. 2, 7. b. Cf. I Sam. 2, 6. c. Amos 5, 8. d. *Ibid.* e. Cf. III Rois, 18-45. f. Ps. 146, 6. g. Ex. 3, 7. h. Cf. Ex. 1, 14 ; 5, 7. i. Cf. Ps. 135, 11-12. j. Ps. 76, 21. k. Cf. Bar. 2, 29.

15 πτον εἶς[1] καὶ μυριάδες ἑξήκοντα μετὰ μικρὸν ἐξ Αἰγύπτου[m]. Τί τούτου θαυμασιώτερον ἢ τί μεῖζον τῆς τοῦ Θεοῦ μεγαλονοίας τεκμήριον ὅταν ἐκ τῶν ἀπόρων θέλῃ πόρον δοῦναι τοῖς πράγμασι ; Καὶ γῆ τῆς ἐπαγγελίας κληροδοτεῖται δι' ἑνὸς μισηθέντος καὶ ὁ πραθεὶς ἔθνη μεθίστησι καὶ 20 εἰς ἔθνος καθίσταται μέγα καὶ ἡ μικρὰ παραφυὰς ἐκείνη ἄμπελος εὐκληματοῦσα γίνεται καὶ τοσαύτη ὡς ἐπεμβαίνειν μὲν ποταμοῖς, ἐκτείνεσθαι δὲ μέχρι θαλάσσης ἐξ ὁρίων εἰς ὅρια πλατυνομένην, καλύπτειν δὲ ὄρη τῷ ὕψει τῆς δόξης, 465 A κέδρων δὲ ὑπεραίρεσθαι[n], καὶ ταῦτα τῶν τοῦ Θεοῦ ἅτινα 25 δὴ τὰ ὄρη ταῦτα καὶ ἅστινας τὰς κέδρους ὑποληπτέον.

6. Τοιοῦτόν ποτε τοῦτο τὸ ποίμνιον καὶ τοιοῦτον νῦν, οὕτως εὐεκτοῦν τε καὶ πλατυνόμενον· εἰ δὲ μήπω τελέως, ἀλλ' εἰς τοῦτό γε ταῖς κατὰ μέρος ὁδεῦον προσθήκαις, προφητεύω δὲ ὅτι καὶ ὁδεῦσον. Τοῦτό μοι τὸ Πνεῦμα 5 προλέγει τὸ ἅγιον, εἴ τι προφητικὸς ἐγὼ καὶ βλέπων τὰ ἔμπροσθεν, καὶ ἅμα τοῖς προλαβοῦσιν ἔχω θαρρεῖν καὶ λογισμῷ γινώσκειν ὡς λόγου σύντροφος. Πολὺ γὰρ παραδο-

5, 15 μικρὸν : ὀλίγον QJWVTv || 16 τί μεῖζον : μεῖζον QBJWVTC^pc v || 17-18 δοῦναι πόρον AS || 21 ἐπεμβαίνειν : ἐπιβαίνειν B || 23 πλατυνομένη B AD || 25 δὴ τὰ ὄρη ταῦτα : ἦν ταῦτα τὰ ὄρη S
6, 2 τελείως v || 3 μέρος : μικρὸν BJDC^ac || ὁδεῦον om. J || 4-5 προλέγει τὸ Πνεῦμα BSDC || 6 θαρσεῖν QBJWADC

5. l. Cf. Gen. 37, 28. m. Cf. Ex. 12, 37. n. Cf. Ps. 79, 9-12.

1. Restent en dehors tous ceux qui demeurent attachés à Démophile. Grégoire pouvait-il juger de la sincérité des ralliés ? Le seul gage réel en la matière consistait dans la récitation du symbole de Nicée à l'occasion du baptême. Il semble que les archives de l'Église conservaient un témoignage de la profession de foi des intéressés, car Grégoire fait allusion ailleurs à un tel document (cf. *Discours* 40, 44, où il invite ceux qui avaient déposé une profession de foi écrite à venir en modifier les termes pour se mettre en conformité avec la doctrine de Nicée).

Joseph venu seul en Égypte[l] et six cent milliers d'hommes sortis d'Égypte peu de temps après[m]. Qu'il y a-t-il de plus prodigieux que cela ? Quelle plus merveilleuse et plus grande preuve peut-on trouver de la magnificence de Dieu que le moment où il décide de donner une issue favorable à des situations bloquées ? La terre de la promesse est donnée en héritage par l'intermédiaire d'un homme unique que la haine avait frappé, et celui qu'on avait vendu déplace des populations et se transforme en un grand peuple ; le minuscule rejeton devient cette vigne aux vigoureux sarments, si vaste qu'elle franchit le cours des fleuves, qu'elle arrive jusqu'à la mer et s'étend d'une frontière à l'autre, qu'elle recouvre les montagnes de la hauteur de sa gloire et dépasse les cèdres[n]. Et tout cela appartient à Dieu, quelles que soient les montagnes et quels que soient les cèdres dont il s'agit.

6. Voilà ce qu'était autrefois ce troupeau et voici ce qu'il est maintenant : tellement vigoureux et tellement élargi. S'il n'est pas encore complet[1], du moins des accroissements successifs le mettent-ils en voie de l'être[2], et je prophétise même qu'il continuera dans cette direction. C'est le Saint-Esprit qui me le prédit, si j'ai quelque don de prophétie et si je vois l'avenir[3] : le passé me permet d'avoir cette confiance en même temps que le raisonnement me donne de le savoir en homme nourri de raison que je suis. Il est bien plus extraordinaire, en

2. L'accroissement de la communauté orthodoxe de la ville s'était réalisé en trois grandes étapes : 1. regroupement autour de Grégoire dans l'Anastasia (379) ; 2. ralliements intervenus en 380 à la suite du baptême orthodoxe de Théodose au mois de janvier ; 3. nouvel afflux, consécutif à l'installation de Grégoire dans la basilique des Saints-Apôtres (27 novembre 380).

3. Vingt ans plus tôt, Grégoire affirmait avoir prédit dès l'été 355 le comportement futur de Julien, que rien ne laissait alors prévoir (cf. *D.* 5, 23-24).

ξότερον ἐξ ἐκείνου τοσαύτην γενέσθαι ἢ τὴν νῦν οὖσαν εἰς
B ἄκρον προελθεῖν λαμπρότητος. Ἐξ οὗ γὰρ συνάγεσθαι
10 ἤρξατο παρὰ τοῦ ζωογονοῦντος τοὺς νέκρους ὀστᾶ πρὸς
ὀστᾶ καὶ ἁρμονία πρὸς ἁρμονίαν, καὶ τοῖς ξηροῖς ἐδόθη
πνεῦμα ζωῆς καὶ παλιγγενεσίας [a], πᾶσαν, εὖ οἶδα, πληρωθῆ-
ναι δεῖ τὴν ἀνάστασιν· ὥστε μὴ ὑψούσθωσαν ἐν ἑαυτοῖς οἱ
παραπικραίνοντες [b], μηδέ, σκιὰν κρατοῦντες ἢ ἐνύπνιον
15 ἐξεγειρομένων [c] ἢ αὔρας διαπνέουσας ἢ νηὸς ἴχνη καθ' ὕδατος [d], ἔχειν τι νομιζέτωσαν. Ὀλολυζέτω πίτυς ὅτι πέπτωκε
κέδρος [e]. Τοῖς τῶν ἄλλων κακοῖς παιδευέσθωσαν καὶ
μανθανέτωσαν ὅτι οὐκ εἰς τέλος ἐπιλησθήσεται ὁ πτωχός [f],
οὐδὲ ἀνέξεται μὴ ἐν ἐκστάσει διακόψαι κεφαλὰς δυναστῶν,
20 ὡς ὁ Ἀμβακούμ φησιν [g], ἡ διακοπτομένη θεότης καὶ
C διαιρουμένη κακῶς εἴς τε τὸ ἄρχον καὶ τὸ ἀρχόμενον ὡς
ἂν μάλιστα καὶ θεότης ὑβρισθείη καταγομένη καὶ βαρηθείη
κτίσις ὁμοτιμίᾳ θεότητος.

7. Δοκῶ μοι κἀκείνης ἀκούειν τῆς φωνῆς παρὰ τοῦ
συνάγοντος τοὺς συντετριμμένους καὶ τοὺς ἐκπεπιεσμένους
εἰσδεχομένου [a]· Πλάτυνον τὰ σχοινίσματά σου, ἔτι ἐκπέτα-
σον εἰς τὰ δεξιὰ καὶ εἰς τὰ ἀριστερά, πῆξον, τῶν αὐλαιῶν μὴ
5 φείσῃ [b]. Ἐγὼ παραδέδωκά σε καὶ ἐγὼ βοηθήσω σοι. Ἐν
θυμῷ μικρῷ ἐπάταξά σε [c] καὶ ἐν ἐλέῳ αἰωνίῳ δοξάσω σε [d].
Μεῖζον τὸ μέτρον τῆς φιλανθρωπίας, ὑπὲρ τὸ μέτρον τῆς
παιδαγωγίας. Ἐκεῖνα διὰ τὴν πονηρίαν, ταῦτα διὰ τὴν
D Τριάδα προσκυνουμένην. Ἐκεῖνα διὰ τὴν ἀκαθαρσίαν,

6, 10 ζωογονοῦντος : -ποιοῦντος AS || 11 ἁρμονίαν ASD^{ac} || 18 τέλος : τὸν αἰῶνα A

7, 2 συνάγοντος : συνέχοντος A συναγάγοντος D || ἐκπεπιεσμένους : πεπιεσμένους QJVTC^{pc}v ἀπωσμένους W || 3-4 σου, ἔτι ἐκπέτασον ut LXX : σου ἔτι, ἐκπέτασον QBWVTAC^{pc}v || 9 ἀκαθαρσίαν : κάθαρσιν QBJWVTC^{pc}v

---

6. a. Cf. Éz. 37, 7-10. b. Ps. 65, 7. c. Ps. 72, 20. d. Cf. Job 9, 26. e. Zach. 11, 2. f. Ps. 9, 19. g. Cf. Hab. 3, 14.

7. a. Cf. Soph. 3, 18-19. b. Is. 54, 2. c. Is 54, 8 ; 60, 10. d. Is. 54, 8 ; 60, 13

effet, de le trouver parvenu à ce niveau de splendeur que de voir celle d'aujourd'hui parvenir à un sommet. Car, depuis que, sous l'action de celui qui donne vie aux morts, les os ont commencé à s'assembler aux os et la jointure à la jointure, depuis qu'un esprit de vie et de régénération a été donné aux éléments desséchés[a], il faut, j'en suis persuadé, que la résurrection s'accomplisse entièrement. Par conséquent, que les réfractaires ne s'exaltent pas[b], qu'ils ne croient pas tenir quelque chose alors qu'ils sont maîtres d'une ombre, de songes d'homme à leur réveil[c], de souffles d'air ou d'un sillage de navire sur l'eau[d]. « Que le pin gémisse, car le cèdre est tombé[e] ! » Que les malheurs des autres leur servent de leçon, qu'ils apprennent que le pauvre ne sera pas oublié jusqu'à la fin[f] et qu'elle ne se retiendra pas de trancher au milieu de la surprise la tête des princes, comme le dit Habacuc[g], cette divinité que l'on divise et que l'on sépare criminellement entre ce qui commande et ce qui obéit, de façon à infliger à la divinité, en l'abaissant, l'outrage le plus grave et à accabler la création sous le poids de l'égalité d'honneur qu'on lui accorde avec la divinité[1].

7. Je crois entendre[2] aussi celui qui recueille les écrasés et qui accueille les opprimés[a] prononcer cette parole : Déploie tes cordages, étends-toi encore vers la droite et vers la gauche, enfonce les pieux et ne ménage pas la toile[b]. C'est moi qui t'ai livré et c'est moi qui viendrai à ton secours. Je t'ai frappé dans un moment de colère[c], mais je te glorifierai dans ma miséricorde éternelle[d]. Plus grande est la mesure de la bonté : elle dépasse la mesure de la leçon donnée. Autrefois s'explique par la méchanceté, aujourd'hui par l'adoration de la Trinité. Autrefois s'explique par la dépravation,

1. L'accusation ne vise pas moins les adversaires de la divinité du Saint-Esprit, condamnés au concile de 381, que les ariens.

2. Cf. *D*. 34, 1.

10 ταῦτα διὰ τὴν ἐμὴν δόξαν, ὃς δοξάζω τοὺς δοξάζοντας καὶ παραζηλῶ τοὺς παραζηλοῦντας[e]. Ἰδοῦ ταῦτα ἐσφράγισται παρ' ἐμοὶ[f] καὶ οὗτος ἄλυτος νόμος ἀντιμετρήσεως. Σὺ δέ μοι περιείχου τῶν τοίχων καὶ τῶν πλακῶν καὶ τῆς
468 A κεκομψευμένης ψηφῖδος καὶ τῶν μακρῶν δρόμων καὶ
15 περιδρόμων, καὶ χρυσῷ κατελάμπου καὶ περιελάμπου, τὸν μὲν ὡς ὕδωρ ἔσπειρες, τὸν δὲ ὡς ἄμμον ἐθησαύριζες, ἀγνοῶν ὅτι κρείσσων ὕπαιθρος πίστις πολυτελοῦς ἀσεβείας καὶ πλείους Θεῷ τρεῖς συνηγμένοι ἐν ὀνόματι Κυρίου[g] πολλῶν μυριάδων ἀρνουμένων θεότητα. Ἦ καὶ τοὺς
20 Χαναναίους ἅπαντας προτιμήσεις ἑνὸς τοῦ Ἀβραάμ[h]; ἢ καὶ Σοδομίτας ἑνὸς τοῦ Λώτ[i]; ἢ καὶ Μαδιηναίους Μωύσεως[j], τῶν παροίκων καὶ ξένων[k]; Τί δὲ τοὺς μετὰ Γεδεὼν τριακοσίους, τοὺς λάψαντας ἀνδρικῶς, τῶν ἀποτραφεισῶν χιλιάδων[l]; τί δὲ τοὺς οἰκογενεῖς Ἀβραάμ[m],
25 τοὺς μικρὸν ὑπὲρ τούτους τῷ ἀριθμῷ, τῶν πολλῶν βασιλέων καὶ τῶν τοῦ στρατοῦ μυριάδων ἅς, καίπερ ὄντες ὀλίγοι, κατεδίωξαν καὶ ἐτρέψαντο; Ἐκεῖνο δὲ πῶς νοεῖς ὅτι· Ἐὰν γένηται ὁ ἀριθμὸς τῶν υἱῶν Ἰσραὴλ ὡς ἡ ἄμμος τῆς θαλάσσης, τὸ κατάλειμμα σωθήσεται[n]; τί δὲ τὸ Κατέλιπον
30 ἐμαυτῷ ἑπτακισχιλίους ἄνδρας οἵτινες οὐκ ἔκαμψαν γόνυ τῇ Βάαλ[o]; Οὐκ ἔστι τοῦτο, οὐκ ἔστιν· οὐκ ἐν τοῖς πλείοσιν εὐδόκησεν ὁ Θεός[p].

7, 14 κεκομψευμένης : ὑπερυψουμένης A κεκομψευσμένης SD || 15 καὶ περιελάμπου om. S || 17 κρεῖσσον BJSD || 18 πλέους v || 19 μυριάδων om. QJWVTC^{pc} || 21 Σοδομίτας : τοὺς Σοδομίτας Qv || 22 Μωσέως QBJVTC^{pc}v || τῶν παροίκων καὶ ξένων : τοῦ παροίκου καὶ ξένου A || δὲ : δαὶ VTv || 23 ἀνδρικῶς om. QBJWVC^{pc} || 24 δὲ : δαὶ VTv || 25 τῷ ἀριθμῷ om. QJWVT || 26 τῶν τοῦ στρατοῦ : τοῦ στρατοῦ W τῶν τοῦ στρατοπέδου S || 29 δὲ : δαὶ VTv || 32 ηὐδόκησεν A εὐδοκίμησεν S

---

7. e. Deut. 32, 21 ; I Sam. 2, 30. f. Deut. 32, 34. g. Cf. Matth. 18, 20. h. Cf. Gen. 12, 6 s. i. Cf. Gen. 19, 1 s. j. Cf. Ex. 2, 15. k. Cf. Éphés. 2, 19. l. Cf. Jug. 7, 5. m. Cf. Gen. 14, 14.

aujourd'hui par ma gloire, car je glorifie ceux qui me glorifient et j'excite la jalousie de qui excite la mienne[a] [1]. Vois, ceci a été scellé par-devers moi[f] et telle est l'inviolable loi de la rétribution. Toi, tu m'entourais de murs et de dalles de mosaïques raffinées, de longs portiques et de galeries d'enceinte, tu brillais et tu resplendissais de l'éclat d'un or que tantôt tu répandais comme de l'eau, tantôt tu amassais comme du sable, car tu ignorais que la foi sans abri vaut mieux que l'impiété luxueuse et que pour Dieu deux ou trois hommes réunis au nom du Seigneur[g] sont plus que des milliers de négateurs de la divinité. Irais-tu préférer l'ensemble des Chananéens au seul Abraham[h], les Sodomites au seul Lot[i] et les Madianites à Moïse[j]? Les préféreras-tu à ces étrangers et voyageurs[k]? Et les trois cents qui derrière Gédéon lapèrent l'eau avec vaillance, que sont-ils à tes yeux par rapport aux milliers de ceux qui lâchèrent pied[l]? Que sont pour toi les serviteurs nés dans la maison d'Abraham[m], qui étaient à peine plus nombreux, en regard de la multitude des rois et des dizaines de milliers de soldats qu'ils pourchassèrent et mirent en fuite malgré leur petit nombre? Comment interprètes-tu la parole : «Quand bien même le nombre des fils d'Israël serait comme les grains de sable de la mer, ce reste sera sauvé[n]», et celle-ci : «Je me suis réservé sept mille hommes qui n'ont pas fléchi le genou devant Baal[o]»? Non, non, il n'en est pas ainsi : ce n'est pas le plus grand nombre qui a plu à Dieu[p].

7. n. Is. 10, 22; Rom. 9, 27. o. III Rois 19, 18; Rom. 11, 4. p. I Cor. 10, 5.

1. Sur le texte de ce passage, cf. p. 22-23.

8. Σὺ μὲν ἀριθμεῖς τὰς μυριάδας, Θεὸς δὲ τοὺς σωζομένους, καὶ σὺ μὲν τὸν ἀμέτρητον χοῦν, ἐγὼ δὲ τὰ σκεύη τῆς ἐκλογῆς[a]. Οὐδὲν γὰρ οὕτω Θεῷ μεγαλοπρεπὲς ὡς λόγος κεκαθαρμένος καὶ ψυχὴ τελεία τοῖς τῆς ἀληθείας δόγμασιν.
5 Ἄξιον μὲν γὰρ οὐδὲν ἔστι τοῦ τὰ πάντα πεποιηκότος καὶ παρ' οὗ τὰ πάντα καὶ εἰς ὃν τὰ πάντα[b] δοῦναι Θεῷ καὶ
C προσενεγκεῖν· μὴ ὅτι μιᾶς χειρὸς ἔργον ἢ περιουσίας, ἀλλ' οὐδὲ εἰ πᾶσάν τις τὴν ἐν ἀνθρώποις εὐπορίαν ἢ χεῖρα εἰς ἓν συνενεγκὼν τιμῆσαι θελήσειεν. Οὐχὶ τὸν οὐρανὸν καὶ
10 τὴν γῆν ἐγὼ πληρῶ, λέγει Κύριος[c], καὶ Ποῖον οἶκον οἰκοδομήσετέ μοι ; ἢ Τίς τόπος τῆς καταπαύσεώς μου[d] ; ἐπεὶ δὲ τῆς ἀξίας διαμαρτεῖν ἀναγκαῖον, ὃ δεύτερόν ἐστιν αἰτῶ παρ' ὑμῶν, τὴν εὐσέβειαν, τὸν κοινὸν πλοῦτον ἐμοὶ καὶ ὁμότιμον, ἐν ᾧ τυχὸν ὑπερβαλεῖται καὶ τὸν λίαν λαμπρὸν
15 ὁ πάνυ πένης, ἂν ᾖ μεγαλόψυχος. Προαιρέσεως γάρ, οὐκ εὐπορίας ἡ τοιαύτη φιλοτιμία. Λήψομαι μὲν οὖν καὶ ταῦτα ἐκ τῶν χειρῶν ὑμῶν, εὖ ἴστε. Πατεῖν τὴν αὐλήν μου οὐ προσθήσεσθε[e], ἀλλὰ πατήσουσιν αὐτὴν πόδες πραέων[f], τῶν ἐπεγνωκότων ἐμὲ καὶ τὸν μονογενῆ μοῦ Λόγον καὶ τὸ
D 20 Πνεῦμα τὸ ἅγιον ὑγιῶς καὶ γνησίως. Μέχρι τίνος κληρονομήσετε τὸ ὄρος τὸ ἅγιόν μου[g] ; μέχρι τίνος ἡ κιβωτὸς παρὰ τοῖς ἀλλοφύλοις[h] ; Νυνὶ δὲ μικρὸν ἔτι ἐντρυφήσατε

8, 2 χοῦν : χνοῦν B ‖ 3 ἐκλογῆς : ἐκκλησίας D ‖ 5 οὐδὲν ἔστι : οὐδέν ἐστι codd. v ‖ 9 συνενεγκὼν : συνεισενεγκὼν ADC^ac ‖ 11 οἰκοδομήσετε : -σεται A -σαται S -σεις D ‖ μοι : add. λέγει κς S ‖ 12 διαμαρτεῖν : διαμαρτάνειν ASC^ac ‖ 13 αἰτῶ : add. φησί A ‖ 14 τυχὸν : καὶ τυχὸν SDC^ac ‖ τὸν λίαν λαμπρὸν : τῶν λίαν λαμπρῶν DC ‖ 16 οὖν om. QBWVTSC^pc ‖ 22 νῦν QWVTC^pc

---

8. a. Cf. Act. 9, 15. b. Cf. I Cor. 8, 6. c. Jér. 23, 24. d. Is. 66, 1. e. Is. 26, 6. f. *ibid.* g. Cf. Is. 57, 13. h. Cf. I Sam. 5, 1.

---

1. Cf. ORIGÈNE : τὸν καθαίροντα ἡμᾶς τῆς ἀληθείας λόγον, *Com. in Joan.* X, XXVIII, 175 ; τὸν λόγον... τὸν καθαίροντα τὰ δόγματα, *Hom. 5,15 in Joan.*

8. Toi, tu fais le dénombrement des gros bataillons, Dieu, celui de ceux qui sont sauvés ; toi, tu fais le décompte de ces grains de poussière qu'on ne saurait mesurer, moi, je fais celui des vases d'élection [a]. Rien n'est aussi magnifique aux yeux de Dieu qu'une doctrine épurée et une âme parachevée par les dogmes de la vérité [1]. On ne peut, en effet, présenter en offrande à Dieu rien qui soit digne de celui qui a tout fait, de qui tout provient et pour qui tout existe [b] : non seulement les mains ou les trésors d'une personne n'y suffiraient pas, mais ce ne serait même pas assez encore si quelqu'un voulait lui faire hommage de toutes les richesses des hommes ou des ouvrages de leurs mains en les rassemblant en un tout unique. «Est-ce que je ne remplis pas le ciel et la terre, dit le Seigneur [c] ?», «quelle maison me bâtirez-vous, quel endroit sera le lieu de mon repos [d] ?», mais, puisqu'il est inévitable que vous restiez au-dessous de ce qui m'est dû, c'est ce qui vient au second rang que je vous demande : cette piété [2] qui est une richesse que tout le monde a en partage et que j'estime de la même façon, dans laquelle il pourra même arriver que l'homme dénué de tout surpasse le plus illustre, pourvu qu'il ait de la grandeur d'âme. Car se distinguer dans un tel domaine n'est pas lié à l'aisance dont on jouit, mais dépend de la volonté que l'on a. Quoi qu'il en soit, je recevrai aussi ces hommages de vos mains, sachez-le bien : vous ne continuerez pas à fouler mon parvis [e], mais ce sont les pieds des doux qui le fouleront [f], les pieds de ceux qui m'ont reconnu, moi, ainsi que le Verbe, mon unique engendré, et l'Esprit saint, avec rectitude et sincérité. Jusques à quand posséderez-vous en héritage ma montagne sainte [g] ? Jusques à quand l'arche sera-t-elle aux mains des étrangers [h] ? Pour le moment,

2. Dans le vocabulaire de Grégoire, εὐσέβεια est presque toujours synonyme d'orthodoxie trinitaire. Cf. *infra*, n. 1, p. 80.

τοῖς ἀλλοτρίοις καὶ τοῦ βούλεσθαι ἀπολαύσατε, ὅτι, ὃν τρόπον ἐβουλεύσασθε τοῦ ἀπώσασθαί με, κἀγὼ ἀπώσομαι
25 ὑμᾶς, λέγει Κύριος παντοκράτωρ [i].

469 A **9.** Ταῦτα καὶ ἀκούειν λέγοντος ἐδόκουν καὶ ποιοῦντος αἰσθάνεσθαι καὶ ἔτι πρὸς τούτοις πρὸς μὲν τὸν λαὸν βοῶντος, τὸν ἐξ ὀλίγου πολὺν ἤδη καὶ συγκείμενον ἱκανῶς ἐκ διεσπαρμένου καὶ ἐξ ἐλεουμένου τυχὸν καὶ ἐπίφθονον·
5 Πορεύεσθε διὰ τῶν πυλῶν μου [a] καὶ πλατύνεσθε· μὴ διὰ παντὸς δεῖ κάμνειν ὑμᾶς ἐν σκηναῖς κατοικοῦντας καὶ τοὺς θλίβοντας ὑμᾶς ὑπερευφραίνεσθαι ; Πρὸς δὲ τοὺς ἐφεστῶτας ἀγγέλους, — πείθομαι γὰρ ἄλλους ἄλλης προστατεῖν ἐκκλησίας, ὡς Ἰωάννης διδάσκει με διὰ τῆς Ἀποκα-
10 λύψεως [b] —, ὁδοποιήσατε τῷ λαῷ μου καὶ τοὺς λίθους ἐκ τῆς ὁδοῦ διαρρίψατε [c], ἵνα μηδὲν ᾖ σκῶλον [d] μηδὲ κώλυμα τῷ λαῷ τῆς θείας ὁδοῦ καὶ εἰσόδου, νῦν μὲν ἐπὶ τὰ χειροποίητα, μικρὸν δὲ ὕστερον ἐπὶ τὴν ἄνω Ἱερουσαλὴμ [e] καὶ τὰ ἐκεῖσε ἅγια τῶν ἁγίων ἃ τέλος οἶδα τῆς ἐνταῦθα
B 15 κακοπαθείας καὶ συντονίας τοῖς καλῶς ὁδεύουσιν. Ἐν οἷς ἐστε καὶ ὑμεῖς, κλητοὶ ἅγιοι [f], λαὸς περιούσιος [g], βασίλειον ἱεράτευμα [h], σχοίνισμα Κυρίου τὸ κράτιστον, ἀπὸ σταγόνος πόταμος ὅλος [i], ἀπὸ σπινθῆρος λαμπὰς οὐράνιος [j], ἀπὸ κόκκου σινάπεως δένδρον πτηνῶν ἀνάπαυμα [k].

8, 23 ἀπολαύετε QWVT
9, 3 καὶ συγκείμενον : συγκείμενον S καὶ συνηγμένον A || 19 σιναπέως ut *Matth.* 13, 21 : σινάπυος Q^ac^JWSC νάπυος Q^pc^BVTv

---

8. i. Cf. Os. 4, 6.
9. a. Is 62, 10. b. Cf. Apoc. 2, 1. c. Is. 62, 10. d. Cf. Is. 57, 14. e. Gal. 4, 26. f. Rom. 1, 6. g. Tite, 2, 14. h. I Pierre 2, 9. i. Cf. Ps. 64, 10-11. j. Cf. Apoc. 4, 5. k. Cf. Matth. 13, 32.

---

1. Les églises de la ville avaient été reprises aux ariens dès la fin de novembre 380 : on pourrait donc penser que cette formule signifie que l'opération réalisée à Constantinople ne l'est pas encore partout, mais

profitez encore un peu de ce qui ne vous appartient pas[1] et faites-en à votre guise, car, de la manière dont vous avez projeté de m'écarter, moi aussi je vous écarterai, dit le Seigneur tout-puissant[i].

9. Ces paroles, il me semblait que je l'entendais les prononcer et que je percevais leur accomplissement[2]. Il me semblait encore l'entendre crier à ce peuple, devenu désormais multitude alors qu'il était minuscule, bien uni alors qu'il était dispersé, peut-être même envié alors qu'on s'apitoyait auparavant sur lui : «Franchissez mes portes[a]» et répandez-vous : faut-il que vous souffriez éternellement, vous qui habitez dans des tentes[3], et que vos oppresseurs exultent de joie? Aux anges tutélaires[4] — je crois que la protection de chaque Église est assurée par l'un d'eux, comme Jean me l'apprend par l'*Apocalypse*[b] —, il disait : «Frayez la route pour mon peuple et débarrassez-la de ses pierres[c]» «afin qu'il n'y ait aucun obstacle[d], aucune entrave pour mon peuple sur la route de Dieu, pour accéder aujourd'hui aux temples faits de main d'homme et un peu plus tard à la Jérusalem d'en-haut[e] et au Saint des saints qui s'y trouve et qui sera, je le sais, la fin des souffrances et des efforts de ce monde pour ceux qui dirigent bien leur marche. Vous êtes de ce nombre, vous aussi, saints appelés[f], peuple privilégié[g], sacerdoce royal[h], lot de choix du Seigneur, fleuve coulant à plein bords né d'une goutte d'eau[i], flambeau céleste issu d'une étincelle[j], arbre surgi d'une graine de sénevé pour devenir le refuge des oiseaux[k].

la suite immédiate du texte suggère une autre interprétation. Cf. la note suivante.

2. L'emploi de l'imparfait montre que Grégoire se reporte ici à ses réflexions des années 379-380.

3. Les tentes d'Israël au désert symbolisent la chapelle improvisée de l'Anastasia où les orthodoxes se réunissaient autour de Grégoire en 379-380.

4. Cf. *infra*, 27, 14.

10. Τούτους δωροφοροῦμεν ὑμῖν, ὦ φίλοι ποιμένες, τούτους προσάγομεν, τούτοις δεξιούμεθα τοὺς ἡμετέρους φίλους καὶ ξένους καὶ συνεκδήμους. Τούτων οὐδὲν κάλλιον προσενεγκεῖν εἴχομεν ὑμῖν, οὐδὲ λαμπρότερον, ὧν ἔχομεν
C 5 τὸ μεῖζον ἐπιζητήσαντες, ἵν' εἰδῆτε καὶ ξένους ὄντας ἡμᾶς καὶ οὐκ ἐνδεεῖς, ἀλλὰ πτωχοὺς μέν, πολλοὺς δὲ πλουτίζοντας [a]. Ταῦτα εἰ μὲν μικρὰ καὶ οὐδενὸς λόγου ἄξια, πεισθῆναι βούλομαι τίνα τὰ μείζω καὶ λόγου πλείονος. Εἰ γὰρ τὸ πόλιν τῆς οἰκουμένης ὀφθαλμόν, γῆς καὶ θαλάσσης
10 ὅτι κράτιστον, ἑῴας καὶ ἑσπερίου λήξεως οἷον σύνδεσμον, εἰς ἣν τὰ πανταχόθεν ἄκρα συντρέχει καὶ ὅθεν ἄρχεται ὡς ἀπὸ ἐμπορίου κοινοῦ τῆς πίστεως, εἰ τὸ ταύτην στηρίξαι τε καὶ σθενῶσαι τοῖς ὑγιαίνουσι λόγοις τῶν οὐ μεγάλων, καὶ ταῦτα τοσαύταις δονουμένην γλώσσαις καὶ οὕτω
15 πανταχόθεν, σχολῇ γ' ἂν ἄλλο τι φανείη μέγα καὶ σπουδῆς ἄξιον. Εἰ δὲ τῶν ἐπαινουμένων καὶ τιμωμένων — δότε τι καὶ ἡμῖν τῆς ἐπὶ τούτοις φιλοτιμίας [b] —, καὶ αὐτοὶ μερίδα τινα τοῖς δρωμένοις τούτοις συνεισηνέγκαμεν.

10, 1 ποιμένες : add. καὶ συμποιμένες SD ‖ 7 λόγου ἄξια : λόγου QBJWVTC^{pc} ἄξια λόγου v ‖ 10 ἑῴας : ἑῴας τε v ἕως A ‖ 12 ἀπὸ om. QJWVTASDC ‖ ἐμπορίου : add. τινὸς SDC^{ac} ‖ 15 πανταχόθεν : παντόθεν ADC ‖ 16 εἰ δὲ : add. τι SD ‖ καὶ τιμωμένων om. QJWVTv ‖ 18 τούτοις συνεισηνέγκαμεν (cf. *Or.* 2, 6, 15) : συνεισενέγκαμεν τούτοις A συνεισενέγκαμεν S^{ac} τούτοις συνεισενέγκαμεν BS^{pc}C

---

10. a. Cf. II Cor. 6, 10. b. Cf. II Cor. 11, 16.

---

1. Συνεκδήμους : cf. *supra*, 1, 5.
2. Ou bien il ne s'agit là que de simples paroles de politesse qui ne tirent pas à conséquence, ou bien on doit prendre des mots comme δωροφοροῦμεν, προσάγομεν, δεξιούμεθα, προσενεγκεῖν au pied de la lettre et ils suggèrent que le siège épiscopal est remis à la disposition des évêques. L'auteur se plaît à l'équivoque.

10. Voilà ceux que nous vous offrons, chers pasteurs, voilà ceux que nous vous présentons, ceux qui constituent notre présent d'hospitalité pour nos amis, nos hôtes et nos compagnons d'émigration[1]. Nous n'avions rien de plus beau à vous présenter[2], rien de plus brillant que ceux qui sont là, après avoir bien recherché ce qu'il y a de mieux parmi ce que nous possédons, pour vous faire savoir que, si nous sommes étrangers, nous ne sommes pas indigents, mais que, tout mendiants que nous sommes, nous enrichissons des multitudes[a]. Si ce sont là choses de peu d'importance et sans intérêt, je veux que l'on m'apprenne ce qu'il peut y avoir de plus grand et de plus précieux. Cette cité qui est la perle de l'univers[3], qui possède la puissance suprême sur terre et sur mer, qui est comme le lien des confins de l'Orient et de l'Occident, vers laquelle depuis tous les horizons convergent les sommités et où tout prend son origine comme au port commun de la foi[4], si le fait de l'affermir et de la renforcer par la saine doctrine est sans importance, et cela alors qu'elle était agitée par tant de langues de tant d'origines, il serait probablement difficile que quoi que ce fût d'autre parût en avoir et valoir qu'on s'y attache. Mais si cela mérite éloge et honneur — permettez-nous d'éprouver, nous aussi, quelque fierté[b] —, nous avons pour notre part apporté une certaine contribution à ce que vous voyez ici[5].

3. Sur Constantinople, voir plus loin, 24, 19-21 et 27, 1.

4. La situation géographique de Constantinople la mettait au centre des communications de l'empire, mais affirmer dès 381 son rôle éminent dans la diffusion de l'orthodoxie, c'eût été aller vite en besogne, même s'il est vrai que les évêques allaient s'embarquer en emportant avec eux le symbole de Nicée remis en vigueur et complété. Plus profondément, l'ancien évêque de la capitale revendique un rôle essentiel dans le processus de rétablissement de l'orthodoxie.

5. La phrase est de celles qui cherchent à faire prendre l'ouvrage pour le texte d'un discours authentique.

472 A **11.** Ἆρον κύκλῳ τοὺς ὀφθαλμούς σου καὶ ἴδε, πᾶς ὁ τῶν ἐμῶν λόγων ἐξεταστής. Ἴδε τὸν στέφανον τὸν πλακέντα τῆς δοξῆς ἀντὶ τῶν μισθωτῶν Ἐφραὶμ καὶ τοῦ στεφάνου τῆς ὕϐρεως [a]. Ἴδε πρεσϐυτέρων συνέδριον, πολιᾷ καὶ συνέσει 5 τετιμημένων, διακόνων εὐταξίαν, οὐ πόρρω τοῦ αὐτοῦ Πνεύματος, ἀναγνωστῶν εὐκοσμίαν, λαοῦ φιλομαθίαν, ὅσον ἐν ἀνδράσιν, ὅσον ἐν γυναιξὶ τὴν ἀρετὴν ὁμοτίμοις· καὶ ἀνδρῶν ὅσον ἐν φιλοσόφοις, ὅσον ἐν ἁπλουστέροις πᾶσι σοφοῖς τὰ θεῖα· ὅσον ἐν ἄρχουσιν, ὅσον ἐν ἀρχομένοις, 10 ἐνταῦθα πᾶσι καλῶς ἀρχομένοις· ὅσον ἐν στρατιώταις, ὅσον ἐν εὐγενέσιν, ὅσον ἐν λόγοις καὶ περὶ λόγους, πᾶσι Θεοῦ στρατιώταις, ἡμέροις τὰ ἄλλα, πολεμικοῖς ὑπὲρ τοῦ B Πνεύματος, πᾶσι τὴν ἄνω τιμῶσι σύγκλητον εἰς ἣν οὐ τὸ γράμμα εἰσάγει τὸ πεζόν, ἀλλὰ τὸ ζωοποιοῦν Πνεῦμα [b], 15 ἅπασι λογίοις ὡς ἀληθῶς καὶ τοῦ ὄντως Λόγου θεραπευταῖς· καὶ γυναικῶν ὅσον ὑπὸ ζυγὸν Θεῷ μᾶλλον ἢ σαρκὶ συνδεδεμένον, ὅσον ἄζυγον καὶ ἐλεύθερον Θεῷ τὸ πᾶν καθιερωμένον· ὅσον ἐν νέοις, ὅσον ἐν γέρουσιν, ὧν τὸ μὲν ἐπὶ γῆρας καλῶς ὁδεύει, τὸ δὲ βιάζεται μένειν ἀθάνατον, 20 ταῖς κρείσσοσι τῶν ἐλπίδων ἀνακαινούμενον [c].

12. Τούτου τοῦ στεφάνου — ὃ λαλῶ, οὐ κατὰ Κύριον λαλῶ [a], λαλήσω δ' ὅμως —, κἀγώ τι συνεϐαλόμην τοῖς πλέκουσι. Τούτων τις καὶ τῶν ἐμῶν λόγων ἔργον, οὐχ οὓς

11, 5 τετιμημένον QBJTA ‖ 7 ὁμοτίμοις : φιλοτίμοις S ‖ 15 λογίοις : λόγοις S ‖ ὄντος QBJTA ‖ 17 συνδεδεμένων BJWASDC[ac] ‖ 18 καθιερωμένων AS ‖ 19 μένειν : μεῖναι QBJASDC[ac]v ‖ 20 κρείττοσι BWVTSv

12, 2 δ' : δὲ QBJWVTv ‖ 3 τις : τι SDC[ac]J

---

11. a. Cf. Is. 28, 1. b. Cf. Jn 6, 63. c. Cf. Hébr. 7, 19; Col. 3, 10.

12. a. II Cor. 11, 17.

---

1. On peut se demander si, parmi les prêtres qui entouraient Grégoire, ne figuraient pas d'anciens membres du clergé de Démophile. Il est, en effet, difficile de penser qu'un clergé orthodoxe assez nombreux ait pu être recruté rapidement.

11. Lève les yeux autour de toi et regarde, vérificateur de mes dires, quel que tu sois. Vois cette couronne tressée de gloire à la place des mercenaires d'Éphraïm et de leur couronne d'insolence[a]. Vois le collège des prêtres parés de cheveux blancs et d'intelligence[1], le bon ordre de diacres qui ne sont pas loin d'avoir reçu le même Esprit, la bonne ordonnance des lecteurs, l'ardeur du peuple à s'instruire, aussi bien chez les hommes que chez les femmes, qui méritent même honneur dans le domaine de la vertu. Parmi les hommes, aussi bien chez les philosophes que chez les simples, tous faisant preuve de sagesse dans le domaine des choses de Dieu ; aussi bien chez ceux qui commandent que chez ceux qui obéissent, tous obéissant comme il faut dans ce domaine ; aussi bien chez les soldats que chez les nobles, chez les lettrés comme chez ceux qui étudient, tous étant soldats de Dieu, doux dans les autres circonstances, mais combatifs pour défendre l'Esprit, tous rendant hommage au conseil assis sur les hauts sièges — ce conseil où l'on est introduit non par la lettre vulgaire, mais l'Esprit vivificateur[b] —, tous sans exception étant vraiment instruits et servant le véritable Verbe. Parmi les femmes, aussi bien chez celles qui sous le joug du mariage sont attachées à Dieu plus qu'à la chair que chez celles qui, exemptes de ce joug et libres, sont entièrement consacrées à Dieu. Aussi bien chez les jeunes que chez les vieillards, les uns suivant vers la vieillesse la bonne route, les autres employant leurs forces à s'établir dans l'immortalité, renouvelés par les meilleures espérances[c][2].

12. En ce qui concerne cette couronne — ce que je dis là, je ne le dis pas selon le Seigneur[a], et pourtant je le dirai —, j'ai apporté pour ma part une certaine contribution à ceux qui la tressaient[3]. Tel parmi ces gens est

2. On voit mal comment les 150 évêques du concile auraient pu coexister physiquement avec l'ensemble du clergé et des fidèles de la ville dans un même bâtiment.
3. Cf. 10, 16-17.

C ἐρρίψαμεν, ἀλλ' οὓς ἠγαπήσαμεν, οὐδὲ τῶν πορνικῶν, ὥς
5 τις ἔφη διασύρων ἡμᾶς τῶν πόρνων καὶ λόγον καὶ τρόπον,
ἀλλὰ καὶ λίαν σωφρόνων. Τούτων τις καὶ τοῦ ἐμοῦ
Πνεύματος γέννημα καὶ καρπός, ὡς γεννᾶν οἶδε Πνεῦμα
τοὺς ἀπανισταμένους σώματος. Μαρτυρήσουσιν εὖ οἶδ' ὅτι
καὶ ὑμῶν οἱ εὐγνώμονες ἢ καὶ πάντες, ἐπεὶ καὶ πάντας
10 ἐγεωργήσαμεν. Καὶ μισθὸς ἡ ὁμολογία μόνη· οὐ γὰρ ἄλλο
τι ἐπιζητοῦμεν ἢ ἐζητήσαμεν. Ἄμισθος γὰρ ἡ ἀρετή, ἵνα
καὶ ἀρετὴ μείνῃ πρὸς τὸ καλὸν μόνον βλέπουσα.

D **13.** Βούλεσθε προσθῶ τι καὶ νεανικώτερον ; Ὁρᾶτε τὰς
ἐναντίας γλώσσας ἡμερουμένας καὶ τοὺς θεότητι πολεμοῦ-
ντας ἡμῖν ἡσυχάζοντας. Καὶ τοῦτο τοῦ Πνεύματος, καὶ
τοῦτο τῆς γεωργίας τῆς ἡμετέρας. Οὐ γὰρ ἀπαιδεύτως
5 παιδεύομεν, οὐδὲ ταῖς ὕβρεσι βάλλομεν, ὅπερ πάσχουσιν
473 A οἱ πολλοί, μὴ τῷ λόγῳ μαχόμενοι, τοῖς δὲ λέγουσι, καὶ τὴν
ἀσθένειαν ἔστιν ὅτε τῶν λογισμῶν ταῖς ὕβρεσι συγκαλύ-
πτοντες, ὥσπερ τὰς σηπίας λόγος ἐμεῖν τὸ μέλαν πρὸ
ἑαυτῶν ἵνα τοὺς θηρεύοντας διαφύγωσιν ἢ τῷ λανθάνειν

12, 8 εὖ : om. QBJWVTC^{pc} || 9 καὶ πάντες : πάντες ὑμεῖς S καὶ πάντες ὑμεῖς QADC^{ac} || 11 ἐζητήσαμεν : ἐπιζητήσαμεν S ἐπεζητήσαμεν QBADC^{ac}

13, 1 προσθῶ : προσθῶμεν JWVTv || 2 θεότητα SDC || 8 πρὸ : πρὸς $Q^{ac}W^{ac}$ASD

---

1. Sur 44 discours conservés, 19 datent du séjour de l'auteur à Contantinople.

2. La formule oppose deux types de controverse théologique : celle qui vise à écraser l'adversaire et celle qui se propose d'obtenir son adhésion. Sur les méthodes de controverse de Grégoire, cf. 13.

3. On aimerait pouvoir identifier avec certitude ce critique acerbe. On pense à Maxime le Cynique, qui avait capté la confiance de Grégoire, puis manœuvré d'abord à Alexandrie, ensuite auprès de Théodose et enfin en Italie au concile d'Aquilée pour se faire reconnaître comme le seul évêque légitime de Contantinople. Il avait su séduire le pape Damase et saint Ambroise (cf. la *Lettre* 13 d'Ambroise à Théodose). Appliqué à Grégoire, le qualificatif injurieux signifie qu'on reprochait à ce dernier de chercher à séduire

aussi l'œuvre de ma parole[1], d'une parole que nous n'avons pas décochée comme un projectile, mais que nous avons exprimée avec notre amour[2]. Non point langage de prostituée, comme l'a dit pour nous critiquer quelqu'un qui parle et qui se conduit comme les prostituées[3], mais parole pleine de réserve. Tel parmi ces gens est aussi le produit et le fruit de l'Esprit qui est en moi, à la manière dont l'Esprit sait engendrer ceux qui émigrent hors de leur corps[4]. Ils en rendront témoignage, je le sais bien, ceux qui parmi vous ont des sentiments nobles, ou plutôt vous le ferez tous, puisque c'est vous tous que nous avons cultivés comme on cultive une terre. Et notre salaire consiste uniquement en une profession de foi[5] : nous ne cherchons ou nous n'avons recherché rien d'autre, car la vertu, pour rester cette vertu qui ne vise que le bien, n'a pas à recevoir de salaire[6].

13. Me permettez-vous d'ajouter un peu plus de témérité ? Vous voyez que les langues de nos adversaires se sont calmées et que les ennemis de la divinité se tiennent cois devant nous. Cela aussi est l'œuvre de l'Esprit, cela aussi est le résultat des soins que nous avons prodigués à cette terre. Car nous n'enseignons pas sans être instruits[7] et nous ne frappons pas avec des insultes, comme le font la plupart, qui ne combattent pas une doctrine mais ceux qui l'exposent, qui voilent parfois la faiblesse de leurs raisonnements sous des flots d'injures comme les seiches qui, dit-on, vomissent de l'encre devant elles pour échapper à leurs poursuivants ou pour chasser

l'adversaire, c'est-à-dire de n'employer ni injures ni menaces, comparées ici à des projectiles (cf. 13, 6).

4. En conférant le baptême à ceux qui meurent à la chair, l'évêque les fait naître de l'Esprit dont il est le dépositaire. Cf. Basile, *Homélies*, 13, 1.

5. La profession de foi orthodoxe émise par les fidèles convaincus par l'enseignement de l'évêque.

6. Sur ce thème du salaire, cf. en sens inverse 20, 1-3.

7. Cf. *D.* 23, 9, 1 ; *D.* 32, 2, 20.

10 θηράσωσιν. Ἀλλὰ τὸ περὶ Χριστοῦ πολεμεῖν δείκνυμεν ἐν τῷ μάχεσθαι κατὰ Χριστόν, τὸν εἰρηνικόν τε καὶ πρᾶον[a] καὶ τὰς ἀσθενείας ἡμῶν βαστάσαντα[b]. Οὔτε εἰρηνεύομεν κατὰ τοῦ λόγου τῆς ἀληθείας, ὑφιέντες τι διὰ δόξαν ἐπιεικείας — οὐ γὰρ κακῶς τὸ καλὸν θηρεύομεν —, καὶ
15 εἰρηνεύομεν ἐννόμως μαχόμενοι καὶ εἴσω τῶν ἡμετέρων ὅρων καὶ κανόνων τοῦ Πνεύματος. Περὶ μὲν οὖν τούτων οὕτω γινώσκω, καὶ νόμον τίθημι πᾶσι τοῖς ψυχῶν οἰκονόμοις καὶ τοῦ λόγου ταμίαις μήτε τῷ σκληρῷ τραχύνειν μήτε τῷ ὑπεσταλμένῳ κατεπαίρειν, ἀλλ' εὐλόγους εἶναι περὶ τὸν
20 λόγον, μηδετέρῳ τὸ μέτρον ὑπερβαίνοντας.

14. Δεῖ δὲ ἴσως ποθοῦσιν ὑμῖν καὶ τὸν τῆς πίστεως αὐτῆς ἐπιδείξασθαι λόγον ἥτις ποτέ ἐστιν ἡ καθ' ἡμᾶς. Ἐγώ τε γὰρ ἁγιασθήσομαι τῷ συνεχεῖ τῆς μνήμης[a], ὅ τε λαὸς οὗτος ὀνήσεται, χαίρων, εἴπερ ἄλλῳ τινί, τοῖς τοιουτοῖς
5 λόγοις, καὶ ὑμεῖς ἐπιγνώσεσθε εἰ μὴ μάτην φθονούμεθα, τῇ φανερώσει τῆς ἀληθείας τοῖς μὲν ἁμιλλώμενοι, τοὺς δὲ φθάνοντες. Ὥσπερ γὰρ τῶν ὑποβρυχίων ὑδάτων τὰ μὲν ἐν βάθει κρύπτεται παντελῶς, τὰ δὲ παφλάζει στενοχωρούμενα
C καὶ τὴν ἔκρηξιν ὑπισχνεῖται μὲν ταῖς ἀκοαῖς, μέλλει δὲ ἔτι,

13, 10 θηράσωσιν : μὴ θηραθῶσιν A ‖ 16 ὅρων : νόμων BJWV ‖ κανόνων : νόμων DC ‖ 20 μηδετέρῳ : μηδ' ἑτέρῳ QBJWV μηδ' ἑτέρως A μηδ' ἑτέρου SD
14, 5 ὑμεῖς : add. ἴσως Q ‖ 6 τοὺς δὲ : τοῖς δὲ BJ ‖ 7 ὑποβρυχίων (cf. *Ep.* 141, 7) : βρυχίων BJWVTSDCv

13. a. Cf. Matth. 11, 29. b. Cf. Is. 53, 4.
14. a. Cf. II Pierre, 1, 15.

1. Le reproche, sans exclure l'épiscopat arien, vise des évêques orthodoxes mal préparés à leur tâche et à court d'arguments. Ils étaient assez nombreux pour que l'auteur se croie fondé à user de l'expression «la plupart».

2. Cf. *D.* 2, 112, 13-14 ; *D.* 36, 5, 27.

à l'abri des regards[1]. Nous montrons au contraire que nous combattons pour le Christ en combattant comme le Christ, qui fut pacifique et doux[a], et qui a porté nos infirmités[b]. Nous n'exerçons pas notre pacifisme au détriment de la parole de vérité, en faisant des concessions pour acquérir une réputation d'indulgence, car nous n'usons pas du mal pour poursuivre le bien, et notre pacifisme consiste à observer des règles dans le combat et à ne pas franchir les limites et les normes que l'Esprit nous a fixées. Voilà, en tout cas, ce que je pense sur cette question[2], et ce que j'érige en règle pour tous les intendants des âmes et dispensateurs de la parole consiste à ne pas exaspérer par leur âpreté ainsi qu'à ne pas exciter l'insolence par leur timidité, mais à parler comme il faut de la Parole, sans jamais dépasser la mesure ni dans un sens ni dans l'autre[3].

14. Mais il faut peut-être répondre à votre désir et exposer le contenu même de notre foi, tel que nous le formulons[4]. Pour ma part, je serai sanctifié par ma persévérance dans ce rappel[a] ; ce peuple aussi en tirera profit, car un tel langage lui plaît plus que tout autre ; de votre côté, vous découvrirez que ce n'est pas sans fondement que l'on nous envie, car, en ce qui concerne la manifestation de la vérité, nous rivalisons avec les uns et nous dépassons les autres. De la même manière que parmi les eaux souterraines il y en a qui restent très profondément cachées, d'autres qui bouillonnent dans d'étroits boyaux et qui promettent à qui les entend qu'elles vont surgir, tout en prenant leur temps pour le

3. Cet amour, si profondément grec, de la mesure, est assez fondamental pour que l'auteur l'érige en règle de style et de composition dans un tout autre domaine, celui de l'art épistolaire (cf. sa *Lettre* 51).

4. Cet exposé de la doctrine trinitaire va occuper les chapitres 14 à 19.

10 τὰ δὲ καὶ ἀναρρήγνυται, οὕτω καὶ τῶν φιλοσοφούντων περὶ Θεοῦ, ἵνα μὴ λέγω τοὺς παντελῶς ἀγνώμονας, οἱ μὲν πάντη κρύφιον καὶ λανθάνουσαν ἔχουσιν ἐν ἑαυτοῖς τὴν εὐσέβειαν, οἱ δὲ τῆς ὠδῖνος ἐγγύς, ὅσοι τὸ μὲν ἀσεβὲς φεύγουσι, τὸ δὲ εὐσεβὲς οὐ παρρησιάζονται, εἴτε οἰκονομίᾳ τινὶ χρώμενοι 15 περὶ τὸν λόγον εἴτε δειλίᾳ πρὸς τοῦτο καταφεύγουσιν, ἀλλὰ τὴν μὲν διάνοιαν ὑγιαίνουσιν, ὥς φασι, τὸν λαὸν δὲ οὐχ ὑγιάζουσιν, ὥσπερ ἑαυτῶν οὐκ ἄλλων προστασίαν ἐγχειρισθέντες, οἱ δὲ καὶ δημοσιεύουσι τὸν θησαυρὸν οὐ στέγοντες τὴν ὠδῖνα τῆς εὐσεβείας, οὐδὲ τὸ μόνοι σῴζεσθαι σωτηρίαν 20 νομίζοντες εἰ μὴ καὶ ἄλλοις τὸ καλὸν ὑπερβλύσειεν. Μεθ' ὧν ἐγὼ ταττοίμην ἢ οἵτινες μετ' ἐμοῦ τὴν καλὴν τόλμαν τολμῶντες ὁμολογεῖν τὴν εὐσέβειαν.

476 A **15.** Ἓν μὲν οὖν καὶ σύντομον πρόγραμμα τοῦ καθ' ἡμᾶς λόγου καὶ οἷον στηλογραφία τις πᾶσι γνώριμος ὁ λαὸς οὗτος, γνήσιος ὢν τῆς Τριάδος προσκυνητὴς ὡς θᾶττον ἄν τινα διαζευχθῆναι τῆς ζωῆς ταύτης ἤ τι τῶν τριῶν ἓν 5 διαζεῦξαι τῆς θεότητος, σύμφρονες, ὁμόδοξοι, ἑνὶ λόγῳ πρός τε ἀλλήλους καὶ πρὸς ἡμᾶς καὶ τὴν Τριάδα κρατούμενοι. Τὰ δὲ καθ' ἕκαστον ἵν' ἐπέλθω συντόμως, ἄναρχον καὶ ἀρχὴ καὶ τὸ μετὰ τῆς ἀρχῆς εἷς Θεός. Οὔτε τοῦ ἀνάρχου τὸ ἄναρχον φύσις, ἢ τὸ ἀγέννητον· οὐδεμία γὰρ φύσις ὅ τι

14, 14 δὲ εὐσεβὲς : δ' ἀσεβὲς C || 19 σωτηρίαν : add. εἶναι A
15, 4 τινα om. QD || ἓν om. VT || 5 ὁμόδοξοι : ὁμόζηλοι JWVCv ὁμόψυχοι T || 6 καὶ τὴν : καὶ πρὸς τὴν VS

1. Cf. *supra*, n. 2, p. 69.
2. Avec d'autres termes de comparaison, le *D.*21, 34 opère la même distinction que dans ce chapitre entre les degrés d'engagement des évêques dans l'expression de l'orthodoxie.

faire, d'autres enfin qui jaillissent, de la même manière, parmi ceux qui philosophent sur Dieu, il y a — pour ne pas parler de ceux qui sont totalement dépourvus de jugement —, ceux qui gardent la vraie piété[1] bien enfouie, bien cachée au fond d'eux-mêmes ; il y a aussi ceux qui sont près de lui donner le jour — ce sont des gens qui, tout en fuyant l'impiété, ne professent pas directement la vraie piété, soit qu'ils usent de ménagements en ce qui concerne leurs façons de s'exprimer, soit qu'ils se réfugient par lâcheté dans cette attitude : ils sont sains d'esprit, comme on dit, mais ils ne donnent pas la santé au peuple, comme si on leur avait confié la charge de gouverner leur propre personne et non celle des autres — ; il y a enfin ceux qui divulguent le trésor sans protéger des regards cette mise à jour de la vraie piété et sans penser que le salut consiste à se sauver tout seul même si le bien ne rejaillit pas sur les autres. C'est avec eux que je voudrais que l'on me compte moi-même ainsi que ceux qui ont la belle audace de confesser au grand jour la vraie piété avec moi[2].

15. Il existe assurément un sommaire[3] abrégé de la doctrine que nous professons, une sorte d'inscription dont tout le monde peut prendre connaissance : c'est ce peuple, authentique adorateur de la Trinité au point qu'on y aurait plus vite fait de se séparer de cette vie que de séparer en quoi que ce soit de la divinité l'un des trois : on y a mêmes sentiments et même doctrine, en un mot, les gens y sont sous l'empire les uns des autres, de nous-mêmes ainsi que de la Trinité. Mais, pour exposer les choses brièvement point par point, *être sans principe*, *principe* et *être qui est avec le principe* sont un Dieu unique. L'absence de principe ne constitue pas la nature de celui qui est sans principe, pas plus que le fait d'être inen-

3. Sur πρόγραμμα, cf. *Lettres* 102, 18 ; 203, 2.

10 μὴ τόδε ἐστίν, ἀλλ' ὅ τι τόδε. Ἡ τοῦ ὄντος θέσις, οὐχ ἡ τοῦ μὴ ὄντος ἀναίρεσις. Οὔτε ἡ ἀρχὴ τῷ ἀρχὴ εἶναι τοῦ ἀνάρχου διείργεται· οὐ γὰρ φύσις αὐτῷ ἡ ἀρχή, ὥσπερ οὐδὲ ἐκείνῳ τὸ ἄναρχον. Περὶ γὰρ τὴν φύσιν ταῦτα, οὐ φύσις. Καὶ τὸ μετὰ τοῦ ἀνάρχου καὶ τῆς ἀρχῆς, οὐκ ἄλλο 15 τι ἢ ὅπερ ἐκεῖνα. Ὄνομα δὲ τῷ μὲν ἀνάρχῳ Πατήρ, τῇ δὲ ἀρχῇ Υἱός, τῷ δὲ μετὰ τῆς ἀρχῆς Πνεῦμα ἅγιον. Φύσις δὲ τοῖς τρισὶ μία, Θεός. Ἕνωσις δὲ ὁ Πατήρ, ἐξ οὗ καὶ πρὸς ὃν ἀνάγεται τὰ ἑξῆς οὐχ ὡς συναλείφεσθαι, ἀλλ' ὡς ἔχεσθαι, μήτε χρόνου διείργοντος μήτε θελήματος μήτε 20 δυνάμεως. Ταῦτα γὰρ ἡμᾶς πολλὰ εἶναι πεποίηκεν, αὐτοῦ τε ἑκάστου πρὸς ἑαυτὸ καὶ πρὸς τὸ ἕτερον στασιάζοντος. Οἷς δὲ ἁπλῆ φύσις καὶ τὸ εἶναι ταὐτόν, τούτοις καὶ τὸ ἓν κύριον.

C **16.** Τὰς μὲν οὖν φιλονείκους ἐπὶ θάτερα μετακλίσεις τοῦ λόγου καὶ ἀντισηκώσεις χαίρειν ἐάσωμεν, οὔτε τῷ ἑνὶ σαβελλίζοντες κατὰ τῶν τριῶν καὶ συναιρέσει κακῇ τὴν διαίρεσιν λύοντες, οὔτε τοῖς τρισὶν ἀρειανίζοντες κατὰ τοῦ 5 ἑνὸς καὶ πονηρᾷ διαιρέσει τὸ ἓν ἀνατρέποντες. Οὐ γὰρ κακοῦ κακὸν ἀλλάξασθαι τὸ ζητούμενον, ἀλλὰ τοῦ καλοῦ μὴ διαμαρτεῖν. Ὡς ταῦτά γε τοῦ πονηροῦ παίγνια, κακῶς τὰ ἡμέτερα ταλαντεύοντος. Αὐτοὶ δὲ τὴν μέσην βαδίζοντες καὶ βασιλικήν, ἐν ᾧ καὶ τὸ τῶν ἀρετῶν ἕστηκεν ὡς δοκεῖ

15, 10 οὐχ ἡ : οὐχὶ Av || 13-14 ταῦτα, οὐ φύσις : οὐ ταῦτα φύσις JWVTDCv οὐ φύσις ταῦτα QB || 17 Θεός : θεότης ASD
16, 1 μετακλίσεις : μετακλήσεις BAS || 6 κακὸν : τὸ κακὸν v || 7 μὴ διαμαρτεῖν : μὴ ἁμαρτεῖν S τὸ μὴ διαμαρτεῖν BJWVT || 9 ᾧ : ᾗ QWA

1. C'est parce que l'arianisme considérait le fait d'être inengendré comme l'unique caractéristique de la divinité qu'il réservait celle-ci au Père.

2. Sur ce passage, voir l'Introduction, p. 21. Cf. *D.*29, 11, 12-13 : οὐ τὴν τοῦ ὄντος θέσιν, ἀλλὰ τὴν τοῦ μὴ ὄντος ἀναίρεσιν.

3. Sabellius avait professé à Rome au début du IIIe siècle une doctrine qui minimisait les différences au sein de la Trinité.

gendré[1], car aucune nature ne se définit par ce qu'elle n'est pas : elle se définit par ce qu'elle est. L'affirmation de ce qui est, non l'exclusion de ce qui n'est pas[2]. Le principe n'est pas non plus séparé de l'être sans principe par le fait qu'il est principe, car le principe n'est pas pour lui sa nature, de même que l'absence de principe n'est pas la nature de celui-là : ce sont choses en rapport avec la nature, mais qui ne sont pas la nature. Et l'être qui est avec l'être sans principe et avec le principe n'est pas autre chose que ce qu'ils sont. L'être sans principe s'appelle Père, le principe Fils, et l'être qui est avec le principe Esprit saint. Les trois ont une seule nature : Dieu. L'union est faite par le Père, de qui vient et vers qui remonte le reste, de sorte qu'il y ait non point fusion, mais jonction, sans séparation introduite par le temps, la volonté ou la puissance. Ce sont, en effet, ces dernières réalités qui ont fait que nous sommes dans la multiplicité, chaque élément entrant en lutte contre lui-même et contre l'autre, mais chez ceux qui ont une nature simple et dont l'être est le même, l'unité aussi est souveraine.

16. Aux déviations, orientées dans un sens ou dans l'autre, qu'entraîne l'amour de la polémique, ainsi qu'aux réactions compensatoires qui en découlent disons adieu, sans sabelliser[3] contre les trois par attachement à l'unité en supprimant la distinction pour la remplacer par une pernicieuse contraction, et sans arianiser avec les trois contre l'unité en ruinant celle-ci par une distinction perverse. Notre recherche ne vise pas à échanger un mal contre un autre, mais à ne pas nous écarter du bien. Or tout cela, ce sont des jeux du Malin, qui fait osciller notre comportement d'une façon malheureuse. Pour nous, qui suivons la voie centrale et royale[4] — c'est en cela que consiste aussi ce qui caractérise les vertus, selon l'opinion des personnes compétentes en ce domaine —, nous croyons

4. Cf. *D.* 2, 34, 7-8 ; *D.* 3, 8, 9.

10 τοῖς ταῦτα δεινοῖς, πιστεύομεν εἰς Πατέρα καὶ Υἱὸν καὶ Πνεῦμα ἅγιον, ὁμοούσιά τε καὶ ὁμόδοξα, ἐν οἷς καὶ τὸ
477 A βάπτισμα τὴν τελείωσιν ἔχει ἔν τε ὀνόμασι καὶ πράγμασιν — οἶδας ὁ μυηθείς —, ἄρνησις ὂν ἀθείας καὶ ὁμολογία θεότητος. Καὶ οὕτω καταρτιζόμεθα, τὸ μὲν ἓν τῇ οὐσίᾳ
15 γινώσκοντες καὶ τῷ ἀμερίστῳ τῆς προσκυνήσεως, τὰ δὲ τρία ταῖς ὑποστάσεσι εἴτουν προσώποις, ὅ τισι φίλον. Μηδὲ γὰρ οἱ περὶ ταῦτα ζυγομαχοῦντες ἀσχημονείτωσαν ὥσπερ ἐν ὀνόμασι κειμένης ἡμῖν τῆς εὐσεβείας, ἀλλ' οὐκ ἐν πράγμασι. Τί γάρ φατε οἱ τὰς τρεῖς ὑποστάσεις εἰσφέ-
20 ροντες ; Μὴ τρεῖς οὐσίας ὑπολαμβάνοντες τοῦτο λέγετε ; Μέγα οἶδ' ὅτι βοήσετε κατὰ τῶν οὕτως ὑπειληφότων. Μίαν γὰρ καὶ τὴν αὐτὴν τῶν τριῶν δογματίζετε. Τί δὲ οἱ τὰ πρόσωπα ; Μὴ ἓν οἷόν τι σύνθετον ἀναπλάσσετε, καὶ τριπρόσωπον ἢ ἀνθρωπόμορφον ὅλως ; Ἄπαγε, καὶ ὑμεῖς
25 ἀντιβοήσετε, μηδὲ πρόσωπον, ὅ τί ποτέ ἐστιν, ἴδοι Θεοῦ ὃς
B οὕτως ἔχει. Τί οὖν ὑμῖν αἱ ὑποστάσεις βούλονται ἢ ὑμῖν τὰ πρόσωπα ; προσερήσομαι γάρ. Τὸ τρία εἶναι τὰ διαιρούμενα οὐ φύσεσιν, ἀλλ' ἰδιότησιν. Ὑπέρευγε. Πῶς ἂν τινες συμφρονοῖεν μᾶλλον καὶ τὸ αὐτὸ λέγοιεν ἢ οὕτως
30 ἔχοντες, κἂν ταῖς συλλαβαῖς διαφέρωσιν ; Ὁρᾶτε οἷος ἐγὼ διαλλακτὴς ὑμῖν πρὸς τὸν νοῦν ἄγων ἀπὸ τοῦ γράμματος ὥσπερ τὴν παλαιὰν καὶ τὴν νέαν.

16, 12 πράγμασιν : σχήμασιν AD^{mg} C || 13 ἄρνησις ὂν : ἄρνησιν AS ἄρνησιν ὢν D || ὂν : om. AS ὢν D || ὁμολογίαν ASDC || 14 ἓν om. J || 18 κειμένην J || 21 οἶδ' : οἶδα Q εὖ οἶδ' A || 22 δὲ : δαὶ VTv || 26 ὑμῖν : ἡμῖν v || αἱ ὑποστάσεις βούλονται : εἶναι αἱ ὑποστάσεις βούλονται QASC βούλονται εἶναι αἱ ὑπόστασεις D || 29 συμφρονοῖεν : σωφρονοῖεν BDC || ἢ : οἱ A

1. Le Discours 21, 35, 18 s. met au compte des Occidentaux l'emploi du mot *personne* : « Les Italiens comprennent aussi les choses comme nous, encore que leur langue dispose de moyens d'expression trop limités et d'un vocabulaire trop pauvre pour leur permettre de distinguer l'hypostase de l'essence. C'est la raison pour laquelle leur

au Père, au Fils et au Saint-Esprit, à leur commune substance et à leur commune gloire : c'est en eux que s'opère la perfection conférée au baptême aussi bien par les paroles que par les actes — tu le sais, toi qui as reçu l'initiation —, car il est reniement de l'athéisme et confession de la divinité. Voilà comment nous sommes formés, nous qui reconnaissons l'unité par la substance et le caractère indivisible de l'adoration, ainsi que la Trinité par les hypostases, ou encore par les personnes, comme préfèrent dire certains[1]. Qu'ils abandonnent leur attitude inconvenante, ceux qui disputent sur ce sujet comme si notre piété reposait sur des mots et non sur des réalités. Que voulez-vous dire, vous qui alléguez les trois hypostases? Dites-vous cela en pensant à trois substances? Je sais que vous pousserez les hauts cris contre ceux qui ont eu cette idée, car vous professez que les trois n'ont qu'une seule et même substance. Et vous qui parlez de personnes, que dites-vous? Imaginez-vous l'unité comme un composé doté de trois visages[2] ou, pour tout dire, de forme humaine? Jamais de la vie, crierez-vous, en souhaitant que celui qui est dans de tels sentiments ne voie jamais le visage de Dieu, quel que soit ce visage. Que signifient donc pour vous les hypostases ou pour vous autres les personnes, pour continuer mon interrogatoire? Le fait d'être trois à être distingués, non par leurs natures, mais par leurs propriétés. Fort bien. Comment pourrait-on être davantage d'accord et comment pourrait-on mieux dire la même chose que dans une telle situation, malgré la différence des syllabes? Voyez quel arbitre je fais pour vous, moi qui transpose de la lettre à l'esprit le Nouveau Testament tout comme l'Ancien.

langue substitue les «personnes» aux hypostases pour éviter d'admettre trois essences» (tr. J. Mossay, p. 187). Cf. *D.* 34, 8, 12; *D.* 37, 22, 10.

2. Le mot πρόσωπον signifie *visage* avant de prendre le sens de *personne*.

C **17.** Ἀλλ' ἐπανιτέον μοι πάλιν ἐπὶ τὸν αὐτὸν λόγον. Τὸ μὲν οὖν ἀγέννητον καὶ τὸ γεννητὸν καὶ τὸ ἐκπορευτὸν λεγέσθω τε καὶ νοείσθω, εἴ τῳ φίλον δημιουργεῖν ὀνόματα. Οὐ γὰρ δείσομεν μή ποτε νοῆται σωματικῶς τὰ ἀσώματα,
5 ὅπερ δοκεῖ τοῖς ἐπηρεασταῖς τῆς θεότητος. Κτίσμα δέ, Θεοῦ μὲν λέγεσθω, μέγα γὰρ ἡμῖν καὶ τοῦτο· Θεὸς δέ, μηδαμῶς. Ἢ τότε δέξομαι κτίσμα εἶναι Θεὸν ὅταν κἀγὼ γένωμαι κυρίως Θεός. Ἔχει γὰρ οὕτως. Εἰ μὲν Θεός, οὐ κτίσμα· μεθ' ἡμῶν γὰρ τὸ κτίσμα, τῶν οὐ θεῶν. Εἰ κτίσμα δέ, οὐ
10 Θεός· ἤρξατο γὰρ χρονικῶς. Ὃ δὲ ἤρξατο, ἦν ὅτε οὐκ ἦν. Οὗ δὲ πρεσβύτερον τὸ οὐκ ἦν, τοῦτο οὐ κυρίως ὄν. Τὸ δὲ μὴ κυρίως ὄν, πῶς Θεός ; Οὔτε οὖν κτίσμα τῶν τριῶν, οὐδὲ ἕν· οὔτε, ὃ τούτου χεῖρον, δι' ἐμὲ γενόμενον, ἵνα μὴ κτίσμα
D ᾖ μόνον, ἀλλὰ καὶ ἡμῶν ἀτιμότερον. Εἰ γὰρ ἐγὼ μὲν εἰς
15 δόξαν Θεοῦ, τοῦτο δὲ δι' ἐμὲ — ὡς ἡ πυράγρα διὰ τὴν ἅμαξαν ἢ ὁ πρίων διὰ τὴν θύραν —, νικῶ τῇ αἰτίᾳ. Ὅσῳ
480 A γὰρ κτισμάτων Θεὸς ὑψηλότερος, τοσοῦτον τοῦ διὰ Θεὸν ὑποστάντος ἐμοῦ τὸ δι' ἐμὲ γενόμενον ἀτιμότερον.

18. Πρὸς ταῦτα, Μωαβίταις μὲν καὶ Ἀμμανίταις μηδὲ εἰσιτητὸν εἰς ἐκκλησίαν ἔστω Θεοῦ [a] — λόγοις διαλεκτικοῖς τε καὶ κακοπράγμοσιν —, οἵ, γέννησιν Θεοῦ πολυπραγμονοῦντες καὶ πρόοδον ἄρρητον, κατεξανίστανται τολμηρῶς
5 θεότητος, ὡς δέον ἢ ἐφικτὰ μόνοις εἶναι τὰ ὑπὲρ λόγον ἢ

17, 1 ἐπὶ : πρὸς JWVTv || 5 τῆς om. BJWVTv || 9 εἰ δὲ κτίσμα DC[ac] || 15 ὡς om. QBJWVTDC[pc]v || πυράγρα (cf. *Carm.* II, I, 13. v. 105) : περίγρα Q[mg] WVT || 18 γινόμενον v

18, 2 διαλεκτικοῖς : διαπλεκτικοῖς A || 5 ὡς δέον : ὡς εἶναι δέον A ὧδε S[ac] ὡς δὲ S[pc]

18. a. Cf. Deut. 23, 4.

1. Ἦν ὅτε οὐκ ἦν : comme ἀγέννητος (15, 9), il s'agit là d'une formule fondamentale de l'arianisme.

2. De même que la scie sert à travailler le bois, la pince à feu sert à manier le fer rouge avec lequel on fabrique un essieu. Cf. le crochet à viande, κρεάγρα.

3. Cf. *supra*, p. 21.

17. Mais revenons au point où je m'étais arrêté. Si on tient à fabriquer des termes, il faut utiliser les mots et les concepts d'être inengendré, d'être engendré et d'être qui procède. Ainsi nous n'aurons pas à craindre qu'on en vienne à concevoir de façon corporelle les êtres incorporels, comme le font les insulteurs de la divinité. D'une créature, qu'on dise qu'elle est de Dieu, car cela aussi est important pour nous, mais en aucune façon qu'elle est Dieu. Si je dois admettre que Dieu est une créature, je le ferai lorsque je serai devenu Dieu au sens propre. Voici ce qu'il en est. S'il s'agit de Dieu, ce n'est pas une créature, car la créature est avec nous, qui ne sommes pas des dieux. S'il s'agit d'une créature, ce n'est pas Dieu, car elle a eu un commencement dans le temps, et ce qui a eu un commencement, il y eut un temps où il n'était pas [1]. Si pour un être l'état de non-être possède l'antériorité, cet être ne possède pas l'être au sens propre. Et ce qui ne possède pas l'être au sens propre, comment serait-il Dieu ? En conclusion, des trois aucun n'est une créature, pas un seul : et, ce qui serait pire, aucun n'existe à cause de moi : sinon, celui-là ne serait pas seulement une créature, il serait aussi inférieur à nous. Car si j'existe pour la gloire de Dieu et si cet être existe à cause de moi, comme la pince à feu existe, à cause du char ou la scie à cause de la porte [2], j'ai sur lui la supériorité de la cause, car plus Dieu est au-dessus des créatures, plus l'être qui a pris existence à cause de moi m'est inférieur, à moi qui existe à cause de Dieu.

18. En conséquence, que l'entrée dans l'Église de Dieu ne soit même pas permise aux Moabites et aux Ammonites [a] — de méchants propos de dialecticiens [3] —, qui, en se mêlant d'expliquer la génération de Dieu et son ineffable procession, se dressent audacieusement contre la divinité comme s'il fallait que ce qui dépasse l'entendement ou bien fût accessible à eux seuls, ou bien restât inaccessible

μηδὲ εἶναι ὅτι μὴ αὐτοὶ κατειλήφασιν. Ἡμεῖς δὲ ταῖς θείαις γραφαῖς ἑπόμενοι καὶ τὰ ἐγκείμενα σκῶλα τοῖς τυφλώττουσι
B λύοντες, τῆς σωτηρίας ἐξόμεθα, πάντα τολμῶντες πρότερον ἢ κατὰ Θεοῦ τι νεανιεύεσθαι. Τὰς μὲν δὴ μαρτυρίας ἄλλοις
10 παρήσομεν, πολλοῖς τε λογογραφηθείσας ἤδη πολλάκις καὶ ἡμῖν οὐ παρέργως. Καὶ ἅμα λίαν αἰσχρὸν ἐμοὶ γοῦν νῦν τὰς πίστεις συλλέγειν τῶν πάλαι πεπιστευμένων. Τάξις γὰρ οὐκ ἀρίστη διδάσκειν πρότερον, εἶτα μανθάνειν, μὴ ὅτι τὰ θεῖα καὶ τηλικαῦτα τὸ μέγεθος, ἀλλ' οὐδὲ ἄλλο τι τῶν
15 μικρῶν καὶ τοῦ μηδενὸς ἀξίων. Καὶ τὰ ἐκ τῆς γραφῆς προσκόμματα λύειν καὶ διαρθροῦν, οὐ τοῦ παρόντος καίρου, σπουδῆς δὲ τελεωτέρας καὶ μείζονος ἢ κατὰ τὴν παροῦσαν ὁρμὴν τῆς ὑποθέσεως. Ὁ δ' οὖν λόγος ἡμῶν, ὡς ἐν κεφαλαίῳ περιλαβεῖν, ἐστιν οὗτος. Καὶ ταῦτα διῆλθον οὐχ
20 ἵν' ἀγωνίσωμαι πρὸς τοὺς ἀντιθέτους — πολλάκις γὰρ ἤδη διηγωνίσμεθα, εἰ καὶ μετρίως —, ἀλλ' ἵνα ὑμῖν ἐπιδείξω
C τὸν χαρακτῆρα τῶν ἐμῶν διδαγμάτων, εἰ μὴ τῶν ὑμετέρων ἐγὼ συναγωνιστὴς καὶ κατὰ τῶν αὐτῶν καὶ ὑπὲρ τῶν αὐτῶν ἱστάμενος.

19. Οὗτος ὑμῖν, ὦ ἄνδρες, ὁ τῆς ἐμῆς ἀπόλογος παρουσίας. Εἰ μὲν ἐπαινετῶς ἔχων, τῷ Θεῷ χάρις καὶ ὑμῖν τοῖς καλέσασιν· εἰ δὲ τῆς ἐλπίδος ἐνδεέστερον, καὶ οὕτω χάρις. Οὐ γὰρ πάντη ψεκτῶς, εὖ οἶδα, καὶ ὑμῖν οὐκ ἀπιστῶ

18, 8 πάντα : πᾶν JWVTC^{pc} || 11 ἡμῖν : add. νῦν D || 15 τῆς γραφῆς : τῶν γραφῶν JWVTAC || 21 διηγωνισάμεθα JWVTv || 23 ἐγὼ om. QAD

---

1. Cf. en particulier les cinq *Discours Théologiques* (*Discours 27-31*, éd. P. Gallay, Paris 1978), mais aussi *D.* 34, 12, 13-15.
2. Ὦ ἄνδρες : ce n'est pas ainsi que pourrait s'exprimer un évêque interpellant ses confrères, mais c'est bien le style d'une ἀπολογία littéraire.

faute d'être compris par eux. Pour nous, c'est en suivant les divines Écritures et en enlevant pour les aveugles les obstacles qu'elles recèlent que nous resterons accrochés au salut, prêts à tout plutôt qu'à montrer de l'arrogance contre Dieu. Quant aux preuves scripturaires, nous en laisserons le soin à d'autres : elles ont déjà été l'objet d'un exposé bien des fois par bien des gens, et en particulier par nous d'une manière qui n'avait rien d'une digression[1]. En même temps, il serait assez lamentable, me semble-t-il, de rassembler maintenant les preuves d'une foi tenue depuis longtemps. Ce n'est pas suivre l'ordre le meilleur que de commencer par enseigner pour s'instruire par la suite, non seulement quand il s'agit des choses de Dieu et d'une telle importance, mais encore en tout domaine, même modeste et dénué de toute valeur. Articuler les difficultés qui ont leur source dans l'Écriture et les résoudre ne convient pas à la situation où nous sommes, et cela réclamerait un effort plus complet et plus grand que ne le permet le sujet que nous entreprenons de traiter maintenant. Voilà donc, pour tout dire de façon résumée, ce qu'est notre doctrine. Ce que j'en ai dit, je ne l'ai pas dit pour lutter contre nos adversaires — c'est un combat que nous avons déjà mené souvent, même si nous l'avons fait avec modération —, mais pour vous faire constater en quoi consiste la marque propre de mon enseignement et vous faire voir si je suis associé à vos combats et si je me dresse pour attaquer ou soutenir les mêmes positions que vous.

19. Voilà, messieurs[2], la justification de ma présence que je vous destinais. Si elle rencontre votre approbation, grâce en soit rendue à Dieu et à vous qui m'avez invité à la présenter ; si elle a déçu votre attente, grâce en soit rendue tout de même, car elle n'est pas à désavouer sur tous les points, je le sais parfaitement et je ne peux que

5 λέγουσιν. Μή τι τὸν λαὸν τοῦτον ἐπλεονεκτήσαμεν ; Μή τι τῶν ἡμετέρων ᾠκονομήσαμεν, ὃ τοὺς πολλοὺς ὁρῶ
D πάσχοντας ; Μή τι τὴν ἐκκλησίαν παρελυπήσαμεν ; Ἄλλους μὲν ἴσως, οἷς ἐρήμην ἡμᾶς ᾑρηκέναι νομίζουσι τὸν ἡμέτερον ἀντεστήσαμεν λόγον· ὑμᾶς δὲ οὐδέν, ὅσα ἐμαυτῷ συνε-
10 πίσταμαι. Οὐ βοῦν ὑμῶν εἴληφα, φησὶ Σαμουὴλ ὁ μέγας
481 A πρὸς τὸν Ἰσραὴλ ὑπὲρ τοῦ βασιλέως διαφερόμενος[a], οὐ ψυχῶν ὑμῶν ἐξίλασμα[b], μάρτυς Κύριος ἐν ὑμῖν[c] — οὐ τὸ καὶ τό, πλείονα λέγων, ἵνα μὴ αὐτὸς ἀπαριθμῶμαι καθ' ἕκαστον, ἀλλὰ καθαρὰν καὶ ἀκίβδηλον τὴν ἱερωσύνην
15 ἐφύλαξα. Εἰ δὲ δυναστείαν ἠγάπησα ἢ θρόνων ὕψος ἢ βασιλέων πατεῖν αὐλάς, μηδὲ ἄλλο τι λαμπρὸν ἔχοιμι ἢ ῥίψαιμι κεκτημένος.

20. Τί οὖν ἐστιν ὅ φημι ; Οὐ γὰρ ἄμισθος ἐγὼ τῆς ἀρετῆς ἐργάτης οὐδὲ εἰς τοσοῦτον ἀρετῆς ἀφικόμην. Δότε μοι τῶν πόνων μισθόν. Τίνα τοῦτον ; Οὐχ ὃν ἄν τινες
B ὑπολάβοιεν τῶν πάντα ῥᾳδίων, ἀλλ' ὃν ἐμοὶ ζητεῖν ἀσφαλές.
5 Ἀναπαύσατε τῶν μακρῶν πόνων ἡμᾶς, αἰδέσθητε τὴν πολιὰν ταύτην, τιμήσατε τὴν ξενιτείαν, ἄλλον ἀντεισαγάγετε, τὸν ὑπὲρ ὑμῶν διωκόμενον, ὅστις καθαρὸς χεῖρας, ὅστις φωνὴν οὐκ ἀσύνετος, ὅστις ἱκανὸς τὰ πάντα ὑμῖν

Deficit J a **19,** 2 παρουσίας usque ad **20,** 26 θαλάσσῃ

19, 6 ἡμετέρων : ἰδίων Q ‖ 8 ἡμᾶς ᾑρηκέναι : ὑμᾶς ᾑρηκέναι $V^{ac}T^{ac}$ ὑμᾶς εἰρηκέναι QBASDC ‖ 9 ὑμᾶς : ὑμῶν SD ‖ 12-13 οὐ τὸ καὶ τό : οὕτω καὶ τά AD οὕτω καὶ τό S ‖ 13 ἀπαριθμῶμαι : καταριθμῶ D καταριθμῶμαι QC ‖ 16 αὐλὰς πατεῖν QB

19. a. Cf. I Sam. 12, 3. b. *Ibid.*, cf. Ex 30, 15-16 ; Lév. 17, 11. c. I Sam. 12, 5.

1. Cette formule ne se comprend que si son rédacteur a déjà enregistré des réactions à sa parole : elle ne pourrait donc avoir été rédigée qu'après coup, si le discours avait été réellement prononcé.
2. Cf. *D.* 33, 13, 1-5. Voir la n. 1 de Moreschini, p. 184.
3. Allusion au carriérisme ecclésiastique.

vous en croire, vous qui me le dites[1]. Ce peuple a-t-il fait l'objet de notre convoitise[2]? Avons-nous servi des intérêts personnels, comme je le vois faire à la plupart[3]? Avons-nous contristé l'Église? Peut-être l'ai-je fait pour d'autres, auxquels notre parole s'est opposée alors qu'ils pensaient nous avoir fait condamner par défaut[4], mais nullement en ce qui vous concerne, pour autant que je le sache. Je ne vous ai pas pris votre bœuf, dit le grand Samuel dans sa dispute avec Israël à propos du roi[a], je n'ai pas perçu de gratification pour garantir vos personnes[b] : le Seigneur m'en est témoin parmi vous[c]. Je n'ai pas pris ceci et cela, pour dire plus sans énumérer moi-même les choses l'une après l'autre, mais j'ai gardé mon sacerdoce pur et intact. Et si j'ai aimé le pouvoir ou l'élévation des trônes, si j'ai pris plaisir à fouler le sol des cours royales, que tout autre éclat me soit refusé, ou que j'en sois dépouillé si je le possède.

20. Qu'est-ce que je veux donc dire? Que je ne suis pas un ouvrier de la vertu qui travaille sans salaire[5], et que je ne suis pas parvenu à un aussi haut degré de vertu. Donnez-moi le salaire de mes peines. Quel salaire? Non pas celui que pourraient supposer certains de ceux qui sont prêts à tout imaginer, mais ce que je peux demander en toute sécurité. Permettez-nous de nous reposer de nos longues peines, respectez ces cheveux blancs, faites honneur à ma condition d'hôte, mettez à ma place quelqu'un d'autre pour subir des attaques à votre service : un homme qui ait les mains pures, qui ne soit pas sans talent de parole, qui soit capable de vous plaire en toutes choses et de prendre sa part du souci des affaires de

4. Comment mieux dire que Grégoire n'a jamais présenté sa défense oralement devant les évêques? Sa démission et son départ lui apparaissant comme une défaite essuyée dans un procès non plaidé, il présente sa défense par écrit et à retardement, comme pour faire appel.

5. Cf. *supra*, 12, 10-12.

χαρίζεσθαι καὶ συνδιαφέρειν τὰς ἐκκλησιαστικὰς φροντίδας,
10 ἐπειδὴ τούτου μάλιστα νῦν ὁ καιρός. Ἐμοὶ δὲ ὁρᾶτε καὶ
τὸ σῶμα ὡς ἔχει τοῦτο, καὶ χρόνῳ καὶ νόσῳ καὶ πόνῳ
δαπανηθέν. Τί δεῖ γέροντος ὑμῖν δειλοῦ καὶ ἀνάνδρου καὶ
καθ' ἑκάστην, ὡς εἰπεῖν, ἀποθνήσκοντος τὴν ἡμέραν, οὐ
τῷ σώματι μόνον, ἀλλὰ καὶ ταῖς φροντίσιν· ὃς μόλις καὶ
15 ταῦτα ὑμῖν διαλέγομαι ; Μὴ ἀπιστήσητε φωνῇ διδασκάλου·
καὶ γὰρ οὐδὲ ἠπιστήσατε πώποτε. Κέκμηκα τὴν ἐπιείκειαν
C ἐγκαλούμενος. Κέκμηκα καὶ λόγῳ καὶ φθόνῳ μαχόμενος,
καὶ πολεμίοις καὶ ἡμετέροις. Οἱ μὲν τὰ στέρνα παίουσι,
καὶ ἧττον ἐπιτυγχάνουσι· τὸ γὰρ προδήλως ἐχθρὸν εὐφύ-
20 λακτον. Οἱ δὲ τὰ νῶτα τηροῦσι, καὶ μᾶλλόν εἰσι λυπηροί·
τὸ γὰρ ἀνύποπτον καιριώτερον. Εἰ δὲ καὶ κυβερνήτης ἦν
καὶ τῶν λίαν ἐπιστημόνων, εἶτα πολλὴ μὲν ἦν περὶ ἡμᾶς
ἡ θάλασσα καὶ περὶ τὴν ναῦν ζέουσα, πολλὴ δὲ τῶν
ἐμπλεόντων ἡ στάσις, ἄλλων περὶ ἄλλου ζυγομαχούντων
25 καὶ ἀντικτυπούντων ἀλλήλοις τε καὶ τοῖς κύμασι, πόσον
ἀντέσχον ἂν ἐπὶ τῶν οἰάκων καθήμενος, ὥστε καὶ θαλάσσῃ

20, 10 τούτου : τούτων WVTv || 11 καὶ πόνῳ om. BT (suppl. mg T²) || 13 ὡς εἰπεῖν om. QBASDC || 21 κυβερνήτης : add. τις QBADC || ἦν : εἴην SDC || 24 ἄλλων περὶ ἄλλου : ἄλλο περὶ ἄλλων S ἄλλων περὶ ἄλλων QD

1. Au moment où ce texte est mis par écrit, le successeur de Grégoire est en fonctions et il le restera jusqu'à 397. Un notable d'Antioche, Nectaire, avait été désigné par le concile. C'est Jean Chrysostome qui prendra la relève de Nectaire.

2. On sait qu'une grave maladie avait conduit Grégoire à rédiger le 31 mai 381 un testament qui a été conservé. L'édition la plus accessible se trouve dans *PG* 37, 389-396.

3. Le mot γέρων convenait tout à fait à un homme qui avait dépassé la cinquantaine, et la maladie était réelle, mais il y a de l'ironie à reprendre dans la bouche de ses critiques l'accusation de timidité et de manque de courage. Cette ironie pourrait paraître amère si le ton ne devenait aussitôt mordant quand l'auteur prétend avoir de la peine à prononcer un discours aussi fulgurant.

l'Église, puisque c'est de cela surtout qu'il s'agit à l'époque où nous sommes[1]. Quant à moi, voyez dans quel état se trouve ce corps miné par le temps, par la maladie et par la fatigue[2]. Qu'avez-vous à faire d'un vieillard timide, sans courage et qui expire, pour ainsi dire, chaque jour non seulement sous le poids de son corps, mais aussi sous le fardeau des soucis, cet homme qui ne s'adresse à vous aujourd'hui qu'avec difficulté[3]? Ne refusez pas de croire la voix d'un maître[4] : aussi bien, vous ne lui avez jamais refusé votre confiance. Je suis fatigué de m'entendre reprocher mon indulgence[5]. Je suis fatigué de lutter contre ce que l'on dit et contre la jalousie[6], contre les ennemis et contre les nôtres[7]. Les uns frappent à la poitrine, et leurs coups portent moins, car on se garde aisément de l'inimitié qui se montre. Les autres guettent les arrières, et ils font plus de mal, car le coup inattendu inflige une blessure plus grave[8]. Supposons que je sois le pilote d'un navire, et même des plus experts. Supposons encore que la mer environnante soit grosse et qu'elle bouillonne autour du navire, que la dissension batte son plein à bord, chacun ayant son motif d'entrer en contestation contre un autre, les hommes échangeant des coups entre eux et luttant avec les flots : combien de temps aurais-je pu rester à la barre pour lutter à la fois

4. Le titre de διδάσκαλος s'applique depuis longtemps aux évêques, mais un tel langage ne peut s'adresser qu'aux fidèles, non aux membres du concile.

5. Ce genre de reproche émane des extrémistes de l'orthodoxie, qui voient en Grégoire un chef de parti trop mou.

6. La jalousie est celle de Maxime, qui avait essayé de supplanter Grégoire, mais elle est aussi le fait de l'évêque d'Alexandrie, qui cherchait à diminuer l'importance du siège de Constantinople. Il n'est pas exclu que le mot vise également l'attitude du pape Damase.

7. Grégoire se fait des illusions sur la cohésion et la vigueur de ses adversaires : la meilleure preuve en est le choix de son successeur, qui était un homme aimable et effacé, nullement un chef de parti combatif.

8. Cf. *D.* 36, 23-24.

καὶ τοῖς ἐμπλέουσι μάχεσθαι καὶ διασῴζειν ἀκινδύνως τὴν ναῦν ἐκ διπλοῦ τοῦ κλύδωνος; Ὧν γὰρ παντὶ τρόπῳ συναγωνιζομένων χαλεπὸν ἦν τὸ τῆς σωτηρίας, τούτων πῶς
30 οἷόν τε ἀνταγωνιζομένων μὴ καταδύεσθαι;

21. Τί τἄλλα δεῖ λέγειν; Ἀλλὰ πῶς οἴσω τὸν ἱερὸν τοῦτον πόλεμον; Λεγέσθω γάρ τις καὶ πόλεμος ἱερὸς ὥσπερ
484 A βαρβαρικός. Πῶς συνάψω καὶ εἰς ἓν ἀγάγω τοὺς ἀντικαθεζομένους τούτους καὶ ἀντιποιμαίνοντας, καὶ τὸν συνα-
5 περρωγότα τούτοις λαὸν καὶ ἀντίθετον, ὥσπερ ἐν τοῖς χάσμασι τῶν σεισμῶν τὰ γειτονοῦντα καὶ πλησιάζοντα ἢ ταῖς λοιμικαῖς νόσοις τοὺς θεραπευτὰς καὶ οἰκείους, ἄλλοις ἀπ' ἄλλων διαδιδομένης εὐκόλως τῆς ἀρρωστίας; Οὐ μόνον δέ, ἀλλὰ καὶ τὰ τῆς οἰκουμένης τμήματα συμπεπονθότα
10 τοῖς στασιάζουσιν ὥστε καὶ εἰς ἀντίπαλον μοῖραν ἀποκριθῆναι τό τε ἑῷον καὶ τὸ ἑσπέριον καὶ κινδυνεύειν τῆς γνώμης οὐχ ἧττον ἢ τῶν περάτων ταῦτα γενέσθαι τμήματα. Μέχρι τίνος γὰρ ὁ ἐμὸς καὶ ὁ σὸς καὶ ὁ παλαιὸς καὶ ὁ νέος, ὁ λογιώτερος ἢ ὁ πνευματικώτερος, ὁ εὐγενέστερος
15 ἢ ὁ δυσγενέστερος, ὁ τῷ πλήθει πλουσιώτερος ἢ ὁ

21, 2 ὥσπερ : ὥσπερ καὶ SDC^{ac}v ‖ 11 τό τε : τὸ QASDC τότε v ‖ 13 γὰρ τίνος QJS ‖ 14 λογιώτερος : λογιώτατος S λογικώτερος AV

---

1. Cette comparaison développée appartient à la plus pure tradition rhétorique. Grégoire a quelque expérience des choses de la mer, puisqu'il avait échappé de justesse à un naufrage entre Alexandrie et Athènes, mais ce terrien a appris ce τόπος de l'école et des livres, non de la vie.

2. Grégoire parlera ailleurs de ce qu'il appelle «la guerre des évêques» (*D.* 43, 58,3).

3. De quel type de conflit s'agit-il? On pourrait penser à la querelle trinitaire qui sévissait depuis un demi-siècle, mais le contexte montre que Grégoire a en tête un affrontement qui concerne essentiellement des évêques, les fidèles n'étant appelés que secondairement à leur emboîter le pas : or l'arianisme est un phénomène plus

contre la mer et contre les gens du navire, et pour sauver ce dernier du danger en le tirant de cette double tempête ? Si on luttait à mes côtés par tous les moyens, le sauvetage serait déjà difficile, mais quand on se bat contre moi, comment ne pas couler[1] ?

21. A quoi bon dire le reste ? Mais comment pourrai-je supporter cette guerre sainte[2], puisqu'il faut parler de guerre sainte comme on parle de guerre barbaresque[3] ? Comment relier et réunir ces gens qui dressent l'un contre l'autre leur siège et leur autorité pastorale, ainsi que ce peuple constitué autour d'eux en blocs opposés et qui ressemble à ce que deviennent dans les fractures causées par les séismes les parties qui étaient voisines et proches l'une de l'autre, ou encore aux serviteurs et aux domestiques dans le cas des maladies contagieuses, quand le mal se communique avec facilité d'une personne à l'autre ? Mais ce n'est pas tout : il y a aussi les continents qui les ont rejoints dans leurs dissensions, de telle façon que l'Orient et l'Occident se sont séparés pour former des camps qui s'opposent, au point que cette coupure risque d'affecter les idées non moins que les points cardinaux. Jusques à quand y aura-t-il le mien et le tien, l'ancien et le nouveau, l'intellectuel et le spirituel, le noble et le roturier, celui qui dispose de foules et celui qui n'a qu'une

diffus et plus populaire. Si Orient et Occident sont en conflit, c'est que l'auteur pense au schisme d'Antioche, où les Orientaux soutenaient Mélèce tandis que l'Occident et Alexandrie appuyaient Paulin. Contrairement aux espoirs et aux efforts de Grégoire, la mort de Mélèce en plein concile n'avait pas permis de mettre fin à la querelle, les Orientaux ayant désigné Flavien pour lui succéder.

B πενέστερος ; Αἰσχύνομαι τὸ γῆρας ἄλλων καλούμενος, ὑπὸ Χριστοῦ σεσωσμένος.

22. Οὐ φέρω τοὺς ἱππικοὺς ὑμῶν καὶ τὰ θέατρα καὶ τὴν ἀντίρροπον ταύτην μανίαν ἔν τε δαπανήμασι καὶ σπουδάσμασι. Μεταζεύγνυμεν, ἀντιζεύγνυμεν, ἀντιφρυασσόμεθα, μικροῦ καὶ τὸν ἀέρα παίομεν ὥσπερ ἐκεῖνοι καὶ βάλλομεν 5 κόνιν εἰς οὐρανὸν ὥσπερ οἱ ἐξεστηκότες, καὶ ὑπ' ἄλλοις προσώποις τὰς ἡμετέρας ἐκπληροῦμεν φιλονεικίας. Κακοὶ γινόμεθα τῆς φιλοτιμίας διαιτηταὶ καὶ κριταὶ τῶν πραγμάτων ἀγνώμονες. Σήμερον σύνθρονοι καὶ ὁμόδοξοι, ἂν οὕτω φέρωσιν ἡμᾶς οἱ ἄγοντες· αὔριον ἀντίθρονοι καὶ ἀντίδοξοι, 10 ἐὰν ἀντιπνεύσῃ τὸ πνεῦμα. Μετὰ τῆς ἔχθρας καὶ τῆς φιλίας, C καὶ τὰ ὀνόματα· καί, τὸ δεινότατον, οὐκ αἰσχυνόμεθα τοῖς

22, 3 ἀντιζεύγνυμεν om. TD || 6 φιλονεικίας : φιλοτιμίας QASD || κακοὶ : καὶ κακοὶ T καὶ κοινῇ A || 7 φιλοτιμίας : φιλονεικίας AS

---

1. Cette série d'antithèses n'a-t-elle qu'une portée vague et générale ? On croirait plutôt qu'il y a là des allusions très précises à la situation d'Antioche. La grande majorité des fidèles suivaient Mélèce tandis que Paulin ne réunissait que peu de monde. Mélèce, d'abord évêque de Sébaste, était devenu évêque d'Antioche en 360, tandis que Paulin ne prétendait à cette charge que depuis 362. Dans ces conditions, les deux couples de mots λογιώτερος / πνευματικώτερος et εὐγενέστερος / δυσγενέστερος aident à cerner la personnalité des deux hommes.

2. Cf. la situation de l'Église de Corinthe dans *I Cor.* 3, 4 s. Théodoret (*H.E.* VI, 21, 2), qui est de la région, parle de Παυλιανοί et d'Εὐσταθιανοί à Antioche : s'il n'est pas question de Mélétiens, c'est probablement parce que Mélèce est à ses yeux l'évêque légitime. On peut penser, en effet, que ce genre d'épithètes étaient appliquées par chaque camp à ses adversaires. Cf. *D.* 32, 5 ; 4-5.

3. Cf. *D.* 37, 18, 1 et surtout *D.* 43, 15.

4. L'assimilation méprisante des querelles ecclésiastiques aux antagonismes et aux passions du cirque est tellement raide qu'il est tout à fait invraisemblable que des phrases de ce genre aient pu être proférées dans un concile.

5. Les parieurs du cirque de Constantinople étaient groupés dès cette époque en factions rivales distinguées par leurs couleurs. Cf.

maigre clientèle[1]? Je rougis de ma vieillesse si, après avoir été sauvé par le Christ, je prends un autre nom que le sien[2].

22. Je ne supporte pas vos courses de chevaux[3], vos cirques et ces fureurs symétriques qui se dépensent en passions partisanes[4]. Nous attelons avec les uns, nous attelons contre les autres[5], nous hennissons[6] contre l'adversaire : pour un peu, nous frapperions aussi l'air comme le font ces gens-là, et nous jetterions de la poussière contre le ciel comme ceux qui sont hors d'eux-mêmes ; et nous assouvissons nos querelles par personnes interposées[7]. Nous devenons de mauvais arbitres entre les ambitions et des juges inconscients des réalités. Aujourd'hui nos sièges sont associés et nous avons les mêmes opinions[8], si ceux qui nous dirigent nous y portent[9] : demain les sièges s'opposeront et les opinions aussi, si le vent vient à souffler en sens contraire. La haine et l'amitié dictent notre vocabulaire[10] et, ce qui est le

D. 37, 18, 1-3. Même si l'auteur semble impliquer sa propre responsabilité en usant du « nous », il s'agit d'un des passages les plus corrosifs du discours.

6. Ἀντιφρυασσόμεθα : le composé est un hapax. De l'assimilation aux amateurs de courses, le mot fait glisser le rapprochement du côté des animaux eux-mêmes.

7. La querelle d'Antioche est dépassée : c'est tout le jeu fluctuant des factions épiscopales qui est en question, quelles que soient les lignes de partages successives et les théâtres de conflit.

8. Ὁμόδοξοι : il ne s'agit plus de querelles de personnes, mais du problème trinitaire et des différentes formules de foi essayées depuis Nicée.

9. *Ceux qui nous dirigent* : l'expression désigne sans les nommer la série des empereurs depuis Constantin, y compris Théodose : Grégoire n'est pas dupe de la soudaine orthodoxie de certains évêques.

10. Il s'agit des mots-clés des différentes formules de foi proposées (ὁμοούσιος, ὅμοιος, ὁμοιούσιος, ὅμοιος κατ' οὐσίαν), mais aussi des termes plus récemment utilisés dans les controverses comme ὑπόστασις ou πρόσωπον (cf. *supra*, 16).

αὐτοῖς χρώμενοι τῶν ἐναντίων ἀκροαταῖς, οὐδ' ἐπὶ τῶν αὐτῶν βεβήκαμεν, ἄλλοτε ἄλλους ποιούσης ἡμᾶς τῆς φιλονεικίας. Εὐρίπων μεταβολαί τινες ἢ ἀμπώτιδες. Ὥσπερ
15 οὖν εἰ μειρακίων ἐν ἀγορᾷ παιζόντων ἐν μέσῳ παιζομένων αἰσχρὸν ἂν ἦν λίαν καὶ οὐχ ἡμῶν καταλιπόντας τὰς οἰκείας διατριβὰς ἐκείνοις συμφέρεσθαι — οὐ γὰρ ὡραῖον γήρᾳ παίδων ἀθύρματα —, οὕτως οὐδ' εἰ φερόντων καὶ φερομένων τῶν ἄλλων αὐτός τι βέλτιον τῶν πολλῶν γινώσκων,
20 δεξαίμην ἂν ἐκείνων εἷς εἶναι μᾶλλον ἤ, ὅπερ εἰμί, μετὰ τῆς ἀφανίας ἐλεύθερος. Πρὸς γὰρ αὖ τοῖς ἄλλοις πάσχω τι καὶ τοιοῦτον· οὐ τὰ πολλὰ συμφέρομαι τοῖς πολλοῖς οὐδὲ τὴν αὐτὴν βαδίζειν ἀνέχομαι· θρασέως μὲν ἴσως καὶ
485 A ἀμαθῶς, πάσχω δ'οὖν ὅμως. Ἀνιᾷ με τὰ τῶν ἄλλων τερπνὰ
25 καὶ τέρπομαι τοῖς ἑτέρων ἀνιαροῖς. Ὥστε οὐκ ἂν θαυμάσαιμι οὐδὲ τοῦτο εἰ καὶ δεθείην ὡς δύσχρηστος καὶ ἀνοηταίνειν δόξαιμι τοῖς πολλοῖς, ὅ τις λέγεται τῶν παρ' Ἕλλησι φιλοσοφησάντων παθεῖν, ἐγκληθεὶς ὡς μανίαν τὴν σωφροσύνην ὅτι διεγέλα τὰ πάντα, γέλωτος ὁρῶν ἄξια τὰ
30 τοῖς πολλοῖς σπουδαζόμενα· ἢ καὶ γλεύκους νομισθείην εἶναι

22, 17 συμφύρεσθαι QSDmg || 18 εἰ φερόντων : εἰσφερόντων JS || 21 ἄλλοις : add. οἷς ἔχω A || 26 δεηθείην ASC^{ac} || δύσχρηστος : δύσαρκος

---

1. Bien des évêques avaient donné leur assentiment à des formules de foi successives et contradictoires et les avaient enseignées les unes après les autres. Grégoire signale lui-même le défaut de préparation à leur tâche de nombreux évêques «improvisés» (cf. *D.* 21,9) : il entrait peut-être dans ces variations moins de reniements véritables qu'une absence de discernement intellectuel devant la difficulté d'un problème qui dépassait les intéressés.

2. Là encore, la phrase grecque sonne comme un corps à demi-étranger au contexte. Cf. *supra*, p. 22.

3. Comparer des évêques à des enfants qui jouent après les avoir assimilés à des parieurs du cirque exclut l'hypothèse d'un discours prononcé dans l'enceinte de Sainte-Sophie.

plus grave, nous n'avons pas honte de tenir devant le même auditoire des propos opposés [1], et nous n'avons pas gardé les mêmes positions parce que la polémique nous met tantôt d'un côté et tantôt de l'autre. Ce sont des inversions de cours sur l'Euripe ou des mouvements de marée [2]. Quand des adolescents jouent et s'amusent au milieu de la place publique, il serait tout à fait indécent et au-dessous de nous d'abandonner nos propres occupations pour nous mêler à eux, car les divertissements des enfants ne conviennent pas à la vieillesse [3]. De la même manière, si j'ai un peu plus de lucidité que le commun des hommes, quand les autres se bousculent en tous sens je ne saurais préférer être l'un de ces gens-là plutôt que libre et obscur comme je le suis [4]. Par-dessus le marché, j'éprouve une réaction qui est à peu près celle-ci : dans la plupart des cas, je ne m'accorde pas avec la majorité et je ne supporte pas de suivre le même chemin qu'elle. C'est peut-être sauvagerie et ignorance de ma part, mais c'est ainsi que je suis. Je m'afflige de ce qui fait plaisir aux autres et ce qui leur est désagréable me fait plaisir [5]. Par conséquent, je ne serais même pas surpris si on venait à m'enchaîner comme un individu dérangeant et si on considérait généralement que j'ai perdu l'esprit. C'est, dit-on, ce qui arriva à l'un des philosophes de la Grèce [6] : sa sagesse fut taxée de folie parce qu'il se riait de tout, regardant comme ridicules les préoccupations de la majorité des hommes. Peut-être aussi me croira-t-on rempli de vin doux comme il est arrivé plus tard aux

4. *Libre et obscur comme je le suis* : la fiction d'un discours réel s'écroule, car l'homme qui écrit cela est déjà redevenu un simple particulier.

5. Il y a dans le romantisme de ces confidences quelque chose d'unique dans la littérature ancienne en dehors de la poésie lyrique : l'aveu et même la revendication d'une singularité personnelle.

6. Démocrite.

μεστός, ὡς ὕστερον οἱ Χριστοῦ μαθηταὶ τῷ λαλεῖν γλώσσαις[a], ἀγνοηθέντες ὅτι Πνεύματος δύναμις ἦν, οὐ φρενὸς ἔκστασις.

B **23.** Σκοπεῖτε γὰρ καὶ ἡμῶν τὰ ἐγκλήματα. Τοσοῦτος χρόνος, φησίν, ἐξ οὗ τὴν ἐκκλησίαν ἄγεις μετὰ τῆς τοῦ καιροῦ ῥοπῆς καὶ τῆς τοῦ κρατοῦντος ὁρμῆς, τοσούτου πράγματος· τί τῆς μεταβολῆς ἡμῖν ἐπεσήμηνε; Πόσοι καθ'
5 ἡμῶν ἔμπροσθεν γεγόνασιν ὑβρισταί; Τί δεινὸν οὐ πεπόνθαμεν; Οὐχ ὕβρεις; Οὐκ ἀπειλάς; Οὐ φυγάς; Οὐ χρημάτων ἁρπαγάς; Οὐ δημεύσεις; Οὐ πρεσβυτέρων ἐμπρησμοὺς θαλαττίους; Οὐ ναοὺς βεβηλουμένους ἁγίων αἵμασι καὶ γενομένους ἀντὶ ναῶν πολυάνδρια; Οὐ πρεβυτῶν,
10 ἐπισκόπων — οἰκειότερον δὲ εἰπεῖν πατριαρχῶν — σφαγὰς δημοσίας; Οὐ τὸ πάντα τόπον ἄβατον εἶναι τοῖς εὐσεβέσι

22, 32 φρενὸς : φρενῶν VTv
23, 5 δεινῶν J ‖ 6 οὐκ ἀπειλάς; οὐ φυγάς; om. Q ‖ 8 βεβηλωμένους Cv ‖ 9 οὐ πρεσβυτῶν, ἐπισκόπων : οὐ πρεσβυτέρων, ἐπισκόπων JWVTAC[pc] οὐ πρεσβυτέρων, οὐκ ἐπισκόπων QSDC[ac] ‖ 10 πατριαρχῶν εἰπεῖν JVT

---

22. a. Cf. Act. 2, 4-5.

---

1. Nous sommes en principe au milieu de 381 et Grégoire n'est à la tête de l'Église de Constantinople que depuis le 27 novembre 380, donc depuis environ huit mois seulement. Mais les extrémistes sont fondés à prendre un autre repère : l'arrivée de Théodose en Orient au début de 379 ou, à tout le moins, son baptême dans l'orthodoxie en janvier 380. Ce qu'ils reprochent à Grégoire, c'est de ne s'être pas rendu au quartier général de l'empereur pour solliciter l'éviction immédiate des ariens et une épuration du personnel politique.

2. Quelle est exactement la portée du changement réclamé par les ultras? Les mauvais traitements évoqués dans les lignes qui suivent étaient dus les uns à Valens et les autres à la politique de Julien, disparu depuis près de vingt ans. Si on en croit notre auteur, il y avait donc un parti qui entendait obtenir de l'empereur une épuration radicale ainsi que des représailles. C'est en Égypte surtout qu'il faut le chercher.

disciples du Christ du fait qu'ils parlaient en langues[a], car on ne s'était pas rendu compte qu'il y avait là puissance de l'Esprit et non pas effet d'un dérèglement mental.

23. Examinez encore les griefs qu'on nous adresse. Il y a si longtemps[1], dit-on, que tu diriges l'Église avec le concours des circonstances et — facteur si important —, à l'initiative de celui qui a le pouvoir. Quel changement cela a-t-il signifié pour nous[2]? Combien de gens ne nous ont-ils pas fait subir dans le passé des outrages? Quels maux n'avons-nous pas soufferts? N'avons-nous pas supporté insultes, menaces, bannissements, vols, confiscations? que des prêtres soient jetés dans des brasiers maritimes[3]? des temples souillés du sang des saints et transformés en nécropoles[4]? De vénérables évêques — mieux vaudrait dire des patriarches[5] —, n'ont-ils pas été exécutés[6]? L'interdiction de paraître en tout lieu

3. Valens avait ordonné en 370 au préfet du prétoire Domitius Modestus, d'éliminer 80 clercs anti-ariens. Celui-ci les avait fait embarquer et avait donné l'ordre aux marins d'incendier le bateau avant de le quitter. Le *D.* 25, 10, 9 s. ne mentionne qu'un seul prêtre, mais le *D.* 33, 4, 13-16 utilise le pluriel (cf. l'éd. de Moreschini et Gallay, p. 165, n. 3). Même allusion dans *D.* 43, 46.

4. Des attaques de bâtiments du culte et des massacres de chrétiens dans les églises sont signalés sous Julien. Grégoire utilise ici des expressions qu'on retrouve dans son ouvrage dirigé contre Julien (*D.* 4, 86). Cependant le *D.* 33, 3, 9-10 parle de maison de prière transformée en cimetière à propos des exactions de Palladios à Alexandrie dans un contexte très proche de ce passage.

5. Le terme de patriarche n'apparaîtra dans la titulature ecclésiastique que beaucoup plus tard. Il concerne ici les patriarches de l'Ancien Testament.

6. Grégoire a évoqué ailleurs un seul cas, celui de l'évêque Marc d'Aréthuse (*D.* 4, 88), mais Marc, torturé, n'avait pas été exécuté. Sozomène (*H.E.* VI, XI) parle d'un prêtre d'Ancyre, nommé Basile. L'évêque d'Alexandrie, Georges, avait été massacré par la foule en 361, mais c'était un arien.

μόνοις ; Οὐχ ὅ τι ἂν εἴποι τις τῶν δεινῶν ; Ὧν τί τοῖς πεποιηκόσιν ἀντιδεδώκαμεν, ἐπειδὴ τὸ ἐξεῖναι ποιεῖν εὖ ποιοῦν ἀντεστράφη καὶ παιδεύειν ἔδει τοὺς ὑβριστάς ; Ἐῶ
C 15 τἄλλα · τὰ δὲ ἡμέτερα, ἵνα μὴ τὰ σὰ λέγωμεν, οὐ δεδιώγμεθα ; Οὐκ ὑβρίσμεθα ; Οὐκ ἀπεληλάμεθα ἐκκλησιῶν, οἰκιῶν, ἐρημιῶν αὐτῶν, τὸ δεινότατον ; Οὐκ ἠνέγκαμεν δῆμον μαινόμενον, ὑπάρχους ὑβρίζοντας, βασιλέας ὑβριζομένους μετὰ τῶν προσταγμάτων ; Εἶτα τί ; Γεγόναμεν
20 ἰσχυρότεροι καὶ διαπεφεύγασιν οἱ διώκοντες. Τοῦτο γάρ · αὐτάρκης ἐμοὶ τιμωρία κατὰ τῶν ἀδικούντων ἡ τοῦ ἀντιδρᾶν ἐξουσία. Τοῖς δὲ οὐχ οὕτω δοκεῖ · λίαν γάρ εἰσιν ἐντελεῖς καὶ δίκαιοι περὶ τὴν ἀντίδοσιν καὶ διὰ τοῦτο ἀπαιτοῦσι τὰ τοῦ καιροῦ. Τίς ὕπαρχος, φησίν, ἐζημίωται ; Τίς δῆμος
25 σεσωφρόνισται ; Τίνες δήμων ἀνάπται ; Τίνα φόβον ἡμῖν αὐτοῖς καὶ πρὸς τὸ μέλλον ἐχαρισάμεθα ;

488 A **24.** Τάχα δ'ἂν καὶ ταῦτα ἡμῖν ὀνειδίσαιεν — καὶ γὰρ ὠνειδίκασι — τὸ δὲ τῆς τραπέζης φιλότιμον, τὸ δὲ τῆς

23, 12 ἄν τις εἴποι SDC ‖ 16-17 ἐκκλησιῶν, οἰκιῶν : οἰκιῶν, ἐκκλησιῶν A ἐκκλησιῶν S ‖ 17 ἐρήμων Av ‖ 19 μετὰ : καὶ μετὰ v ‖ 25 τίνες δήμων ἀνάπται om. S ‖ ἀναπται : ἀνάρπαστοι A ἀνάπτονται D ἀνα... ται (2 uel 3 litt. del.) C ‖ 26 καὶ : κἂν BASD

1. On prêtait à Julien l'intention d'exclure les chrétiens des lieux publics.

2. A partir d'ici, il s'agit du sort des orthodoxes de Constantinople pendant les quarante années qui avaient précédé l'avènement de Théodose.

3. Allusion probable à l'invasion de l'Anastasia par des ariens pendant la nuit pascale de 379.

4. Cette formule correspond à une situation bien précise, celle de Constantinople en 379 et 380, où les ariens restent maîtres des églises malgré deux lois de Gratien qui proscrivaient les hérétiques et ordonnaient la confiscation de leurs lieux de culte (22 avril 376, *Cod. Th.* XVI, 5, 4, et 3 août 379, *Cod. Th.* XVI, 5, 5). Surtout, Théodose lui-même avait donné force de loi au symbole de Nicée dans un édit

n'a-t-elle pas été signifiée aux seuls hommes pieux[1]? Quel mauvais traitement n'avons-nous pas subi? En rétribution de ces actes, qu'avons-nous fait à leurs auteurs quand le droit d'agir a fort heureusement changé de camp et qu'il fallait donner une leçon aux insulteurs? Passons sur le reste : en ce qui nous concerne[2], pour ne pas parler de toi[3], n'avons-nous pas été persécutés? N'avons-nous pas été outragés? N'avons-nous pas été chassés des églises, des maisons, des lieux de retraite eux-mêmes, et c'est le pire? N'avons-nous pas enduré une population furieuse, des préfets qui maniaient l'outrage, et supporté que ces outrages atteignent les rois en même temps que leurs décrets[4]? Que s'est-il passé ensuite? Nous sommes devenus les plus forts et nos persécuteurs ont échappé. C'est bien cela : il me suffit, pour punir les coupables, d'avoir le droit de leur rendre la pareille[5]. Mais ces gens-là ne sont pas de cet avis, car ils sont extrêmement exigeants et épris de justice en matière de rétribution. Aussi exigent-ils ce que permettent les circonstances actuelles. Quel préfet, dit-on, a-t-il été puni? Quelle population a-t-elle été ramenée à la raison? Quels boutefeux des peuples? Quelle peur nous sommes-nous ménagée également en vue de l'avenir[6]?

24. Il se peut qu'on nous adresse aussi ces reproches — au demeurant, ils ont bien été formulés[7] — : et le caractère recherché de la table, l'aspect imposant du

pris à Thessalonique le 28 février 380 (*Cod. Th.* XVI, 1, 2), précisé le 10 janvier 381 (*Cod. Th.* XVI, 5, 6). Cf. *D.* 33, 13, 15 : ποῖον βασιλικὸν δόγμα διαπτυσθὲν ἐζηλοτυπήσαμεν;

5. Ce refus de toute mesure de rétorsion s'exprimait déjà avec force dans le discours contre Julien (*D.* 5, 36-37). Cf. *D.* 34, 6, 19-20 : αὔταρκες κέρδος τίθεσθαι τὴν τοῦ ποιεῖν ἐξουσίαν.

6. On retiendra donc que le parti ultra fondait ses exigences sur deux motifs : faire justice en punissant les méchants et donner aux adversaires un avertissement pour l'avenir, au cas où ils reprendraient le pouvoir.

7. Sur cette phrase curieuse, voir *supra*, p. 22.

ἐσθῆτος αἰδέσιμον, αἱ δὲ πρόοδοι, τὸ δὲ σοβαρὸν πρὸς τοὺς
ἐντυγχάνοντας ; Ἠγνόουν γὰρ ὅτι πρὸς ὑπάτους ἡμῖν καὶ
5 ὑπάρχους ἡ ἅμιλλα καὶ στρατηγῶν τοὺς εὐδοκιμοτάτους,
οἳ μὴ ἔχουσιν ὅποι τὰ ἑαυτῶν ῥίψουσι, καὶ δεῖ περιστένειν
μὲν ἡμῖν τὴν γαστέρα κατατρυφῶσι τῶν πτωχικῶν, ὡς δὲ
εἰς τὰ περιττὰ κεχρῆσθαι τοῖς ἀναγκαίοις καὶ τῶν θυσιαστηρίων κατερεύγεσθαι, ἵπποις δὲ φέρεσθαι τρυφεροῖς καὶ
10 δίφρων ὑπεραίρεσθαι, περιλάμπρως προπομπεύεσθαί τε καὶ
περιποππύζεσθαι, καὶ πάντας ὑποχωρεῖν ἡμῖν ὥσπερ θηρίοις
καὶ περισχίζεσθαι, ἢ καὶ πόρρωθεν εἶναι δήλους ἐπερχομέ-
νους. Εἰ ταῦτα δεινὰ γέγονε, παρελήλυθε· χαρίσασθέ μοι
B τὴν ἀδικίαν ταύτην. Ἄλλον προστήσασθε τὸν ἀρέσοντα τοῖς
15 πολλοῖς, ἐμοὶ δὲ δότε τὴν ἐρημίαν καὶ τὴν ἀγροικίαν καὶ
τὸν Θεόν, ᾧ μόνῳ καὶ διὰ τῆς εὐτελείας ἀρέσομεν. Δεινὸν
εἰ στερησόμεθα λόγων καὶ συλλόγων καὶ πανηγυρέων καὶ
τῶν κρότων τούτων ὑφ' ὧν πτερούμεθα, καὶ οἰκείων καὶ
φίλων καὶ τιμῶν καὶ κάλλους πόλεως καὶ μεγέθους, καὶ

Deficit J a **24,** 4 γὰρ usque ad **25,** 18 ὑμεῖς μὲν

24, 4 ἐντυγχάνοντας interrogative : affirmative interpungitur QJWVT ASDCv || 5 ἅμιλλα : add. ἄλλα A || 7-8 ὡς δὲ εἰς : ὡς εἰς A οὐδ' εἰς S ὡς δ'εἰς DC || 9 τρυφεροῖς : add. ἢ δοκεῖν οὕτως τὰ ἑαυτῶν κινουμένοις AC || 10 δίφρων : διαφόρων S || περιλάμπρων ASD[mg] || 11 περιποππύζεσθαι : περιπομπεύεσθαι A περιπομπύζεσθαι S || 15 δότε om. BWVTC[pc] || 16 ἀρέσομεν : ἀρέσωμαι A ἀρέσκομαι S ἀρέσομαι BDC ἀρέσκομεν W || 18 οἰκιῶν SD[2mg])

1. Les évêques de l'époque, qui se recrutent surtout parmi les notables, conservent leur style de vie antérieur, qui est aussi celui des hauts fonctionnaires. L'évêque de la capitale est plus exposé que d'autres à ce genre de comportement à cause de la proximité de la cour et parce qu'il est appelé à recevoir les évêques de passage : Grégoire recevait tout un concile. Or il avait conservé le style de vie des moines. Ce genre de critiques peut émaner d'une cour qui se moquait d'un curé de village, mais également d'évêques vexés d'être mal reçus et de se voir infliger indirectement une leçon de simplicité évangélique. Vingt ans plus tard, Jean Chrysostome s'exposera aux mêmes reproches à Constantinople.

vêtement, les apparitions en public, l'attitude distante à l'égard des personnes rencontrées? J'ignorais, en effet, que nous sommes en concurrence avec les consuls, les préfets et les généraux les plus réputés, nous qui ne savons où jeter ce que nous possédons[1]... Que notre ventre doit se trouver trop petit pour les délices obtenues aux dépens de ce qui appartient aux pauvres[2], qu'on doit user du nécessaire comme pour avoir du surplus à évacuer et pour vomir sur les autels. Qu'on doit se faire transporter par des chevaux de luxe, trôner en voiture avec magnificence, se faire ouvrir la marche et environner de claquements de langue[3], que tout le monde doit s'écarter devant nous comme devant des fauves et se ranger de part et d'autre, ou encore que notre arrivée doit être signalée de loin. Si ces graves faits se sont produits, cela m'a échappé : pardonnez-moi ce crime. Choisissez-en un autre, un homme qui plaira à la foule[4] : donnez-moi la solitude, la campagne, ainsi que ce Dieu qui sera le seul à prendre plaisir à notre rusticité. Il est horrible d'être privé des discours, des réunions, des grandes assemblées, de ces applaudissements qui nous donnent des ailes[5], de nos familiers, de nos amis, des honneurs de cette grande et belle cité, de ce scintillement qu'elle irradie autour d'elle

2. *Ce qui appartient aux pauvres* : les biens d'Église.

3. Il s'agit de claquements de langue (ou peut-être de gloussements) émis par la foule en signe d'admiration.

4. Le moins qu'on puisse dire, c'est que Grégoire ne se fait pas une très haute idée de ce successeur avec lequel il a néanmoins correspondu (cf. ses *Lettres* 88, 91, 151, 185, 186 ainsi que la *Lettre théologique* 202). *Plaire à la foule* : cette expression montre bien que le bon peuple, sans trop raisonner, jugeait normal de voir son évêque faire partie des plus hautes autorités et afficher les signes extérieurs de sa condition. L'εὐτέλεια était plus appréciée chez un moine que chez un évêque.

5. L'auteur, qui écrit cela dans la solitude retrouvée et probablement à la campagne, est affecté du syndrome de ces orateurs que la présence de leur public transforme complètement.

20 τῆς πανταχόθεν περιλαμπούσης ἀστραπῆς καὶ φωτιζούσης τοὺς πρὸς αὐτὰ βλέποντας, ἀλλὰ μὴ εἴσω συννενευκότας· ἀλλ' οὔπω τοσοῦτον ὅσον εἰ θορυβηθήσομαι καὶ χρανθήσομαι τοῖς ἐν μέσῳ ταράχοις καὶ βράσμασι καὶ ταῖς πρὸς τοὺς πολλοὺς μετακλίσεσιν. Οὐ γὰρ ζητοῦσιν ἱερεῖς, ἀλλὰ C 25 ῥήτορας· οὐδὲ θύτας καθαρούς, ἀλλὰ προστάτας ἰσχυρούς. Ἀπολογήσομαί τι περὶ αὐτῶν· οὕτως ἡμεῖς αὐτοὺς ἐπαιδεύσαμεν, οἳ πᾶσι πάντα γινόμεθα [a], οὐκ οἶδα πότερον ἵνα σώσωμεν πάντας ἢ ἀπολέσωμεν.

25. Τί φατε; Πείθομεν ὑμᾶς τοῖς λόγοις τούτοις καὶ νενικήκαμεν ἢ δεῖ καὶ στερροτέρων λόγων ἡμῖν πρὸς τὸ πείθειν; Ναὶ πρὸς τῆς Τριάδος αὐτῆς ἣν πρεσβεύομεν καὶ πρεσβεύετε, πρὸς τῆς κοινῆς ἡμῶν ἐλπίδος καὶ τῆς τοῦ 5 λαοῦ τοῦδε συμπήξεως, δότε μοι τὴν χάριν ταύτην. Μετὰ D εὐχῶν ἡμᾶς ἀποπέμψατε, αὕτη γενέσθω μοι τῆς ἀθλήσεως ἀνάρρησις, δότε μοι τὸ γράμμα τῆς ἀφέσεως ὥσπερ τοῖς στρατιωτικοῖς οἱ βασιλεῖς, καί, εἰ βούλεσθε, μετὰ δεξιᾶς τῆς μαρτυρίας, ἵν' ἔχω τὸ ἐπιτίμιον. Εἰ δὲ μή, ὅπως 10 βούλεσθε· οὐδὲν περὶ τούτου διοίσομαι ἕως ἂν Θεὸς ἴδῃ τὰ

2, 20 καὶ φωτιζούσης om. WVTC^{pc}v || 21 πρὸς : εἰς QBSDC πρὸ T || 22 θορυβήσομαι QW^{ac}VTSDCv || 23 πρὸς : εἰς QBSD || 24 ζητοῦσιν : ζητοῦμεν BD

Deficit A post μετὰ εὐχῶν (**25,** 5-6)

25, 1 τοῖς λόγοις τούτοις : τούτοις τοῖς λογισμοῖς S τούτοις τοῖς λόγοις QD || 2 στερεωτέρων ASD || 7 μοι om. QBSDC^{ac} || 10 βούλεσθε : ἂν βούλησθε Q || 10-11 τὰ ἡμέτερα : add. ἔχοντα QWSD

24. a. I Cor. 9, 22.

1. Ce solitaire a donc été séduit par l'éclat de la grande ville et le brillant de la vie en société. Il regrette les lumières de la capitale. Mais, à peine l'aveu de la tentation est-il exprimé qu'il se reprend vigoureusement. Il se pourrait que les mots ἀλλὰ μὴ εἴσω συννενευκότας aient fait l'objet d'une addition. En effet, ce premier ἀλλὰ est suivi d'un second : or les deux mots se gênent et seul le second est indispensable à l'équilibre de la phrase. Sur les beautés de Constantinople, cf. *D.* 33, 6-8.

et qui éclaire ceux qui regardent tout cela sans pourtant lui donner une adhésion intérieure[1]. Mais ce n'est pas aussi grave que la perspective d'être pris dans le tumulte et souillé par les troubles publics, par l'effervescence et par les retournements effectués à la remorque de la foule. Car ce ne sont pas des prêtres qu'ils cherchent, mais des orateurs ; ce ne sont pas des intendants des âmes, mais des caissiers ; ce ne sont pas de purs sacrificateurs, mais de solides protecteurs[2]. Je prendrai quelque peu leur défense : c'est ainsi que nous les avons formés, nous qui nous faisons tout à tous[a]. Pour les sauver tous[3] ou pour les perdre ? Je ne sais.

25. Que prononcez-vous ? Vous laissez-vous convaincre par ces propos et avons-nous remporté la victoire ? Ou bien me faut-il user d'arguments encore plus solides pour vous persuader ? Oui, au nom de cette Trinité même que nous vénérons et que vous vénérez, au nom de l'espérance qui nous est commune, au nom de la cohésion du peuple que voici, accordez-moi cette faveur : renvoyez-nous avec tous nos vœux, que soit ainsi publiée la performance que j'ai réalisée, signifiez-moi mon congé comme le font les rois pour les fonctionnaires[4], et, si vous le voulez bien, joignez-y une attestation favorable afin que j'aie l'honneur qui me revient. Sinon, ce sera comme vous voudrez : je n'élèverai aucune contestation sur ce sujet jusqu'au jour où Dieu regardera ce qu'a été ma conduite. Qui mettrons-

2. Ce passage est un des témoignages les plus importants qui soient sortis de la plume de Grégoire. Il définit de façon lapidaire les critères qui président de fait à la popularité des évêques.

3. La plupart des manuscrits du Nouveau Testament écrivent ici πάντως τινας. Quelques-uns, dont Grégoire semble suivre la leçon, ont πάντας ou τοὺς πάντας.

4. Les fonctionnaires civils étant inscrits dans des unités militaires fictives, le vocabulaire officiel distingue la *militia officialis* de la *militia armata*. Ainsi, dans la *Lettre* 7 de Grégoire, le verbe στρατεύεσθαι est employé à propos de son frère Césaire, qui était médecin à la cour.

489 A ἡμέτερα ὅπως ἂν ἔχῃ. Τίνα οὖν ἀντεισάξομεν; Ὄψεται ἑαυτῷ Κύριος ποιμένα εἰς προστασίαν ὡς πρόβατον εἶδεν εἰς ὁλοκάρπωσιν [a]. Ἓν τοῦτο ἐπιζητῶ μόνον· τῶν φθονουμένων ἔστω τις, μὴ τῶν ἐλεουμένων, μὴ τῶν πάντα πᾶσι 15 χαριζομένων, ἀλλ' ἔστιν ἃ καὶ προσκρούειν εἰδότων ὑπὲρ τοῦ βελτίονος. Τὸ μὲν γὰρ ἐνταῦθα ἥδιστον, τὸ δὲ ἐκεῖθεν λυσιτελέστατον. Ὑμεῖς μὲν οὖν τοὺς προπεμπτηρίους ἡμῖν μελετήσατε λόγους, ἐγὼ δὲ ὑμῖν ἀποδώσω τὸν συντακτήριον.

B **26.** Χαίροις, Ἀναστασία μοι τῆς εὐσεβείας ἐπώνυμε. Σὺ γὰρ τὸν λόγον ἡμῖν ἐξανέστησας ἔτι καταφρονούμενον, τὸ τῆς κοινῆς νίκης χωρίον, ἡ νέα Σηλὼμ ἐν ᾗ πρῶτον τὴν σκήνην ἐπήξαμεν τεσσαράκοντα ἔτη περιφερομένην ἐν τῇ 5 ἐρήμῳ καὶ πλανωμένην [a].

Σύ τε μέγας ναὸς οὗτος καὶ περιβόητος, ἡ νέα κληρονομία, τὸ νῦν μέγας εἶναι παρὰ τοῦ Λόγου λαβών, ὃν Ἰεβοῦς πρότερον ὄντα Ἱερουσαλὴμ πεποιήκαμεν [b].

Ὑμεῖς τε ὅσοι μετὰ τοῦτον εὐθὺς τοῖς κάλλεσιν, ἄλλος 10 ἄλλο τι τῆς πόλεως μέρος διειληφότες ὥσπερ σύνδεσμοί

26, 5 καὶ πλανωμένην om. JWVTC[pc]

---

25. a. Cf. Gen. 22, 8.
26. a. Cf. Jos. 18, 1. b. Cf. Jos. 15, 8.

---

1. C'est la troisième fois que le sujet est abordé (cf. 20,6-9 et 24,13-14), la première personne du pluriel est destinée à accréditer la fiction d'un discours prononcé devant le concile.

2. Nectaire est précisément connu comme un personnage faible. Grégoire s'exprime en homme qui connaît déjà le nom de l'élu.

3. Cette phrase précise le détail du cérémonial qui entoure un départ. Une allocution est prononcée pour saluer le partant : c'est le προπεμπτήριος λόγος (cf. le *Discours* 25 de Grégoire, adressé à Maxime partant pour Alexandrie). Celui qui s'en va répond par un συντακτήριος. Le titre du discours correspond donc mal à ce qu'affirme ce passage.

nous donc à ma place[1]? Le Seigneur se pourvoira d'un pasteur pour tenir le premier rang comme il l'a fait d'un mouton pour l'holocauste[a]. Je ne demande qu'une seule chose : c'est qu'il soit de ceux qui provoquent l'envie et non la pitié, non de ceux qui cèdent à toutes les volontés, mais de ceux qui savent parfois heurter pour le bien[2]. La première attitude apporte ici-bas beaucoup d'agréments, mais la seconde est la plus utile pour l'autre vie. En ce qui vous concerne en tout cas, préparez vos discours pour saluer notre départ : de mon côté, je vous répondrai par mon allocution d'adieu[3].

26. Je veux te dire adieu, Anastasia dont le nom est pour moi synonyme de piété[4], puisque c'est toi qui as relevé notre enseignement jusque là méprisé, toi le terrain de notre commune victoire, la nouvelle Silo où pour la première fois nous avons planté cette tente pendant quarante années promenée dans le désert et vagabonde[a].

Et à toi aussi, grand et illustre sanctuaire que voici[5], notre récent héritage, toi qui dois au Verbe ta grandeur actuelle, toi qui étais auparavant Jébus et dont nous avons fait Jérusalem[b].

Adieu aussi, vous tous, temples dont les beautés vous placent aussitôt après celui-ci, vous qui parsemez les divers quartiers de la ville à la manière d'un réseau et

4. Anastasia est le nom que Grégoire avait donné à l'église improvisée qui l'avait abrité pendant deux ans. Ce local, mis à sa disposition par sa cousine Théodosie, la sœur d'Amphilochios d'Iconium, était à l'origine une salle d'audience attenant à la demeure de la famille issue du préfet du prétoire Ablabios. Théodosie était entrée dans cette famille par son mariage. Cf. sur ce sujet notre article. « Nouvelles perspectives sur la famille de saint Grégoire de Nazianze », *Vigiliae Christianae* 38 (1984) 352-359.

5. Sainte-Sophie, proche du palais impérial, avait abrité les débats du concile. Elle sera remplacée au VIe siècle par le monument du même nom construit par Justinien.

τινες καὶ τὸ γειτονοῦν οἰκειούμενοι, οὓς μετὰ τῆς ἀσθενείας ταύτης οὐχ ἡμεῖς, ἡ χάρις δὲ σὺν ἡμῖν[c] ἐπλήρωσε τοῖς ἀπεγνωσμένοις.

Χαίρετε, ἀπόστολοι, ἡ καλὴ μετοικία, οἱ ἐμοὶ διδάσκαλοι
C 15 τῆς ἀθλήσεως, εἰ καὶ μὴ πολλάκις ὑμῖν ἐπανηγύρισα, ἴσως τὸν τοῦ ὑμετέρου Παύλου Σατᾶν περιφέρων ἐν τῷ σώματι πρὸς τὸ συμφέρον[d], δι' ὃν νῦν ὑμῶν ἀποικίζομαι.

Χαῖρέ μοι, ὦ καθέδρα, τὸ ἐπίφθονον ὕψος τοῦτο καὶ ἐπικίνδυνον ἀρχιερέων, συνέδριον ἱερέων αἰδοῖ καὶ χρόνῳ
20 τετιμημένον, ὅσον τε ἄλλο περὶ τὴν ἱερὰν τράπεζαν λειτουργικὸν Θεοῦ καὶ ἐγγίζον Θεῷ τῷ ἐγγίζοντι[e].

Χαίρετε, Ναζιραίων χοροστασίαι, ψαλμῳδιῶν ἁρμονίαι, στάσεις πάννυχοι, παρθένων σεμνότης, γυναικῶν εὐκοσμία, χηρῶν καὶ ὀρφανῶν σύστηματα, πτωχῶν ὀφθαλμοὶ πρὸς
25 Θεὸν καὶ πρὸς ἡμᾶς βλέποντες.

492 A Χαίρετε, οἶκοι φιλόξενοι καὶ φιλόχριστοι καὶ τῆς ἐμῆς ἀσθενείας ἀντιλήπτορες[f].

Χαίρετε, τῶν ἐμῶν λόγων ἐρασταὶ καὶ δρόμοι καὶ συνδρομαὶ καὶ γραφίδες φανεραὶ καὶ λανθάνουσαι καὶ ἡ
30 βιαζομένη κιγκλὶς αὕτη τοῖς περὶ τὸν λόγον ὠθιζομένοις.

Χαίρετε, ὦ βασιλεῖς καὶ βασίλεια, ὅσον τε περὶ τὸν βασιλέα θεραπευτικὸν καὶ οἰκίδιον — εἰ μὲν καὶ βασιλεῖ πιστόν, οὐκ οἶδα · Θεῷ δὲ τὸ πλεῖον ἄπιστον —. Κροτήσατε

26, 15 ἐπανηγύρισα : add. τοῖς ἄθλοις D || 16 σώματι : add. ὑμῶν D^{mg} ἐμῷ σώματι QS || 17 ὑμῶν : ὑμῖν Q SDC || 19 ἐπικίδυνον ἀρχιερέων, συνέδριον ἱερέων : ἐπικίνδυνον, ἀρχιερέων συνέδριον, ἱερέων QBVTSDCv ἐπικίνδυνον ἀρχιερέων, συνέδριον ἱερέων W^{ac} ἐπικίνδυνον ἀρχιερέων, συνέδριον, ἱερέων W^{pc} || 20 τετιμημένων $S^{ac}D^{mg}$ || 22 Ναζαραίων v || 24 χηρῶν καὶ ὀρφανῶν : χηρῶν, ὀρφανῶν QBJWVTC^{pc} v || 25 πρὸς ἡμᾶς : ἡμᾶς DC^{ac} || 29 σύνδρομοι QBSDC^{ac}

26.c. Cf. I Cor. 15, 10. d. Cf. II Cor. 12, 7. e. Cf. Jac. 4, 8. f. Cf. Judith 9, 11.

1. Grégoire n'a donc pas officié dans les églises de la ville autres que l'Anastasia, les Saint-Apôtres et Sainte-Sophie.

2. L'église des Saints-Apôtres, ainsi nommée parce que Constantin

qui apprivoisez le voisinage ; vous qui, en raison de cette faiblesse qui nous affecte, avez été remplis non par nous, qui avions renoncé, mais par la grâce qui agissait avec nous[c] [1].

Adieu, Apôtres[2], belle colonie d'émigrés, mes maîtres dans la lutte, même si je n'ai pas souvent célébré votre fête, moi qui peut-être porte partout comme l'un des vôtres, comme Paul, dans mon corps pour mon avantage le Satan[d] qui m'éloigne aujourd'hui de vous.

Adieu, siège épiscopal, altitude jalousée et dangereuse des pontifes, conseil de prêtres distingué par la déférence et par l'âge ; et vous tous, ministres du culte qui entourez la sainte table de Dieu, vous qui vous approchez du Dieu qui se fait proche[e].

Adieu, chœur des Naziréens[3], psalmodies harmonieuses, veillées nocturnes, dignité des vierges, décence des femmes, groupements de veuves et d'orphelins, regards des mendiants tournés vers Dieu et vers nous.

Adieu, demeures amies des étrangers, amies du Christ et soutiens de ma faiblesse[f] [4].

Adieu, amoureux de mes discours, vous qui accouriez et qui affluiez ; vous, plumes visibles ou cachées ; et toi, barrière forcée par ceux qui se bousculaient pour m'entendre.

Adieu, rois et palais ; adieu, vous tous qui êtes au service du roi et qui formez sa maison. Lui êtes-vous fidèles ? Je ne sais, mais vous êtes en majorité infidèles à Dieu[5].

avait voulu y rassembler des reliques des apôtres, était alors la cathédrale de la ville. Le mausolée impérial était attenant à l'église.

3. Les moines.

4. Grégoire dit (*D.* 26, 17) avoir été accueilli à Constantinople par une famille qui lui était apparentée (συγγενῶν τὸ σῶμα, συγγενῶν τὸ πνεῦμα). Le *D* 24, 1 fait mention d'une femme «amie des martyrs» chez laquelle il était allé se reposer à la campagne. Cf. *supra*, n. 4, p. 109.

5. Cf. *D.*36, 11-12. Sur les eunuques, cf. également *D.*37, 18-19 ; *D.*43, 47, 14-19.

χεῖρας, ὀξὺ βοήσατε, ἄρατε εἰς ὕψος τὸν ῥήτορα ὑμῶν.
35 Σεσίγηκεν ὑμῖν ἡ πονηρὰ γλῶσσα καὶ λάλος. Οὐ μὴν σιγήσεται παντάπασιν — μαχήσεται γὰρ διὰ χειρὸς καὶ μέλανος —, τὸ δ'οὖν παρὸν σεσιγήκαμεν.

B **27.** Χαῖρε, ὦ μεγαλόπολι καὶ φιλόχριστε — μαρτυρήσω γὰρ τἀληθῆ, καὶ εἰ μὴ κατ' ἐπίγνωσιν ὁ ζῆλος[a] · πεποίηκε χρηστοτέρους ἡμᾶς ἡ διάζευξις —. Πρόσιτε τῇ ἀληθείᾳ, μετασκευάζεσθε ὀψὲ γοῦν, τιμήσατε Θεὸν πλέον τῆς
5 συνηθείας. Οὐχ ἡ μετάθεσις τὸ αἰσχρὸν ἔχει, ἀλλ' ἡ τοῦ κακοῦ τήρησις τὴν ἀπώλειαν.

Χαίροις, ἀνατολὴ καὶ δύσις, ὑπὲρ ὧν καὶ ὑφ' ὧν πολεμούμεθα · μάρτυς ὁ εἰρηνεύσων ὑμᾶς, ἂν ὀλίγοι μιμήσωνται τὴν ἐμὴν ὑποχώρησιν. Οὐ γὰρ καὶ τὸν Θεὸν
10 ἀπολοῦσιν οἱ τῶν θρόνων παραχωρήσαντες, ἀλλ' ἕξουσι τὴν ἄνω καθέδραν, ἣ πολὺ τούτων ἐστὶν ὑψηλοτέρα τε καὶ ἀσφαλεστέρα.

Ἐπὶ πᾶσί τε καὶ πρὸ πάντων βοήσομαι · χαίρετε, ἄγγελοι, τῆσδε τῆς ἐκκλησίας ἔφοροι καὶ τῆς ἐμῆς
15 παρουσίας καὶ ἐκδημίας, εἴπερ ἐν χειρὶ Θεοῦ τὰ ἡμέτερα.

C Χαῖρέ μοι, ὦ Τριάς, τὸ ἐμὸν μελέτημα καὶ καλλώπισμα,

26, 36 παντάπασιν om. JWVTC || διὰ χειρὸς : καὶ διὰ χειρὸς QBDC καὶ διὰ χειρῶν S || 37 σεσίγηκεν SDC

27, 1 μεγαλόπολις QBW^{pc} SC^{ac} || 2 ἐπίγνωσιν : add. ὑμῖν QC || 4 πλεῖον D || 10 τῶν θρόνων : τὸν θρόνον SD || 11 ἐστιν om. JVT || 11-12 ὑψηλότερα τε καὶ ἀσφαλεστέρα : ἀσφαλεστέρα τε καὶ ὑψηλότερα WSDC ὑψηλότερα Q ὑψηλότερα καὶ ἀσφαλεστέρα V || 13 πᾶσί τε : πᾶσι JWVTC^{pc}

---

27. a. Cf. Rom. 19, 2.

---

1. L'arianisme dominait chez les eunuques du palais.

2. L'évêque arien de Constantinople, Démophile, ou bien Eunome lui-même, dont le séjour à Chalcédoine, tout près de Constantinople, est attesté peu de temps auparavant.

3. Nouvel indice d'une rédaction postérieure à la démission.

Battez des mains, poussez des cris aigus[1], portez aux nues votre rhéteur[2]. Elle s'est tue pour vous, cette langue méchante et bavarde, mais elle ne s'enfermera pas dans le silence, car elle continuera la lutte par l'intermédiaire de la main et de l'encre ; mais, pour ce qui est du moment présent, nous voilà devenus silencieux.

27. Adieu, grande cité éprise du Christ — je rendrai ce témoignage à la vérité, même s'il s'agit d'un zèle qui n'est pas éclairé[a] : la séparation nous a rendus plus conciliants[3] —. Accédez à la vérité. Si tardivement que ce soit, changez d'attitude. Honorez Dieu plus que vous n'êtes habitués à le faire. Changer n'est pas honteux, mais persister dans le mal mène à la perdition.

Je veux vous dire adieu, Orient et Occident, qui êtes à la fois motifs et auteurs de la guerre qui nous est faite[4] : il en est le témoin, celui qui vous donnera la paix pour peu que quelques-uns imitent mon retrait. Ceux qui ont fait l'abandon de leur trône n'en perdront pas Dieu pour autant, mais ils obtiendront un siège là-haut, un siège bien plus élevé et plus sûr qu'aucun de ceux qui sont ici.

Par-dessus tout et avant tout, je m'écrierai : adieu, anges tutélaires de cette Église[5], qui avez veillé sur moi durant mon séjour et mon déplacement[6], puisque notre sort est dans la main de Dieu.

Salut, Trinité, objet de tous mes soins, toi qui es ma parure : puisses-tu être conservée par ceux qui sont ici et

4. Rappelons que dans l'affaire d'Antioche, les Orientaux s'étaient opposés à Grégoire en donnant à Mélèce un autre successeur que son rival Paulin. D'autre part, le pape Damase et les Égyptiens avaient contesté l'élection de Grégoire à Constantinople. Le tout s'était déroulé sur un fond de rivalité entre régions.

5. Cf. 9, 8-9. Basile emploie la même expression au singulier (*Lettre* 238).

6. Ἐκδημία : cf. 1, 5-6.

καὶ σώζοιο τοῖσδε καὶ σώζοις τούσδε, τὸν ἐμὸν λαόν — ἐμὸς γάρ, κἂν ἄλλως οἰκονομώμεθα —, καὶ ἀγγέλοιό μοι διὰ παντὸς ὑψουμένη καὶ αὐξομένη καὶ λόγῳ καὶ πολιτείᾳ.
20 Τεκνία, φυλάσσοιτέ μοι τὴν παρακαταθήκην [b], μέμνησθέ μου τῶν λιθασμῶν [c]. Ἡ χάρις τοῦ Κυρίου ἡμῶν Ἰησοῦ Χριστοῦ μετὰ πάντων ὑμῶν. Ἀμήν.

27, 18 ἀγγέλοιο : ἀγγέλλοιο QVT ἀγγέλλοις B ἀγγέλοις C || 19 αὐξουμένη WSQv || 22 Ἀμήν om. JVT

Explicit add. συντακτήριος QBSC add. εἰς τὴν τῶν ἐπισκόπων παρουσίαν συντακτήριος D add. εἰς τὴν τῶν ρν ἐπισκόπων παρουσίαν JWVT add. ἐρήθη δὲ ἐν τῇ ἁγίᾳ ἀναστασίᾳ λόγος συντακτήριος J

---

27. b. Cf. I Tim. 6, 20. c. Cf. Col. 4, 18.

puisses-tu les conserver, conserver mon peuple — c'est mon peuple, même si nous recevons une autre affectation[1] —. Puisse-t-on m'apprendre que tu es constamment élevée et exaltée tant dans son langage que dans sa conduite.

Petits enfants, puissiez-vous me garder ce dépôt[b]! Souvenez-vous de mes lapidations[c 2]. Que la grâce de Notre Seigneur Jésus-Christ soit avec vous tous. Amen.

1. Cf. *D.* 34, 5-6; 6, 12; 6, 14.
2. Grégoire avait effectivement reçu des pierres pendant la nuit de Pâques 379.

PG 36

Εἰς τὸν μέγαν Βασίλειον ἐπιτάφιος

493 A **1.** Ἔμελλεν ἄρα πολλὰς ἡμῖν ὑποθέσεις τῶν λόγων ἀεὶ προτίθεις ὁ μέγας Βασίλειος — καὶ γὰρ ἐφιλοτιμεῖτο τοῖς ἐμοῖς λόγοις ὡς οὔπω τοῖς ἑαυτοῦ τῶν πάντων οὐδείς — ἑαυτὸν νῦν ἡμῖν προθήσειν ὑπόθεσιν ἀγώνων μεγίστην τοῖς 5 περὶ λόγους ἐσπουδακόσιν. Οἶμαι γάρ, εἴ τις τῆς ἐν λόγοις δυνάμεως πεῖραν ποιούμενος ἔπειτα πρὸς μέτρον κρῖναι ταύτην θελήσειε μίαν ἐκ πασῶν ὑπόθεσιν προστησάμενος καθάπερ οἱ ζωγράφοι τοὺς ἀρχετύπους πίνακας, ταύτην ἂν ὑφελὼν μόνην ὡς λόγου κρείττονα τῶν ἄλλων ἑλέσθαι τὴν 10 πρώτην. Τοσοῦτον ἔργον ἡ τοῦ ἀνδρὸς εὐφημία, μὴ ὅτι γε ἡμῖν τοῖς πάλαι πᾶν τὸ φιλότιμον καταλύσασιν, ἀλλὰ καὶ B οἷς βίος ἐστὶν ὁ λόγος, ἓν τοῦτο ἐσπουδακόσι καὶ μόνον ταῖς τοιαύταις ἐνευδοκιμεῖν ὑποθέσεσιν. Ἔχω μὲν οὕτω 496 A περὶ τούτων καὶ ὡς ἐμαυτὸν πείθω λίαν ὀρθῶς. Οὐκ οἶδα 15 δ' εἰς ὅ τι ἂν ἄλλο χρησαίμην τοῖς λόγοις, μὴ νῦν

AQBJWVT SDC

Titulus, τοῦ αὐτοῦ AJVT C || ἐπιτάφιος BJT SC || εἰς Βασίλειον AQW || εἰς τὸν μέγαν Βασίλειον BVT S || εἰς Βασίλειον τὸν μέγαν C || εἰς τὸν ἅγιον Βασίλειον J D || ἐπίσκοπον Καισαρείας Καππαδοκίας AJWV || ἐπιτάφιος AQWV

1, 2 προτίθεις : προθεὶς AQ^{ac}BJWT^{ac} Bo || 14 λίαν : καὶ λίαν SDC^{ac} || 15 δ' : δὲ BTv Bo

---

1. Cf. *infra*, 16, 29. Deux lettres de Grégoire (*Lettres* 25, et 53) appliquent cette épithète à Basile, la première ayant été écrite du vivant de ce dernier. Il n'est pas impossible que ce surnom date de la vie étudiante de Basile à Athènes, cf. *infra*, 23, 15 : τίς μὲν... τοσοῦτος ;

2. Comme on le verra plus loin (14-24), la figure de Basile est intimement associée dans la pensée de l'auteur aux longues années

DISCOURS 43

Pour le grand Basile
Oraison funèbre

1. Il devait donc, ce grand[1] Basile qui toujours nous proposait tant de sujets à traiter parce qu'il attendait de mes ouvrages ce que nul homme au monde n'attend jamais des siens, nous proposer maintenant dans sa propre personne un sujet de compétition magnifique pour ceux qui se sont voués à la parole[2]. J'estime, en effet, que, si quelqu'un qui fait l'essai de ses capacités oratoires voulait ensuite les juger par rapport à un étalon en se proposant un sujet unique choisi parmi tous, comme le font les peintres pour les tableaux qui leur servent de modèle[3], celui-ci serait le seul qu'il écarterait, en le jugeant au-dessus des capacités de la parole, pour choisir le premier venu parmi les autres. C'est une telle besogne que d'exprimer tout le bien qu'il y a à dire à propos de cet homme, non seulement pour nous qui avons depuis longtemps renoncé à toute ambition, mais encore pour ceux dont l'éloquence est la vie et qui se sont consacrés à ce seul et unique objet que constitue une réputation acquise à traiter des sujets de ce genre ! Voilà mon sentiment sur ce point, et je suis persuadé qu'il est tout à fait fondé. Mais je ne sais pas à quel autre sujet je pourrais consacrer mon éloquence si je ne l'emploie pas

d'études vécues ensemble à Athènes. Mais la vie de ces intellectuels avait été un prolongement de l'école.

3. La remarque apporte un éclairage sur les méthodes de peintres qui ne travaillent pas d'après nature.

χρησάμενος, ἢ ὅ τι ποτ' ἂν μᾶλλον ἢ ἐμαυτῷ χαρισαίμην ἢ τοῖς ἀρετῆς ἐπαινέταις ἢ τοῖς λόγοις αὐτοῖς, ἢ τὸν ἄνδρα τοῦτον θαυμάσας. Ἐμοί τε γὰρ ἔσται τοῦτο χρέος ἱκανῶς ἀφωσιωμένον, χρέος δ' εἴπερ ἄλλο τι τοῖς ἀγαθοῖς τά τε ἄλλα καὶ περὶ τὸν λόγον ὁ λόγος. Ἐκείνοις θ' ἅμα μὲν ἡδονὴ γένοιτο καὶ ἅμα παράκλησις εἰς ἀρετὴν ὁ λόγος. Ὧν γὰρ τοὺς ἐπαίνους οἶδα, τούτων σαφῶς καὶ τὰς ἐπιδόσεις [ἐπ' οὐδενὸς οὖν τῶν ἁπάντων, οὐκ ἔστιν ἐφ' ὅτῳ οὐχὶ τῶν ἁπάντων]. Τοῖς τε λόγοις αὐτοῖς ἀμφοτέρωθεν ἂν ἔχοι τὸ πρᾶγμα καλῶς· εἰ μὲν ἐγγὺς ἔλθοιεν τῆς ἀξίας, τὴν ἑαυτῶν ἐπιδεδειγμένοις δύναμιν, εἰ δὲ πλεῖστον ἀπολειφθεῖεν, ὃ πᾶσα παθεῖν ἀνάγκη τοῖς ἐκεῖνον ἐγκωμιάζουσιν, ἔργῳ δεδηλωκόσι τὴν ἧτταν καὶ τὸ κρείττω ἢ κατὰ λόγου δύναμιν εἶναι τὸν εὐφημούμενον.

2. Ἃ μὲν οὖν πεποίηκέ μοι τὸν λόγον καὶ δι' ἃ τὸν ἀγῶνα τοῦτον ἐνεστησάμην, ταῦτά ἐστιν. Εἰ δὲ τοσοῦτον ἀπήντηκα τοῦ καιροῦ δεύτερος καὶ μετὰ τοσούτους ἐπαινέτας ἰδίᾳ τε καὶ δημοσίᾳ τὰ ἐκείνου σεμνύναντας, μηδεὶς θαυμαζέτω, ἀλλὰ συγγινωσκέτω μὲν ἡ θεία ψυχὴ καὶ πάντ' ἐμοὶ σεβασμία καὶ νῦν καὶ πρότερον. Πάντως δ' ὡς σὺν ἡμῖν ὢν ἐπηνώρθου πολλὰ τῶν ἐμῶν ὅρῳ τε φιλίας καὶ νόμῳ κρείττονι — οὐ γὰρ αἰσχύνομαι τοῦτο λέγειν, ὅτι καὶ πᾶσι νόμος ἦν ἀρετῆς —, οὕτω καὶ ὑπὲρ ἡμᾶς γενόμενος συγγνώμων ἔσται τοῖς ἡμετέροις. Συγγινωσκέτωσαν δὲ καὶ ὑμῶν ὅσοι θερμότεροι τοῦ ἀνδρὸς ἐπαινέται,

1, 20 θ' ἅμα μὲν : τε ἅμα μὲν T τ' ἂν ἐν SD || 23-24 [ἐπ' οὐδενὸς... τῶν ἁπάντων] ut obscura seclusit Bo. Glossemata mihi uidentur || 28 κρείττω : κρεῖττον ABJWSDCv

2, 4 σεμνύναντας : σεμνυνόντας WS^{pc}C θαυμάζοντας D (mg σεμνυνόντας D^2) || 5 ψυχὴ : ἡ ψυχὴ v

1. Nous avons conservé l'oraison funèbre prononcée par Grégoire de Nysse (*PG* 46, 788 c-817 D) le 1er janvier 381 d'après J. Daniélou, «La chronologie des sermons de saint Grégoire de Nysse», *Revue des Sciences religieuses*, 1955, p. 351. Il est possible que

maintenant. Je ne vois pas non plus comment je pourrais complaire davantage, soit à moi-même soit aux laudateurs de la vertu, soit à l'éloquence elle-même, qu'en exprimant l'admiration que j'ai pour lui. Pour moi, ce sera une façon adéquate d'acquitter une dette, car, si quelque chose est dû aux êtres qui, entre autres mérites, ont eu celui de la parole, c'est bien cette parole. Pour ceux-là, en même temps que du plaisir, ils y trouveront un encouragement à la vertu, car là où il y a éloge, je sais bien qu'il y a aussi exercice d'une influence. Pour l'éloquence elle-même, ce serait aussi une bonne affaire dans les deux cas à envisager : dans le cas où elle s'approche de la hauteur du mérite considéré, elle a démontré sa force ; mais si elle aboutit à un échec prononcé — ce qui doit arriver de toute nécessité à qui fait l'éloge de ce grand homme —, elle a montré dans les faits son insuffisance et elle fait voir que celui dont on dit du bien se situe au-dessus des capacités de la parole.

2. Ce qui m'a fait prendre la parole et ce qui m'a engagé dans cette lutte, c'est bien cela. Si je suis arrivé tellement après le moment voulu et si je succède à tant d'orateurs qui ont célébré sa mémoire en particulier et en public, que personne n'aille s'en étonner[1]. Mais qu'elle me pardonne, cette âme divine et en tous points vénérable à mes yeux aujourd'hui comme hier. Tout comme il corrigeait nombre de mes actions quand il était avec nous, en vertu de l'amitié et d'une loi supérieure — je ne rougis pas de le dire, puisqu'il était pour tous aussi la règle de la vertu —, de la même façon, maintenant qu'il est au-dessus de nous, il sera miséricordieux à notre égard. Qu'ils me pardonnent aussi, ceux qui parmi vous lui adressent des éloges plus chaleureux, si toutefois il en est un pour éprouver plus de chaleur qu'un autre, et si le

le successeur de Basile, Helladios, ait pris la parole à l'occasion du premier anniversaire.

εἴπερ τίς ἐστιν ἄλλου θερμότερος, ἀλλὰ μὴ τοῦτο μόνον
πάντες ὁμότιμοι τὴν τοῦ ἀνδρὸς εὐφημίαν. Οὐ γὰρ ὀλιγωρίᾳ
τὸ εἰκὸς ἐνελίπομεν — μή ποτε τοσοῦτον ἀμελήσαιμεν ἢ
15 ἀρετῆς ἢ τοῦ φιλικοῦ καθήκοντος — οὐδὲ τῷ νομίζειν
ἄλλοις μᾶλλον ἡμῶν προσήκειν τὸν ἔπαινον. Ἀλλὰ πρῶτον
μὲν ὤκνουν τὸν λόγον — εἰρήσεται γὰρ τἀληθές — ὥσπερ
οἱ τοῖς ἱεροῖς προσιόντες, πρὶν καθαρθῆναι καὶ φωνὴν καὶ
D διάνοιαν. Ἔπειτα, οὐκ ἀγνοοῦντας μέν, ὑπομνήσω δ' οὖν
20 ὅμως, ὧν μεταξὺ περὶ τὸν ἀληθῆ λόγον ἠσχολήμεθα κιν-
497 A δυνεύοντα, καλῶς βιασθέντες καὶ κατὰ Θεὸν ἴσως ἔκδημοι
γεγονότες, καὶ οὐδ' ἀπὸ γνώμης ἐκείνῳ τῷ γενναίῳ τῆς
ἀληθείας ἀγωνιστῇ καὶ μηδὲν ἕτερον ἀναπνεύσαντι ὅτι μὴ
λόγον εὐσεβῆ καὶ κόσμου παντὸς σωτήριον. Τὰ γὰρ τοῦ
25 σώματος ἴσως οὐδὲ θαρρῆσαι χρὴ λέγειν ἀνδρὶ γενναίῳ καὶ
ὑπὲρ τὸ σῶμα, πρὶν ἐνθένδε μεταναστῇ καὶ μηδὲν ἀξιοῦντι
τῶν τῆς ψυχῆς καλῶν ὑπὸ τοῦ δεσμοῦ παραβλάπτεσθαι.
Τὰ μὲν δὴ τῆς ἀπολογίας ἐνταῦθα κείσθω. Καὶ γὰρ οὐδὲ
μακροτέρας οἶμαι ταύτης δεήσειν ἡμῖν, πρὸς ἐκεῖνόν γε
30 ποιουμένοις τὸν λόγον καὶ τοὺς εἰδότας σαφῶς τὰ ἡμέτερα.
Ἤδη δὲ πρὸς αὐτὴν ἡμῖν ἰτέον τὴν εὐφημίαν, αὐτὸν
προστησαμένοις τοῦ λόγου τὸν ἐκείνου Θεόν, μὴ καθυβρίσαι
τὸν ἄνδρα τοῖς ἐγκωμίοις μηδὲ πολὺ δεύτερον τῶν ἄλλων
ἐλθεῖν, κἂν ἐκείνου πάντες ἴσον ἀπολειπώμεθα, καθάπερ
35 οὐρανοῦ καὶ ἡλιακῆς ἀκτῖνος οἱ πρὸς αὐτὰ βλέποντες.

2, 14 ἐνελείπομεν B^{ac}VTSDC ‖ 15 τῷ : τὸ ABJW^{ac}S^{ac}DC ‖ 26 μεταναστῇ : μεταστῆναι SD ‖ 30 τὸν λόγον om. AQBJWT^{ac}

1. Grégoire, appelé à Constantinople après la mort de Valens (9 août 378) pour y prendre la tête de la petite communauté orthodoxe d'une ville aux mains des ariens depuis quarante ans, y est resté depuis le début de 379 jusqu'au milieu de 381, date de sa démission. L'approbation donnée par Basile à ce départ date au plus tard des derniers jours de 378, puisqu'il est mort le 1er janvier 379. Dans un article récent («La date de la mort de Basile de Césarée», *Revue des Études Augustiniennes*, 34 (1988), 25-38), P. MARAVAL s'est efforcé de remonter la date de la mort de Basile aux

bien dit de lui n'est pas le seul domaine où tout le monde se trouve sur le même pied. Ce n'est pas par insouciance que nous avons manqué aux convenances — nous ne devrions jamais être à ce point négligents de la vertu ou du devoir de l'amitié ; ce n'est pas non plus par suite de l'idée que cet éloge incombait à d'autres plutôt qu'à nous. Non. Ma première raison, c'est que j'hésitais à prendre la parole — il faut dire la vérité —, comme le font ceux qui s'approchent des choses sacrées, avant d'avoir purifié ma voix et ma pensée. Ensuite, vous ne l'ignorez pas, mais je vous le rappellerai néanmoins, dans l'intervalle nous avons été accaparés par les dangers que courait la vraie doctrine : on nous avait fait une belle violence et nous nous étions expatrié, peut-être par la volonté de Dieu, et non sans l'approbation de ce généreux champion de la vérité, qui n'a jamais respiré autre chose que la doctrine de piété qui apporte le salut au monde entier[1]. Quant à ce qui concerne ma santé, peut-être ne devrais-je même pas avoir l'audace d'en parler face à un homme généreux qui dépassait son corps avant même de quitter ce monde et qui exigeait que le bien de l'âme ne subît aucune atteinte du fait de ses liens. En ce qui concerne ma justification, restons-en là. Je crois, en effet, qu'il ne sera pas nécessaire d'en dire davantage, puisque c'est à lui que nous l'adressons, ainsi qu'à des gens qui sont bien au courant de ce qui nous concerne. Désormais, il nous faut en arriver à prononcer cet éloge, en mettant mon discours sous la protection de ce Dieu même qui était le sien, afin que nos louanges ne constituent pas une insulte pour un tel homme, et pour m'éviter d'arriver trop loin derrière les autres, même si nous sommes tous également loin derrière lui comme le sont du ciel et du rayonnement du soleil ceux qui ont les yeux fixés sur ces objets.

alentours de septembre 377. Je ne crois guère que cette déclaration de Grégoire «signifie seulement qu'il a agi comme le lui aurait conseillé Basile» (*op. cit.*, p. 32, n. 45).

B 3. Εἰ μὲν οὖν ἑώρων αὐτὸν γένει καὶ τοῖς ἐκ γένους φιλοτιμούμενον ἤ τινι τῶν μικρῶν ὅλως καὶ οἷς οἱ χαμαὶ βλέποντες, ἄλλος ἂν ἡρώων ὤφθη κατάλογος· ὅσα τῶν ὑπὲρ ἐκεῖνον τοῖς χρόνοις ἐκείνῳ συνεισενεγκεῖν εἴχομεν.
5 Καὶ οὐδ' ἂν ταῖς ἱστορίαις παρήκαμεν ἔχειν τι πλέον ἡμῶν, ἐκεῖνό γε πλέον ἔχοντες πάντως τὸ μὴ πλάσμασι μηδὲ μύθοις, αὐτοῖς δὲ τοῖς πράγμασι καλλωπίζεσθαι καὶ ὧν πολλοὶ μάρτυρες. Πολλὰ μὲν γὰρ ὁ Πόντος ἡμῖν ἐκ τοῦ
C πατρὸς προβάλλει τὰ διηγήματα καὶ οὐδενὸς ἐλάττω τῶν
10 πάλαι περὶ αὐτὸν θαυμάτων, ὧν πλήρης πᾶσα συγγραφή τε καὶ ποίησις, πολλὰ δὲ τὸ ἐμὸν ἔδαφος τοῦτο, οἱ σεμνοὶ Καππαδόκαι, τὸ μηδὲν ἧττον κουροτρόφον ἢ εὔιππον, ὅθεν τῷ πατρῴῳ γένει τὸ μητρῷον ἡμεῖς ἀντανίσχομεν. Στρατηγίαι τε καὶ δημαγωγίαι καὶ κράτος ἐν βασιλείοις αὐλαῖς,
15 ἔτι δὲ περιουσίαι καὶ θρόνων ὕψη καὶ τιμαὶ δημόσιαι καὶ λόγων λαμπρότητες, τίνων ἢ πλείους ἢ μείζους; Ὧν ἡμῖν εἰ βουλομένοις εἰπεῖν ἐξῆν, οὐδὲν ἂν ἦσαν ἡμῖν οἱ Πελοπίδαι
500 A καὶ Κεκροπίδαι καὶ οἱ Ἀλκμαίωνες, Αἰακίδαι τε καὶ Ἡρακλεῖδαι καὶ ὧν οὐδὲν ὑψηλότερον, οἵτινες ἐκ τῶν

3, 2 οἷς : ὅσον AW ὅσων B || 3 βλέποντες : βαίνοντες BTS^{pc}D || 5-6 ἡμῶν, ἐκεῖνό γε πλέον om. S || 9 προβάλλεται W^{ac}S^{ac}D

---

1. Sur le milieu social dont était issu Basile, cf. B. Coulie, *Les richesses dans l'œuvre de saint Grégoire de Nazianze*, Publications de l'Institut Orientaliste de Louvain, 32, Louvain-la-Neuve 1985, p. 25-26 et 197-198.

2. Cf. le catalogue des héros d'*Iliade*, II, 485 s.

3. Ces accents critiques concernent des œuvres du genre de celles de Diogène Laërce et de Philostrate.

4. L'épithète κουροτρόφος est appliquée par Homère à Ithaque, *Od.* IX, 27 ; sur εὔιππος, cf. Pindare, *Pythiques*, 4, 2. La Cappadoce était traditionnellement un pays d'élevage de chevaux.

5. Agamemnon et Ménélas sont les plus célèbres des Pélopides ; la dynastie des Cécropides est celle des anciens rois d'Athènes ; les Alcméonides, connus comme l'une des plus grandes familles aristocratiques d'Athènes, se rattachaient à une dynastie de rois-prêtres de Béotie ; Éaque était fils de Zeus et roi d'Égine ; quant aux Héraclides,

3. Si je voyais en lui un homme fier de sa naissance et de ce qui est attaché à la naissance[1] ou de l'une de ces très petites choses qui font la fierté de ceux qui ont le regard tourné vers la terre, vous auriez sous les yeux un nouveau catalogue de héros[2] : que de faits empruntés à une époque antérieure à la sienne nous pourrions reporter sur lui ! Nous n'aurions laissé aucun avantage sur nous aux récits historiques, nous qui avons sur eux l'absolue supériorité de ne tirer illustration ni de fictions ni de mythes[3], mais de la réalité elle-même, et d'une réalité dont les témoins sont nombreux. Ils sont nombreux, les récits que le Pont nous offre du côté paternel, et nullement inférieurs aux merveilles que vit autrefois cette région, merveilles dont histoire et poésie sont toutes pleines. Nombreux sont également ceux que propose ce sol qui est le mien, la vénérable Cappadoce, qui n'est pas moins fertile en belle jeunesse que bien pourvue en coursiers[4]. C'est ce qui nous permet de faire figurer sa famille maternelle en regard de celle de son père. Commandements, gouvernements, pouvoirs exercés dans les cours royales, fortune aussi, trônes élevés, honneurs publics, éclat de l'éloquence : qui a possédé cela en plus grand nombre ou à plus grande échelle ? S'il nous était permis d'en parler à notre gré, nous tiendrions pour rien Pélopides et Cécropides, Alcméonides, Éacides et Héraclides[5], ainsi que ceux que rien ne surpasse[6] : gens qui n'ayant rien

ils étaient censés avoir donné plusieurs familles royales, dont celle de Sardes. Il s'agit donc là des dynasties royales les plus anciennes : comment mieux suggérer une ascendance royale ancienne de la famille de Basile ? Néanmoins, les rhéteurs usent trop volontiers de formules semblables pour qu'elles n'engendrent pas un certain scepticisme. Cf. introduction, p. 39.

6. Y aurait-il là une allusion à la famille impériale romaine ? Probablement pas, dans un contexte où c'est l'ancienneté de la noblesse qui est en cause, et non l'étendue de la puissance. Le polémiste chrétien se réveille pour se moquer des prétentions des grandes familles à une origine divine.

20 οἰκείων φανερῶς εἰπεῖν οὐκ ἔχοντες ἐπὶ τὸ ἀφανὲς καταφεύγουσι, δαίμονας δή τινας καὶ θεοὺς καὶ μύθους τοῖς προγόνοις ἐπιφημίζοντες, ὧν τὸ σεμνότατον ἀπιστία καὶ ὕβρις τὸ πιστευόμενον.

4. Ἐπειδὴ δὲ ὑπὲρ ἀνδρὸς ἡμῖν ὁ λόγος κατ' ἄνδρα κρίνεσθαι τὴν εὐγένειαν ἀξιοῦντος, καὶ μὴ τὰς μὲν μορφὰς καὶ τὰς χρόας ἐξ ἑαυτῶν δοκιμάζεσθαι καὶ τῶν ἵππων τοὺς εὐγενεστάτους ἢ ἀτιμοτάτους, ἡμᾶς δὲ ζωγραφεῖσθαι τοῖς
5 ἔξωθεν, ἓν ἢ δύο τῶν ἐξ ἀρχῆς ὑπαρχόντων αὐτῷ καὶ ταῦτα
B οἰκεῖα τῷ ἐκείνου βίῳ καὶ οἷς ἂν μάλιστα ἡσθείη λεγομένοις εἰπών, ἐπ' αὐτὸν καὶ δὴ τρέψομαι. Ἄλλου μὲν οὖν ἄλλο τι γνώρισμα καὶ διήγημα, καὶ γένους καὶ τοῦ καθ' ἕκαστον, ἢ μικρὸν ἢ μεῖζον, καθάπερ τις κλῆρος πατρῷος ἢ πόρρωθεν
10 ἢ ἐγγύθεν ἠργμένος, κάτεισιν εἰς τοὺς ὕστερον· τούτῳ δὲ γενοῖν τοῖν ἀμφοτέροιν τὸ εὐσεβὲς ἐπίσημον, δηλώσει δὲ νῦν ὁ λόγος.

5. Διωγμὸς ἦν καὶ διωγμῶν ὁ φρικωδέστατος καὶ βαρύτατος. Εἰδόσι λέγω τὸν Μαξιμίνου, ὃς πολλοῖς τοῖς ἐγγύθεν γενομένοις ἐπιφυείς, πάντας φιλανθρώπους ἀπέδειξε, θράσει τε πολλῷ ῥέων καὶ φιλονεικῶν τὸ τῆς ἀσεβείας
C 5 κράτος ἀναδήσασθαι. Τοῦτον πολλοὶ μὲν ὑπερέσχον τῶν

3, 23 τὸ πιστευόμενον : πιστευόμενον JW[ac] πιστευομένων AQBV
4, 5-6 καὶ ταῦτα οἰκεῖα τῷ om. S ‖ 7 οὖν om. Q[ac]B[ac]T[ac] ‖ 9 καθάπερ : ὃ καθάπερ SDC ‖ 10-11 τοῖν δὲ γενοῖν (mg τούτῳ δὲ) A τῷ δὲ τοῖν γενοῖν DC τοῖν δὲ γενοῖν BJ τῷ δὲ γενοῖν WVT
5, 2 τοῖς om. AQ[pc]WV ‖ 5 κράτος : add. αὐτὸς Tmg SDC

---

1. Cf. *D.* 22, 10, 3.

2. La comparaison est naturelle dans une région où l'élevage des chevaux joue un rôle essentiel (cf. *supra*, n. 4, p. 122). La petite ville de Nazianze ne possédait pas d'hippodrome, mais Grégoire a vécu à Césarée et surtout à Constantinople, où les courses attiraient toute la population.

13. Maximin Daïa, César de Galère en Orient après l'abdication de Dioclétien (305), prend le titre d'Auguste en 310 et attaque Licinius

de personnel à montrer au grand jour se réfugient dans l'obscurité et donnent à leurs ancêtres la noble couverture de je ne sais quels démons, de dieux et de mythes : toutes choses dont les plus honorables recueillent l'incrédulité et dont celles qui méritent créance appellent l'insulte.

4. Mais puisque notre discours concerne un homme qui demandait qu'on juge de la noblesse sur la personne[1] et qui refusait que formes et couleurs ainsi que chevaux de race et bêtes de rebut[2] soient examinés pour eux-mêmes tandis que d'un autre côté nous nous ferions peindre avec des qualités empruntées, c'est après avoir cité un ou deux traits attachés à ses origines, des traits qui ont de l'affinité avec son existence et dont il aurait eu grand plaisir à m'entendre parler, que je me tournerai dès lors vers sa personne. Chacun, famille ou individu, a sa marque et son trait, petit ou grand, qui passe à la postérité à la manière d'un patrimoine, que l'origine de ce dernier soit proche ou lointaine : pour lui, la piété est le signe distinctif de ses deux ascendances. Ce discours va maintenant le montrer.

5. Il y avait une persécution, la plus effroyable et la plus lourde : je parle à des gens qui connaissent la persécution de ce Maximin[3] qui, surgi après tant de persécuteurs récents, les fit tous paraître humains dans le déferlement de toute sa brutalité et son ambition de ceindre la couronne de l'empire de l'impiété. Beaucoup

en 313. Battu, il s'empoisonne dans l'été 313. La persécution a été endémique en Orient de 302 à 311, Maximin en étant responsable dans ses États (dont le Pont ne faisait pas partie) de 305 à 311. C'est de 311 à 313 que la persécution se fait très violente sous la responsabilité de Maximim dans tout l'Orient. Les événements étant vieux de près de trois quarts de siècle, il n'existait plus guère de témoins directs, mais la génération de Grégoire et Basile avait grandi au milieu des récits qui les concernaient.

ἡμετέρων ἀγωνιστῶν, καὶ μέχρι θανάτου διηγωνισμένοι καὶ πρὸ θανάτου μικρόν, τοσοῦτον ἀπολειφθέντες ὅσον ἐπιβιῶναι τῇ νίκῃ καὶ μὴ συναπελθεῖν τοῖς παλαίσμασιν, ἀλλ' ὑπολειφθῆναι τοῖς ἄλλοις ἀλεῖπται τῆς ἀρετῆς, ζῶντες μάρτυρες,
10 ἔμπνοοι στῆλαι, σιγῶντα κηρύγματα. Σὺν πολλοῖς δὲ τοῖς ἀριθμουμένοις καὶ οἱ πρὸς πατρὸς τούτῳ πατέρες, οἷς πᾶσαν ἀσκήσασιν εὐσεβείας ὁδὸν καλὴν ἐπήνεγκεν ὁ καιρὸς ἐκεῖνος τὴν κορωνίδα. Παρασκευῆς μὲν γὰρ οὕτως εἶχον καὶ γνώμης ὡς πάντα ῥᾳδίως οἴσοντες ἐξ ὧν στεφανοῖ Χριστὸς τοὺς
15 τὴν ἐκείνου μιμησαμένους ὑπὲρ ἡμῶν ἄθλησιν.

D **6.** Ἐπεὶ δὲ νόμιμον αὐτοῖς ἔδει καὶ τὸν ἀγῶνα γενέσθαι, νόμος δὲ μαρτυρίας μήτε ἐθελοντὰς πρὸς τὸν ἀγῶνα χωρεῖν φειδοῖ τῶν διωκόντων καὶ τῶν ἀσθενεστέρων, μήτε παρόν-
501 A τας ἀναδύεσθαι — τὸ μὲν γὰρ θράσους, τὸ δὲ ἀνανδρίας
5 ἐστίν —, καὶ τούτῳ τιμῶντες ἐκεῖνοι τὸν νομοθέτην, τί μηχανῶνται ; Μᾶλλον δέ, πρὸς τί φέρονται παρὰ τῆς πάντα τὰ ἐκείνων ἀγούσης προνοίας ; Ἐπί τινα τῶν Ποντικῶν ὀρῶν λόχμην — πολλαὶ δ' αὗται παρ' αὐτοῖς εἰσι καὶ βαθεῖαι καὶ ἐπὶ πλεῖστον διήκουσαι — καταφεύγουσι, λίαν ὀλίγοις
10 χρώμενοι καὶ τῆς φυγῆς συνεργοῖς καὶ τῆς τροφῆς ὑπηρέταις. Ἄλλοι μὲν οὖν θαυμαζέτωσαν τὸ τοῦ χρόνου μῆκος — καὶ γὰρ ἐπὶ πλεῖστον αὐτοῖς, ὥς φασι, τὸ τῆς φυγῆς παρετάθη ἔτος που ἕβδομον καὶ μικρόν τι πρός — τό τε τῆς διαίτης σώμασιν εὖ γεγονόσι στενόν τε καὶ

6, 1 τὸν ἀγῶνα : τοὺς ἀγῶνας S ‖ 8 λόχμην : καταφεύγουσι λόχμην SDC ‖ 8 δὲ BJSv ‖ 9 καταφεύγουσι : τῶν ὀρῶν SDC

1. Oxymoron. Le poème sur *La nature humaine* (I, II, 14, v. 61) traite la chair de «fauve aux dures caresses» et de «feu qui gèle».
2. Le vocabulaire du martyre dérive de celui du sport, bien que la pratique de ce dernier soit passée de mode depuis longtemps.
3. Grégoire rappelle ailleurs cette règle qui a son origine dans *Matth.* 10, 23 : cf. *D.* 4,88, 17 ; *D.* 7, 14.
4. Ce petit nombre est très relatif dans un milieu où les serviteurs de tout genre étaient innombrables. Dans cet épisode du style Robin des bois, une famille de grands seigneurs prend le maquis avec gardes,

de nos lutteurs eurent le dessus sur lui, des hommes qui avaient combattu jusqu'à la mort ou jusqu'aux abords de la mort et qui furent juste assez préservés pour survivre à leur victoire, pour ne pas disparaître de la scène en même temps que leurs luttes prenaient fin, mais pour être laissés aux autres en qualité d'entraîneurs de vertu, de martyrs vivants, de stèles animées, de proclamations muettes[1]. Dans la foule de tous ceux-là, il y avait ses grands-parents paternels, qui s'étaient exercés dans toutes les voies de la piété et à qui ces circonstances apportèrent cette belle couronne[2]. Ils s'étaient préparés et disposés à tout supporter avec aisance de ce qui fait que le Christ couronne les imitateurs de la lutte qu'il a menée pour nous.

6. Et comme il fallait encore que leur lutte se déroulât dans des conditions régulières, et comme la règle du martyre consiste à ne pas affronter volontairement la lutte afin de ménager les persécuteurs ainsi que les faibles, et à ne pas s'y soustraire non plus quand on est devant elle (il y aurait là de la témérité et ici de la lâcheté)[3], respectant ici aussi l'auteur des règles, que vont-ils inventer ? Ou plutôt à quoi sont-ils poussés par la Providence qui conduisait toute leur aventure ? C'est dans un maquis des montagnes du Pont qu'ils se réfugient — il y en a beaucoup là-bas, et qui sont aussi profonds que largement étendus —, en ne prenant avec eux que très peu de gens pour les aider dans leur fuite et servir à leur subsistance[4]. Que d'autres admirent la longueur de cette période — puisque, dit-on, leur exil s'est prolongé au total jusqu'à la septième année et un peu plus[5] —, avec ce qu'il y avait vraisemblablement de strict et d'anormal

serviteurs et chevaux et mène pendant des années la vie rude des camps sans connaître la misère.

5. Ces sept années se sont achevées en 313. Le père de Basile a vécu dans ces conditions une partie de son enfance.

15 παρηλλαγμένον, ὡς τὸ εἰκός, καὶ τὸ ὑπαιθρίοις κρυμοῖς καὶ θάλπεσι καὶ ὄμβροις ταλαιπωρεῖν, ἥ τε ἄφιλος ἐρημία καὶ τὸ ἀκοινώνητόν τε καὶ ἄμικτον, ὅσον εἰς κακοπάθειαν τοῖς
B ὑπὸ πολλῶν δορυφορουμένοις καὶ τιμωμένοις. Ἐγὼ δέ, ὃ τούτων μεῖζόν ἐστι καὶ παραδοξότερον λέξων ἔρχομαι,
20 ἀπιστήσει δ' οὐδεὶς ἢ ὅστις οὐδὲν μέγα οἴεται τοὺς ὑπὲρ Χριστοῦ διωγμοὺς καὶ κινδύνους, κακῶς γινώσκων καὶ λίαν ἐπικινδύνως.

7. Ἐπόθουν τι καὶ τῶν πρὸς ἡδονὴν οἱ γεννάδαι, τῷ χρόνῳ κάμνοντες καὶ τῶν ἀναγκαίων ὄντες διακορεῖς, καὶ τὰ μὲν τοῦ Ἰσραὴλ οὐκ ἐφθέγξαντο. Οὐ γὰρ ἦσαν γογγυσταὶ κατ' ἐκείνους τοὺς ἐν τῇ ἐρήμῳ ταλαιπωροῦντας μετὰ τὴν
5 ἐξ Αἰγύπτου φυγήν, ὡς ἄρα βελτίων Αἴγυπτος αὐτοῖς εἴη
C τῆς ἐρημίας, πολλὴν τῶν λεβήτων καὶ τῶν κρεῶν χορηγοῦσα τὴν ἀφθονίαν τῶν τε ἄλλων ὅσα ἐκεῖσε ἀπέλιπον[a] — ἡ γὰρ πλινθεία καὶ ὁ πηλὸς οὐδὲν ἦν αὐτοῖς τότε διὰ τὴν ἄνοιαν —, ἄλλα δέ, ὡς εὐσεβέστερα καὶ πιστότερα. Τί γὰρ
10 ἐστιν, ἔλεγον, τῶν ἀπίστων εἰ ὁ τῶν θαυμασίων Θεός, ὁ θρέψας πλουσίως ἐν ἐρήμῳ ξένον λαὸν καὶ φυγάδα ὥστε καὶ ἄρτον ὀμβρῆσαι καὶ βλύσαι ὄρνιθας[b] τρέφων οὐ τοῖς ἀναγκαίοις μόνον, ἀλλὰ καὶ τοῖς περιττοῖς· εἰ ὁ τεμὼν θάλατταν[c] καὶ στήσας ἥλιον[d] καὶ ποταμὸν ἀνακόψας[e] —
15 καὶ τἄλλα δὴ ὑπειπόντες ὅσα πεποίηκε· φιλεῖ γὰρ ἐν τοῖς τοιούτοις φιλιστορεῖν ἡ ψυχὴ καὶ πολλοῖς θαύμασιν ἀνυμνεῖν

6, 15 κρυμοῖς : κρυμοῖ S ἐν κρυμοῖς D
7, 2 διακορεῖς : ἐπικορεῖς v || 4 κατ' ἐκείνους τοὺς : κατ' ἐκείνους AQBJWT κατὰ τοὺς ἐκείνους v || ταλαιπωρήσαντας SC || 6 τῶν κρεῶν : κρεῶν AQBJWVT || 11 πλουσίως : add. οὕτως SDC || 14 θάλασσαν SCv || 16 φιλιστορεῖν ἡ : πολυίστωρ εἶναι SDC (mg φίλο- D²)

7. a. Cf. Ex. 16, 2-3. b. Cf. Ex. 16, 13. c. Cf. Ex. 14, 21. d. Cf. Jos. 3, 16. e. Cf. Jos. 10, 12.

1. Les grands-parents de Basile étaient donc entourés d'une véritable cour et protégés par une garde armée : ce sont là les signes de la plus haute condition sociale.

pour des personnes de bonne naissance dans ce régime de vie, avec les rigueurs du froid, de la chaleur et de la pluie supportées en plein air, avec le désert sans amis, une solitude et un isolement tellement pénibles pour des gens qui étaient entourés d'une garde nombreuse et d'une foule respectueuse[1]. Pour moi[2], il y a quelque chose de plus important et de plus extraordinaire que je vais vous dire : personne ne refusera d'y ajouter foi, sauf si l'on n'attache aucune importance aux persécutions et aux dangers subis pour le Christ, opinion fausse et extrêmement périlleuse[3].

7. Ils soupiraient après quelque motif de plaisir, ces héros qui étaient à la longue fatigués et lassés d'un régime réduit au nécessaire, et le langage qu'ils tinrent ne fut pas celui d'Israël. Ils ne grognaient pas comme l'avaient fait ceux qui, éprouvés dans le désert après la fuite d'Égypte, assuraient préférer à la solitude cette Égypte qui leur fournissait à profusion marmites, viandes et tout le reste de ce qu'ils avaient abandonné là-bas[a], comptant pour rien alors dans leur sottise briques et mortier. Quel langage différent ici, quelle attitude plus pieuse et plus confiante ! « En quoi est-il invraisemblable, disaient-ils, que le Dieu des merveilles, celui qui a nourri avec largesse au désert un peuple étranger et fugitif au point de faire pleuvoir du pain et jaillir des oiseaux[b] en lui fournissant non seulement la nourriture nécessaire, mais aussi le superflu, que ce Dieu qui a fendu la mer[c], arrêté le soleil[d] et refoulé un fleuve[e] — et, bien sûr, ils ajoutèrent à cela toutes les autres actions qu'il avait accomplies, car, en pareille circonstance, l'âme se plaît à exercer sa curiosité et à faire monter vers Dieu un hymne fait de tous ses

2. Ἄλλοι μὲν... Ἐγὼ δὲ... : le tour est familier à Grégoire, cf. *D*. 8, 3.

3. Après soixante-dix ans, les jeunes générations, qui n'ont pas connu les persécutions, peuvent avoir tendance à les minimiser. Les évêques entretiennent au contraire leur souvenir et développent le culte des martyrs.

τὸν Θεόν —, οὗτος, ἐπῆγον, καὶ ἡμᾶς θρέψειε σήμερον τοῖς τῆς τρυφῆς τοὺς εὐσεβείας ἀγωνιστάς. Πολλοὶ μὲν θῆρες D τὰς τῶν πλουσίων διαφυγόντες τραπέζας, ἅπερ ἦν ποτε καὶ 20 ἡμῖν, τοῖς ὄρεσι τούτοις ἐμφωλεύουσι, πολλοὶ δὲ ὄρνιθες τῶν ἐδωδίμων τοὺς ποθοῦντας ἡμᾶς ὑπερίπτανται, ὧν τί μὴ θηράσιμόν σοι θελήσαντι μόνον; Ταῦτ' ἔλεγον καὶ ἡ θήρα παρῆν, ὄψον αὐτόματον, ἀπραγμάτευτος πανδαισία, 504 A ἔλαφοι τῶν λόφων ποθὲν ὑπερφανέντες ἀθρόως. Ὡς μὲν 25 εὐμεγέθεις, ὡς δὲ πίονες, ὡς δὲ πρόθυμοι πρὸς σφαγήν. Μονονουχὶ καὶ τοῦτο εἰκάζειν ἦν ὅτι μὴ τάχιον ἐκλήθησαν ἐδυσχέραινον. Οἱ μὲν εἷλκον τοῖς νεύμασιν, οἱ δὲ ἤγοντο. Τίνος διώκοντος ἢ συναναγκάζοντος; Οὐδενός. Τίνων ἱππέων; Ποιῶν κυνῶν; Τίνος ὑλακῆς ἢ κραυγῆς ἢ νέων 30 προκαταλαβόντων τὰς διεξόδους τοῖς θήρας νόμοις; Εὐχῆς δέσμιοι καὶ δικαίας αἰτήσεως. Τίς ἔγνω τοιοῦτον θήραμα τῶν νῦν ἢ τῶν πώποτε;

B **8.** Ὢ τοῦ θαύματος. Αὐτοὶ τοῦ θηράματος ἦσαν ταμίαι. Ὅσον φίλον εἴχετο θελήσασι μόνον, ὅσον περιττὸν ἀπεπέμφθη ταῖς λόχμαις εἰς δευτέραν τράπεζαν. Οἱ ὀψοποιοὶ σχέδιοι, τὸ δεῖπνον εὐτρεπές, οἱ δαιτύμονες εὐχάριστοι, 5 προοίμιον ἔχοντες ἤδη τῶν ἐλπιζομένων τὸ παρὸν θαῦμα, ἐξ οὗ καὶ πρὸς τὴν ἄθλησιν ὑπὲρ ἧς ταῦτα ἦν αὐτοῖς ἐγίνοντο προθυμότεροι. Τοιαῦτα τὰ ἐμὰ διηγήματα. Σὺ δέ μοι λέγε τὰς ἐλαφηβόλους σου καὶ τοὺς Ὠρίωνας καὶ τοὺς Ἀκταίωνας, τοὺς κακοδαίμονας θηρευτάς, ὁ ἐμὸς 10 διώκτης, ὁ τοὺς μύθους θαυμάζων καὶ τὴν ἀντιδοθεῖσαν ἔλαφον τῆς παρθένου, εἴ τι τοσοῦτον εἰς φιλοτιμίαν ἔστι σοι, κἂν δῶμεν μὴ μῦθον εἶναι τὸ ἱστορούμενον. Ὡς τά γε

7, 17-18 τοῖς τῆς τρυφῆς : τοὺς τῆς τρυφῆς W τοῖς τρυφῆς S (s.l. add. τῆς S²) || 18 εὐσεβείας : τῆς εὐσεβείας v || 30 τοῖς : τῆς AQBWV^{pc}TS

8, 2 θελήμασι v Bo || 4 εὐτρεπές : εὐπρεπές WSv || 11 τοσοῦτον : τοιοῦτον SC

miracles —, que ce Dieu, concluaient-ils, nous donne maintenant des nourritures délicieuses, à nous qui sommes les combattants de la piété ? Bien des bêtes sauvages qui ont échappé à la table des riches, comme nous en avions nous aussi autrefois, sont tapies dans ces montagnes, beaucoup d'oiseaux comestibles volent au-dessus de nous tandis que nous soupirons après eux : qu'y a-t-il là qui ne puisse être capturé par ta seule volonté ?» Voilà ce qu'ils disaient, et voici que le gibier était là, nourriture spontanément venue, festin qui n'avait coûté aucun effort : c'étaient des cerfs apparus quelque part sur les collines, en masse. Qu'ils étaient de belle taille, qu'ils étaient gras, qu'ils se dépêchaient de se faire égorger ! On se demandait presque s'ils n'étaient pas fâchés de n'avoir pas été appelés plus tôt. On les attirait par des signes et ils se laissaient entraîner. Qui les pourchassait ou les contraignait ? Personne. Quels cavaliers y avait-il ? Quels chiens ? Quels aboiements, quels cris, quels jeunes gens pour occuper à l'avance les issues selon les règles de la chasse ? C'est d'une prière qu'ils étaient les prisoniers ainsi que d'une juste requête. Qui a eu connaissance d'une chasse de ce genre de nos jours ou à quelque époque que ce soit ?

8. Merveille : ils étaient eux-mêmes les ordonnateurs de la chasse. Tout ce qui leur plaisait, il leur suffisait de le vouloir pour en disposer ; tout ce qui était de trop, ils le renvoyaient dans les fourrés pour un deuxième service. Les cuisiniers s'improvisaient, le repas était servi, les convives reconnaissants tenaient désormais la merveille du moment pour le prélude de leurs espérances, ce qui redoublait leur ardeur pour la lutte qui leur valait cet événement. Voilà ce que j'avais à raconter. Pour toi, viens me parler de tes chasseuses de cerf, de tes Orions et de tes Actéons, ces malheureux chasseurs, toi qui me persécutes, toi qui admires les mythes et la substitution d'une biche à la vierge, si tant est que cela te fasse honneur et si nous voulons bien concéder que cette histoire ne soit

C ἑξῆς τοῦ λόγου καὶ λίαν αἰσχρά. Τί γὰρ ὄφελος τῆς ἀντιδόσεως, εἰ σῴζει παρθένον ἵνα ξενοκτονεῖν διδαχθῇ,
15 ἀπανθρωπίαν μαθοῦσα φιλανθρωπίας ἀντίδοσιν. Τοῦτο μὲν οὖν τοσοῦτον ἐκ πολλῶν ἓν καὶ ἀντὶ πολλῶν, ὡς ὁ ἐμὸς λόγος. Καὶ τοῦτο διῆλθον οὐκ ἵν' ἐκείνῳ προσθῶ τι τῆς εὐδοξίας — οὔτε γὰρ θάλασσα δεῖται τῶν εἰσρεόντων εἰς αὐτὴν ποταμῶν κἂν εἰσρέωσιν ὅτι πλεῖστοι καὶ μέγιστοι,
20 οὔτε τῶν εἰσοισόντων τι πρὸς εὐφημίαν ὁ νῦν ἐπαινούμενος —, ἀλλ' ἵν' ἐπιδείξαιμι, οἵων αὐτῷ τῶν ἐξ ἀρχῆς ὑπαρχόντων καὶ πρὸς ὃ παράδειγμα βλέπων, ὅσον ὑπερηκόντισεν. Εἰ γὰρ μέγα τοῖς ἄλλοις τὸ προσλαβεῖν τι παρὰ τῶν ἄνωθεν εἰς φιλοτιμίαν, μεῖζον ἐκείνῳ τὸ προσθεῖναι
25 τοῖς ἄνω παρ' ἑαυτοῦ καθάπερ ῥεύματος ἀνατρέχοντος.

9. Τῆς δὲ τῶν πατέρων συζυγίας οὐχ ἧττον κατὰ τὸ
505 A τῆς ἀρετῆς ὁμότιμον ἢ καὶ τὰ σώματα, πολλὰ μὲν καὶ ἄλλα γνωρίσματα· πτωχοτροφίαι, ξενοδοχίαι, ψυχῆς κάθαρσις ἐξ ἐγκρατείας, ἀπόμοιρα κτήσεως Θεῷ κατιερωθείσης, πρᾶγμα
5 οὔπω τότε πολλοῖς σπουδαζόμενον ὥσπερ νῦν, αὐξηθέν τε καὶ τιμηθὲν ἐκ τῶν πρώτων ὑποδειγμάτων, τά τε ἄλλα ὅσα Πόντῳ καὶ Καππαδόκαις μερισαμένοις ἤρκεσε πολλῶν πληροῦν ἀκοάς, ἐμοὶ δὲ μέγιστον δοκεῖ καὶ περιφανέστατον ἡ εὐτεκνία. Τοὺς γὰρ αὐτοὺς πολύπαιδας καὶ καλλίπαιδας

9, 2 καὶ τὰ σώματα : τὰ σώματα SC[pc]

---

1. Cf. le réflexe de polémique anti-païenne qui s'exprime tout au longs des *D.* 4 et 5.
2. Cf. Euripide, *Iphigénie en Tauride.*
3. Sur ce thème, cf. *infra*, 63.
4. Cf. *D.* 8, 12.
5. L' ἐγκράτεια n'est pas la continence, car elle ne se limite pas au domaine sexuel, mais implique la maîtrise de tous les sens. Cf. *infra*, 61.
6. L'histoire de ce couple se développe entre 325 et 342 environ : peu de chrétiens riches font alors des dons à l'Église ; quarante ans

pas de la fable[1]. Mais que dire de la suite du récit? Quel comble de honte! A quoi peut bien servir en effet la substitution, si elle sauve une vierge pour lui enseigner à tuer des hôtes et lui apprendre à répondre à l'humanité par l'inhumanité[2]? Qu'il suffise de ce fait pris parmi beaucoup d'autres dont il est, à mon sens, représentatif. Si je l'ai raconté, ce n'est pas pour ajouter à sa gloire : la mer n'a nul besoin des fleuves qui s'y jettent, quels qu'en soient le nombre et la taille, et celui dont nous faisons maintenant l'éloge n'a pas davantage besoin de contributions à sa répution. J'ai voulu montrer, ses origines étant ce qu'elles sont et l'exemple qu'il avait sous les yeux ce qu'il est, jusqu'à quel point il les a dépassés. S'il est important pour les autres de tirer de leurs ancêtres un titre de gloire, il l'est davantage pour lui d'avoir rehaussé les siens à la manière d'un cours d'eau qui remonterait à sa source.

9. Du couple formé par ses parents, non moins uni dans l'égalité des honneurs rendus à la vertu que dans l'association des personnes, les marques distinctives sont nombreuses. Ce sont, entre autres, les aliments donnés aux pauvres[3], l'hospitalité accordée aux étrangers[4], la purification apportée à l'âme par la maîtrise de soi-même[5], le prélèvement exercé sur une fortune consacrée à Dieu, pratique qui n'était pas alors aussi répandue qu'elle l'est devenue, maintenant qu'elle a été mise en valeur et en honneur par les premiers exemples[6], sans parler de tout le reste, de tout ce qui a suffi à remplir une foule d'oreilles pour le Pont et la Cappadoce qui se le sont partagé. Mais ce qui constitue, à mon avis, le trait le plus important et le plus éclatant, c'est leur fécondité. Des gens pourvus aussi bien d'enfants nombreux que de

après, la chose est devenue fréquente. Cela signifie sans doute que la proportion des chrétiens dans la classe riche s'était accrue entre temps.

10 μῦθοι μὲν ἴσως ἔχουσιν, ἡμῖν δὲ τούτους ἡ πεῖρα παρέστησεν, τοιούτους μὲν αὐτοὺς γεγονότας ὥστε, εἰ καὶ μὴ τοιούτων ἦσαν πατέρες, ἑαυτοῖς εἰς εὐδοξίαν ἀρκεῖν, τοιούτων δὲ πεφηνότας πατέρας ὥστε, εἰ καὶ μὴ αὐτοὶ τοσοῦτον ἦσαν εἰς ἀρετήν, πάντας ὑπεραίρειν τῇ εὐτεκνίᾳ.
B 15 Ἕνα μὲν γὰρ ἢ δύο γενέσθαι τῶν ἐπαινουμένων κἂν τῇ φύσει δοίη τις, ἡ δὲ διὰ πάντων ἀκρότης σαφὲς τῶν ἀγαγόντων ἐγκώμιον. Δηλοῖ δὲ ὁ μακαριστὸς τῶν ἱερέων καὶ τῶν παρθένων ἀριθμὸς καὶ τῶν ἐν γάμῳ μηδὲν τῇ συζυγίᾳ βλαϐῆναι βιασαμένων πρὸς τὴν ἴσην τῆς ἀρετῆς
20 εὐδοκίμησιν, ἀλλὰ βίων αἱρέσεις μᾶλλον ἢ πολιτείας ταῦτα ποιησαμένων.

10. Τίς οὐκ οἶδε τὸν τούτου πατέρα Βασίλειον, τὸ μέγα παρὰ πᾶσιν ὄνομα, ὃς πατρικῆς εὐχῆς ἔτυχεν, ἵνα μὴ λέγω
C μόνος, εἴπερ τις ἀνθρώπων; Παντὸς γὰρ κρατῶν ἀρετῇ, παρὰ τοῦ παιδὸς κωλύεται μόνου τὸ πρωτεῖον ἔχειν. Τίς
5 Ἐμμελίαν, τὴν ὅπερ ἐγένετο προκληθεῖσαν ἢ γενομένην ὃ προεκλήθη, τὴν τῆς ἐμμελείας ὄντως φερώνυμον, ἢ τοῦτο ἐν γυναιξὶν ὤφθη, εἰ δεῖ συντόμως εἰπεῖν, ὅπερ ἐν ἀνδράσιν ἐκεῖνος; Ὥστ' εἴπερ ἔδει δουλεύσοντα πάντως τῇ φύσει τὸν νῦν

9, 13 πεφηνότες πατέρες AQBJWVv || εἰ καὶ μὴ : εἰ μὴ καὶ AQBJW^{pc}VSDC
10, 8 δουλεύσαντα S Bo

---

1. L'εὐτεκνία figure parmi les thèmes proposés par les rhéteurs. On sait que Basile appartenait à une famille de dix enfants, dont l'aînée, Macrine, ainsi que Grégoire de Nysse et Pierre de Sébaste, sans parler de l'ermite Naucratios. Le combat contre la mythologie est constant.

2. Il est assez fréquent que Grégoire emploie pour des raisons de style le mot ἱερεύς. Il l'applique presque uniquement à des évêques.

3. Comme on le verra plus loin (62), le mot παρθένος s'applique aux hommes comme aux femmes.

4. Jeu de mots sur l'étymologie de Βασίλειος. Le père de saint Basile, qui s'appelait lui-même Basile, est appelé Basile l'ancien par les biographes. De la même façon, l'évêque de Nazianze, Grégoire l'Ancien, est le père de saint Grégoire de Nazianze.

beaux enfants, il se peut que la mythologie en contienne[1] ; mais nous, c'est l'expérience qui nous a mis ceux-ci sous les yeux, des gens qui étaient eux-mêmes d'un naturel tel que, même s'ils n'étaient pas les parents de tels êtres, leurs personnes suffiraient à leur donner bon renom, mais en qui nous avons pu voir les parents d'enfants tels que, sans même avoir l'attrait personnel qu'ils ont eu pour la vertu, ils dépasseraient tout le monde par leur fécondité. Si un ou deux de ces enfants méritaient des éloges, on pourrait l'attribuer à leur naturel, mais la supériorité qui se manifeste en tous constitue l'éloge manifeste de ceux qui les ont élevés. La preuve en est le nombre béni des prêtres[2], des vierges[3] et de ceux qui dans le mariage se sont fait violence pour que leur union ne constituât pas un obstacle à une égale réputation de vertu, et qui firent là le choix d'un état de vie plus que celui d'une manière de vivre.

10. Qui ne connaît ce Basile — c'est un nom dont la grandeur s'impose à tout le monde[4] —, qui fut le père du nôtre, qui obtint la réalisation de ses vœux de père plus que personne, pour ne pas dire seul au monde? Supérieur à quiconque par sa vertu, il trouve en son fils le seul obstacle qui l'empêche de jouir du premier rang. Qui ne connaît Emmélie, celle qui avait reçu le nom de ce qu'elle était ou qui est devenue ce dont elle avait reçu le nom[5], car son nom fut vraiment synonyme d'harmonie, celle en qui on vit parmi les femmes, pour tout dire d'un mot, ce qu'il fut, lui, parmi les hommes[6]? Par consé-

5. Nouveau jeu de mots sur l'étymologie du nom Emmélie. C'est ainsi que dans le *D.* 21, 3, 5 τὸν τῆς ἀθανασίας... ἐπώνυμον désigne saint Athanase.

6. Grégoire n'a probablement pas connu le père de son ami, qui semble être mort vers 342 avant que sa famille s'installe à Césarée de Cappadoce où les deux futurs amis ont fait connaissance. Il a certainement connu Emmélie à l'occasion de ses séjours dans le Pont dans la communauté religieuse fondée par Basile sur les terres de sa famille à côté du monastère féminin créé par Macrine.

εὐφημούμενον ἀνθρώποις δοθῆναι, ὥσπερ τινὰ τῶν πάλαι
10 παρὰ Θεοῦ δεδομένων εἰς κοινὸν ὄφελος, μήτε ἐξ ἄλλων
μᾶλλον ἁρμόζειν ἢ ἐκείνων τοῦτον γενέσθαι, μήτε ἐκείνοις
ἑτέρου μᾶλλον ἢ τοῦδε πατράσιν ὀνομασθῆναι, ὅπερ οὖν
καλῶς ποιοῦν καὶ συνέδραμεν.

Ἐπεὶ δὲ τὰς ἀπαρχὰς τῶν ἐπαίνων νόμῳ θείῳ πειθόμενοι,
15 ὃς πατράσι κελεύει πᾶσαν νέμειν τιμήν, τοῖς μνημονευθεῖσιν
ἀποδεδώκαμεν, ἐπ' αὐτὸν ἴωμεν ἤδη, τοσοῦτον εἰπόντες ὃ
καὶ πᾶσιν ἂν οἶμαι δόξειεν ἀληθῶς λέγεσθαι τοῖς ἐκεῖνον
508 A ἐπισταμένοις, ὅτι μόνης ἡμῖν ἔδει τῆς ἐκείνου φωνῆς ἐκεῖνον
ἐγκωμιάζουσιν. Ὁ γὰρ αὐτὸς ὑπόθεσίς τε λαμπρὰ τοῖς
20 ἐπαινοῦσι καὶ μόνος τῇ τοῦ λόγου δυνάμει τῆς ὑποθέσεως
ἄξιος. Κάλλους μὲν δὴ καὶ ῥώμης καὶ μεγέθους, οἷς τοὺς
πολλοὺς ὁρῶ χαίροντας, τοῖς βουλομένοις παραχωρήσομεν,
οὐχ ὅτι κἀν τούτοις ἔλαττόν τινος ἠνέγκατο τῶν μικρολόγων
καὶ περὶ τὸ σῶμα καλινδουμένων, ἕως ἦν ἔτι νέος καὶ
25 οὔπω φιλοσοφίᾳ τῶν σαρκῶν κατεκράτησεν· ἀλλ' ἵνα μὴ
ταὐτὸν πάθω τοῖς ἀπειροτέροις τῶν ἀθλητῶν οἵ, τὴν ἰσχὺν
ἐν τοῖς εἰκῇ παλαιομένοις καὶ παρέργοις κενώσαντες, ἥττους
ἐν τοῖς καιρίοις εὑρίσκονται καὶ τοῖς ἐξ ὧν τὸ νικᾶν ὑπάρχει
καὶ στεφανίτας ἀναγορεύεσθαι. Ἃ δ' οὐδαμῶς ἂν εἰπὼν
B 30 οἶμαι περιττὸς δόξειν οὐδὲ ἔξω τοῦ σκοποῦ βάλλειν τὸν
λόγον, ταῦτ' ἐπαινέσομαι.

11. Οἶμαι δὲ πᾶσιν ἀνωμολογῆσθαι τῶν νοῦν ἐχόντων
παίδευσιν τῶν παρ' ἡμῖν ἀγαθῶν εἶναι τὸ πρῶτον. Οὐ ταύτην
μόνην τὴν εὐγενεστέραν καὶ ἡμετέραν, ἣ πᾶν τὸ ἐν λόγοις
κομψὸν καὶ φιλότιμον ἀτιμάζουσα μόνης ἔχεται τῆς

10, 30 οὐδὲ : μηδ' SC
11, 1 τῶν : τὸν v Bo || 3 μόνην : μόνον TSD || 4 τῆς om. AQBJWVTSDC

quent, puisque celui que nous célébrons maintenant devait être entièrement assujetti à la nature pour être accordé à l'humanité comme ces personnages autrefois octroyés par Dieu en vue du bien commun, il n'y avait pas d'autres personnes qui fussent mieux désignées qu'eux pour lui donner le jour, comme il n'y avait personne qui le fût mieux que lui pour leur valoir le titre de parents : coïncidence qui se trouva heureusement réalisée !

Et puisque, obéissant à la loi divine qui ordonne de rendre tout honneur aux parents, nous avons consacré les prémices de nos louanges à ceux dont j'ai rappelé la mémoire, venons-en maintenant à sa propre personne, en disant seulement ce que tous ceux qui le connaissaient jugeraient à mon sens conforme à la vérité, à savoir que c'est sa voix seule qu'il nous faudrait pour prononcer son éloge. Il y a, en effet, en lui un magnifique sujet d'éloge pour les orateurs, mais il est aussi le seul qui par la force de son éloquence soit à la hauteur du sujet. Beauté, force et taille, où je vois le grand public se complaire, nous les laisserons à qui en voudra. Ce n'est pas que dans ce domaine aussi il ait été inférieur à ces amateurs de riens qui se vautrent dans les choses du corps, tant qu'il était encore jeune et qu'il n'avait pas maîtrisé sa chair par la philosophie. Mais je ne veux pas subir le sort des athlètes inexpérimentés, qui épuisent leurs forces dans des luttes de hasard et des combats secondaires, et qui se révèlent inférieurs au moment capital, dans les circonstances qui décident de la victoire et de la proclamation des couronnes. Ce que je pense pouvoir dire sans endosser l'accusation de prolixité ni avoir l'air d'assigner à mon discours un autre objectif que le sien, c'est cela qui constituera la matière de mon éloge.

11. Je pense que tous les hommes de bon sens sont d'accord pour reconnaître que l'éducation est le premier des biens qui sont à notre disposition. Il ne s'agit pas seulement de cette éducation pleine de noblesse qui est la nôtre, et qui dédaigne élégance et recherche de langage

5 σωτηρίας καὶ τοῦ κάλλους τῶν νοουμένων, ἀλλὰ καὶ τὴν ἔξωθεν, ἣν οἱ πολλοὶ χριστιανῶν διαπτύουσιν ὡς ἐπίβουλον καὶ σφαλερὰν καὶ Θεοῦ πόρρω βάλλουσαν, κακῶς εἰδότες. Ὥσπερ γὰρ οὐρανὸν καὶ γῆν καὶ ἀέρα καὶ ὅσα τούτων, οὐκ ἐπειδὴ κακῶς τινες ἐξειλήφασιν ἀντὶ Θεοῦ τὰ τοῦ Θεοῦ
10 σέβοντες, διὰ τοῦτο περιφρονητέον, ἀλλ' ὅσον χρήσιμον αὐτῶν καρπούμενοι πρός τε ζωὴν καὶ ἀπόλαυσιν ὅσον ἐπικίνδυνον διαφεύγομεν, οὐ τῷ κτίστῃ τὴν κτίσιν ἐπανισ-
C τάντες κατὰ τοὺς ἄφρονας, ἀλλ' ἐκ τῶν δημιουργημάτων τὸν δημιουργὸν καταλαμβάνοντες[a] καί, ὅ φησιν ὁ θεῖος
15 ἀπόστολος, αἰχμαλωτίζοντες πᾶν νόημα εἰς Χριστόν[b]· ὡς δὲ καὶ πυρὸς καὶ τροφῆς καὶ σιδήρου καὶ τῶν ἄλλων οὐδὲν καθ' ἑαυτὸ χρησιμώτατον ἴσμεν ἢ βλαβερώτατον, ἀλλ' ὅπως ἂν δοκῇ τοῖς χρωμένοις — ἤδη δὲ καὶ τῶν ἑρπηστικῶν θηρίων ἔστιν ἃ τοῖς πρὸς σωτηρίαν φαρμάκοις συνεκε-
20 ράσαμεν —, οὕτω καὶ τούτων τὸ μὲν ἐξεταστικόν τε καὶ θεωρητικὸν ἐδεξάμεθα, ὅσον δὲ εἰς δαίμονας φέρει καὶ πλάνην καὶ ἀπωλείας βυθὸν διεπτύσαμεν, ὅτι μὴ κἀκ τούτων πρὸς θεοσέβειαν ὠφελήμεθα ἐκ τοῦ χείρονος τὸ κρεῖττον
509 A καταμαθόντες καὶ τὴν ἀσθένειαν ἐκείνων ἰσχὺν τοῦ καθ'
25 ἡμᾶς λόγου πεποιημένοι. Οὔκουν ἀτιμαστέον τὴν παίδευσιν ὅτι τοῦτο δοκεῖ τισιν, ἀλλὰ σκαίους καὶ ἀπαιδεύτους ὑποληπτέον τοὺς οὕτως ἔχοντας, οἳ βούλοιντ' ἂν ἅπαντας εἶναι καθ' ἑαυτοὺς ἵν' ἐν τῷ κοινῷ τὸ κατ' αὐτοὺς κρύπτηται

11, 11 ἐκκαρπούμενοι DC || 12-13 ἐπανιστῶντες SD || 18 χρωμένοις : add. οὕτως ἔδοξεν ἔχειν SDC || 24 καταμανθάνοντες BJ

---

11. a. Cf. Sag. 13, 5. b. II Cor. 10, 5.

---

1. On sait qu'il existait depuis le IIe siècle une tradition anti-intellectuelle parmi les chrétiens, tradition à laquelle est attaché le nom de Tatien, attitude motivée notamment par le polythéisme de la culture grecque et par une morale rarement en accord avec le christianisme. Il est bien possible que le ton mordant de l'auteur soit dû aux critiques essuyées par les deux anciens étudiants d'Athènes de la part de membres de leur milieu, notamment d'évêques agacés par

pour ne s'attacher qu'au salut et à la beauté des idées. Cela concerne également l'éducation du dehors, que la majorité des chrétiens rejettent avec dégoût, la jugeant insidieuse, dangereuse et propre à nous écarter de Dieu, ce qui constitue une erreur de jugement[1]. Ciel, terre, air et tout ce qui s'y rattache ne doivent pas être méprisés pour le motif que certains, par suite d'une erreur d'interprétation, au lieu d'adresser leur culte à Dieu, l'adressent à sa création. Nous recueillons au contraire tout ce qu'il y a d'utile pour la vie et de susceptible d'utilisation, en évitant tout ce qui est dangereux, sans dresser comme les insensés la créature contre le créateur, mais en nous élevant des œuvres à l'ouvrier[a] et en faisant, selon la parole du divin apôtre, de toute pensée une prisonnière du Christ[b]. Dans le feu aussi, dans la nourriture, dans le fer et dans le reste, nous savons qu'il n'y a rien qui intrinsèquement soit entièrement utile ou entièrement nuisible : tout dépend du projet des utilisateurs. Il n'y a pas jusqu'à certains reptiles que nous n'introduisions dans la composition des remèdes qui apportent la guérison. De la même façon, nous avons accepté tout ce qui dans ce domaine concerne l'analyse et la spéculation, mais nous avons rejeté avec dégoût tout ce qui conduit aux démons, à l'erreur et au gouffre de perdition. La seule différence est qu'ici c'est un profit religieux que nous avons retiré, en discernant le bien à partir du mal et en ayant transformé leurs faiblesses en force pour notre doctrine. Ainsi donc, on ne doit pas mépriser l'éducation pour le motif que telle est l'idée de certains : on doit au contraire présumer que ce sont des gens frustes et incultes que ceux qui professent une telle opinion, gens qui voudraient que tout le monde fût comme eux, afin que, perdu dans la masse, leur cas particulier

une culture et un brillant qu'ils ne possédaient guère. On sait que Grégoire lui-même s'était entendu traiter de prostitué par d'aimables collègues parce que sa parole séduisait les auditeurs. Cf. *D*. 42, 12, 4-6.

καὶ τοὺς τῆς ἀπαιδευσίας ἐλέγχους διαδιδράσκωσιν.
30 Ἐπεὶ δὲ τοῦτο ὑπεθέμεθα καὶ ἀνωμολογησάμεθα, φέρε, τὰ κατ' αὐτὸν θεωρήσωμεν.

12. Τὰ μὲν δὴ πρῶτα τῆς ἡλικίας ὑπὸ τῷ μεγάλῳ πατρί,
B ὃν κοινὸν παιδευτὴν ἀρετῆς ὁ Πόντος τηνικαῦτα προυβάλλετο, σπαργανοῦται καὶ διαπλάττεται πλάσιν τὴν ἀρίστην τε καὶ καθαρωτάτην, ἣν ἡμερινὴν ὁ θεῖος Δαβὶδ καλῶς
5 ὀνομάζει καὶ τῆς νυκτερινῆς ἀντίθετον[a]. Ὑπὸ δὴ τούτῳ καὶ βίον καὶ λόγον συναυξανομένους τε καὶ συνανίοντας ἀλλήλοις ὁ θαυμάσιος ἐκπαιδεύεται, οὐ Θετταλικόν τι καὶ ὄρειον ἄντρον αὐχῶν ὡς ἀρετῆς ἐργαστήριον, οὐδέ τινα Κένταυρον ἀλλαζόνα τῶν κατ' αὐτὸν ἡρώων διδάσκαλον,
10 οὐδὲ πτῶκας βάλλειν ἢ κατατρέχειν νεβρῶν ἢ θηρεύειν ἐλάφους ὑπ' αὐτοῦ διδασκόμενος ἢ τὰ πολεμικὰ κράτιστος εἶναι ἢ πωλοδαμνεῖν ἄριστα, τῷ αὐτῷ πώλῳ καὶ διδασκάλῳ χρώμενος ἢ μυελοῖς ἐλάφων τε καὶ λεόντων τοῖς μυθικοῖς ἐκτρεφόμενος, ἀλλὰ τὴν ἐγκύκλιον παίδευσιν παιδευόμενος
15 καὶ θεοσέβειαν ἐξασκούμενος καί, συνελόντι φάναι, πρὸς
C τὴν μέλλουσαν τελειότητα διὰ τῶν ἐξ ἀρχῆς μαθημάτων ἀγόμενος. Οἱ μὲν γὰρ ἢ βίον μόνον ἢ λόγον κατωρθωκότες,

12, 3 σπαργανοῦται : add. τε SC || 8 αὐχῶν ὡς ἀρετῆς ἐργαστήριον om. J || 15 ουνελόντα S

---

12. a. Cf. Ps. 138, 16.

---

1. David étant considéré comme l'auteur de tous les psaumes, c'est souvent ainsi qu'est introduite une citation tirée de ce livre.

2. Ces indications sont précieuses. Elles donnent à penser que l'enfance de Basile s'est déroulée dans le Pont, sans doute à Néocésarée où son père enseignait la rhétorique. On verra plus loin (17) qu'il eut alors des condisciples retrouvés plus tard à Athènes. Basile l'Ancien n'exerçait sûrement pas les fonctions de γραμματιστής, mais on peut supposer qu'il était à la tête d'une école qui comportait une classe primaire et, peut-être, qu'il donnait une partie de l'enseignement du γραμματικός. Comme il semble être mort vers 342, il a été fort peu ou pas du tout le maître direct de son fils.

demeurât ignoré, et pour éviter à leur inculture d'être démasquée. Une fois cela posé en principe et l'accord réalisé, allons et considérons le cas de notre homme.

12. Au début de son existence, c'est le grand homme que fut son père, celui que le Pont érigeait à cette époque en précepteur général de vertu, qui le modèle dès le berceau, en lui donnant cette excellente et si pure formation dont le divin David[1] dit bien qu'elle est celle du jour, en l'opposant à celle de la nuit[a]. C'est sous lui que cet être merveilleux fait son éducation, manière de vivre et éloquence progressant de pair plus loin et plus haut[2]. Il ne se targue pas de quelque caverne des montagnes de Thessalie qui eût été le laboratoire de sa vertu, non plus que de quelque Centaure vantard maître des héros de son temps[3], il n'a pas appris de lui à tirer le lièvre, à forcer le faon ou à chasser le cerf, non plus qu'à exceller dans les arts guerriers ou à se distinguer dans le dressage des coursiers en prenant le même être à la fois comme monture et comme professeur, il ne s'est pas nourri non plus de ces moelles de cerf et de lion dont parle la mythologie. Son éducation reposait sur l'enseignement du cercle complet du savoir[4] et sur la pratique des exercices de la religion, et, pour tout dire d'un mot, ses premières études le menaient à sa future perfection. Ceux qui ont atteint la réussite, soit uniquement dans la

3. La mythologie faisait du Centaure Chiron le maître d'Achille et de beaucoup d'autres héros comme Asclépios, Actéon, Céphalos, Jason, Mélanion, Nestor (XÉNOPHON, *Cyn.* 1 ne cite pas moins de 21 noms), et elle situait en Thessalie le lieu de naissance d'Achille et de son éducation. Le qualificatif de «vantard» semble mieux convenir à un autre maître d'Achille, ce Phénix, qui rappelle à son élève : «c'est moi qui t'ai fait de que tu es» (*Iliade*, IX, 485).

4. Sur le contenu de cette notion, cf. H. MARROU, *Histoire de l'éducation dans l'antiquité*, Paris 1948, ainsi qu'I. HADOT, *Arts libéraux et philosophie dans la pensée antique*, Paris 1984. Ce qui est important ici, c'est que soit proclamée la nécessité d'une formation intellectuelle complète.

τῷ ἑτέρῳ δὲ λείποντες, οὐδὲν τῶν ἑτεροφθάλμων, ἐμοὶ δοκεῖν, διαφέρουσιν, οἷς μεγάλη μὲν ἡ ζημία, μεῖζον δὲ τὸ
20 αἶσχος ὁρῶσι καὶ ὁρωμένοις. Οἷς δὲ κατ' ἀμφότερα εὐδοκιμεῖν ὑπάρχει καὶ εἶναι περιδεξίοις, τούτοις καὶ τὸ εἶναι τελείοις καὶ βιοτεύειν μετὰ τῆς ἐκεῖθεν μακαριότητος. Ὅπερ οὖν ἐκείνῳ συμϐέϐηκεν εὖ ποιοῦν οἴκοθεν ἔχοντι τῆς ἀρετῆς τὸ παράδειγμα πρὸς ὃ βλέπων εὐθὺς ἄριστος ἦν.
25 Ὥσπερ τοὺς πώλους καὶ τοὺς μόσχους ὁρῶμεν ὁμοῦ τῇ γενέσει ταῖς μητράσιν ἑαυτῶν παρασκαίροντας, οὕτω καὶ αὐτὸς τῷ πατρὶ παραθέων ἐγγύθεν ἐν πωλικῷ τῷ φρυάγματι καὶ τῶν ἄκρων τῆς ἀρετῆς κινημάτων οὐ παρὰ πολὺ
512 A λειπόμενος· εἰ βούλει δέ, κἂν τῇ σκιαγραφίᾳ τὸ μέλλον τῆς
30 ἀρετῆς κάλλος ὑποσημαίνων καὶ πρὸ τοῦ καιροῦ τῆς ἀκριϐείας τὰ τῆς ἀκριϐείας προχαραττόμενος.

13. Ἐπεὶ δὲ ἱκανῶς εἶχε τῆς ἐνταῦθα παιδεύσεως, ἔδει δ' αὐτὸν μηδὲν τῶν καλῶν διαφυγεῖν μηδὲ τῷ φιλοπόνῳ τῆς μελίσσης ἀπολειφθῆναι, συλλεγούσης ἐκ παντὸς ἄνθους τὰ χρησιμώτατα, ἐκεῖθεν ἐπὶ τὴν Καισαρέων πόλιν ἐπείγε-
5 ται τῶν τῇδε μεθέξων παιδευτηρίων. Ταύτην δὲ λέγω τὴν

12, 22 ἐκεῖθεν : add. ὑπάρχει SDC ‖ 30 ἀρετῆς : μορφῆς SDC (mg ἀρετῆς D) ‖ 30-31 τὰ τῆς ἀκριϐείας om. S

AQBJ (lac. J a **13,** 16 παιδεύσεως usque ad **14,** 25 ἡδίστων) WVT SDC
13, 4 ἐκεῖθεν om. AQBJWVTv Bo

1. Le caractère un peu agressif de ce passage donne à penser qu'il n'a pas été jeté à la face d'un public dont une partie devait nécessairement se sentir outragée. Mais la chose n'est pas impossible : sans entrer dans le problème posé par l'attribution de la lettre qui porte le numéro 1 dans la correspondance de Grégoire de Nysse et que P. Gallay, à la suite de E. Honigmann, *Trois mémoires posthumes d'histoire et de géographie de l'Orient chrétien*, Bruxelles 1961, p. 32-35 et G. Devos, «S. Grégoire de Nazianze et Hellade de Césarée en Cappadoce», *Analecta Bollandiana*, 79 (1961), p. 91-101), considère comme la lettre 249 de notre Grégoire, il y a lieu de remarquer que ce passage était de nature à irriter le successeur de Basile à Césarée.

manière de vivre soit dans le domaine intellectuel en laissant de côté l'autre terme, ne se distinguent, à mon avis, en rien des borgnes, qui sont frappés d'un grave désavantage et d'une difformité plus grave encore quand ils regardent ou quand on les regarde[1]. Mais ceux à qui il appartient de se distinguer dans les deux domaines et d'y exceller, ceux-là sont des êtres accomplis, et le déroulement de leur existence s'accompagne de la félicité de l'au-delà. C'est donc cette heureuse destinée qui lui est échue, car il trouvait dans sa maison le modèle de la vertu, qu'il lui suffisait de regarder pour atteindre aussitôt à l'excellence. De même que nous voyons poulains et veaux gambader auprès de leur mère dès leur naissance, de même il courait lui aussi tout auprès de son père avec une ardeur de poulain et ne restait pas très éloigné des ultimes mouvements de la vertu[2]. Ou, si l'on préfère, cette ébauche laissait deviner la beauté future de sa vertu et, avant d'avoir atteint l'âge de la rigueur, il portait sur lui les marques de cette rigueur.

13. Comme il avait sa suffisance de l'éducation qu'il trouvait là[3] et comme il ne devait se soustraire à rien de ce qui est beau non plus que se laisser dépasser par l'application au labeur de cette abeille qui recueille de toute fleur ce qu'elle a de plus utile[4], il quitte l'endroit pour se hâter vers la ville de Césarée, afin de participer à l'enseignement donné dans les écoles qui s'y trouvent.

2. La comparaison met un terme à ce récit de la première période de l'éducation reçue par Basile. Elle nous laisse sur l'image d'un enfant.

3. Basile l'Ancien enseignait la rhétorique que Basile n'avait pas encore l'âge d'aborder à la mort de son père, puisqu'il avait alors une douzaine d'années. On peut supposer que cette mort a décidé sa mère, qui était cappadocienne, à retourner dans sa patrie pour mieux assurer l'éducation de ses enfants dans une ville où abondaient les ressources intellectuelles.

4. Cf. *D.* 14, 12 ; cf. E. Oberg, *Amphilochii Iconiensis Iambi ad Seleucum*, Berlin 1969, v. 41-43.

περιφανῆ τε καὶ ἡμετέραν, ἐπεὶ καὶ τῶν ἐμῶν λόγων αὕτη καθηγεμὼν καὶ διδάσκαλος, τὴν οὐχ ἧττον λόγων μητρόπολιν ἢ τῶν πόλεων ὧν ὑπερκεῖται καὶ καθ᾽ὧν ἔχει τὴν
B δυναστείαν, ἣν εἴ τις τοῦ ἐν λόγοις κράτους ἀποστερήσειεν
10 ἀφῃρηκὼς ἔσται αὐτὸ τὸ κάλλιστόν τε καὶ ἰδικώτατον. Ἄλλαι μὲν γὰρ τῶν πόλεων ἄλλοις ἀγάλλονται καλλωπίσμασιν, ἢ παλαιοῖς ἢ νέοις, ὅπως ἂν οἶμαι τῶν διηγημάτων ἔχωσιν ἢ τῶν ὁρωμένων, τῇδε λόγοι τὸ γνώρισμα ὥσπερ ἐν τοῖς ὅπλοις ἢ τοῖς δράμασι τὰ ἐπίσημα. Τὰ δὲ ἑξῆς
15 αὐτοὶ διηγείσθωσαν οἵ καὶ παιδεύσαντες τὸν ἄνδρα παρ᾽ ἑαυτοῖς καὶ τῆς παιδεύσεως ἀπολαύσαντες· ὅσος μὲν ἦν διδασκάλοις, ὅσος δὲ ἥλιξι, τοῖς μὲν παρεκτεινόμενος, τοὺς δὲ ὑπεραίρων κατὰ πᾶν εἶδος παιδεύσεως, ὅσον κλέος ἐντὸς ὀλίγου χρόνου παρὰ πᾶσιν ἐνέγκατο καὶ τοῖς ἐκ τοῦ δήμου
20 καὶ τοῖς πρώτοις τῆς πόλεως, μείζω μὲν τῆς ἡλικίας τὴν παίδευσιν, μείζω δὲ τῆς παιδεύσεως τὴν τοῦ ἤθους πῆξιν

13, 10 ἰδικώτατον : ἰδιώτατον SDC ἰδιαίτατον mg T || 19 καὶ τοῖς ἐκ τοῦ δήμου om. S

---

1. Nous apprendrons plus loin que c'est à Césarée que Grégoire et Basile firent connaissance. Si la famille de Grégoire a cru nécessaire de l'envoyer à Césarée, c'est la preuve qu'on ne trouvait pas sur place ce qu'il fallait aller chercher dans la capitale à plus de 100 km de distance, c'est-à-dire l'enseignement d'un γραμματικός.

2. La *Lettre* 76 de Basile, adressée au maître des offices Sophronios, fait écho à ce jugement. Il est à noter que Grégoire avait de la famille, du côté maternel, à Iconium, capitale de la Lycaonie voisine. Le choix de Césarée, et non d'Iconium, confirme que l'équipement scolaire de Césarée était meilleur que celui d'Iconium.

3. L'ancienne Mazaca des rois de Cappadoce était devenue la capitale de la province romaine, mais, au moment où Grégoire rédige son discours, il y avait une dizaine d'années que la création de la Cappadoce II par Valens avait réduit d'autant le territoire qui relevait de Césarée. Cet hommage venu d'un évêque de la nouvelle

Je parle de cette ville illustre, qui est aussi la nôtre puisque c'est également en elle que mon éloquence a trouvé son guide et son maître[1], de cette ville qui n'est pas moins la métropole de l'éloquence[2] que celle des villes qu'elle domine et qui sont en son pouvoir[3]. Celui qui lui retirerait l'empire de l'éloquence lui ôterait ce qu'elle a de plus beau en même temps que de plus original. Parmi les villes, chacune en effet se glorifie de parures qui lui sont propres, anciennes ou modernes, en fonction, me semble-t-il, des traditions ou de ce qu'on y voit. L'éloquence constitue la marque distinctive de celle-ci, à la manière des emblèmes qui figurent sur les armes ou des attributs qui servent de repère dans les pièces de théâtre[4]. Pour ce qui est de la suite, qu'ils la racontent eux-mêmes, ceux qui ont instruit notre homme à leur côté[5] et qui ont profité de cette instruction : combien il était grand aux yeux de ses maîtres, combien aux yeux de ses compagnons, comparable aux uns et surpassant les autres en toute espèce de savoir ; quelle réputation il se fit en peu de temps auprès de tout le monde, aussi bien auprès des gens du peuple que des premiers de la ville, en montrant un savoir supérieur à son âge et une solidité morale supérieure à

province et qui niait le fait accompli était bien fait pour plaire à un auditoire réuni dans l'ancienne capitale.

4. Cf. les blasons peints sur les boucliers des sept chefs ligués contre Thèbes dans Eschyle, *Sept.*, *passim* et notamment v. 387, 398 et 431. Même comparaison, *D.* 34, 7, 32-33. On sait que dans le théâtre antique à chaque type de personnage correspondaient des caractéristiques du masque et des costumes qui permettaient au public de reconnaître son emploi.

5. Il ne peut s'agir que de professeurs qui avaient été les maîtres de Basile à Césarée près de quarante ans plus tôt, c'est-à-dire des septuagénaires.

ἐπιδεικνύμενος· ῥήτωρ ἐν ῥήτορσι καὶ πρὸ τῶν σοφιστικῶν θρόνων, φιλόσοφος ἐν φιλοσόφοις καὶ πρὸ τῶν ἐν φιλοσοφίᾳ δογμάτων· τὸ μέγιστον, ἱερεὺς χριστιανοῖς καὶ πρὸ τῆς
25 ἱερωσύνης· τοσοῦτον ἦν αὐτῷ τὸ παρὰ πάντων συγκεχωρηκὸς ἐν ἅπασιν. Τῷ δὲ λόγοι μὲν πάρεργον ἦσαν, τοσοῦτον ἐξ αὐτῶν δρεπομένῳ ὅσον εἰς τὴν καθ' ἡμᾶς φιλοσοφίαν συνεργοὺς ἔχειν, ἐπειδὴ δεῖ καὶ τῆς ἐν τούτοις δυνάμεως πρὸς τὴν τῶν νοουμένων δήλωσιν· κίνημα γὰρ
30 ναρκώντων ἐστὶ νοῦς ἀνεκλάλητος. Φιλοσοφία δὲ ἡ σπουδὴ καὶ τὸ ῥαγῆναι κόσμου καὶ μετὰ Θεοῦ γενέσθαι, τοῖς κάτω τὰ ἄνω πραγματευόμενον καὶ τοῖς ἀστάτοις καὶ ῥέουσι τὰ ἑστῶτα καὶ μένοντα κατακτώμενον.

513 A **14.** Ἐντεῦθεν ἐπὶ τὸ Βυζάντιον, τὴν προκαθεζομένην τῆς ἑῴας πόλιν· καὶ γὰρ ηὐδοκίμει σοφιστῶν τε καὶ φιλοσόφων τοῖς τελεωτάτοις, ὧν ἐν βράχει χρόνῳ τὰ κράτιστα συνελέξατο τάχει τε καὶ μεγέθει φύσεως. Ἐντεῦ-
5 θεν ἐπὶ τὸ τῶν λόγων ἔδαφος, τὰς Ἀθήνας, ὑπὸ τοῦ Θεοῦ πέμπεται καὶ τῆς καλῆς περὶ τὴν παίδευσιν ἀπληστίας,

13, 26 πάρεργον : τὸ πάρεργον BSDCv Bo || 28 φιλοσοφίαν : σοφίαν S || 32 πραγματευσάμενον D

1. La notation est révélatrice. Elle signifie que dans cette petite ville le monde scolaire n'est pas un monde d'enfants à part, mais que ce qui s'y passe est un objet d'intérêt et nourrit les conversations. Les exploits scolaires du jeune Basile lui font une réputation de génie en herbe. On peut estimer que les maîtres aimaient à produire en public les talents de leurs élèves les plus doués. Au surplus, Basile appartenant à une très grande famille, ses prouesses oratoires devaient attirer davantage les regards. On verra plus loin que la situation n'était pas différente à Athènes.

2. Cf. *infra*, n. 4, p. 150.

3. Peut-on dire qu'on voyait dans un garçon de quinze ou dix-sept ans un futur évêque ? Ou bien il s'agit là d'une envolée oratoire et, à tout prendre, d'une formule creuse, ou bien ce jugement présentait vers 345/347 un minimum de vraisemblance. Dans ce cas, la formule signifierait qu'en ces années un jeune homme pieux, intellectuellement doué et de bonne naissance, avait tout naturellement une mitre dans sa panoplie.

son savoir[1]. Il était orateur parmi les orateurs, avant même les chaires de sophistes[2]; philosophe parmi les philosophes avant même les doctrines philosophiques ; et, ce qui est le plus important, prêtre aux yeux des chrétiens avant même la prêtrise[3] : telle était la mesure de ce que tout le monde lui concédait en tous les domaines. Pour lui, l'éloquence n'était qu'un accessoire : tout ce qu'il en retirait ne visait qu'à en faire une auxiliaire de notre philosophie, puisqu'on a besoin de la force que recèle l'éloquence pour mettre ce que l'on conçoit en évidence. Une idée non exprimée n'est que mouvement de paralytique. Tout son intérêt allait à la philosophie, à la séparation du monde et à l'union à Dieu, en gagnant les biens d'en haut au prix de ceux d'ici-bas et en gagnant au prix de qui est instable et fluide ce qui est stable et qui demeure[4].

14. De là il gagne Byzance, cette capitale de l'Orient[5], car elle était renommée pour ses sophistes et ses philosophes[6], qui étaient les plus accomplis et dont en peu de temps il recueillit ce qu'ils avaient de meilleur grâce à la rapidité et à l'étendue de ses dons naturels. De là, c'est dans la patrie de l'éloquence, Athènes, qu'il est envoyé par Dieu et par sa belle avidité de s'instruire,

4. « Rien n'est stable : moi, je suis le cours d'un fleuve boueux, qui va toujours de l'avant et jamais ne se fixe », dira Grégoire dans son poème sur *La nature humaine*, I, II, 14, v. 27-28.

5. En 330, Constantin avait inauguré solennellement sur le site de l'antique Byzance une nouvelle capitale qui avait pris le nom de l'empereur. Si Grégoire l'appelle de son ancien nom, c'est en vertu d'une habitude du style dit sublime, qui conservait les noms primitifs des peuples et des lieux, probablement à cause de l'aura archaïsante et vaguement poétique qui les entourait.

6. Parmi les maîtres qui ont enseigné à Constantinople au IVe siècle, il faut citer Thémistios, mais aussi Libanios, qui, avant de se fixer à Antioche, se trouvait là de 349 à 353, à une date où Basile a pu écouter ses leçons.

Ἀθήνας τὰς χρυσᾶς ὄντως ἐμοὶ καὶ τῶν καλῶν προξένους εἴπερ τινί. Ἐκεῖναι γάρ μοι τὸν ἄνδρα τοῦτον ἐγνώρισαν τελεώτερον, οὐδὲ πρὶν ἀγνοούμενον, καὶ λόγους ἐπιζητῶν
10 εὐδαιμονίαν ἐκομισάμην, καὶ τρόπον ἕτερον ταὐτὸ πέπονθα τῷ Σαούλ, ὃς τὰς ὄνους τοῦ πατρὸς ἐπιζητῶν βασιλείαν εὕρετο [a], μεῖζον τοῦ ἔργου τὸ πάρεργον ἐμπορευσάμενος. Τὸ μὲν δὴ μέχρι τούτων εὔδρομος ἡμῖν ὁ λόγος καὶ διὰ
B λείας τῆς ὁδοῦ φέρων καὶ ἄγαν εὐπόρου καὶ βασιλικῆς
15 ὄντως τῶν τοῦ ἀνδρὸς ἐγκωμίων, τὸ δ' ἐντεῦθεν οὐκ οἶδ' ὅ τι τῷ λόγῳ χρήσωμαι καὶ ποῖ τράπωμαι· ἔχει γάρ τι καὶ πρόσαντες ἡμῖν ὁ λόγος. Ποθῶ μὲν γὰρ ἐνταῦθα τοῦ λόγου γενόμενος καὶ τοῦ καιροῦ τούτου λαβόμενος καὶ τῶν κατ' ἐμαυτόν τι προσθεῖναι τοῖς εἰρημένοις καὶ μικρόν τι
20 προσδιατρῖψαι τῷ διηγήματι, ὅθεν τε καὶ ὅπως ἡμῖν κὰκ τίνος τῆς ἀρχῆς συνέστη τὸ τῆς φιλίας, εἴτ' οὖν συμπνοίας καὶ συμφυίας, εἰ χρὴ προσειπεῖν οἰκειότερον. Φιλεῖ γὰρ οὔτε ὄψις ῥᾳδίως ἀναχωρεῖν τῶν τερπνῶν θεαμάτων, κἂν ἀφέλκῃ τις βίᾳ, πρὸς αὐτὰ πάλιν φέρεσθαι, οὔτε λόγος τῶν
25 ἡδίστων διηγημάτων. Δέδοικα δὲ τὸ φορτικὸν τῆς ἐγχει-
C ρήσεως. Πειράσομαι μὲν οὖν ὡς οἷόν τε μετρίως τοῦτο ποιεῖν. Ἂν δ' ἄρα τι καὶ βιαζώμεθα ὑπὸ τοῦ πόθου, συγγνώμη τῷ πάθει πάντων παθῶν ὄντι δικαιοτάτῳ καὶ ὃ μὴ παθεῖν ζημία τοῖς γε νοῦν ἔχουσιν.

15. Εἶχον ἡμᾶς Ἀθῆναι καθάπερ τι ῥεῦμα ποτάμιον ἀπὸ μιᾶς σχισθέντας πηγῆς τῆς πατρίδος εἰς διάφορον ὑπερορίαν

14, 10 ταὐτὸ : ταὐτὸν WS || 12 εὕρατο v || 16 χρήσομαι W[pc]SD || τράπομαι SD || 28-29 καὶ ὃ μὴ παθεῖν ζημία om. S || ἡ ζημία v

---

14. a. Cf. I Sam. 9, 3 s.

---

1. Deux mots cristallisent tout autour d'eux dans ce passage, c'est celui de bonheur et c'est le nom d'Athènes.

cette Athènes qui fut vraiment pour moi plus que pour quiconque ville d'or et dispensatrice de bienfaits. C'est elle en effet qui m'a fait faire plus complètement la connaissance d'un homme qui ne m'était pas inconnu jusque-là. En quête d'éloquence, j'ai trouvé le bonheur[1], et, avec des différences, il m'est arrivé la même chose qu'à Saül, qui, en cherchant les ânesses de son père, trouva la royauté[a 2], faisant ainsi l'acquisition d'un accessoire plus important que le principal. Jusqu'à présent, notre discours s'avançait aisément en nous portant sur la voie unie, pleine de facilité et vraiment royale qu'est celle de l'éloge du personnage ; mais, à partir d'ici, je ne sais quel langage tenir ni quelle direction prendre, car notre exposé rencontre un obstacle. Je désire en effet, parvenu à ce point du discours et profitant de cette occasion, ajouter à ce que j'ai dit des éléments qui me concernent personnellement et insister quelque peu sur mon récit en disant ce que furent la source, les circonstances et l'origine de cette amitié, ou encore de cette union de sentiments et de nature, pour m'exprimer d'une façon plus appropriée. Car d'habitude le regard ne se détache pas aisément des spectacles qui le charment et, si la violence l'en arrache, il aime à y revenir : il n'en va pas différemment pour la parole à l'égard des récits qui sont pleins d'agrément. D'autre part, je redoute ce que l'entreprise a d'importun. J'essaierai donc de l'exécuter en gardant toute la mesure possible : ainsi, si nous cédons à la violence du désir, qu'on excuse un sentiment qui est le plus légitime qui soit et qu'il serait dommage de ne pas éprouver, au jugement des hommes de bon sens.

15. Athènes nous détenait. A la manière d'un cours d'eau, nous nous étions séparés au sortir de l'unique source qu'était notre patrie, pour franchir des frontières

2. Cf. *D.* 33, 10, 7-8.

κατ' ἔρωτα τῆς παιδεύσεως καὶ πάλιν εἰς ταὐτὸ συνελθόντας ὥσπερ ἀπὸ συνθήματος, οὕτω Θεοῦ κινήσαντος. Εἶχον δὲ
5 μικρῷ μὲν ἐμὲ πρότερον, τὸν δ'εὐθὺς μετ' ἐμέ, μετὰ πολλῆς προσδεχθέντα καὶ περιφανοῦς τῆς ἐλπίδος. Καὶ γὰρ ἐν πολλῶν γλώσσαις ἔκειτο πρὶν ἐπιστῇ, καὶ μέγα ἑκάστοις
D ἦν προκαταλαβεῖν τὸ σπουδαζόμενον. Οὐδὲν δὲ οἷον καὶ ἥδυσμά τι προσθεῖναι τῷ λόγῳ μικρὸν ἀφήγημα, τοῖς μὲν
10 εἰδόσιν ὑπόμνησιν, τοῖς δὲ ἀγνοοῦσι διδασκαλίαν.

Σοφιστομανοῦσιν 'Αθήνησι τῶν νέων οἱ πλεῖστοι καὶ ἀφρονέστεροι, οὐ τῶν ἀγεννῶν μόνον καὶ τῶν ἀνωνύμων, ἀλλ' ἤδη καὶ τῶν εὖ γεγονότων καὶ περιφανεστέρων, ἅτε πλῆθος σύμμικτον ὄντες καὶ νέοι καὶ δυσκάθεκτοι ταῖς
15 ὁρμαῖς. Ὅπερ οὖν πάσχοντας ἔστιν ἰδεῖν περὶ τὰς ἀντιθέ-
516 A τους ἱπποδρομίας τοὺς φιλίππους τε καὶ φιλοθεάμονας — πηδῶσι, βοῶσιν, οὐρανῷ πέμπουσι κόνιν, ἡνιοχοῦσι καθήμενοι, παίουσι τὸν ἀέρα, τοὺς ἵππους δὴ τοῖς δακτύλοις ὡς μάστιξι, ζευγνύουσι, μεταζευγνύουσιν, οὐδενὸς ὄντες κύριοι

15, 3 ταὐτὸ : τὸ αὐτὸ v || 12 μόνον : μόνων T^{ac}S || τῶν ἀνωνύμων : ἀνωνύμων Q^{ac}VTSC

---

1. Basile, se rendant à Constantinople, avait pris la route du nord, tandis que Grégoire s'était dirigé vers la Syrie, la Palestine et Alexandrie, avant de s'embarquer pour Athènes.

2. Cette attente s'explique par le fait que la population universitaire circulant d'un centre à l'autre, il suffisait qu'un étudiant fût arrivé de Constantinople, où il avait connu Basile, en annonçant l'intention de ce dernier de venir à Athènes. Si Basile était attendu avec impatience, c'est que plusieurs l'avaient déjà rencontré ailleurs (cf. *infra*, 17), c'est aussi que la personnalité du jeune homme et ses dons étaient déjà très affirmés. Il faut rappeler la spécificité des exercices rhétoriques, faits d'exposés et de controverses qui avaient le public pour arbitre.

3. Comme on le verra plus loin, une vive rivalité régnait entre les maîtres pour se disputer la clientèle et bien des motifs poussaient les étudiants à épouser ces querelles, voire à les accentuer. La présence d'un étudiant particulièrement brillant pouvait donner à une école un caractère plus attractif.

4. Σοφιστομανοῦσιν : ce mot, qui est un *hapax*, demande explication. On sait que le mot sophiste, qui n'avait alors aucune

opposées[1], poussés par l'amour de la culture, et nous nous étions retrouvés en un même endroit comme si nous avions obéi à un mot d'ordre : c'est Dieu qui nous avait ainsi poussés. Je m'y trouvais un peu avant lui, mais il était arrivé aussitôt après moi, après avoir fait l'objet d'une attente vive et manifeste[2]. En vérité, son nom était sur toutes les lèvres avant qu'il fût là, et chaque groupe attachait de l'importance à être le premier à mettre la main sur l'objet de ses préoccupations[3]. On ne saurait mieux faire que d'agrémenter ce discours en y insérant un petit exposé pour raviver la mémoire de ceux qui sont informés et pour instruire les ignorants.

La sophistomanie règne à Athènes sur la plus grande partie de la jeunesse et la moins réfléchie[4]. Cela ne concerne pas seulement les jeunes gens sans naissance et sans nom : on la trouve aussi chez ceux qui sont bien nés et qui sont le plus en vue, car ils forment une masse confuse de jeunes gens qui contrôlent mal leurs impulsions. Ce que l'on peut observer dans les courses chez les amateurs de chevaux et de spectacles[5] : ils bondissent, ils crient, ils jettent de la poussière en l'air, ils font les cochers sans quitter leur place, ils frappent l'air et ils frappent les chevaux avec leurs doigts en guise de fouet, ils font des attelages et ils les défont ; sans disposer de

connotation péjorative, désigne les professeurs de l'enseignement supérieur. C'est un milieu traversé par les antagonismes et les concurrences les plus diverses, les étudiants prenant passionnément parti dans ces conflits pour des raisons qui vont apparaître peu à peu

5. Grégoire avait séjourné près de trois ans à Constantinople où la population se passionnait pour les courses de chevaux, mais il est tout à fait improbable que l'évêque de la ville ait paru à l'hippodrome. L'expérience de l'auteur n'a pas été non plus acquise dans sa ville natale, qui n'en possédait pas. Césarée au temps de ses études ainsi que les villes traversées un peu plus tard sont à l'origine d'impressions assez fortes pour suggérer un rapprochement des factions épiscopales avec celles du cirque : cf. *D.* 42, 22, 1 s.

20 ἀντιδιδόασιν ἀλλήλοις ῥᾳδίως ἡνιόχους, ἵππους, ἱπποστασίας, στρατηγούς — καὶ ταῦτα τίνες; οἱ πένητες πολλάκις καὶ ἄποροι καὶ μηδ' ἂν εἰς μίαν ἡμέραν τροφῆς εὐπορήσοντες —, τοῦτο καὶ αὐτοὶ πάσχουσιν ἀτεχνῶς περὶ τοὺς ἑαυτῶν διδασκάλους καὶ ἀντιτέχνους, ὅπως πλείους
25 τε ὦσιν αὐτοὶ κἀκείνους εὐπορωτέρους ποιῶσι δι' ἑαυτῶν σπουδὴν ἔχοντες, καὶ τὸ πρᾶγμά ἐστιν ἐπιεικῶς ἄτοπον καὶ δαιμόνιον. Προκαταλαμβάνονται πόλεις, ὁδοί, λιμένες, ὀρῶν
B ἄκρα, πεδία, ἐσχατιαί, οὐδὲν ὅ τι μὴ τῆς Ἀττικῆς μέρος ἢ τῆς λοιπῆς Ἑλλάδος, αὐτῶν τῶν οἰκητόρων οἱ πλεῖστοι·
30 καὶ γὰρ τούτους μεμερισμένους ταῖς σπουδαῖς ἔχουσιν.

16. Ἐπεὶ δ' ἂν οὖν τις ἐπιστῇ τῶν νέων καὶ ἐν χερσὶ γένηται τῶν ἑλόντων — γίνεται δὲ ἢ βιασθεὶς ἢ ἑκών —, νόμος οὗτός ἐστιν αὐτοῖς ἀττικὸς καὶ παιδιὰ σπουδῇ σύμμικτος. Πρῶτον μὲν ξεναγεῖται παρά τινι τῶν προειλη-
5 φότων, ἢ φίλων ἢ συγγενῶν ἢ τῶν ἐκ τῆς αὐτῆς πατρίδος ἢ τῶν ὅσοι περιττοὶ τὰ σοφιστικὰ καὶ προσαγωγοὶ τῶν λημμάτων κἀντεῦθεν μάλιστα διὰ τιμῆς ἐκείνοις, ἐπεὶ καὶ τοῦτο μισθός ἐστιν αὐτοῖς τῶν σπουδαστῶν τυγχάνειν.
C Ἔπειτα ἐρεσχελεῖται παρὰ τοῦ βουλομένου παντός· βούλε-
10 ται δὲ αὐτοῖς, οἶμαι, τοῦτο τῶν νεηλύδων συστέλλειν τὸ φρόνημα καὶ ὑπὸ χεῖρα σφῶν ἀπ' ἀρχῆς ἄγειν. Ἐρεσχελεῖται

15, 20-21 ἱπποστασία SDC || 23 εὐπορήσαντες SDCv || ἀτέχνως Sv AQBJWVT SDP (a **16,** 11 Ἐρεσχελεῖται P) C

16, 2 ἑλόντων : ἐχόντων B || 8 σπουδαστῶν : add. περὶ ταῦτα SDC

---

1. Si le territoire est ainsi quadrillé et si «la grande majorité des habitants» participent à ces opérations, c'est qu'il existe de véritables réseaux liés par des intérêts commerciaux. Les étudiants sont des clients pour les maîtres, mais aussi pour logeurs, aubergistes, prêteurs et fournisseurs de tous ordres, sans oublier les divertissements et les plaisirs les plus divers.

2. Cf. Himérios, *Or.* LXIII, 5 : ἀττικὸς γὰρ καὶ οὗτος ὁ νόμος et *Or.* XLI, 4-5 : ἀττικὸς μὲν γὰρ νόμος. Il se pourrait bien que nous nous trouvions devant une expression courante dans le milieu universitaire athénien pour évoquer entre soi les usages hérités d'une

rien, ils ne se gênent pas pour échanger cochers, chevaux, écuries, arbitres — et qui fait cela ? souvent les pauvres, les démunis et ceux qui ne disposent même pas de la nourriture suffisante pour une seule journée —, c'est exactement ce que font les étudiants à l'égard de leurs maîtres et des rivaux de ces derniers : ils font tout pour devenir eux-mêmes plus nombreux et pour enrichir leurs maîtres. C'est une chose passablement étrange et extravagante. On occupe à l'avance villes, routes, ports, sommets des montagnes, plaines, endroits écartés, en ne laissant de côté aucune partie de l'Attique ou du reste de la Grèce et jusqu'à la grande majorité des habitants[1], car ils ont abouti à les diviser en partis.

16. Quand donc un jeune homme se présente et qu'il se trouve aux mains de ceux qui se sont emparés de lui — il y tombe de gré ou de force —, ils observent cette coutume vraiment attique où le jeu se mêle au sérieux[2]. Pour commencer[3], il devient l'hôte de l'un de ceux qui l'ont pris : un ami, un parent, un compatriote ou l'un de ceux qui ont de l'importance dans les affaires de sophistique, un rabatteur de recettes qui retire de cette activité une grande considération dans ce milieu, car il y va aussi de leur salaire de trouver des adeptes[4]. Après cela, absolument n'importe qui l'abreuve de moqueries : je pense que cela vise à rabaisser les prétentions des nouveaux venus et à les mettre sous tutelle dès le début[5].

ancienne et exclusive tradition. De la même façon, le mot νέηλυς, plusieurs fois répété dans ce contexte (cf. notre index final) appartient sans doute au vocabulaire de l'école.

3. Le nouvel arrivant est d'abord chambré, l'accueil ayant pour but de l'isoler sous couleur de le rassurer.

4. On entrevoit l'existence dans l'entourage des maîtres de collaborateurs qui jouent un rôle commercial. Cf. Libanios, *Or.* 48, 18.

5. Avec le deuxième acte commencent les rites d'initiation. Les moqueries ont pour but de désarçonner le nouveau venu afin de le plier plus aisément à la discipline du groupe.

δὲ παρὰ μὲν τῶν θρασύτερον, παρὰ δὲ τῶν λογικώτερον, ὅπως ἂν ἀγροικίας ἢ ἀστειότητος ἔχῃ. Καὶ τὸ πρᾶγμα τοῖς μὲν ἀγνοοῦσι λίαν φοβερὸν καὶ ἀνήμερον, τοῖς δὲ προειδόσι
15 καὶ μάλα ἡδὺ καὶ φιλάνθρωπον. Πλείων γάρ ἐστιν ἡ ἔνδειξις ἢ τὸ ἔργον τῶν ἀπειλουμένων. Ἔπειτα πομπεύει διὰ τῆς ἀγορᾶς, ἐπὶ τὸ λουτρὸν προαγόμενος. Ἡ πομπὴ δέ· διατάξαντες ἑαυτοὺς στοιχηδὸν κατὰ συζυγίαν ἐκ διαστήματος, οἱ τελοῦντες τῷ νέῳ τὴν πρόοδον ἐπὶ τὸ λουτρὸν
20 προπέμπουσιν. Ἐπεὶ δ' ἂν πλησιασῶσι, βοῇ τε πολλῇ καὶ ἐξάλμασι χρώμενοι καθάπερ ἐνθουσιῶντες — κελεύει δὲ ἡ
517 A βοὴ μὴ προβαίνειν, ἀλλ' ἵστασθαι ὡς τοῦ λουτροῦ σφᾶς οὐ παραδεχομένου —, καὶ ἅμα τῶν θυρῶν ἀρασσομένων, πατάγῳ τὸν νέον φοβήσαντες, εἶτα τὴν εἴσοδον συγχωρή-
25 σαντες, οὕτως ἤδη τὴν ἐλευθερίαν διδόασιν, ὁμότιμον ἐκ τοῦ λουτροῦ καὶ ὡς αὐτῶν ἕνα δεχόμενοι. Καὶ τοῦτό ἐστιν αὐτοῖς τῆς τελετῆς τὸ τερπνότατον, ἡ ταχίστη τῶν λυπούντων ἀπαλλαγὴ καὶ κατάλυσις.

Τότε τοίνυν ἐγὼ τὸν ἐμὸν σοφόν τε καὶ μέγαν Βασίλειον
30 οὐκ αὐτὸς δι' αἰδοῦς ἦγον μόνον, τότε τοῦ ἤθους στάσιμον

16, 14 λίαν : add. ἐστι S || 15 ἔνδειξις om. S || 18 στιχηδὸν S^{ac}DP^{ac} || 29 σόφον τε om. AQBJWVTv Bo || καὶ μέγαν om. W καὶ μέγα A

1. Probablement des menaces de sévices.

2. Étant donné qu'on se rend aux bains quotidiennement, on peut penser que les brimades évoquées plus haut ne duraient pas plus d'une journée.

3. L'agora d'Athènes n'était pas très vaste et elle était parsemée de bâtiments publics : il ne fallait pas grand monde pour l'encombrer. Ce passage sur l'agora a valeur de symbole : on présente le nouveau venu au plus grand nombre possible de personnes et on l'intègre dans la ville. Ce qui est intéressant, c'est la signification d'un tel cortège : il mime celui qui accompagne les personnalités importantes dans leurs apparitions en public. La plupart des étudiants espèrent parvenir à une situation qui leur vaudra d'être environnés par semblable cérémonial, de sorte que ce rituel évoque celui de la réussite sociale attendue dont il constitue une sorte de préfiguration ironique.

Les moqueries des uns manifestent plus de rudesse, tandis que celles des autres sont plus intelligentes, suivant le degré de grossièreté ou de politesse de chacun. La chose paraît assez redoutable et brutale à ceux qui ne sont pas au courant, mais, quand on est prévenu, on la trouve fort plaisante et aimable, car il y a dans les menaces proférées[1] plus de démonstrations que de réalités. Ensuite, on lui fait cortège sur la place publique en le conduisant au bain[2]. Pour ce cortège, ceux qui se chargent d'escorter le jeune homme jusqu'au bain lui ouvrent la marche en se divisant en deux files et en observant leurs distances[3]. Une fois arrivés à proximité, ce sont de grands cris et des bonds, comme s'ils étaient saisis de transports. Les cris lui intiment l'ordre de ne pas avancer et de rester sur place sous prétexte que le bain refuse de les admettre. En même temps, ils frappent aux portes[4]. Quand ils ont effrayé le jeune homme par ce tapage, ils lui permettent d'entrer : c'est ainsi qu'ils lui donnent désormais sa liberté, l'admettant au sortir du bain comme leur pair et l'un des leurs[5]. Ce qu'il y a de plus amusant dans leur cérémonie, c'est l'extrême rapidité avec laquelle les gêneurs se séparent et se dispersent[6].

Dans ces circonstances donc, je ne me contentai pas du respect que j'éprouvais personnellement pour mon sage et grand Basile[7], en considérant la gravité de son

4. Brusquement, ce cortège qui avait toutes les allures du sérieux s'interrompt et laisse la place à une mascarade qui symbolise les risques d'un échec de carrière.

5. L'intégration s'est faite par paliers.

6. Cette description vivante est pleine d'intérêt pour l'histoire des mœurs, mais sa présence dans une oraison funèbre ne laisse pas d'étonner. Un homme âgé se penche sur sa jeunesse, un intellectuel se rappelle les conditions de son entrée dans la vie de l'esprit, un provincial revit sa découverte de la ville-lumière. Il est tout à fait improbable que ce développement ait eu des auditeurs.

7. Cf. *supra*, n. 1, p. 116.

καθορῶν καὶ τὸ ἐν λόγοις καίριον, ἀλλὰ καὶ τοὺς ἄλλους ἔπειθον ὁμοίως ἔχειν, ὅσοι τῶν νέων ἀγνοοῦντες τὸν ἄνδρα ἐτύγχανον. Τοῖς γὰρ πολλοῖς εὐθὺς αἰδέσιμος ἦν, ἀκοῇ προκατειλημμένος. Ἐξ οὗ τί γίνεται ; Μόνος σχεδὸν τῶν
35 ἐπιδημούντων τὸν κοινὸν διέφυγε νόμον, κρείττονος ἢ κατὰ νέηλυν ἀξιωθεὶς τιμῆς.

B **17.** Τοῦτο ἡμῖν τῆς φιλίας προοίμιον, ἐντεῦθεν ὁ τῆς συναφείας σπινθήρ, οὕτως ἐπ'ἀλλήλοις ἐτρώθημεν. Ἔπειτα συνηνέχθη τι καὶ τοιοῦτον· οὐδὲ γὰρ τοῦτο παραλιπεῖν ἄξιον.

5 Οὐχ ἁπλοῦν γένος εὑρίσκω τοὺς Ἀρμενίους, ἀλλὰ καὶ λίαν κρυπτόν τι καὶ ὕφαλον. Τότε τοίνυν τῶν ἐκ πλείονος αὐτῷ συνήθων καὶ φίλων τινὲς ἔτ' ἐκ τοῦ πατρὸς καὶ τῆς ἄνωθεν ἑταιρίας — καὶ γὰρ ἐκείνης τῆς διατριβῆς ὄντες
C ἐτύγχανον —, προσιόντες αὐτῷ μετὰ φιλικοῦ πλάσματος

16, 34 προκατειλημμένοις BTP || 36 τῆς τιμῆς A^{ac}DPCv Bo

AQBJ (lac. J a **17,** 17 πλάσματι usque ad **19,** 7 ἠρινοῖς) WVT SDPC

17, 1 ἡμῖν : ὑμῖν mendose Migne || 7 ἔτ' : ἔτι DP εἴτε S εἴτ' C || 8-9 καὶ γὰρ... ἐτύγχανον secl. Bo

1. Julien a certainement bénéficié de ce traitement de faveur au cours de l'été 355. Les origines aristocratiques de Basile ont pu jouer pour lui comme pour d'autres ; peut-être aussi plusieurs, qui avaient pu le connaître ailleurs, éprouvaient-ils du respect pour ce qu'il faut bien appeler du génie.

2. Jusque là, les relations des deux jeunes gens ne dépassaient pas les limites d'une simple camaraderie d'étudiants : c'est alors que Basile entre dans la vie de Grégoire.

3. La *Lettre* 62 traite d'«ouvertement barbare» un Arménien qui pourrait être Eustathe de Sébaste d'après P. Gallay, *Lettres*, I, p. 81, n. 1. J'ai montré que le jugement global porté ici repose en bonne part sur un événement dramatique qui avait affecté une personne alliée à la famille de Grégoire. Sa cousine Théodosie, qui fut son hôte à Constantinople, était entrée par son mariage dans la famille d'Ablabios, l'un des derniers préfets du prétoire de Constantin. Or une fille d'Ablabios, dénommée Olympias, d'abord fiancée au futur

caractère et la justesse de son éloquence, mais je m'efforçais de persuader les autres d'en faire autant. Je parle des jeunes gens qui ne connaissaient pas le personnage, car la majorité, déjà atteinte par sa réputation, le respectait d'emblée. Qu'en résulta-t-il? Il fut à peu près le seul[1] parmi les arrivants à échapper à la loi commune en jouissant d'une considération supérieure à celle d'un nouveau venu.

17. Ce fut là le prélude de notre amitié ; c'est de là que jaillit l'étincelle de notre union ; c'est ainsi que nous fûmes touchés l'un pour l'autre[2]. Par la suite, il se produisit un événement qui se présenta de la façon suivante : il mérite, lui aussi, de ne pas être passé sous silence.

Je trouve que les Arméniens sont une race qui n'est pas franche, mais pleine de dissimulation et de dessous[3]. A ce moment donc[4], certains de ses anciens familiers et de ses amis — cela remontait à son père et à une ancienne camaraderie, car ils appartenaient à cette école[5] — l'abordent sous les dehors de l'amitié, mais c'était

empereur Constant, avait été mariée au roi d'Arménie, Arsace III, qui l'avait ensuite empoisonnée. Cf. J. Bernardi, «Nouvelles perspectives sur la famille de Grégoire de Nazianze», *Vigiliae Christianae* (1984) 352-359. Il ne faut pas oublier, non plus, que la province d'Arménie était limitrophe de la Cappadoce à l'est : entre l'Arménie et le reste de l'empire, la route des voyageurs passait par la Cappadoce. Ajoutons que l'épiscopat arménien était en relations fréquentes avec celui de Cappadoce. Là encore, il faut dire que des propos de ce genre n'ont guère pu figurer dans un discours public prononcé à Césarée. La présence à Athènes d'un grand professeur arménien tel que Prohærésios explique celle d'un groupe d'étudiants venus de la lointaine Arménie (cf. *infra*, n. 3, p. 166). Ce jugement global pourrait encore signifier que Grégoire n'avait pas gardé un excellent souvenir de Prohærésios (cf. n. 2, p. 180), malgré l'épitaphe qu'il lui a consacrée (*PG* 38, 13, *Épit.* 5).

4. C'est-à-dire au début du séjour de Basile à Athènes.

5. Il y a donc à Athènes des étudiants arméniens qui avaient été les élèves de Basile l'Ancien quelques années plus tôt à Néocésarée. Ce sont des étudiants plus âgés et plus avancés que Basile.

10 — φθόνος δὲ ἦν, οὐκ εὔνοια τὸ προσάγον —, ἐπηρώτων τε αὐτὸν φιλονείκως μᾶλλον ἢ λογικῶς καὶ ὑποκλίνειν ἑαυτοῖς ἐπειρῶντο διὰ τῆς πρώτης ἐπιχειρήσεως, τήν τε ἄνωθεν τοῦ ἀνδρὸς εὐφυΐαν εἰδότες καὶ τὴν τότε τιμὴν οὐ φέροντες. Δεινὸν γὰρ εἶναι, εἰ προειληφότες τοὺς τρίβωνας
15 καὶ λαρυγγίζειν προμελετήσαντες, μὴ πλέον ἔχοιεν τοῦ ξένου τε καὶ νεήλυδος. Ἐγὼ δὲ ὁ φιλαθήναιος καὶ μάταιος — οὐ γὰρ ᾐσθόμην τοῦ φθόνου, πιστεύων τῷ πλάσματι —, ἤδη κλινομένων αὐτῶν καὶ τὰ νῶτα μεταβαλλόντων — καὶ γὰρ ἐζηλοτύπουν τὸ τῶν Ἀθηνῶν κλέος ἐν ἐκείνοις κατα-
20 λυθῆναι καὶ τάχιστα περιφρονηθῆναι —, ὑπήρειδόν τε τοὺς νεανίας, ἐπανάγων τὸν λόγον καὶ τὴν παρ᾽ ἐμαυτοῦ ῥοπὴν
D χαριζόμενος — δύναται δὲ καὶ ἡ μικρὰ προσθήκη τὸ πᾶν ἐν τοῖς τοιούτοις —, ἴσας ὑσμίνῃ τὰς κεφαλάς, τὸ τοῦ λόγου, κατέστησα. Ὡς δὲ τὸ τῆς διαλέξεως ἔγνων
25 ἀπόρρητον, οὐδὲ καθεκτὸν ἔτι τυγχάνον, ἀλλὰ σαφῶς ἤδη
520 A παραγυμνούμενον, ἐξαίφνης μεταβαλὼν πρύμναν τε ἐκρου-

17, 10 φθόνος... προσάγον secl. Bo || 19 ἐκείνοις : ἐκείνῳ SDC || 20 καὶ τάχιστα περιφρονηθῆναι om. S || 23 τοῖς τοιούτοις : τοιούτοις v || 24 κατέστησα : καταστήσασθαι SD κατεστήσασθαι P

---

1. Cette jalousie pouvait remonter au temps où Basile était le jeune et brillant fils de leur maître. Elle s'explique aussi par l'attente générale dont avait bénéficié le nouvel arrivant, ainsi que par le traitement de faveur qui lui avait été réservé. En fait, ces étudiants plus avancés sont agacés et décident de donner sans tarder une leçon de modestie à ce débutant. Le *Discours* 18 d'Himérios concerne probablement le départ d'Athènes de Basile et de Grégoire (cf. *supra*, p. 39-40). Le sophiste forme, dans le cadre d'un cérémonial connu, des souhaits pour ces étudiants parvenus au terme de leurs études. « Notre richesse, dit Himérios, ne réside pas dans l'or du trésor d'un Gygès ou de la Lydie, mais dans certains garçons dans la fleur de leur jeunesse et dans la maturité de leur âge, de fière allure (σοβαροί) et portant la tête haute (ὑψαύχενες), issus qu'ils sont du centre de la poitrine de Zeus » (*Or.* XVIII, 19-22, *Himerii declamationes et orationes*, éd. A. Colonna, Rome 1951, p. 107). Ce qui nous intéresse dans ce

l'envie[1], et non la bienveillance, qui les poussait. Ils lui posèrent des questions dictées par le goût de la dispute plus que par l'amour du raisonnement[2], et ils s'efforçaient de le faire plier devant eux à la première tentative, car ils connaissaient de longue date les dons naturels du personnage, et l'honneur qu'on lui faisait en la circonstance leur était intolérable. Il était dur, en effet, d'avoir été les premiers à revêtir la robe[3] et à s'époumonner dans les exercices s'ils ne devaient pas avoir le dessus sur cet étranger et ce nouveau venu. De mon côté, en philathénien et en homme léger que j'étais, sans m'être aperçu de leur jalousie et ajoutant foi à leurs faux-semblants, dans le moment où ils se repliaient et où ils battaient en retraite, piqué de voir la gloire d'Athènes détruite dans leurs personnes et bien vite vouée au mépris, j'apportai mon appui à ces jeunes gens en reprenant la discussion. En leur faisant cadeau du poids de ma personne, je rétablis l'équilibre entre les deux lignes comme on dit[4], car en pareil cas le moindre appoint est tout-puissant. Mais, quand je compris les dessous de la discussion, aspect qui ne pouvait plus échapper, mais se montrait désormais clairement à nu, je changeai aussitôt de camp, je virai de bord en me rangeant à ses côtés, et

contexte immédiat, c'est la silhouette hautaine des deux garçons et le sentiment d'agacement qu'elle était susceptible de provoquer.

2. Le sujet de cet interrogatoire n'est pas défini parce qu'il est sans importance : ce qui compte, c'est qu'il y ait un interrogatoire à la manière de ceux que Socrate faisait subir à ses élèves. Un groupe d'étudiants se propose de tester les capacités dialectiques du brillant sujet qu'ils espèrent désarçonner et faire rentrer dans le rang.

3. Le τριβών était le vêtement qui distinguait l'intellectuel de profession, maître ou étudiant. Une scolie (*PG* 36, 906A) précise que la couleur était rouge quand il s'agissait d'étudiants de rhétorique et gris sombre (φαιός) pour les philosophes.

4. Cf. *Iliade*, XI, 72 : ἴσας δ' ὑσμίνη κεφαλὰς ἔχεν.

σάμην ἐκείνῳ θέμενος καὶ ἑτεραλκέα τὴν νίκην ἐποίησα. Ὁ δὲ ἥσθη τε αὐτίκα τῷ γενομένῳ — καὶ γὰρ ἦν ἀγχίνους, εἰ καί τις ἄλλος — καὶ προθυμίας πλησθείς, ἵνα τελέως
30 αὐτὸν καθομηρίσω, ἔφεπε κλονέων τῷ λόγῳ τοὺς γεννάδας ἐκείνους καὶ παίων συλλογισμοῖς οὐ πρὶν ἀνῆκεν ἢ τελέως τρέψασθαι καὶ τὸ κράτος καθαρῶς ἀναδήσασθαι. Οὗτος δεύτερος ἡμῖν τῆς φιλίας οὐκέτι σπινθήρ, ἀλλ' ἤδη πυρσός, ἀνάπτεται περιφανὴς καὶ ἀέριος.

B **18.** Οἱ μὲν οὖν οὕτως ἀπῆλθον ἄπρακτοι, πολλὰ μὲν τῆς προπετείας ἑαυτοῖς καταμεμψάμενοι, πολλὰ δὲ τῆς ἐπιβουλῆς ἐμοὶ δυσχεράναντες ὡς καὶ φανερὰν ἔχθραν ὁμολογῆσαι καὶ προδοσίαν ἐπικαλεῖν οὐκ ἐκείνων μόνον, ἀλλὰ καὶ αὐτῶν
5 Ἀθηνῶν, ὡς διὰ τῆς πρώτης πείρας ἐληλεγμένων καὶ ᾐσχυμμένων ὑφ' ἑνὸς ἀνδρός, καὶ ταῦτα μηδὲ τοῦ θαρρεῖν καιρὸν ἔχοντος. Ὁ δέ — καὶ γὰρ ἀνθρώπινον τὸ πάθος, ὅταν μεγάλα ἐλπίσαντες ἀθρόως τοῖς ἐλπισθεῖσιν ἐντύχωμεν, ἐλάττω τῆς δόξης ὁρᾶν τὰ φαινόμενα — τοῦτο καὶ αὐτὸς
10 πάσχων ἐσκυθρώπαζεν, ἐδυσφόρει, τῆς ἐπιδημίας ἑαυτὸν ἐπαινεῖν οὐκ εἶχεν, ἐζήτει τὸ ἐλπισθέν, κενὴν μακαρίαν τὰς Ἀθήνας ὠνόμαζεν. Ὁ μὲν δὴ ταῦτα, ἐγὼ δὲ τῆς λύπης
C ἀφῄρουν τὸ πλεῖστον καὶ λογικῶς συγγινόμενος καὶ κατεπᾴ-

17, 28 ἥσθη τε : ἥσθετο TSD (mg ἥσθη τε)
18, 4 ἐπικαλεῖν : ἀποκαλεῖν C || 5-6 καὶ ᾐσχυμμένων om. S || 11 κενὴν μακαρίαν : καινὰς καὶ ματαίας S κενὰς καὶ ματαίας DP || 13 ἀφῄρουν : ἀφῃρούμην S

1. Ἑτεραλκής est un terme fréquent chez Homère : cf. *Iliade*, VII, 26; XV, 738; XVI, 362; XVII, 627; *Odyssée*, XXII, 236. Cf. Eschyle, *Perses*, 951.
2. Ἔφεπε κλονέων : cf. *Iliade*, XXII, 188.
3. En empruntant à trois reprises des formules à Homère et en y joignant des expressions tirées du vocabulaire de la guerre ou de la marine, l'auteur donne à cet incident les proportions comiques d'une guerre picrocholine.
4. Τὸ κράτος ἀναδήσασθαι : cf. *supra*, 5, 5.

je mis la victoire dans l'un comme dans l'autre camp[1]. Il se réjouit tout de suite de ce qui était arrivé, car il était subtil plus que quiconque, et, plein d'ardeur, il traqua par sa parole ces champions[2], pour homériser jusqu'au bout à son sujet : les frappant à coup de syllogismes[3], il ne les lâcha pas avant de les avoir complétement mis en déroute et d'avoir nettement ceint la victoire[4]. Telle fut la deuxième étape de ce qui n'était plus pour nous étincelle d'amitié, mais désormais flambeau brûlant avec éclat dans les airs[5].

18. De leur côté, ils se retirèrent sur cet échec, se reprochant vivement leur précipitation et fortement indisposés contre moi à cause de ce traquenard[6], au point de me vouer une hostilité ouverte et de me reprocher une trahison qui, à les entendre, n'affectait pas seulement leurs personnes, mais atteignait aussi Athènes elle-même, qui avait été réfutée et déshonorée à la première épreuve par un homme seul et, qui plus est, par quelqu'un qui n'était même pas en situation de faire preuve d'assurance. Pour lui — c'est un sentiment humain, quand on a beaucoup espéré et qu'on rencontre brusquement ce qu'on attendait, que de juger ce qu'on a sous les yeux inférieur à l'opinion qu'on en avait —, il éprouvait lui aussi ce sentiment et il était sombre. Il s'impatientait, il n'avait pas sujet de se féliciter de sa venue, il en était à chercher ce qu'il avait espéré, et il appelait Athènes un paradis vide[7]. Voilà pour lui. Quant à moi, je m'employais à dissiper la majeure partie de son amertume en discutant en sa

5. La dernière phrase du chapitre reprend les termes mêmes de la première, mais l'étincelle est devenu flambeau : autrement dit, l'amitié des deux étudiants va attirer les regards et faire d'eux un foyer de ralliement.

6. L'âpreté de la déclaration initiale relative aux Arméniens donne à penser que l'incident avait eu des séquelles.

7. Cette expression, qui est faite de l'alliance de contraires, se trouve chez LUCIEN, *Hermotimus*, 71 et *Navigium*, 12.

δων τοῖς λογισμοῖς καί, ὅπερ ἦν ἀληθές, οὔτε ἦθος ἀνδρὸς
15 εὐθὺς ἁλωτὸν εἶναι λέγων, ὅτι μὴ χρόνῳ πολλῷ καὶ συνουσίᾳ
τελεωτάτῃ, οὔτε παίδευσιν τοῖς πειρωμένοις ἐξ ὀλίγων τε
καὶ ἐν ὀλίγῳ γνωρίζεσθαι. Ὅθεν ἐπανῆγον αὐτὸν εἰς τὸ
εὔθυμον, καὶ πεῖραν διδοὺς καὶ λαμβάνων πλέον ἐμαυτῷ
συνέδησα.

19. Ὡς δὲ προιόντος τοῦ χρόνου τὸν πόθον ἀλλήλοις
καθωμολογήσαμεν καὶ φιλοσοφίαν εἶναι τὸ σπουδαζόμενον,
τηνικαῦτα ἤδη τὰ πάντα ἦμεν ἀλλήλοις, ὁμόστεγοι, ὁμοδί-
αιτοι, συμφυεῖς, τὸ ἓν βλέποντες, ἀεὶ τὸν πόθον ἀλλήλοις
5 συναύξοντες θερμότερόν τε καὶ βεβαιότερον. Οἱ μὲν γὰρ
521 A τῶν σωμάτων ἔρωτες, ἐπειδὴ ῥεόντων εἰσί, καὶ ῥέουσιν ἴσα
καὶ ἠρινοῖς ἄνθεσιν· οὔτε γὰρ φλὸξ μένει τῆς ὕλης
δαπανηθείσης, ἀλλὰ τῷ ἀνάπτοντι συναπέρχεται, οὔτε πόθος
ὑφίσταται, μαραινομένου τοῦ ὑπεκκαύματος. Οἱ δὲ κατὰ
10 Θεόν τε καὶ σώφρονες, ἐπειδὴ πράγματος ἑστῶτός εἰσι, διὰ
τοῦτο καὶ μονιμώτεροι, καὶ ὅσῳ πλέον αὐτοῖς τὸ κάλλος
φαντάζεται, τοσούτῳ μᾶλλον ἑαυτῷ τε καὶ ἀλλήλοις συνδεῖ
τοὺς τῶν αὐτῶν ἐραστάς. Οὗτος τοῦ ὑπὲρ ἡμᾶς ἔρωτος
νόμος.
15 Αἰσθάνομαι μὲν οὖν ἔξω τοῦ καιροῦ καὶ τοῦ μέτρου
φερόμενος, καὶ οὐκ οἶδ' ὅπως εἰς τούτους ἐμπίπτω τοὺς
λόγους, οὐκ ἔχω δ' ὅπως ἐμαυτὸν ἐπίσχω τοῦ διηγήματος·

18, 16 τελεωτάτῃ : τελεωτέρᾳ BSv || 18 καταλαμβάνων S
19, 2 φιλοσοφίαν : τὸ φιλοσοφίαν SDP[ac]C || 7 ἄνθεσιν : add. τῷ καύσωνι συναπομαραίνονται S || 11 τὸ κάλλος αὐτοῖς SDP

---

1. L'évocation de ces premiers contacts où la force était du côté de Grégoire et la faiblesse de celui de Basile semble relever chez l'auteur d'un mécanisme de compensation.
2. Le mot πόθος est un de ceux que l'auteur affectionne.
3. Le mot *philosophie* implique chez un chrétien la pratique d'une vie monastique plus ou moins bien définie. Celle-ci s'apparente, dans

compagnie et en le berçant de mes raisonnements[1], et en lui disant, ce qui est la pure vérité, que, si on ne peut saisir le caractère d'un homme d'emblée, mais seulement à force de temps et moyennant une parfaite intimité, son savoir ne peut non plus être connu de ceux qui l'examinent sur la base de quelques indices et en quelques instants. Par là, je le ramenais à la bonne humeur et par cette mise à l'épreuve réciproque je resserrai les liens qui l'attachaient à moi.

19. Quand, avec le temps, nous nous sommes mutuellement avoué nos aspirations[2], et que la philosophie était l'objet de nos préoccupations[3], alors, à partir de ce moment-là, nous avons été tout l'un pour l'autre, partageant même toit et même table[4], profondément unis, n'ayant qu'un seul et même regard, développant continuellement l'un chez l'autre la chaleur et la fermeté de nos aspirations. Le désir des corps, puisqu'il concerne ce qui passe, passe aussi à l'égal des fleurs printanières, car ni la flamme ne subsiste quand la matière est consumée — elle disparaît avec ce qui s'allume —, ni l'appétit ne demeure quand s'épuise le combustible. Mais quand l'amour s'attache à Dieu et quand il est chaste, comme il s'adresse à une réalité stable, il est aussi par là-même plus durable, et plus la beauté se montre à lui, plus elle se l'attache et attache l'un à l'autre ceux qui ont même amour. Telle est la loi de l'amour qui est au-dessus de nous[5].

Mais je sens que je me laisse emporter au-delà des bornes imposées par les circonstances et par la mesure : je ne sais comment j'en arrive à tenir ces propos, mais je ne vois pas comment je pourrais arrêter ce récit.

les aspirations de Grégoire, à la période milanaise de la vie de saint Augustin.

4. Cf. le poème *De vita sua* (II, I, 11), v. 472.

5. Le vocabulaire de ce passage l'inscrit dans l'univers du désir.

ἀεὶ γάρ μοι τὸ παρεθὲν ἀναγκαῖον φαίνεται καὶ κρεῖττον τοῦ προληφθέντος, κἄν μέ τις ἀπάγῃ τοῦ πρόσω τυραννικῶς, B 20 τὸ τῶν πολυπόδων πείσομαι, ὧν τῆς θαλάμης ἐξελκομένων προσέξονται ταῖς κοτύλαις αἱ πέτραι καὶ οὐ πρὶν ἀφεθήσονται ἢ παρ' ἀλλήλων τι προσλαβεῖν ἐκ τῆς βίας. Εἰ μὲν οὖν συγχωρήσοι τις, ἔχω τὸ ζητούμενον· εἰ δὲ μή, παρ' ἐμαυτοῦ λήψομαι.

20. Οὕτω δὴ τὰ πρὸς ἀλλήλους ἔχοντες καὶ τοιαύτας ὑποστήσαντες εὐτειχεῖ θαλάμῳ χρυσέας κίονας, ὅ φησι Πίνδαρος, οὕτως ἤειμεν εἰς τὸ πρόσω, Θεῷ καὶ πόθῳ συνεργοῖς χρώμενοι. Ὢ πῶς ἀδακρυτὶ τὴν τούτων ἐνέγκω 5 μνήμην; Ἴσαι μὲν ἐλπίδες ἦγον ἡμᾶς πράγματος ἐπιφθο- C νωτάτου, τῶν λόγων· φθόνος δὲ ἀπῆν, ζῆλος δὲ ἐσπουδάζετο. Ἀγὼν δὲ ἀμφοτέροις, οὐχ ὅστις αὐτὸς τὸ πρωτεῖον ἔχοι, ἀλλ' ὅπως τῷ ἑτέρῳ τούτου παραχωρήσειεν· τὸ γὰρ ἀλλήλων εὐδόκιμον ἴδιον ἐποιούμεθα. Μία μὲν ἀμφοτέροις 10 ἐδόκει ψυχὴ δύο σώματα φέρουσα, καὶ εἰ τὸ πάντα ἐν πᾶσι κεῖσθαι μὴ πιστέον τοῖς λέγουσιν, ἀλλ' ἡμῖν γε πειστέον ὡς ἐν ἀλλήλοις καὶ παρ' ἀλλήλοις ἐκείμεθα. Ἓν δ' ἀμφοτέροις ἔργον ἡ ἀρετὴ καὶ τὸ ζῆν πρὸς τὰς μελλούσας

19, 19 ἀπάγῃ : ἐπάγῃ A
20, 2 εὐτειχεῖ : εὐτυχεῖ Q[ac]SC (mg -ει- C) || 3 ἤειμεν : ἤιμεν B ἴμεν S εἴημεν P || 11 πειστέον *(bis)* : πιστέον AQ[ac]BJW[ac]TSDPC

---

1. Il y a de la provocation dans le langage d'un développement qui n'appartient sûrement pas au texte du discours primitif, mais l'espèce de hargne dont il témoigne n'est probablement pas gratuite : elle pourrait bien constituer une réaction aux critiques soulevées par le discours initial, certains auditeurs ayant pu reprocher à l'orateur de dépasser la mesure en parlant trop de sa propre personne.

2. *Olympiques*, VI, 1-3. La même citation de Pindare figure au début de la *Lettre* 9. Il y a au total six citations de Pindare dans l'œuvre de Grégoire, et, en dehors de ce discours, toutes figurent dans la correspondance, *Lettres* 9 *(bis)*, 114 et 173.

3. Le mot λόγοι est particulièrement malaisé à traduire dans le contexte de ce discours : on pourrait dire *les lettres* dans la mesure où ce mot englobe toute la culture littéraire, mais cette culture avait

Toujours, en effet, ce que j'ai omis me semble nécessaire et plus important que ce qui a été déjà avancé, et, si on me tyrannise pour m'empêcher d'aller plus loin, il m'arrivera ce qui arrive aux pieuvres : si on vient à les arracher de leur gîte, les rochers adhèrent à leurs suçoirs et on ne les séparera pas sans que la violence ait aussi emporté quelque chose des deux côtés. Au cas donc où on m'accorderait cette permission, j'ai ce que je demande ; sinon, je me l'accorderai moi-même[1].

20. C'est dans ces dispositions mutuelles et « après avoir donné le soutien de telles colonnes d'or à la chambre aux bons murs », comme dit Pindare[2], que nous allions ainsi de l'avant, avec Dieu et notre désir pour nous venir en aide. Ah, comment évoquer sans larmes ces souvenirs ? D'égales espérances nous guidaient, celles d'une chose particulièrement liée à la jalousie : il s'agit de la parole[3]. Mais la jalousie était absente et c'est l'émulation que nous pratiquions. Il y avait une lutte entre tous deux pour déterminer celui qui aurait personnellement non pas la première place, mais le moyen de céder celle-ci à l'autre, car nous faisions nôtre la réputation de l'autre. On eût dit chez l'un et chez l'autre une seule âme pour porter deux corps[4], et, s'il ne faut pas croire ceux qui disent que tout est dans tout, on doit nous croire quand nous disons que nous étions l'un dans l'autre et l'un aux côtés de l'autre. Nous n'avions tous deux qu'une tâche : pratiquer la vertu et vivre en vue des espérances futures,

l'éloquence pour clé de voûte. L'entraînement à la parole supposait des exercices publics constants qui faisaient un vainqueur et un vaincu, la pratique des écoles exacerbant ce climat de compétition entre les étudiants et la lutte pour la première place prenant des allures de course au vedettariat. Normalement les deux étudiants auraient dû se détester.

4. Cf. le *Poème* II, I, 11, v. 229-230 : τὰ πάντα μὲν δὴ κοινὰ καὶ ψυχὴ μία δυοῖν δέουσα σωμάτων διάστασιν, « tout nous était commun et une seule âme liait deux corps séparés ».

ἐλπίδας, πρὶν ἐνθένδε ἀπελθεῖν ἐνθένδε μεθισταμένοις.
15 Πρὸς ὃ βλέποντες καὶ βίον καὶ πρᾶξιν ἅπασαν ἀπηυθύνομεν, παρά τε τῆς ἐντολῆς οὕτως ἀγόμενοι καὶ ἀλλήλοις τὴν ἀρετὴν παραθήγοντες καί, εἰ μὴ μέγα ἐμοὶ τοῦτο εἰπεῖν, κανόνες ὄντες ἀλλήλοις καὶ στάθμαι οἷς τὸ εὐθὲς καὶ μὴ
D διακρίνεται. Ἑταίρων τε γὰρ ὡμιλοῦμεν οὐ τοῖς ἀσελγεσ-
20 τάτοις, ἀλλὰ τοῖς σωφρονεστάτοις, οὐδὲ τοῖς μαχιμωτάτοις, ἀλλὰ τοῖς εἰρηνικωτάτοις καὶ οἷς συνεῖναι λυσιτελέστατον, εἰδότες ὅτι κακίας ῥᾷον μεταλαβεῖν ἢ ἀρετῆς μεταδοῦναι,
524 A ἐπεὶ καὶ νόσου μετασχεῖν μᾶλλον ἢ ὑγίειαν χαρίσασθαι. Μαθημάτων δὲ οὐ τοῖς ἡδίστοις πλέον ἢ τοῖς καλλίστοις
25 ἐχαίρομεν, ἐπειδὴ κἀντεῦθεν ἔστιν ἢ πρὸς ἀρετὴν τυποῦσθαι τοὺς νέους ἢ πρὸς κακίαν.

21. Δύο μὲν ἐγνωρίζοντο ἡμῖν ὁδοί, ἡ μὲν πρώτη καὶ τιμιωτέρα, ἡ δὲ δευτέρα καὶ οὐ τοῦ ἴσου λόγου, ἥ τε πρὸς τοὺς ἱεροὺς ἡμῶν οἴκους καὶ τοὺς ἐκεῖσε διδασκάλους φέρουσα καὶ ἡ πρὸς τοὺς ἔξωθεν παιδευτάς, τὰς ἄλλας δὲ
5 τοῖς βουλομένοις παρήκαμεν [ἑορτάς, θέατρα, πανηγύρεις, συμπόσια]. Οὐδὲν γὰρ οἶμαι τίμιον ὃ μὴ πρὸς ἀρετὴν φέρει
B μηδὲ ποιεῖ βελτίους τοὺς περὶ αὐτὸ σπουδάζοντας. Ἄλλοις μὲν οὖν ἄλλαι προσηγορίαι τινές εἰσιν ἢ πατρόθεν ἢ οἴκοθεν,

AQBJ (lac. J : **21,** 8 - **26,** 20-21 συνεκέρασεν) WVT SDP (lac. P post συμπόσια, **21,** 6) C

21, 2 τιμιωτέρα : τελειοτέρα J || ἥ τε : add. καὶ BJ || 4 τὰς ἄλλας δὲ : τὰς δ' ἄλλας SPC τὰς δὲ ἄλλας D

1. Si ces propos ont été tenus à Césarée, ils ne pouvaient que hérisser les clercs qui entendaient l'un d'eux se hausser au niveau de l'évêque disparu et le revendiquer comme sa propriété.

2. Cf. le *Poème* II, I, 11, v. 100 : ἀνδρῶν θ' ὡμίλουν τοῖς ἀρίστοις τὸν τρόπον.

3. En dehors de Prohærésios (d'origine arménienne, cf. *supra* 17, 4-5), les maîtres qui enseignaient alors à Athènes semblent avoir été tous païens.

4. Τὰς ἄλλας δὲ ... : ce δὲ correspondant au μὲν de Δύο μὲν, il faut sous-entendre ὁδούς à côté de ἄλλας, mais que faire des accusatifs ἑορτάς, θέατρα, πανηγύρεις, συμπόσια ? Si on les conserve, on peut les

détachés d'ici avant de partir d'ici. Les yeux fixés sur ce but, nous dirigions notre vie et notre activité tout entière, guidés de cette façon par le commandement et nous excitant mutuellement à la vertu, et, si ce n'est pas pour moi trop dire, étant l'un pour l'autre règle et cordeau pour distinguer ce qui est droit de ce qui ne l'est pas[1]. Par ailleurs, nous fréquentions parmi nos camarades non pas les plus libertins, mais les plus chastes, non pas les plus querelleurs, mais les plus pacifiques et ceux dont la fréquentation était la plus profitable[2], sachant qu'il est plus facile de contracter le vice que de communiquer la vertu, puisqu'il est aussi plus facile de gagner la maladie que de donner la santé. Quant aux études, c'est moins aux plus agréables qu'aux plus belles que nous prenions plaisir, puisque de là aussi peut résulter pour la jeunesse l'influence susceptible d'incliner soit à la vertu soit au vice.

21. Deux chemins étaient connus de nous, l'un qui était le premier et le plus estimable et l'autre qui venait à la seconde place et ne jouissait pas de la même considération : c'étaient celui qui conduit à nos demeures sacrées et aux maîtres qui s'y trouvent, et celui qui mène aux professeurs de l'extérieur[3]. Quant aux autres chemins, nous les avions laissés aux amateurs [fêtes, représentations théâtrales, grandes assemblées, banquets][4]. Rien, en effet, n'a de valeur, à mon avis, en dehors de ce qui conduit à la vertu et de ce qui rend meilleurs ceux qui s'y appliquent. Chaque groupe porte une dénomination tirée de ses origines ou de son implantation, des pratiques

considérer à la rigueur comme des compléments de τοῖς βουλομένοις, mais la construction est bien forcée. Il faut encore dire que θέατρα est pris ici dans son sens courant, alors que le vocabulaire scolaire désigne par là la salle de conférences. Je préfère voir dans ces quatre mots des gloses marginales illustrant les «autres chemins» qui s'ouvraient aux étudiants d'Athènes.

ἐκ τῶν ἰδίων ἐπιτηδευμάτων ἢ πράξεων, ἡμῖν δὲ τὸ μέγα
10 πρᾶγμα καὶ ὄνομα χριστιανοὺς καὶ εἶναι καὶ ὀνομάζεσθαι,
ᾧ πλέον ἐφρονοῦμεν ἢ τῇ στροφῇ τῆς σφενδονῆς ὁ Γύγης,
εἴπερ μὴ μῦθος ἦν, ἐξ ἧς Λυδῶν ἐτυράννησεν, ἢ τῷ χρυσῷ
ποτε Μίδας δι' ὃν ἀπώλετο ἐπιτυχὼν τῆς εὐχῆς καὶ πάντα
χρυσὸν κτησάμενος. [ἄλλος οὗτος Φρύγιος μῦθος] Τὸν γὰρ
15 'Αβάριδος ὀιστὸν τί ἂν λέγοιμι τοῦ 'Υπερβορέου ἢ τὸν
'Αργεῖον Πήγασον, οἷς οὐ τοσοῦτον ἦν τὸ δι' ἀέρος φέρεσθαι
ὅσον ἡμῖν τὸ πρὸς Θεὸν αἴρεσθαι δι' ἀλλήλων καὶ σὺν
ἀλλήλοις.

C Εἴπω τι συντομώτερον; Βλαβεραὶ μὲν τοῖς ἄλλοις 'Αθῆναι
20 τὰ εἰς ψυχήν — οὐ γὰρ φαύλως τοῦτο ὑπολαμβάνεται τοῖς
εὐσεβεστέροις —· καὶ γὰρ πλουτοῦσι τὸν κακὸν πλοῦτον
[εἴδωλα] μᾶλλον τῆς ἄλλης 'Ελλάδος, καὶ χαλεπὸν μὴ
συναρπασθῆναι τοῖς τούτων ἐπαινέταις καὶ συνηγόροις.
'Ημῖν δ' οὐδεμία παρὰ τούτων ζημία, τὴν διάνοιαν
25 πεπυκνωμένοις καὶ πεφραγμένοις. Τοὐναντίον μὲν οὖν, εἴ
τι χρὴ καὶ παράδοξον εἰπεῖν, εἰς τὴν πίστιν ἐβεβαιώθημεν,
καταμαθόντες αὐτῶν τὸ ἀπατηλὸν καὶ κίβδηλον, ἐνταῦθα

21, 10 χριστιανοῖς AQBJWT || 20 ὑπολαμβάνονται AQ^{ac}BWD || 22 μᾶλλον : μάλιστα SD || μὴ : τὸ μὴ SDC

---

1. Il existait donc à Athènes un groupe d'étudiants chrétiens réunis autour de Basile et Grégoire, un groupe qui tenait à faire connaître son existence.

2. Athènes est un lieu où la mythologie était particulièrement vivace, l'enseignement des rhéteurs en faisant un usage constant.

3. Un lecteur curieux de mythologie ou d'ethnologie a porté en marge cette note inspirée par le nom de Midas qui était roi de Phrygie.

4. Abaris était un Hyperboréen envoyé par Apollon, qui parcourait le monde sur une flèche d'or (cf. entre autres PINDARE, *fr.* 270, HÉRODOTE, IV, 36, PLATON, *Charmide*, 158б, mais surtout HIMÉRIOS,

ou des actions qui lui sont propres : pour nous, la grande affaire et le titre suprême consistaient à être chrétiens et à en porter le nom[1]. Nous en étions plus fiers que ne l'était Gygès de sa bague au chaton tournant — si toutefois il ne s'agit pas là d'une légende —, qui lui valut de dominer la Lydie, ou que ne fut jamais Midas de l'or où il trouva sa perte pour avoir vu son vœu se réaliser et tout ce qu'il possédait se muer en or[2] [autre fable phrygienne][3]. Car, à quoi bon citer la flèche d'Abaris l'Hyperboréen, ou Pégase l'Argien[4], pour qui il était moins important d'être transportés par la voie aérienne qu'il ne l'était pour nous de nous élever vers Dieu l'un par l'autre et l'un avec l'autre.

Pour être bref, Athènes est nuisible aux autres dans le domaine de l'âme — ce n'est pas à la légère que les hommes pieux sont de cet avis —, car elle est plus riche de la mauvaise richesse [idoles[5]] que le reste de la Grèce, et il est difficile de ne pas se laisser entraîner par ses panégyristes et ses défenseurs. Mais à nous elle n'a fait aucun tort, parce que nous avions l'esprit solide et cuirassé. Au contraire, si l'on peut aller jusqu'au paradoxe, c'est un lieu qui nous a affermis dans la foi parce que nous avons reconnu ce qu'elle a de trompeur et de mauvais aloi, parce que nous avons méprisé les démons à l'endroit

Or. XXIII, 13, 26). On retrouve également Pégase, la monture de Bellérophon, chez le même Himérios, *Or.* XLVII, 90.

5. Le mot εἴδωλα paraît être une glose ou une ébauche de correction du texte. L'athétèse du mot conduit à faire de τούτων un renvoi à Ἀθῆναι, ce qui n'est pas non plus très satisfaisant, les «panégyristes et défenseurs» étant logiquement dans ce contexte, non ceux d'Athènes, mais ceux de «la mauvaise richesse». L'incorrection grammaticale conduit à expliciter le singulier τὸν κακὸν πλοῦτον par le pluriel εἴδωλα susceptible de servir d'antécédent à τούτων, mais l'harmonisation du texte reste incomplète.

δαιμόνων καταφρονήσαντες οὗ θαυμάζονται δαίμονες. Καὶ εἴ τις ἔστιν ἢ πιστεύεται ποταμὸς δι' ἅλμης ῥέων γλυκὺς
30 ἢ ζῷον ἐν πυρὶ σκαῖρον ᾧ τὰ πάντα ἁλίσκεται, τοῦτο ἦμεν ἡμεῖς ἐν πᾶσι τοῖς ἥλιξι.

525 A **22.** Καὶ τὸ κάλλιστον ὅτι καὶ φατρία τις περὶ ἡμᾶς οὐκ ἀγεννὴς ἦν, ὑπ' ἐκείνῳ καθηγεμόνι παιδευομένη καὶ ἀγομένη καὶ τοῖς αὐτοῖς χαίρουσα, εἰ καὶ πεζοὶ παρὰ Λύδιον ἅρμα ἐθέομεν τὸν ἐκείνου δρόμον καὶ τρόπον. Ἐξ ὧν ὑπῆρχεν
5 ἡμῖν ἐπισήμοις μὲν εἶναι παρὰ τοῖς ἡμετέροις παιδευταῖς καὶ συμπράκτορσιν, ἐπισήμοις δὲ παρὰ τῇ Ἑλλάδι πάσῃ καὶ ταύτης μάλιστα τοῖς γνωριμωτάτοις. Ἤδη δὲ καὶ μέχρι τῆς ὑπερορίας προήλθομεν, ὡς σαφὲς γέγονεν ἐκ πλειόνων τῶν ταῦτα διηγουμένων. Παρὰ τοσούτοις μὲν γὰρ οἱ
10 ἡμέτεροι παιδευταὶ παρ' ὅσοις Ἀθῆναι, παρὰ τοσούτοις δὲ ἡμεῖς παρ' ὅσοις οἱ παιδευταί, συνακουόμενοί τε ἀλλήλοις καὶ συλλαλούμενοι καὶ ξυνωρὶς οὐκ ἀνώνυμος καὶ ὄντες
B παρ' αὐτοῖς καὶ ἀκούοντες. Οὐδὲν τοιοῦτον αὐτοῖς οἱ

22, 1 φατρία (cf. *Ep.* 41) : φρατρία AWv || 10 Ἀθῆναι : add. ἠκούοντο S

---

1. Il s'agit de la ville tout entière avec ses temples, ses fêtes, ses mystères, mais aussi et surtout de l'enseignement des rhéteurs. Les déclamations d'Himérios fourmillent d'évocations des dieux et de leurs légendes. C'est ainsi que, saluant le départ de ses élèves chrétiens venus de Cappadoce, il les déclare issus de Zeus (cf. *supra*, n. 1, p. 158).

2. Plusieurs manuscrits désignent en marge le fleuve Alphée et la salamandre.

3. Dans sa *Lettre* 41, 10, l'auteur donne au mot φατρία un sens légèrement péjoratif : c'est sans doute la raison qui l'amène à préciser ici que cette coterie n'était pas sans noblesse.

4. Expression proverbiale pour désigner ce que nous appellerions une voiture de course.

5. Affirmation à première vue un peu surprenante, mais les deux jeunes gens sont restés longtemps à Athènes. Pendant ces années, nombre d'étudiants, qui s'étaient rendus ailleurs ou qui étaient

même où on les admire[1]. Et s'il est un fleuve qui coule à travers l'eau de mer en conservant sa douceur ou si on croit à son existence, s'il est un animal qui bondit dans ce feu qui se saisit de tout, c'est ce que nous étions au milieu de tous nos camarades[2].

22. Mais le plus beau, c'est qu'il y avait autour de nous une sorte de confrérie qui n'était pas sans noblesse[3], qui était instruite et menée sous sa direction et qui partageait les mêmes attraits, même si nous courions à pied à côté d'un char lydien[4], pour dire sa façon de courir et son style. De là venait que nous étions remarqués de nos professeurs et de nos compagnons de travail, remarqués aussi de toute la Grèce et particulièrement de ses célébrités[5]. Dès lors, nous avons même dépassé ses frontières, comme on l'a vu clairement à tous les récits qu'on faisait à ce sujet. C'est que nous avions autant de professeurs qu'il y en avait à Athènes et qu'autant il y avait de professeurs, autant il y avait d'endroits où on nous écoutait ensemble et où on parlait de nous[6] : nous étions chez eux un couple qui n'était pas sans réputation, et on le disait[7]. Ils ne trouvaient rien de semblable chez

retournés dans leur patrie, ont répandu par leurs récits la nouvelle que constituait la présence en plein cœur du milieu intellectuel le plus réfractaire au christianisme d'un groupe d'étudiants chrétiens brillants. En toute hypothèse, il s'agissait d'un tournant de la vie intellectuelle.

6. Même s'il faut faire, ici comme ailleurs, sa part à l'exagération oratoire, il faut souligner les conséquences d'une telle affirmation. Les deux jeunes gens ont reçu la plus complète des formations. Ces chrétiens fervents n'ont pas craint de suivre les leçons de maîtres qui étaient tous païens, à l'unique exception de Prohærésios (auquel Grégoire a consacré une épitaphe de 8 vers, cf. *Poèmes*, II, II, 5, *PG* 38, 13). Il est inévitable aussi que leur pensée en ait subi quelque influence.

7. Cf. *De vita sua* (II, I, 11), v. 228 : ξυνωρὶς ἦμεν οὐκ ἄσημος Ἑλλάδι.

Ὀρέσται οἱ Πυλάδαι, οὐδὲν οἱ Μολιονίδαι [τῆς Ὁμηρικῆς
15 δέλτου τὸ θαῦμα], οὓς κοινωνία συμφορῶν ἐγνώρισε καὶ τὸ
καλῶς ἅρμα ἐλαύνειν, μεριζομένους ἐν ταὐτῷ ἡνίας καὶ
μάστιγας.

Ἀλλὰ γὰρ ἔλαθον ἐμαυτὸν εἰς τοὺς ἐμοὺς ὑπαχθεὶς
ἐπαίνους, ὁ μηδὲ παρ' ἑτέρου ποτὲ τοῦτο δεξάμενος. Καὶ
20 θαυμαστὸν οὐδὲν εἰ κἀνταῦθα τῆς ἐκείνου φιλίας τι
παραπέλαυσα ὥσπερ ζῶντος εἰς ἀρετὴν οὕτω μεταστάντος
εἰς εὐφημίαν. Ἀλλ' ἐπὶ τὴν νύσσαν ἐπαναγέσθω πάλιν ἡμῖν
ὁ λόγος.

C **23.** Τίς μὲν οὕτω πολιὸς ἦν τὴν σύνεσιν καὶ πρὸ τῆς
πολιᾶς, ἐπειδὴ τούτῳ καὶ Σολομὼν τὸ γῆρας ὁρίζεται [a];
Τίς δὲ οὕτως αἰδέσιμος ἢ παλαιοῖς ἢ νέοις, μὴ ὅτι τῶν
κατὰ τὸν αὐτὸν ἡμῖν χρόνον, ἀλλὰ καὶ τῶν πλεῖστον
5 προειληφότων; Τίς μὲν ἧττον ἐδεῖτο λόγων διὰ τὸν τρόπον,
τίς δὲ μᾶλλον μετέσχε λόγου καὶ μετὰ τοῦ τρόπου; Ποῖον
μὲν εἶδος οὐκ ἐπῆλθε παιδεύσεως; Μᾶλλον δέ, ποῖον οὐ
μεθ' ὑπερβολῆς ὡς μόνον, οὕτω μὲν ἅπαντα διελθὼν ὡς
οὐδεὶς ἕν, οὕτω δὲ εἰς ἄκρον ἕκαστον ὡς ἄλλων οὐδέν.
10 Σπουδὴ γὰρ εὐφυΐᾳ συνέδραμεν, ἐξ ὧν ἐπιστῆμαι καὶ τέχναι
τὸ κράτος ἔχουσιν. Ἥκιστα μὲν τάχους φύσεως διὰ τόνον
528 A δεόμενος, ἥκιστα δὲ τόνου διὰ τάχος· οὕτω δὲ ἀμφότερα

22, 18 ὑπαχθεὶς : συναχθεὶς A
23, 1 ἦν οὕτω πολιὸς SDC || 2 τούτῳ : τοῦτο AQWVTSDC || 5 προειληφότων : διειληφότων S || 12 τάχος : τάχους A[ac]Q[ac] τὸ τάχος BTSDC

---

23. a. Sag. 4, 8.

---

1. Cf. *Iliade*, XI, 749; XXIII, 638.

les Orestes et les Pylades, non plus que chez les Molionides[1] [le prodige est tiré du volume d'Homère[2]], qui ont dû leur notoriété à leur communauté dans le malheur et à leur habileté à conduire un char en se partageant dans le même instant les rênes et le fouet.

Mais voilà que, sans m'en apercevoir, je me suis laissé allé à faire mon éloge, moi qui n'ai jamais admis cela de la part d'autrui. Rien d'étonnant à ce que, ici encore, j'aie tiré au passage quelque profit de l'amitié d'un homme qui contribuait durant sa vie à ma vertu et qui sert après son départ à ma réputation. Mais ramenons ce discours à la borne du virage[3].

23. Qui possédait à ce degré l'intelligence d'un homme à la tête blanchie avant même d'avoir des cheveux blancs, puisque telle est la définition que Salomon lui-même donne de la vieillesse[a] ? Qui donc, qu'il s'agisse de nos contemporains, qu'il s'agisse aussi des générations bien antérieures, était aussi respectable aux yeux des anciens comme des jeunes ? Qui avait moins besoin de science grâce à ses dons et qui eut plus de science en plus des dons ? Quel type de discipline n'a-t-il pas abordé ? Ou plutôt, quelle est celle où il n'a point excellé comme si elle eût été la seule qu'il pratiquât ? Il a parcouru tous les domaines comme personne n'en a parcouru un seul. Il a exploré chacun d'eux à fond comme s'il ne s'était occupé d'aucun des autres. Car l'application a concouru avec les dons naturels, chose qui donne la maîtrise des sciences et des arts. Nul besoin de promptitude, puisqu'il avait la vigueur ; nul besoin de vigueur, puisqu'il avait la prompti-

2. Cette glose a la même origine que celle de 21, 14.

3. Cf. *De vita sua* (II, I, 11), v. 415 : πρὸς νῦσσαν αὖθις ὁ λόγος. Cf. l'adage κέντει περὶ τὴν νύσσαν.

συλλαβὼν καὶ εἰς ἓν ἀγαγὼν ὥστε ἄδηλον εἶναι ποτέρῳ τούτων ἐκεῖνος θαυμασιώτερος.

15 Τίς μὲν ῥητορικὴν τοσοῦτος, τὴν πυρὸς μένος πνείουσαν, εἰ καὶ τὸ ἦθος αὐτῷ μὴ κατὰ ῥήτορας ἦν ; Τίς δὲ γραμματικήν, ἣ γλῶσσαν ἐξελληνίζει καὶ ἱστορίαν συνάγει καὶ μέτροις ἐπιστατεῖ καὶ νομοθετεῖ ποιήμασιν ; Τίς δὲ φιλοσοφίαν, τὴν ὄντως ὑψηλήν τε καὶ ἄνω βαίνουσαν, ὅση 20 τε πρακτικὴ καὶ θεωρητική, ὅση τε περὶ τὰς λογικὰς ἀποδείξεις ἢ ἀντιθέσεις ἔχει καὶ τὰ παλαίσματα, ἣν δὴ διαλεκτικὴν ὀνομάζουσιν, ὡς ῥᾷον εἶναι τοὺς λαβυρίνθους διεξελθεῖν ἢ τὰς ἐκείνου τῶν λόγων ἄρκυς διαφυγεῖν εἰ τούτου δεήσειεν ; Ἀστρονομίας δὲ καὶ γεωμετρίας καὶ B 25 ἀριθμῶν ἀναλογίας τοσοῦτον λαβὼν ὅσον μὴ κλονεῖσθαι τοῖς περὶ ταῦτα κομψοῖς, τὸ περιττὸν διέπτυσεν ὡς ἄχρηστον τοῖς εὐσεβεῖν ἐθέλουσιν, ὥστε μᾶλλον μὲν τὸ αἱρεθὲν τοῦ παραθέντος ἐξεῖναι θαυμάζειν, μᾶλλον δὲ τοῦ αἱρεθέντος τὸ

23, 15 πνέουσαν v || 20 θεωρητική : ὅση θεωρητική S || 21 ἢ : καὶ v || δὴ : om. WD ἤδη V || 24 τούτου : τοῦτο T^{ac}SD

---

1. Il n'est pas nécessaire de souligner le caractère emphatique d'un développement qui vise à faire d'un étudiant très brillant une sorte de surhomme. Nous voyons s'ébaucher le processus qui, peu à peu, transformera les saints en personnages de vitrail dotés d'une essence particulière dès leur naissance et auteurs de miracles à leur berceau. Grégoire sait très bien qu'il exécute un tableau de genre et ses premiers lecteurs s'y trompaient d'autant moins que le goût des proportions épiques est équilibré chez lui par l'ironie et même la critique. L'hagiographie perdra vite le sens de l'humour.

2. Cf. *Iliade*, VI, 182, où l'expression concerne la Chimère.

3. L'intérêt du développement qui s'amorce ici est de nous permettre d'entrevoir les grandes lignes d'un programme d'études à

tude : il avait réuni et confondu ces deux qualités au point qu'on ne pouvait distinguer quelle était celle qui le rendait plus admirable[1].

Qui a été aussi grand dans cette rhétorique « qui exhale la puissance du feu[2] », bien que son caractère ne ressemblât pas à celui des rhéteurs[3] ? Qui l'a été dans le domaine de cette grammaire qui assure à la langue son caractère grec, qui confère à l'exposé sa cohérence, qui préside à la métrique et donne ses lois à la poésie ? Qui l'a été dans celui de cette philosophie qui est vraiment sublime et qui plane dans les hauteurs, aussi bien dans sa partie pratique ou sa partie spéculative que dans celle qui concerne les démonstrations et les réfutations de la logique ainsi que les controverses, celle qu'on appelle dialectique, si bien qu'il était plus facile de sortir des labyrinthes que d'échapper aux mailles de ses arguments en cas de besoin ? Quant à l'astronomie, à la géométrie et aux rapports des nombres, il en avait assez assimilé pour ne pas être mis en déroute par les spécialistes de ces questions, et il en avait rejeté les excès comme sans intérêt pour qui fait profession de piété, au point qu'on peut admirer ce qu'il en avait retenu plus que ce qu'il avait négligé, et ce qu'il avait négligé plus que ce qu'il

peu près encyclopédique. Le frère de Grégoire, Césaire, avait fait des études plus modestes et plus orientées, limitées à la géométrie, l'astronomie, l'arthmétique et la médecine (cf. *D.* 7, 7). En ce qui concerne Basile, rhétorique, grammaire et philosophie viennent en premier lieu. La place accordée à la rhétorique n'est pas pour suprendre, puisqu'elle constituait la base de l'enseignement supérieur. Les réserves morales de l'évêque sur le climat général de l'enseignement rhétorique ne sont pas étonnantes non plus. Elles s'expliquent par la futilité des sujets traités et des propos tenus, par la vanité des rhéteurs et les constantes rivalités qui les poussaient à décrier leurs concurrents.

παρεθέν. Ἰατρικὴν μὲν γὰρ καὶ ἡ τοῦ σώματος ἀρρωστία
30 καὶ νοσοκομία, φιλοσοφίας καὶ φιλοπονίας οὖσαν καρπόν, ἀναγκαίαν αὐτῷ πεποιήκασιν, ὅθεν ἀρξάμενος εἰς ἕξιν τῆς τέχνης ἀφίκετο, καὶ ταύτης οὐχ ὅση περὶ τὸ φαινόμενον ἔχει καὶ κάτω κείμενον, ἀλλ' ὅσον δογματικὸν καὶ φιλόσοφον. Ἀλλὰ τί ταῦτα, καίπερ τηλικαῦτα τυγχάνοντα,
35 πρὸς τὴν ἐν τῷ ἤθει τοῦ ἀνδρὸς παίδευσιν ; Λῆρος τοῖς τοῦ ἀνδρὸς πεπειραμένοις ὁ Μίνως ἐκεῖνος καὶ ὁ Ῥαδάμανθυς, οὓς ἀσφοδελῶν λειμώνων καὶ Ἠλυσίων πεδίων ἠξίωσαν
C Ἕλληνες, ἐν φαντασίᾳ τοῦ καθ'ἡμᾶς παραδείσου γενόμενοι ἐκ τῶν Μωσαικῶν, οἶμαι, βίβλων καὶ ἡμετέρων, εἰ καὶ περὶ
40 τὴν κλῆσίν τι διηνέχθησαν, ἐν ἄλλοις ὀνόμασι τοῦτο παραδηλώσαντες.

24. Εἶχε μὲν οὕτω ταῦτα καὶ πλήρης παιδεύσεως ἡ φορτίς, ὡς γοῦν ἐφικτὸν ἀνθρωπίνῃ φύσει — τὸ γὰρ ἐπέκεινα Γαδείρων οὐ περατόν —, ἔδει δὲ λοιπὸν ἐπανόδου καὶ βίου τελεωτέρου καὶ τοῦ λαβέσθαι τῶν ἐλπιζομένων

23, 30 οὖσαν καὶ φιλοπονίας SD || 33 κάτω : ἄνω S || 39 βιβλίων Cv
24, 1 μὲν : add. οὖν Dv

1. Après trois matières littéraires viennent trois matières scientifiques. Ici, ce sont les disciplines elles-mêmes qui font l'objet de réserves qui s'expliquent par les considérations d'ordre astrologique et les spéculations sur la signification des nombres auxquelles elles étaient liées. L'expression οἱ περὶ ταῦτα κομψοί a une saveur légèrement péjorative, cf. *Lettre* 51, 8 dans l'édition de P. Gallay, p. 68.

2. Il est plus surprenant de voir la médecine figurer au programme des études de Basile. Grégoire attribue ce choix à la volonté chez Basile de se soigner lui-même sans dépendre de personne. Il faut situer à Constantinople plus probablement qu'à Athènes cette initiation. Cf. *infra*, n. 1, p. 258.

3. La place faite à l'éthique donne la mesure de son importance aux yeux du panégyriste autant qu'à ceux de Basile. Les exemples allégués, qui sont ceux des juges des Enfers, sont destinés à montrer que Basile s'était préparé à rendre la justice en apprenant à discerner

en avait retenu[1]. En ce qui concerne la médecine[2], sa faiblesse de constitution et le traitement de ses maladies lui avaient rendu indispensable ce produit de la philosophie et du labeur. Telle est l'origine de ce qui l'amena à la possession de cet art. Il ne s'agissait pas de ce qui concerne ce qui est visible et terre à terre, mais de ce qui est doctrine et philosophie. Mais qu'est-ce que cela, si important que ce soit, par rapport au savoir de notre homme en morale[3]? Ceux qui se sont mesurés avec lui ne voient qu'une simple plaisanterie dans le fameux Minos et le Rhadamanthe que les Grecs ont jugés dignes des prairies d'asphodèles et des Champs-Élysées une fois qu'ils eurent acquis la notion de notre paradis d'après, je pense, les livres de Moïse, qui sont aussi les nôtres[4] : malgré quelques différences de terminologie, c'est ce qu'ils ont désigné avec d'autres mots.

24. Les choses en étaient là et la cargaison de savoir était complète[5], au moins dans la mesure qui est accessible à la nature humaine, car, pour aller au-delà de Gadès il n'y a pas de passage[6]. Ce qu'il nous fallait désormais, c'était le retour, la vie plus parfaite, la réalisation de nos espérances et des projets dont nous

le bien et le mal. Il faut souligner le fait qu'un évêque était appelé à exercer des fonctions judiciaires non seulement en punissant les pécheurs publics ou en édictant des canons disciplinaires, mais encore en jugeant les procès civils que les plaideurs avaient toute faculté de lui soumettre. La correspondance d'un saint Augustin montre qu'au ve siècle et en Afrique cette dernière activité occupait une part notable du temps d'un évêque, mais il ne semble pas qu'il en ait été de même dans la Cappadoce du ive siècle, ce qui donne à penser que la justice y était mieux assurée par les pouvoirs publics : cf. *infra*, n. 1, p. 200.

4. C'est la théorie du «larcin», répandue chez les Pères.

5. Cf. *D.* 7, 8.

6. Cette locution passée en proverbe est issue de Pindare, *Néméennes*, 4, 69.

5 ἡμῖν καὶ συγκειμένων. Παρῆν ἡ τῆς ἐκδημίας ἡμέρα καὶ
529 A ὅσα τῆς ἐκδημίας· ἐξιτήριοι λόγοι, προπόμπιοι, ἀνακλήσεις, οἰμωγαί, περιπλοκαί, δάκρυα. Οὐδὲν γὰρ οὕτως οὐδενὶ λυπηρὸν ὡς τοῖς ἐκεῖσε συννόμοις Ἀθηνῶν καὶ ἀλλήλων τέμνεσθαι. Γίνεται δὴ τότε θέαμά τι ἐλεεινὸν καὶ ἱστορίας
10 ἄξιον. Περιστάντες ἡμᾶς ὁ τῶν ἑταίρων καὶ ἡλίκων χορός, ἔστι δὲ ὧν καὶ διδασκάλων, οὐδ' ἂν εἴ τι γένοιτο μεθήσειν ἔφασκον, ἀντιβολοῦντες, βιαζόμενοι, πείθοντες· τί γὰρ οὐ λέγοντες, τί δὲ οὐ πράττοντες ὧν τοὺς ἀλγοῦντας εἰκός;

Ἐνταῦθά τι κατηγορήσω μὲν ἐμαυτοῦ, κατηγορήσω δὲ
15 τῆς θείας ἐκείνης καὶ ἀλήπτου ψυχῆς, εἰ καὶ τολμηρόν. Ὁ μὲν γάρ, τὰς αἰτίας εἰπὼν τῆς περὶ τὴν ἐπάνοδον φιλονεικίας, κρείττων ὤφθη τῶν κατεχόντων καὶ βίᾳ μέν, συνεχωρήθη δ' οὖν ὅμως τὴν ἐκδημίαν. Ἐγὼ δὲ ὑπελείφθην
B Ἀθήνησι, τὸ μέν τι μαλακισθείς — εἰρήσεται γὰρ τἀλη-
20 θές —, τὸ δέ τι προδοθεὶς παρ' ἐκείνου, πεισθέντος ἀφεῖναι

24, 15 τολμηρόν : τολμηρότερον SD || 16 γάρ om. AQBWVT

1. Comment dater la fin du long séjour des deux amis à Athènes ? Comme Grégoire dit, dans le poème *De vita sua* (II, I, 11), v. 239, qu'il avait alors presque (σχεδόν) atteint la trentaine, son départ peut dater de 358 ou 359. Par ailleurs, il déclare dans un autre poème autobiographique (II, I, 1, v. 322-323) qu'il avait échappé à un vaste tremblement de terre qui avait frappé toute la Grèce. Le seul séisme connu est celui du 24 août 358 qui avait détruit Nicomédie et atteint de nombreuses régions orientales. Il est vrai qu'Ammien Marcellin, XVII, 7, 1, cite parmi elles le Pont, l'Ionie et la Macédoine, et non pas la Grèce, mais il faut rappeler que le diocèse de Macédoine englobait la Grèce entière, y compris la Crète d'après la *Notitia dignitatum*, cf. A. H. M. Jones, *The later Roman Empire*, Oxford 1973, p. 1070 et 1456. On peut donc penser que Grégoire était encore en Grèce à cette date ou qu'il venait de la quitter.

avions convenus[1]. Le jour du départ était arrivé avec tout ce qui accompagne un départ : discours d'adieu, accompagnements, acclamations de rappel, lamentations, embrassements, larmes. Personne, en effet, n'a vu rien d'aussi triste que l'est pour ceux qui ont été condisciples là-bas le fait de se séparer d'Athènes et d'être coupés les uns des autres[2]. C'est alors que se produit un spectacle pitoyable qui mérite d'être rapporté. Le chœur constitué par nos compagnons et nos camarades[3] ainsi que quelques-uns de nos maîtres nous avait entourés : ils protestaient que, quoi qu'il arrivât, ils ne nous laisseraient pas partir. Ils usaient de supplications, de contrainte, de persuasion : que ne disaient-ils, que ne faisaient-ils de ce qui est naturel à la douleur ?

Ici, je me mettrai quelque peu moi-même en cause, mais je mettrai aussi en cause cette âme divine et irréprochable, encore que ce soit téméraire[4]. Pour lui, après qu'il eut exposé les motifs de son obstination à retourner, on le vit triompher de ceux qui le retenaient, et, même si on le faisait parce qu'on y était obligé, on consentit néanmoins à son départ. Quant à moi, je fus laissé à Athènes, en partie parce que je m'étais laissé fléchir — il faut dire ce qui est vrai —, en partie parce qu'il m'avait trahi, s'étant laissé persuader d'abandonner celui qui ne l'abandonnait pas et de le céder à ceux qui

2. Le cérémonial comporte des discours d'adieu adressés à celui qui part (προπεμπτήριοι ou προπεμπτικοὶ λόγοι) ainsi qu'une réponse du voyageur (συντακτήριος). L'ensemble constitue de ce que l'auteur appelle ici des ἐξιτήριοι λόγοι. L'*Or.* XVIII d'Himérios citée plus haut (n. 1, p. 158) est celle qu'Himérios prononça à cette occasion.

3. Les mots ἑταῖροι et χόρος étaient couramment utilisés dans la vie scolaire.

4. S'il est un mot qui n'a pas sa place dans un éloge public, c'est bien le verbe κατηγορεῖν.

μὴ ἀφιέντα καὶ παραχωρῆσαι τοῖς ἕλκουσι. Πρᾶγμα, πρὶν γενέσθαι, μὴ πιστευόμενον· γίνεται γὰρ ὥσπερ ἑνὸς σώματος εἰς δύο τομὴ καὶ ἀμφοτέρων νέκρωσις ἢ μόσχων συντρόφων καὶ ὁμοζύγων διάζευξις, γοερὸν μυκωμένων ἐπ' 25 ἀλλήλοις καὶ οὐ φερόντων τὴν ἀλλοτρίωσιν. Οὐ μὴν μακρότερόν μοι συνέβη τὸ τῆς ζημίας· οὐ γὰρ ἠνεσχόμην ἐπὶ πλέον ἐλεεινὸς ὁρᾶσθαι καὶ πᾶσι λόγον ὑπέχειν τῆς διαστάσεως, ἀλλ' ἐπιμείναντά με ταῖς Ἀθήναις χρόνον οὐχὶ συχνὸν ποιεῖ τὸν Ὁμηρικὸν ἵππον ὁ πόθος, καὶ τὰ δεσμὰ 30 ῥήξας τῶν κατεχόντων κροαίνω κατὰ πεδίων καὶ πρὸς τὸν σύννομον ἐφερόμην.

C **25.** Ὡς δ' οὖν ἐπανήκαμεν, μικρὰ τῷ κόσμῳ καὶ τῇ σκηνῇ χαρισάμενοι καὶ ὅσον τὸν τῶν πολλῶν πόθον ἀφοσιώσασθαι — οὐ γὰρ αὐτοί γε εἴχομεν θεατρικῶς οὐδὲ ἐπιδεικτικῶς —, τάχιστα ἐγενόμεθα ἡμῶν αὐτῶν καὶ 5 τελοῦμεν εἰς ἄνδρας ἐξ ἀγενείων, ἀνδρικώτερον τῇ φιλοσο-

24, 26 συνέβη om. AQBWVTv Bo || ἠνεσχόμην : ἠνειχόμην v Bo || 30 κροαίνων SD || πεδίων : παιδίων S πεδίον C^{pc}
25, 1 ἐπανήκομεν BWVSDC || 2 τὸν : τὸ AS

---

1. Les poèmes autobiographiques permettent de comprendre ce qui s'est passé. A la fin de l'année scolaire, ceux des étudiants qui avaient achevé leur scolarité ont pris leurs dispositions pour s'en aller et les cérémonies usuelles déjà évoquées se sont déroulées. Là-dessus, des étudiants ont promis leur clientèle à Grégoire et Basile au cas où ils s'établiraient à Athènes comme professeurs. La valeur des intéressés suggérait une offre que les tarifs nécessairement pratiqués par des professeurs débutants rendaient encore plus attrayante pour la clientèle. Grégoire s'est laissé un moment séduire par la perspective de grossir le minuscule corps des professeurs chrétiens.

2. Quels sont les motifs qui ont décidé Grégoire à partir ? La suite de son existence montre que le vieil évêque de Nazianze entendait bien récupérer son fils. On peut se demander également si les offres de clientèle étudiante s'étaient concrétisées. Un saint Augustin supportera mal les étudiants de Carthage : un homme aussi sensible et ombrageux que notre Grégoire a dû vite prendre conscience du revers de la médaille qu'on lui offrait, sans parler des réactions des maîtres

l'entraînaient[1]. La chose, avant l'événement, n'était pas croyable : c'était comme le partage d'un corps coupé en deux et la mort des deux parties, ou comme la séparation de deux bœufs nourris ensemble et compagnons de joug, mugissant lamentablement l'un après l'autre et ne supportant pas l'éloignement. En vérité, je n'eus pas à subir trop longtemps mon malheur, car je n'ai pas supporté de me donner plus longtemps en spectacle pitoyable et de rendre compte à tout le monde de notre séparation[2]. J'étais resté à Athènes pendant une période qui n'était pas considérable quand le regret me transforme en cheval homérique[3] : je brise les entraves de ceux qui me retenaient et je galope à travers champs : j'allais rejoindre mon condisciple[4].

25. Après notre retour, nous avons fait quelques concessions au monde et aux tréteaux, et uniquement pour sacrifier aux désirs du public, car, personnellement, nous n'étions pas gens de théâtre ni de déclamation[5]. Très vite, nous sommes entrés en possession de nous-mêmes : nous quittons les rangs de ceux qui n'ont pas de barbe pour accéder au nombre des adultes en abordant la philosophie avec beaucoup de virilité[6]. Nous n'étions

en place devant la concurrence. Il n'est pas impossible que Prohærésios, chrétien et d'origine arménienne, ait joué un rôle dans cette affaire (cf. *supra*, p. 171).

3. *Iliade*, VI, 506-507. Cf. Philostrate, *Vies des sophistes*, I, 25, 6, 237 : κροαίνειν... οἶδε μεῖον τοῦ ὁμηρικοῦ ἵππου.

4. En réalité, il rentrait à Nazianze.

5. Des mots comme θεατρικῶς et ἐπιδεικτικῶς appartiennent au vocabulaire usuel de la rhétorique. Il s'agit de régaler le public lettré en lui donnant des échantillons du savoir-faire acquis à Athènes, le mot θεάτρον désignant couramment la salle de conférences. Nazianze peut-être, mais surtout Césarée ont dû voir ces exhibitions.

6. Le port de la barbe vaut profession de vie «philosophique». Cf. n. 3, p. 162-163.

σοφίᾳ προσβαίνοντες, οὐ σὺν ἀλλήλοις μὲν ἔτι — οὐ γὰρ ἀφῆκεν ὁ φθόνος —, τῷ πόθῳ δὲ σὺν ἀλλήλοις. Τὸν μὲν γὰρ ἡ Καισαρέων κατέχει πόλις ὥς τινα δεύτερον οἰκιστήν τε καὶ πολιοῦχον· ἔπειτα ἐκδημίαι τινές, ἐπειδή γε ἡμᾶς
10 οὐκ εἶχε, τῶν ἀναγκαίων ὑπολαμβάνουσι, καὶ οὐκ ἀπὸ σκοποῦ τῆς προκειμένης φιλοσοφίας. Ἐμὲ δὲ πατέρων εὐλάβεια καὶ γηροκομία καὶ συμφορῶν ἐπανάστασις κα-
532 A τασχοῦσα τοῦ ἀνδρὸς ἀπήγαγεν· οὐ καλῶς μὲν ἴσως οὐδὲ δικαίως, ἀπήγαγε δ' οὖν. Σκοπῶ δὲ εἰ μὴ κἀντεῦθέν μοι
15 πᾶσα ἡ περὶ τὸν βίον ἀνωμαλία καὶ δυσκολία συνέπεσε, καὶ τὸ πρὸς φιλοσοφίαν οὐκ εὔοδον οὐδὲ τῆς ἐπιθυμίας καὶ τῆς ὑποθέσεως ἄξιον. Τὰ μὲν οὖν ἡμέτερα ὅπη τῷ Θεῷ φίλον ἀγέσθω, ἄγοιτο δὲ ταῖς ἐκείνου πρεσβείαις ἄμεινον. Τὸν δὲ ἡ πολύτροπος τοῦ Θεοῦ φιλανθρωπία καὶ περὶ τὸ
20 ἡμέτερον γένος οἰκονομία, διὰ πολλῶν τῶν ἐν μέσῳ γνωρίσασα καὶ ἀεὶ λαμπρότερον ἀποδείξασα, λαμπτῆρα τῆς

25, 6 προβαίνοντες SC || 16 φιλοσοφίαν : τὴν φιλοσοφίαν SDv || ἐπιθυμίας : προθυμίας C || 21-22 τῆς ἐκκλησίας : τῇ ἐκκλησίᾳ DC

---

1. Le vieil évêque n'avait pas autorisé son fils à quitter Nazianze pour se joindre à Basile dans ses essais de vie religieuse.

2. Basile entreprit un long voyage d'études en Syrie, Palestine et Égypte pour se renseigner sur les diverses formes de vie religieuse.

3. Aux abords de 360, l'évêque de Nazianze atteint sa quatre-vingt cinquième année. Nonna, son épouse, doit avoir une dizaine d'années de moins. Leur fille aînée, Gorgonie, est mariée depuis longtemps à Iconium dont sa mère semble originaire (cf. *D.* 8). Quant au cadet, Césaire, il fait son chemin à la cour de Constance (cf. *D.* 7 et *Lettre* 7). Grégoire obtint l'autorisation de faire des séjours dans le monastère fondé par Basile, non celle des s'y fixer.

4. Ces malheurs peuvent se résumer ainsi : 1) avènement de Julien (fin 361) et scandale causé à Nazianze par l'attitude de Césaire qui était resté à la cour de l'Apostat ; 2) accession de Grégoire aux responsabilités sacerdotales sous la contrainte paternelle (361) ; 3) rébellion des moines contre leur évêque, coupable à leurs yeux d'avoir signé une formule de foi suspecte (automne 363) ; 4) plus tard,

plus ensemble — l'envie ne nous l'avait pas permis[1] —, mais le désir nous unissait. Lui, la ville de Césarée le retient comme une sorte de second fondateur et de personnage tutélaire ; puis, comme il ne nous avait pas, il entreprend certains voyages indispensables qui n'étaient pas étrangers à son projet de philosophie[2]. Moi, la piété à l'égard de mes parents, le soin de leur vieillesse[3] et un déferlement de malheurs[4] me retinrent et me séparèrent de notre homme : ce n'était peut-être pas bien et ce n'était pas juste, mais je fus séparé de lui. Je me demande si là ne se trouve pas l'origine de tous les aléas qui se sont abattus sur ma vie et de toutes ses difficultés, des embarras que j'ai rencontrés dans mon cheminement en direction de la philosophie, et du fait que ce dernier n'a pas été à la hauteur de mes désirs et de mes résolutions. Pour notre destinée, qu'elle soit conduite là où il plaît à Dieu, et puisse-t-elle suivre une voie meilleure grâce à son intercession[5]. Quant à lui, la bonté infiniment variée de Dieu et le gouvernement qu'il exerce sur notre race l'ont fait connaître à travers nombre de situations intermédiaires[6] et l'ont mis en évidence d'une façon toujours plus éclatante, puisqu'elles l'exposent comme un flambeau

mort prématurée de Césaire (fin 368 ou début 369) et cascade de procès entraînés par la succession ; 5) enfin, mort de Gorgonie. Mais Grégoire était fondé à considérer ses mésaventures de 381 au concile de Constantinople comme une conséquence ultime de l'obstacle initial mis à son entrée dans la vie monastique.

5. Il est évident que ces considérations de l'auteur sur sa propre destinée, considérations qui font écho à de nombreux poèmes de la même veine, n'étaient pas destinées aux auditeurs du discours primitifs. Il est plus vraisemblable que ces mêmes auditeurs aient eu droit à un exposé de ses idées sur le recrutement des évêques, idées que la carrière de Basile illustrait à merveille, mais non pas celle des évêques qui l'écoutaient.

6. Il faut rappeler que la plupart des évêques du IVe siècle sont des notables qui reçoivent le baptême à l'occasion de leur élévation à un épiscopat auquel ils n'ont reçu aucune préparation religieuse.

ἐκκλησίας προτίθησι περιφανῆ τε καὶ περιβόητον, τοῖς ἱεροῖς τοῦ πρεσβυτερίου θρόνοις τέως ἐγκαταλέξασα καὶ διὰ μιᾶς τῆς Καισαρέων πόλεως τῇ οἰκουμένῃ πάσῃ πυρσεύουσα.
B 25 Καὶ τίνα τρόπον ; Οὐ σχεδιάσασα τὸν βαθμὸν οὐδὲ ὁμοῦ τε πλύνασα καὶ σοφίσασα, κατὰ τοὺς πολλοὺς τῶν νῦν προστασίας ἐφιεμένων, ἀλλὰ τάξει καὶ νόμῳ πνευματικῆς ἀναβάσεως τῆς τιμῆς ἀξιώσασα.

26. Οὐκ ἐπαινῶ γὰρ ἐγὼ τὴν παρ' ἡμῖν ἀκοσμίαν καὶ ἀταξίαν ἔστιν ὅτε καὶ ἐφ' ὧν προεδρευόντων ἐν βήμασιν. Οὐ γὰρ ἁπάντων τολμήσω κατηγορεῖν, οὐδὲ δίκαιον. Ἐπαινῶ τὸν νηίτην νόμον ὅς, τὴν κώπην πρότερον ἐγχειρίσας τῷ
5 νῦν κυβερνήτῃ κἀκεῖθεν ἐπὶ τὴν πρώραν ἀγαγὼν καὶ πιστεύσας τὰ ἔμπροσθεν, οὕτως ἐπὶ τῶν οἰάκων καθίζει
C μετὰ τὴν πολλὴν τυφθεῖσαν θάλασσαν καὶ τὴν τῶν ἀνέμων διάσκεψιν. Ὡς δὲ κἀν τοῖς πολεμικοῖς ἔχει · στρατιώτης, ταξίαρχος, στρατηγός, αὕτη ἡ τάξις ἀρίστη καὶ λυσιτε-
10 λεστάτη τοῖς ἀρχομένοις. Τὸ δὲ ἡμέτερον πολλοῦ ἂν ἦν ἄξιον εἰ οὕτως εἶχε. Νυνὶ δὲ κινδυνεύει τὸ πάντων ἁγιώτατον τάγμα τῶν παρ' ἡμῖν πάντων εἶναι καταγελαστότατον. Οὐ γὰρ ἐξ ἀρετῆς μᾶλλον ἢ κακουργίας ἡ

25, 24 πυρσεύσασα QVT
26, 1-2 ἀταξίαν καὶ ἀκοσμίαν v Bo || 10 ἀρχομένοις : ἀγομένοις SD (mg corr. D) || 11 νῦν SDv

1. Allusion à l'eau du baptême.
2. La volonté de se désolidariser de l'usage établi est nette.
3. Ce thème rhétorique trouve son origine chez Aristophane, *Cavaliers*, 542-544. La comparaison et celle qui lui fait suite se trouvaient déjà dans le *D*. 2, 5, 4-8. Le continental qu'est Grégoire a suffisamment voyagé pour connaître quelque chose de la mer, mais on ne pourrait en dire autant de beaucoup de ceux qui l'écoutaient ou le lisaient. Les rameurs représentent ici les simples fidèles, l'officier de proue tient la place du prêtre et le pilote, de qui tout dépend, celle de

éclatant et illustre de l'Église après l'avoir dans l'intervalle agrégé au sacerdoce et installé sur ses sièges sacrés, en le faisant briller pour le monde entier à travers la seule ville de Césarée. Et de quelle manière? Il n'a pas été élevé à ce rang à l'improviste, il n'a pas reçu la sagesse en même temps qu'on le décrassait[1] comme il arrive à la plupart des actuels aspirants au premier rang : c'est dans le respect de l'ordre et des lois de l'ascension spirituelle qu'il a été revêtu de cet honneur.

26. Je n'approuve pas, moi[2], le dérèglement et le désordre qui règnent chez nous et qui atteignent parfois certains de ceux qui occupent la première place à la tribune, car je n'oserais incriminer tout le monde et ce ne serait pas juste. Ce que j'approuve, c'est le règlement de la marine, qui a commencé par mettre la rame aux mains de celui qui est actuellement pilote, qui de là l'a mené à la proue et lui a confié le gaillard d'avant, et qui l'installe dans ces conditions au gouvernail, quand il a battu l'étendue des mers et étudié à fond les vents[3]. Il en va de même des choses de la guerre : soldat, commandant, général, tel est l'ordre le meilleur et le plus avantageux pour les subordonnés[4]. De notre côté, nous gagnerions beaucoup à agir de même. Mais en fait, le plus saint de tous les corps qui existent chez nous court le risque d'être le plus ridicule, car le premier rang résulte

l'évêque. Cf. B. Coulie, «Les trois récits de la tempête subie par Grégoire de Nazianze», *Corpus Nazianzenum* 1, *CGC* 20, p. 157-180; B. Lorenz, «Zu Seefahrt des Lebens in den Gedichten des Gregors von Nazianz», *Vigiliae Christianae* 33 (1979) 234-241.

4. Là encore, l'information de notre auteur est plus livresque que due à l'observation des armées romaines du Bas-Empire. Les rares fils de l'aristocratie qui embrassaient la carrière militaire ne débutaient pas en qualité de simples soldats; mais il est vrai que les Goths, de plus en plus nombreux dans l'armée, pouvaient s'élever progressivement jusqu'aux grades les plus élevés.

προεδρία οὐδὲ τῶν ἀξιωτέρων, ἀλλὰ τῶν δυνατωτέρων, οἱ
15 θρόνοι.

Σαμουὴλ ἐν προφήταις, ὁ τὰ ἔμπροσθεν βλέπων, ἀλλὰ καὶ Σαοὺλ ὁ ἀπόβλητος. Ῥοβοὰμ ἐν βασιλεῦσιν, ὁ Σολομῶντος, ἀλλὰ καὶ Ἱεροβοάμ, ὁ δοῦλος καὶ ἀποστάτης. Καὶ ἰατρὸς μὲν οὐδεὶς οὐδὲ ζωγράφος ὅστις οὐ φύσεις
20 ἀρρωστημάτων ἐσκέψατο πρότερον ἢ πολλὰ χρώματα συνε-
D κέρασεν ἢ ἐμόρφωσεν, ὁ δὲ πρόεδρος εὑρίσκεται ῥᾳδίως μὴ πονηθεὶς καὶ πρόσφατος τὴν ἀξίαν, ὁμοῦ τε σπαρεὶς καὶ ἀναδοθεὶς ὡς ὁ μῦθος ποιεῖ τοὺς Γίγαντας. Πλάττομεν αὐθημερὸν τοὺς ἁγίους καὶ σοφοὺς εἶναι κελεύομεν τοὺς
533 A οὐδὲν σοφισθέντας οὐδὲ τοῦ βαθμοῦ προεισενεγκόντας τι
26 πλὴν τοῦ βούλεσθαι. Καὶ ὁ μὲν στέργει τὴν κάτω χώραν καὶ ταπεινῶς ἕστηκεν, ὁ τῆς ὑψηλῆς ἄξιος καὶ πολλὰ μὲν τοῖς θείοις λόγοις ἐμμελετήσας, πολλὰ δὲ τῇ σαρκὶ νομοθετήσας εἰς ὑποταγὴν πνεύματος. Ὁ δὲ σοβαρὸς
30 προκαθέζεται καὶ τὴν ὀφρὺν αἴρει κατὰ τῶν βελτιόνων καὶ οὐκ ἐπιτρέμει τοῖς θρόνοις οὐδὲ φρίσσει τὴν ὄψιν τὸν ἐγκρατῆ κάτω βλέπων, ἀλλ' ὁμοῦ τῷ κράτει καὶ σοφώτερον ἑαυτὸν ὑπολαμβάνει, κακῶς εἰδὼς καὶ τὸ φρονεῖν ὑπὸ τῆς ἐξουσίας ἀφῃρημένος.

B **27.** Ἀλλ' οὐχ ὁ πολὺς οὕτω καὶ μέγας Βασίλειος, ἀλλ' ὥσπερ τῶν ἄλλων ἁπάντων, οὕτω καὶ τοῦ περὶ ταῦτα

26, 27 ταπεινὸς QT^ac^SDC || 29 σοβαρῶς WVT^pc^Cv Bo

---

1. Autre chose est le défaut de préparation aux responsabilités épiscopales et le ridicule qui en découle, autre chose de caractériser nombre d'évêques comme des malfaiteurs.

2. Sur le βῆμα (la tribune formée de gradins semi-circulaires où figure le clergé), les prêtres sont assis autour de l'évêque dont le siège domine de haut toute l'assemblée. Les diacres, comme l'avait été Basile, sont debout au bas des gradins.

3. Il y a deux façons d'interpréter ce passage : ou bien on le prend pour l'énonciation d'une situation abstraite, et l'arrogant n'a ni nom ni visage, ou bien, évoquant l'époque où Basile était simple diacre, on

moins de la vertu que de la malfaisance, et les sièges ne vont pas aux plus dignes, mais aux plus influents[1].

Samuel est au nombre des prophètes : il voyait l'avenir ; mais Saül, le rejeté, aussi. Roboam est au nombre des rois : il était le fils de Salomon ; mais Jéroboam, l'esclave rebelle, aussi. Il n'y a pas de médecin ni de peintre qui n'ait commencé par observer la nature des affections, qui n'ait d'abord mélangé mille couleurs ou qui n'ait fait des dessins. Mais quelqu'un qui préside sans avoir été à la peine et qui est tout frais dans sa dignité, on le trouve facilement : il a levé en même temps qu'on l'a semé, à la manière dont la légende imagine des Géants. Nous fabriquons les saints dans la journée et nous invitons à être des sages ceux qui n'ont appris aucune sagesse et qui n'ont apporté à leur dignité d'autre contribution que leur volonté de l'obtenir. Lui, il se contente de la place du bas et il se tient modestement debout[2], alors qu'il mérite celle du haut, alors qu'il a une grande pratique des paroles divines et qu'il a imposé à sa chair une multitude de règles pour la soumettre à l'esprit. Mais l'arrogant trône et lève le sourcil face à ceux qui sont meilleurs que lui, il n'est pas intimidé par les sièges, et son œil ne frémit pas quand il l'abaisse sur celui qui se maîtrise[3]. Au contraire, il se figure qu'il est devenu plus sage en accédant au pouvoir : il se trompe, et l'autorité lui fait perdre le jugement.

27. Mais tel n'est pas le cas du fort et grand Basile : comme dans tous les autres domaines, il constitue pour

met un nom précis sur la personne de l'évêque qu'il servait alors. Les faits étant vieux d'une vingtaine d'années à peine, les témoins de l'époque étaient encore nombreux à Césarée. S'ils ont ouï cette phrase, il y a gros à parier que d'aucuns n'ont pas apprécié d'entendre traiter d'arrogant l'un des anciens évêques de la ville, Helladios moins que tout autre (cf. *supra*, n. 1, p. 142).

κόσμου τοῖς πολλοῖς τύπος καθίσταται. Τὰς γὰρ ἱερὰς πρότερον ὑπαναγινώσκων τῷ λαῷ βίβλους, ὁ τούτων
5 ἐξηγητής, καὶ ταύτην οὐκ ἀπαξιώσας τὴν τάξιν τοῦ βήματος, οὕτως ἐν καθέδρᾳ πρεσβυτέρων, οὕτως ἐν ἐπισκόπων αἰνεῖ τὸν Κύριον, οὐ κλέψας τὴν ἐξουσίαν οὐδὲ ἁρπάσας οὐδὲ διώξας τὴν τιμήν, ἀλλ' ὑπὸ τῆς τιμῆς διωχθείς, οὐδὲ ἀνθρωπίνην χάριν, ἀλλ' ἐκ Θεοῦ καὶ θείαν
10 δεξάμενος.

Ὁ μὲν οὖν τῆς προεδρίας λόγος ἀναμεινάτω, τῷ δὲ τῆς ὑφεδρίας μικρόν τι προσδιατρίψωμεν. Οἷον γάρ με καὶ τοῦτο μικροῦ παρέδραμεν, ἐν μέσῳ τῶν εἰρημένων κείμενον.

C **28.** Ἐγένετό τις πρὸς τὸν ἄνδρα διαφορὰ τῷ πρὸ τοῦ καθηγεμόνι τῆς ἐκκλησίας· τὸ μὲν ὅθεν καὶ ὅπως σιωπᾶν ἄμεινον, πλὴν ἐγένετο ἀνδρὶ τἄλλα μὲν οὐκ ἀγεννεῖ καὶ θαυμαστῷ τὴν εὐσέβειαν, ὡς ἔδειξεν ὁ τότε διωγμὸς καὶ
5 ἡ πρὸς αὐτὸν ἔνστασις, ὅμως δέ τι παθόντι πρὸς ἐκεῖνον ἀνθρώπινον. Ἅπτεται γὰρ οὐ τῶν πολλῶν μόνον, ἀλλὰ καὶ τῶν ἀρίστων ὁ μῶμος, ὡς μόνον εἶναι τοῦ Θεοῦ τὸ παντελῶς ἄπταιστον πάθεσι. Κινεῖται οὖν ἐπ' αὐτὸν τῆς ἐκκλησίας ὅσον ἔκκριτον καὶ σοφώτερον, εἴπερ σοφώτεροι τῶν πολλῶν
10 οἱ κόσμου χωρίσαντες ἑαυτοὺς καὶ τῷ Θεῷ τὸν βίον καθιερώσαντες. Λέγω δὲ τοὺς καθ' ἡμᾶς Ναζιραίους καὶ

28, 1 τοῦ : τούτου Bv αὐτοῦ SDC || 4 διωγμὸς : καιρὸς V || 6 μόνον : μόνου VT || 7 εἶναι : ἂν εἶναι v Bo Q[pc] || 9 ἔγκριτον SC

---

1. Le mot τύπος laisse transparaître la préoccupation maîtresse qui anime l'auteur tout au long de ce discours: il veut ériger Basile en modèle à imiter.
2. Basile avait été lecteur avant de devenir diacre.
3. C'est en 364 que Basile est devenu prêtre.
4. Eusèbe était le nom du prédécesseur immédiat de Basile sur le siège épiscopal de Césarée.
5. Il semble que le succès de Basile en tant que prédicateur et sa popularité naissante aient porté ombrage à l'évêque.

le public le modèle de l'ordre à respecter dans celui-ci[1]. En effet, cet exégète des livres sacrés avait commencé par en donner lecture au peuple[2], et il n'avait pas dédaigné de figurer sur la tribune à ce rang : c'est dans ces conditions qu'il célèbre le Seigneur aussi bien dans la chaire des prêtres que dans celle des évêques[3], sans avoir dérobé l'autorité, sans l'avoir prise de force, sans avoir poursuivi les honneurs, mais en s'étant laissé poursuivre par eux, sans avoir reçu de faveur humaine, mais par grâce venue de Dieu et vraiment divine.

Mais attendons pour rendre compte de sa conduite dans le premier rang : attardons-nous quelque peu sur l'époque où il occupait la place d'un subordonné. Quel événement que celui qui a manqué de m'échapper et qui occupe une place centrale parmi ceux dont il a été fait état !

28. Il y eut un différend entre notre personnage et celui qui le précédait à la direction de l'Église[4] : sur l'origine de ce différend et sur ses circonstances, mieux vaut ne rien dire en dehors du fait qu'il existait et qu'il concernait un homme qui pour le reste n'était pas dépourvu de noblesse, qui était d'une piété remarquable, comme l'ont montré la persécution de l'époque et la résistance qu'il lui a opposée : néanmoins, il éprouva à l'égard de Basile un sentiment humain[5]. C'est que l'esprit de critique ne touche pas seulement le commun des hommes : il atteint aussi les meilleurs, si bien que c'est à Dieu seul qu'il appartient d'être absolument à l'abri des faux pas et inaccessible aux passions. Contre lui se soulève donc tout ce que l'Église compte d'élite et de plus sage, s'il est vrai qu'ils sont plus sages que le commun des hommes ceux qui se sont séparés du monde et qui ont consacré leur vie à Dieu. Je veux parler des Naziréens de notre époque[6],

6. Les moines, qui considéraient Basile comme leur maître et leur chef.

περὶ τὰ τοιαῦτα μάλιστα ἐσπουδακότας, οἳ δεινὸν ποιησάμενοι τὸ σφῶν κράτος παριδεῖν περιυβρισμένον καὶ ἀπωσ-
536 A μένον πρᾶγμα τολμῶσιν ἐπικινδυνότατον. Ἀπόστασιν ἐννο-
15 οῦσι καὶ ῥῆξιν τοῦ μεγάλου καὶ ἀστασιάστου τῆς ἐκκλησίας σώματος, οὐκ ὀλίγην καὶ τοῦ λαοῦ μοῖραν παρατεμόμενοι, ὅση τε τῶν κάτω καὶ ὅση τῶν ἐπ' ἀξίας. Ῥᾷστον δὲ τοῦτο ἦν ἐκ τριῶν τῶν ἰσχυροτάτων. Ὅ τε γὰρ ἀνὴρ αἰδέσιμος ὡς οὐκ οἶδ' εἴ τις ἄλλος τῶν καθ' ἡμᾶς φιλοσόφων καὶ ἱκανὸς
20 θάρσος παρασχεῖν, εἴπερ ἐβούλετο, τῷ συστήματι. Τὸν δὲ λυποῦντα δι' ὑποψίας εἶχεν ἡ πόλις ἐκ τῆς περὶ τὴν κατάστασιν ταραχῆς ὡς οὐκ ἔννομον οὐδὲ κανονικῶς μᾶλλον ἢ τυραννικῶς τὴν προστασίαν δεξάμενον. Καὶ παρῆσαν τῶν δυτικῶν ἀρχιερέων τινές, μεθέλκοντες πρὸς ἑαυτοὺς τῆς
25 ἐκκλησίας ὅσον ὀρθόδοξον.

B **29.** Τί οὖν ὁ γεννάδας ἐκεῖνος καὶ τοῦ εἰρηνικοῦ μαθητής [a]; Οὔτε γὰρ ἀντιτείνειν εἶχε πρὸς τοὺς ὑβριστὰς ἢ τοὺς σπουδαστάς, οὔτε πρὸς αὐτοῦ τὸ μάχεσθαι ἢ διασπᾶν τὸ σῶμα τῆς ἐκκλησίας, καὶ ἄλλως πολεμουμένης καὶ
5 σφαλερῶς διακειμένης ὑπὸ τῆς τότε τῶν αἱρετικῶν δυναστείας. Καὶ ἅμα συμβούλοις ἡμῖν περὶ τούτου χρησάμενος καὶ παραινέταις γνησίοις, φυγὰς ἐνθένδε σὺν ἡμῖν πρὸς τὸν Πόντον μεταχωρεῖ καὶ τοῖς ἐκεῖσε φροντιστηρίοις ἐπιστατεῖ, αὐτός τε καθιστᾷ τι μνήμης ἄξιον καὶ τὴν ἐρημίαν

28, 17 ἀξίαις BTSDCv || 20 δὲ : τε SDCv Bo
29, 3 οὔτε : add. ἦν SDC οὐδὲ v || αὐτοῦ : αὐτοὺς A αὐτὸ S || 4 σῶμα : καλὸν σῶμα SDC || 9 αὐτός τε : αὐτοῖς τε Q[pc]VTSDC αὐτοῖς δὲ v || καθιστᾷ τι μνήμης ἄξιον : καθίσταται μνήμης ἄξιος SDC || ἐρημίαν : ἔρημον Bv

---

29. a. Cf. Matth. 11, 29.

1. Les évêques occidentaux orthodoxes exilés en Asie mineure par Constance, tels que saint Hilaire ou Eusèbe de Verceil, n'y étaient

de ceux qui ont déployé en pareil domaine un zèle extrême. Ces derniers, jugeant qu'il était grave de tolérer que leur pouvoir fût outragé et écarté, ont l'audace de former une entreprise des plus périlleuses : ils ont l'idée d'entrer en rébellion et de briser le grand et paisible corps de l'Église, en détachant du même coup une portion non sans importance du peuple, aussi bien dans la classe inférieure que parmi les gens de condition. La chose était très aisée pour trois motifs très solides. L'homme était entouré d'une vénération dont je ne pense pas que puisse jouir quelque autre philosophe contemporain, et il était susceptible d'inspirer, s'il le voulait, de l'assurance à la faction. De plus, celui qui lui faisait des ennuis était tenu en suspicion par la ville en raison de la confusion qui avait entouré son installation : on jugeait qu'il avait recueilli la première place moins de façon régulière et canonique qu'à la manière des usurpateurs. Il y avait aussi la présence de certains hiérarques occidentaux qui attiraient de leur côté tout ce qu'il existait d'orthodoxe dans l'Église[1].

29. Que fait donc ce preux, ce disciple du pacifique[a] ? Il ne pouvait pas s'opposer à ceux qui l'outrageaient ou à ses partisans. Ce n'était pas non plus son affaire que de livrer bataille ou de déchirer le corps de l'Église, d'autant plus que celle-ci était l'objet d'une guerre et se trouvait en situation instable du fait de la puissance dont disposaient alors les hérétiques. Après avoir recouru sur ce sujet à nos conseils en même temps qu'il recueillait des recommandations sincères, il s'enfuit d'ici en notre compagnie et s'installe dans le Pont ; il dirige les maisons de méditation qui se trouvent là-bas, tandis que personnellement il prend un parti mémorable et embrasse la solitude

plus depuis plus de deux ans, mais leur influence pouvait subsister. Il est bien possible que l'auteur voie les événements à travers sa propre expérience des années ultérieures.

10 ἀσπάζεται μετὰ Ἡλίου καὶ Ἰωάννου, τῶν πάνυ φιλοσόφων, τοῦτο λυσιτελεῖν αὐτῷ μᾶλλον ἡγούμενος ἤ τι διανοηθῆναι περὶ τῶν παρόντων τῆς ἑαυτοῦ φιλοσοφίας ἀνάξιον καὶ
C διαφθείρειν ἐν ζάλῃ τὴν ἐν γαλήνῃ τῶν λογισμῶν κυβέρνησιν. Καίπερ δὲ οὕτω φιλοσόφου καὶ θαυμασίας οὔσης
15 τῆς ἀναχωρήσεως, κρείττω καὶ θαυμασιωτέραν εὑρήσομεν τὴν ἐπάνοδον. Ἔσχε γὰρ οὕτως.

30. Ἐν τούτοις ὄντων ἡμῶν, ἐξαίφνης ἐφίσταται νέφος χαλάζης πλῆρες καὶ τετριγὸς ὀλέθριον, πᾶσαν ἐκτρῖψαν ἐκκλησίαν καθ' ἧς ἐρράγη καὶ ὅσην ἐπέλαβεν· βασιλεὺς ὁ φιλοχρυσότατος καὶ μισοχριστότατος καὶ δύο τὰ μέγιστα
537 A νοσῶν, ἀπληστίαν καὶ βλασφημίαν, ὁ μετὰ τὸν διώκτην
6 διώκτης καὶ μετὰ τὸν ἀποστάτην οὐκ ἀποστάτης μέν, οὐδὲν δὲ ἀμείνων χριστιανοῖς, μᾶλλον δὲ χριστιανῶν τῷ εὐσεβεστάτῳ μέρει καὶ καθαρωτάτῳ καὶ προσκυνητῇ τῆς Τριάδος, ἣν δὴ μόνην εὐσέβειαν ἐγὼ καλῶ καὶ δόξαν σωτήριον. Οὐ
10 γὰρ θεότητα ταλαντεύομεν οὐδὲ τὴν μίαν καὶ ἀπρόσιτον φύσιν ἀποξενοῦμεν ἑαυτῆς ἐκφύλοις ἀλλοτριότησιν οὐδὲ κακῷ τὸ κακὸν ἰώμεθα, τὴν ἄθεον Σαβελλίου συναίρεσιν ἀσεβεστέρᾳ διαιρέσει καὶ κατατομῇ λύοντες, ἣν Ἄρειος νοσήσας, ὁ τῆς μανίας ἐπώνυμος, τὸ πολὺ τῆς ἐκκλησίας
15 διέσεισε καὶ διέφθειρεν, οὔτε τὸν Πατέρα τιμήσας καὶ ἀτιμάσας τὰ ἐξ αὐτοῦ διὰ τῶν ἀνίσων βαθμῶν τῆς θεότητος.
B Ἀλλὰ μίαν μὲν δόξαν Πατρὸς γινώσκομεν τὴν ὁμοτιμίαν τοῦ Μονογενοῦς, μίαν δὲ Υἱοῦ τὴν τοῦ Πνεύματος. Καὶ ὅ

28, 14 θαυμασίας : θείας SD

AQBJ (lac. J : **30,** 17 γινώσκομεν - **34,** 2 ἄλλα) WVT SDC

30, 3 ἐπέλαβεν : ἐπέλαβε Vv ὑπέλαβε TS ὑπέλαβεν J || 4 μέγιστα : add. ταῦτα V || 8 μέρει καὶ καθαρωτάτῳ καὶ om. S || 11 ἀλλοτριότησιν : ἀλλοτριώσιν S || 12 συναίρεσιν : συναίρειν B

1. Autrement dit, Basile s'installe dans le monastère qu'il avait fondé, mais y vit en ermite.

avec Élie et Jean, ces parfaits philosophes[1]. Il pensait que cette conduite était plus avantageuse pour lui que d'avoir sur la situation quelque pensée indigne de sa propre philosophie et de perdre dans la tempête le gouvernement qu'il exerçait sur sa raison par temps calme. Malgré tout ce qu'il y a de philosophique et d'admirable dans cette retraite, nous trouverons mieux et plus admirable dans son retour. Voici comment il se passa.

30. Nous en étions là quand tout à coup surgit au-dessus de nous un nuage chargé de grêle, dont provenaient des stridences de mort. Il avait anéanti toutes les Églises sur lesquelles il avait éclaté, toutes celles sur lesquelles il s'était abattu : c'était le roi[2], plein d'amour de l'or et de haine du Christ, qui était en proie à deux très graves maladies : la cupidité et le blasphème. Persécuteur, il succédait à un persécuteur, et s'il ne succédait pas à l'Apostat en apostat, il ne valait pas mieux pour les chrétiens, ou plutôt pour la fraction de chrétiens la plus pieuse et la plus pure, celle qui est adoratrice de la Trinité : c'est la seule attitude à laquelle je donne, moi, le nom de piété et où je vois la doctrine du salut. Car nous ne pesons pas la divinité et nous ne rendons pas étrangère à elle-même par des différences aliénantes l'unique et inaccessible nature, et nous ne guérissons pas le mal en défaisant la confusion athée de Sabellius au moyen d'une séparation et d'une coupure plus impies, maladie dont fut atteint Arius, qui a donné son nom à cette folie et qui a ébranlé et ruiné la majeure partie de l'Église, qui, sans honorer le Père, a déshonoré ce qui procède de lui en introduisant des degrés inégaux de divinité. Au contraire, nous reconnaissons dans l'égalité d'honneur du Fils l'unique gloire du Père et dans celle de l'Esprit l'unique gloire du Fils. Et rabaisser quoi que ce

2. Valens.

τι ἂν τῶν τριῶν κάτω θῶμεν, τὸ πᾶν καθαιρεῖν νομίζομεν,
20 τρία μὲν ταῖς ἰδιότησιν, ἓν δὲ τῇ θεότητι σέβοντες καὶ γινώσκοντες. Ὧν οὐδὲν ἐννοῶν ἐκεῖνος οὐδὲ ἄνω βλέπειν δυνάμενος, ἀλλ' ὑπὸ τῶν ἀγόντων αὐτὸν ταπεινούμενος, συνταπεινοῦν ἐτόλμησεν ἑαυτῷ καὶ φύσιν θεότητος, καὶ κτίσμα γίνεται πονηρόν, εἰς δουλείαν κατάγων τὴν δεσπο-
25 τείαν καὶ μετὰ τῆς κτίσεως τιθεὶς τὴν ἄκτιστον φύσιν καὶ ὑπέρχρονον.

C **31.** Ὁ μὲν οὖν οὕτω φρονῶν καὶ μετὰ τοιαύτης ἡμῖν ἐπιστρατεύει τῆς ἀσεβείας. Οὐ γὰρ ἄλλο τι ἢ βαρβαρικὴν καταδρομὴν τοῦθ' ὑποληπτέον, καθαιροῦσαν οὐ τείχη καὶ πόλεις καὶ οἰκίας οὐδέ τι τῶν μικρῶν καὶ χειροποιητῶν
5 καὶ αὖθις ἀνορθουμένων, ἀλλὰ τὰς ψυχὰς αὐτὰς κατασύρουσαν. Συνεισβάλλει δὲ αὐτῷ καὶ στρατὸς ἄξιος, οἱ κακοὶ τῶν ἐκκλησιῶν ἡγεμόνες, οἱ πικροὶ τετράρχαι τῆς ὑπ' αὐτὸν οἰκουμένης, οἳ τὸ μὲν ἔχοντες ἤδη τῶν ἐκκλησιῶν, τῷ δὲ προσβάλλοντες, τὸ δὲ ἐλπίζοντες ἐκ τῆς τοῦ βασιλέως ῥοπῆς
10 καὶ χειρός, τοῖς μὲν ἐπαγομένης, τοῖς δὲ ἀπειλουμένης, ἧκον καὶ τὴν ἡμετέραν καταστρεψόμενοι, οὐδενὶ τοσοῦτον θαρρεῖν ἔχοντες τῶν ἁπάντων ὅσον τῇ τῶν προειρημένων
D μικροψυχίᾳ καὶ ἀπειρίᾳ τοῦ τηνικαῦτα ἡμῶν προεδρεύοντος καὶ τοῖς ἐν ἡμῖν ἀρρωστήμασιν. Ὁ μὲν οὖν ἀγὼν πολύς,
15 ἡ δὲ προθυμία τῶν πλείστων οὐκ ἀγεννής, ἡ δὲ παράταξις
540 A ἀσθενής, οὐκ ἔχουσα τὸν προαγωνιστὴν καὶ τεχνίτην ὑπέρμαχον ἐν δυνάμει λόγου καὶ πνεύματος. Τί οὖν ἡ γενναία καὶ μεγαλόφρων ἐκείνη ψυχὴ καὶ ὄντως φιλόχριστος; Οὐδὲ πολλῶν ἐδεήθη λόγων πρὸς τὸ παρεῖναι καὶ
20 συμμαχεῖν, ἀλλ' ὁμοῦ τε εἶδεν ἡμᾶς πρεσβεύοντας — κοινὸς

30, 26 ὑπερχρόνιον SDC

AQBWVT SDP (a **31,** 15 παράταξις P) C

31, 3 τοῦτο v Bo ‖ 7 αὐτὸν : αὐτῶν WS ‖ 9 προσβάλλοντες : -λαμβάνοντες W² -λαβόντες C ‖ 10 τοῖς μὲν : τῆς μὲν v Bo ‖ τοῖς δὲ : τῆς δὲ Sv Bo

soit des trois, nous pensons que c'est détruire le tout, car, s'il s'agit des propriétés, nous en vénérons et reconnaissons trois, mais, s'il est question de la divinité, il n'y en a qu'une. Mais lui, qui ne partageait aucune de ces conceptions et qui était incapable d'élever ses regards, avili par ceux qui le menaient, il a eu l'audace de faire partager son avilissement à la nature divine : il devient une créature perverse en ravalant la puissance du maître au rang de l'esclave et en mettant au rang de la créature la nature incréée qui transcende le temps.

31. C'est donc avec ces idées et avec une telle impiété qu'il entre en campagne contre nous, car on ne doit voir là rien d'autre qu'une incursion de barbares, qui ne détruisait pas ville, murailles et maisons ou quoi que ce fût de ce qui est petit, fait de main d'homme et qu'on rebâtit, mais qui emportait les âmes elles-mêmes. En sa compagnie fait également irruption une armée bien digne de lui : les mauvais chefs des Églises, les cruels tétrarques du monde qui dépendait de lui. Déjà en possession d'une partie des Églises, s'attaquant à une autre partie et comptant pour la dernière sur le poids décisif et la force du roi, qu'on appliquait aux uns et dont on menaçait les autres, ils étaient arrivés pour réduire la nôtre à son tour avec une audace qui n'avait pas de fondement plus solide au monde que la pusillanimité de ceux dont j'ai parlé, l'inexpérience de celui qui était alors à notre tête, ainsi que nos défauts. La lutte était importante et l'ardeur du plus grand nombre ne manquait pas de générosité, mais le dispositif de combat était faible, puisque manquait le premier combattant, le spécialiste de la défense qui réside dans le pouvoir de la parole et de l'Esprit. Que fait donc cette âme généreuse et douée de sentiments élevés, vraiment éprise du Christ? Il n'eut pas besoin de longs discours pour être là et apporter son assistance dans le combat : à l'instant même où il nous vit en mission auprès

γὰρ ἦν ὁ ἀγὼν ἀμφοτέροις ὡς τοῦ λόγου προβεβλημένοις — καὶ τῆς πρεσβείας ἡττήθη, καὶ διελὼν ἄριστα παρ' ἑαυτῷ καὶ φιλοσοφώτατα τοῖς τοῦ Πνεύματος λογισμοῖς ἄλλον μὲν εἶναι μικροψυχίας καιρόν — εἴ τι καὶ τοιοῦτον ἔδει παθεῖν —,
25 τὸν τῆς ἀδείας, ἄλλον δὲ μακροθυμίας, τὸν τῆς ἀνάγκης, εὐθὺς τοῦ Πόντου μεθ' ἡμῶν ἀπανίσταται καὶ ζηλοτυπεῖ τὴν ἀλήθειαν κινδυνεύουσαν καὶ γίνεται σύμμαχος ἐθελοντὴς καὶ τῇ μητρὶ φέρων ἑαυτὸν τῇ ἐκκλησίᾳ δίδωσιν.

B **32.** Ἆρ' οὖν προεθυμήθη μὲν οὕτως, ἠγώνισται δὲ τῆς προθυμίας ἔλαττον; Ἢ διαγνωνίζεται μὲν ἀνδρικῶς, οὐ συνετῶς δέ; Ἢ πεπαιδευμένως μέν, ἀκινδύνως δέ; Ἢ πάντα μὲν ταῦτα τελείως καὶ ὑπὲρ λόγον, ὑπελείπετο δέ
5 τι τῆς μικροψυχίας ἐν ἑαυτῷ λείψανον; Οὐδαμῶς. Ἀλλ' ὁμοῦ τὰ πάντα καταλλάττεται, βουλεύεται, παρατάσσεται, λύει τὰ ἐν τῷ μέσῳ σκῶλα καὶ προσκόμματα καὶ οἷς ἐκεῖνοι θαρροῦντες καθ' ἡμῶν ἐστρατεύσαντο. Τὸ μὲν προσλαμβάνει, τὸ δὲ κατέχει, τὸ δὲ ἀποκρούεται· γίνεται τοῖς μὲν
10 τεῖχος ὀχυρὸν καὶ χαράκωμα [a], τοῖς δὲ πέλεκυς κόπτων πέτραν [b] ἢ πῦρ ἐν ἀκάνθαις [c], ὅ φησιν ἡ θεία γραφή, ῥᾳδίως ἀναλίσκον τοὺς φρυγανώδεις καὶ ὑβριστὰς τῆς θεότητος. Εἰ δέ τι καὶ Βαρνάβας, ὁ ταῦτα λέγων καὶ γράφων, Παύλῳ
C συνηγωνίσατο, Παύλῳ χάρις τῷ προελομένῳ καὶ συνεργὸν
15 ποιησαμένῳ τοῦ ἀγωνίσματος.

31, 26 ζηλοτυποῖ QTSC || 27 σύμμαχος ἐθελοντὴς γίνεται P add. νικήτης DP

32, 5 ἐν om. AQBWVT || 6 παρατάττεται Sv Bo || 11 θεία om. AQBWVT || 12 ἀναλίσκων QVTSD || 14-15 καὶ συνεργὸν ποιησαμένῳ om. S

---

32. a. Jér. 1, 18. b. *Ibid.* 23, 29. c. Ps. 117, 12.

de lui — la lutte nous concernait tous les deux puisque nous avions été l'un et l'autre investis du pouvoir de la parole —, il céda à notre requête. Distinguant à part lui fort bien et, grâce aux arguments de l'Esprit, avec beaucoup de philosophie qu'il est un temps pour la pusillanimité — si l'on doit éprouver un sentiment de cette nature —, celui de la sécurité, et qu'il en est un autre pour la longanimité, celui de la nécessité, il quitte immédiatement le Pont avec nous, il se pique de zèle pour la vérité en péril, se mue volontairement en allié et s'offre sans hésiter à l'Église qui était sa mère.

32. Avait-il donc montré à l'avance pareille ardeur pour mener ensuite la lutte avec un zèle moindre ? La mène-t-il à son terme avec vaillance, mais sans intelligence ? Le fait-il savamment, mais sans affronter le danger ? Réalisait-il tout cela d'une façon parfaite et qui dépassait toute expression, mais en conservant par-devers lui quelque reste de pusillanimité ? Pas du tout. Au contraire : dans le même temps, il opère toutes les réconciliations, il délibère et se met en ordre de bataille. Il écarte de la route empêchements et obstacles ainsi que ce qui inspirait confiance à ces gens-là dans la campagne qu'ils avaient entreprise contre nous. Il gagne les uns, retient les autres, refoule ceux-là. Pour ceux-ci, il se fait mur solide et retranchement [a], pour les autres hache qui taille, dans la pierre [b] ou ce feu dans les épines [c], dont parle la divine Écriture, qui consume facilement la broussaille que sont les insulteurs de la divinité. Et si le Barnabé qui dit cela et qui l'écrit a pris quelque part au combat de Paul [1], grâce en soit rendue au Paul qui l'avait choisi et qui avait fait de lui son auxiliaire dans le combat.

1. Cf. *D.* 10, 3. Cf. Annie Hanriot-Coustet, «Grégoire de Nazianze et un agraphon attribué à Barnabé», *Revue d'Histoire et de Philosophie Religieuses* (1983), p. 289-292.

33. Οἱ μὲν οὖν οὕτως ἀπῆλθον ἄπρακτοι καὶ κακοὶ κακῶς τότε πρῶτον αἰσχυνθέντες καὶ ἡττηθέντες καὶ μαθόντες μὴ ῥᾳδίως Καππαδοκῶν καταφρονεῖν, εἰ καὶ πάντων ἀνθρώπων, ὧν οὐδὲν οὕτως ἴδιον ὡς τὸ τῆς πίστεως
5 ἀρραγὲς καὶ πρὸς τὴν Τριάδα πιστόν καὶ γνήσιον παρ' ἧς καὶ τὸ ἡνῶσθαι καὶ τὸ ἰσχύειν αὐτοῖς ὑπάρχει ἃ βοηθοῦσι βοηθουμένοις, μᾶλλον δὲ πολλῷ κρείσσω καὶ ἰσχυρότερα. Τῷ δέ τι δεύτερον ἔργον καὶ σπούδασμα γίνεται, θεραπεύειν τὸν πρόεδρον, λύειν τὴν ὑποψίαν, πείθειν τε πάντας
D 10 ἀνθρώπους ὡς ἃ μὲν λελύπητο πεῖρά τις ἦν τοῦ πονηροῦ καὶ πάλη ταῖς εἰς τὸν καλὸν ὁμονοίαις βασκαίνοντος, αὐτὸς δὲ ᾔδει νόμους εὐπειθείας καὶ πνευματικῆς τάξεως. Διὰ
541 A τοῦτο παρῆν, ἐσόφιζεν, ὑπήκουεν, ἐνουθέτει, πάντα ἦν αὐτῷ, σύμβουλος ἀγαθός, παραστάτης δεξιός, τῶν θείων ἐξηγητής,
15 τῶν πρακτέων καθηγητής, γήρως βακτηρία, πίστεως ἔρεισμα, τῶν ἔνδον ὁ πιστότατος, τῶν ἐκτὸς ὁ πρακτικώτατος· ἑνὶ λόγῳ, τοσοῦτος εἰς εὔνοιαν ὅσος εἰς ἔχθραν τὸ πρὶν ἐνομίζετο. Ἐντεῦθεν αὐτῷ καὶ περιῆν τὸ κράτος τῆς ἐκκλησίας, εἰ καὶ τῆς καθέδρας εἶχε τὰ δεύτερα· τὴν γὰρ
20 εὔνοιαν εἰσφέρων, τὴν ἐξουσίαν ἀντελάμβανε, καὶ ἦν θαυμαστή τις ἡ συμφωνία καὶ ἡ πλοκὴ τοῦ δύνασθαι. Ὁ μὲν τὸν λαὸν ἦγεν, ὁ δὲ τὸν ἄγοντα, καὶ οἷον λεοντοκόμος τις ἦν, τέχνῃ τιθασσεύων τὸν δυναστεύοντα. Καὶ γὰρ ἐδεῖτο, νεωστὶ μὲν ἐπὶ τὴν καθέδραν τεθείς, ἔτι δὲ τῆς κοσμικῆς
25 ὕλης τι πνέων, οὔπω δὲ κατηρτισμένος ἐν τοῖς τοῦ
B Πνεύματος, πολλοῦ δὲ τοῦ κλύδωνος περιζέοντος καὶ τῶν

33, 2 καὶ ἡττηθέντες : mg W om. S || 2-3 καὶ μαθόντες : καί γε μαθόντες P || 6 ὑπάρχει om. AQBWVTv Bo || 7 κρείττω v Bo || 9 τε om. AQBWVTv Bo || 18 καὶ περιῆν τὸ κράτος : καὶ τὸ κράτος περιῆν C καὶ τὸ κράτος AQBWVTv Bo

1. L'empereur et les évêques ariens qui l'accompagnaient n'obtiennent pas le ralliement de l'Église de Césarée au symbole de Rimini-Contantinople.

2. Basile est encore simple prêtre.

33. Ils se retirèrent donc sur cet échec[1] et ces misérables furent alors pour la première fois misérablement couverts de honte et battus ; ils avaient aussi appris qu'il n'est pas facile de mépriser des Cappadociens, alors même qu'il le serait de mépriser tous les hommes, ces Cappadociens qui n'ont rien qui leur soit propre comme l'indestructibilité de leur foi et leur fidélité sincère à la Trinité. Cette Trinité à laquelle ils doivent l'union et la force qui les assistent quand ils l'assistent, ou plutôt qui le fait avec bien plus d'efficacité et de force. Quant à lui, un deuxième objet s'offre à son activité et à son zèle : prendre soin de celui qui occupait la première place et dissiper ses soupçons, persuader aussi à tout le monde que les chagrins qu'il avait essuyés constituaient une épreuve de la lutte imposée par le Malin, jaloux des ententes réalisées en vue du bien, mais que lui-même connaissait les lois de l'obéissance et de la hiérarchie spirituelle. Voilà pourquoi il était là, il insufflait la sagesse, il tendait l'oreille, il avertissait, il était tout pour lui : bon conseiller, habile assesseur, exégète des paroles divines, inspirateur de la conduite à tenir, bâton de vieillesse, soutien de la foi, le plus fidèle au-dedans, le plus apte à l'action extérieure. En un mot, on le jugeait aussi plein de dévouement qu'on lui supposait auparavant d'hostilité. Il en résulta qu'il était même investi du pouvoir dans l'Église, bien que le siège occupé par lui appartînt au second rang[2] : en apportant son dévouement, il recevait en échange l'autorité, et c'était une chose admirable que ce concert et cet entrelacement de liens du pouvoir. L'un conduisait le peuple, l'autre le conducteur, et il ressemblait à quelque dompteur de lion quand il apprivoisait habilement le détenteur du pouvoir. Il faut dire que celui-ci, qui avait été installé récemment sur son siège et qui respirait encore quelque chose de l'air du monde et de la matière, qui n'avait pas encore été formé aux choses de l'Esprit, avait besoin de quelqu'un pour le

ἐπικειμένων τῇ ἐκκλησίᾳ ἐχθρῶν, τοῦ χειραγωγοῦντος καὶ ὑπερείδοντος. Διὰ τοῦτο καὶ τὴν συμμαχίαν ἠγάπα καὶ κρατοῦντος ἐκείνου κρατεῖν αὐτὸς ὑπελάμβανεν.

34. Τῆς δὲ περὶ τὴν ἐκκλησίαν τοῦ ἀνδρὸς κηδεμονίας καὶ προστασίας, πολλὰ μὲν καὶ ἄλλα γνωρίσματα· παρρησία πρὸς ἄρχοντας, τούς τε ἄλλους καὶ τοὺς δυνατωτάτους τῆς πόλεως, διαφορῶν λύσεις οὐκ ἀπιστούμεναι ἀλλ' ὑπὸ τῆς
C 5 ἐκείνου φωνῆς τυπούμεναι, νόμῳ τῷ τρόπῳ χρώμεναι, προστασίαι τῶν δεομένων, αἱ μὲν πλείους πνευματικαί, οὐκ ὀλίγαι δὲ καὶ σωματικαί — καὶ γὰρ καὶ τοῦτο πολλάκις εἰς ψυχὴν φέρει δι' εὐνοίας δουλούμενον —, πτωχοτροφίαι, ξενοδοχίαι, παρθενοκομίαι, νομοθεσίαι μοναστῶν ἔγγραφοί τε καὶ
10 ἄγραφοι, εὐχῶν διατάξεις, εὐκοσμίαι τοῦ βήματος, τἄλλα οἷς ἂν ὁ ἀληθῶς ἄνθρωπος τοῦ Θεοῦ καὶ μετὰ Θεοῦ τεταγμένος λαὸν ὠφελήσειεν, ἓν δὲ ὃ μέγιστόν τε καὶ γνωριμώτατον.

Λιμὸς ἦν, καὶ τῶν πώποτε μνημονευομένων ὁ χαλεπώ-
15 τατος. Ἔκαμνε δὲ ἡ πόλις, ἐπικουρία δὲ ἦν οὐδαμόθεν οὐδέ τι φάρμακον τῆς κακώσεως. Αἱ μὲν γὰρ παράλιαι τὰς τοιαύτας ἐνδείας οὐ χαλεπῶς ἀναφέρουσι, διδοῦσαι τὰ παρ' ἑαυτῶν καὶ τὰ παρὰ τῆς θαλάσσης δεχόμεναι, τοῖς δὲ
544 A ἠπειρώταις ἡμῖν καὶ τὸ περιττεῦον ἀνόνητον καὶ τὸ ἐνδέον
20 ἀνεπινόητον, οὐκ ἔχουσιν ὅπως ἢ διαθώμεθά τι τῶν ὄντων

33, 27 τῇ ἐκκλησίᾳ : τῆς ἐκκλησίας AQWVS^{pc}Cv Bo
34, 2 παρρησίαι SDPC || 9 νομοθεσίαι : νουθεσίαι C || 10 τὰ ἄλλα v Bo || 11 μετὰ Θεοῦ : μετὰ Θεὸν S μετὰ τοῦ Θεοῦ QJW^{ac} || 15 δ' ἦν Dv Bo || 16 παραλίοι VT || 18 τὰ παρὰ : παρὰ AQ^{ac}BJW || θαλάττης BJT || 18 δ' SDPCv Bo || 19 ἀνώνητον AQ^{ac}W^{ac}SD

---

1. Allusion aux procès civils que les justiciables pouvaient demander à l'évêque de trancher : cf. *supra*, n. 3, p. 176.

2. L'événement peut être daté des environs de 368. Cf. Basile, *Lettres* 27 et 31.

3. C'est une observation que Grégoire a pu faire à Constantinople,

conduire par la main et le soutenir en un temps où se déchaînaient une tempête violente ainsi que les ennemis menaçants de l'Église. Voilà pourquoi il était satisfait de cette alliance et, tandis que l'autre commandait, il croyait commander lui-même.

34. Quant à la sollicitude et à la protection dont notre homme entourait l'Église, les marques en étaient nombreuses. C'était notamment l'indépendance de son langage à l'égard des magistrats, les plus puissants de la ville comme les autres ; les solutions apportées aux différends, qui étaient acceptées sans réserves et qui, une fois scellées par sa bouche, avaient force de loi [1] ; le patronage de ceux qui étaient dans le besoin, patronage généralement de nature spirituelle, mais également physique dans un nombre de cas non négligeable — car cela porte souvent profit à l'âme quand on est captivé par la bienveillance — ; les distributions de nourriture aux pauvres, l'accueil des étrangers, l'entretien des vierges ; les institutions données aux moines par écrit et oralement ; l'organisation des prières ; l'ordre mis dans la tribune ; tout ce qu'un homme qui est vraiment de Dieu et qui a embrassé le parti de Dieu est susceptible de faire pour rendre service au peuple. Mais il est un fait qui revêt la plus grande importance et qui est tout à fait notoire.

Il y avait une famine, la plus dure de mémoire d'homme [2]. La ville souffrait : d'assistance, il n'en venait de nulle part, et le fléau était sans remède. Les régions maritimes supportent sans difficulté de telles pénuries parce qu'elles livrent leurs produits et reçoivent ce qui leur vient de la mer [3], mais les continentaux que nous sommes ne peuvent tirer profit de leurs excédents ni trouver des moyens de se procurer ce qui leur manque, car nous n'avons pas de possibilité de disposer de ce que

mais la capitale de l'empire jouissait d'un régime de ravitaillement analogue à celui de Rome et se trouvait à l'abri de toute famine.

ἢ τῶν οὐκ ὄντων εἰσκομισώμεθα. Καὶ ὃ χαλεπώτατόν ἐστιν ἐν τοῖς τοιούτοις, ἡ τῶν ἐχόντων ἀναλγησία καὶ ἀπληστία. Τηροῦσι γὰρ τοὺς καιροὺς καὶ καταπραγματεύονται τῆς ἐνδείας καὶ γεωργοῦσι τὰς συμφοράς, οὔτε τῷ Κυρίῳ
25 δανείζειν τὸν ἐλεοῦντα πτωχοὺς ἀκούοντες[a] οὔδ' ὅτι ὁ συνέχων σῖτον δημοκατάρατος[b] οὔδ' ἄλλο οὐδὲν τῶν ἢ τοῖς φιλανθρώποις ἐπηγγελμένων ἢ τοῖς ἀπανθρώποις ἠπειλημμένων. Ἀλλ' εἰσὶ τοῦ δέοντος ἀπληστότεροι καὶ φρονοῦσι κακῶς, ἐκείνοις μὲν τὰ ἑαυτῶν, ἑαυτοῖς δὲ τὰ τοῦ
30 Θεοῦ σπλάγχνα κλείοντες, οὗ καὶ μᾶλλον χρῄζοντες ἀγνοοῦσιν ἢ αὐτῶν ἕτεροι. Ταῦτα μὲν οἱ σιτῶναι καὶ σιτοκάπηλοι καὶ μήτε τὸ συγγενὲς αἰδούμενοι μήτε περὶ τὸ θεῖον εὐχάριστοι, παρ' οὗ τὸ ἔχειν αὐτοῖς, ἄλλων πιεζομένων.

B **35.** Ὁ δὲ ὕειν μὲν οὐκ εἶχεν ἄρτον ἐξ οὐρανοῦ δι' εὐχῆς[a] καὶ τρέφειν ἐν ἐρήμῳ λαὸν φυγάδα, οὐδὲ πυθμέσι πηγάζειν τροφὴν ἀδάπανον κενώσει πληρουμένοις[b], ὃ καὶ παράδοξον, ἵνα τρέφῃ τρέφουσαν εἰς φιλοξενίας ἀντίδοσιν, οὐδὲ πέντε
5 ἄρτοις ἑστιᾶν χιλιάδας, ὧν καὶ τὰ λείψανα πολλῶν τραπεζῶν ἄλλη δύναμις[c]. Ταῦτα γὰρ Μωυσέως ἦν καὶ Ἡλίου καὶ τοῦ ἐμοῦ Θεοῦ, παρ' οὗ κἀκείνοις τὸ ταῦτα δύνασθαι, ἴσως
C δὲ καὶ τῶν καιρῶν ἐκείνων καὶ τῆς τότε καταστάσεως, ἐπειδὴ τὰ σημεῖα τοῖς ἀπίστοις, οὐ τοῖς πιστεύουσιν[d]. Ἃ
10 δὲ τούτοις ἐστὶν ἀκόλουθα καὶ εἰς ταὐτὸ φέρει, ταῦτα καὶ διενοήθη καὶ κατεπράξατο μετὰ τῆς αὐτῆς πίστεως. Λόγῳ γὰρ τὰς τῶν ἐχόντων ἀποθήκας ἀνοίξας καὶ παραινέσεσι,

34, 26 οὐτ' ἄλλο SDPv Bo ‖ 30 κλείοντες (cf. *I Jn* 3, 17) : ἀποκλείοντες SDPC ‖ 33 αὐτοῖς : ἔστιν αὐτοῖς TC ἐστιν αὐτοῖς DP αὐτοῖς ἔστιν S

35, 6 Μωσέως AQBJWVT ‖ 10 ταὐτὸ : ταὐτὸν TSPv Bo ‖ 12 παραινέσει SC

---

34. a. Cf. Prov. 19, 17. b. Prov. 11, 26.

35. a. Cf. Ex. 16, 15; Ps. 77, 24. b. Cf. III Rois 17, 14. c. Cf. Matth. 14, 19; Lc 9, 16; Jn 6, 11. d. I Cor, 14, 22.

nous avons non plus que de faire venir ce que nous n'avons pas. Et ce qu'il y a de plus pénible dans de pareilles circonstances, c'est l'insensibilité et l'avidité des possédants. Ils sont à l'affût des occasions[1], ils font des affaires sur le dos de l'indigence et ils cultivent les calamités. Ils ne savent pas que l'homme qui a pitié des pauvres prête au Seigneur[a] et que celui qui garde son blé est maudit du peuple[b] ; ils ne savent rien des promesses faites à ceux qui sont humains ou des menaces adressées à ceux qui ne le sont pas. Au contraire, leur avidité dépasse la mesure et ils font un faux calcul en fermant à ceux-là leurs entrailles et en se fermant à eux-mêmes celles de Dieu, dont ils ignorent qu'ils ont plus besoin que les autres n'ont besoin d'eux. Voilà ce que sont ces marchands et ces trafiquants de blé, qui n'ont pas d'égard pour leurs congénères ni de reconnaissance pour cette divinité à qui ils doivent de posséder tandis que d'autres sont pris à la gorge.

35. Lui, il ne pouvait sans doute faire pleuvoir par la prière le pain du ciel[a] et nourrir au désert un peuple fugitif, ni faire sourdre une nourriture inépuisable dans des fonds de vase se remplissant à mesure qu'on les vidait[b], chose tout aussi extraordinaire, afin de nourrir en retour de son hospitalité celle qui le nourrissait, ni traiter des milliers de personnes avec cinq pains dont les restes représentaient même une nouvelle ressource pour plusieurs tables[c]. Cela était en effet réservé à Moïse et à Élie, ainsi qu'à mon Dieu dont ils tiraient ce pouvoir. Peut-être était-ce aussi réservé à cette époque-là et aux conditions d'alors, puisque les signes sont pour les incrédules, non pour les croyants[d]. Mais ce qui va de pair avec ces choses et aboutit au même résultat, il l'a conçu et exécuté avec la même foi. Par sa parole ainsi que par ses exhortations il ouvre les greniers des propriétaires et

1. Cf. *D.* 16, 19.

ποιεῖ τὸ τῆς γραφῆς· διαθρύπτει πεινῶσι τροφήν[e] καὶ χορτάζει πτωχοὺς ἄρτων[f] καὶ διατρέφει αὐτοὺς ἐν λιμῷ[g]
15 καὶ ψυχὰς πεινώσας ἐμπίμπλησιν ἀγαθῶν[h]. Καὶ τίνα τρόπον; Οὐδὲ γὰρ τοῦτο μικρὸν εἰς προσθήκην. Συναγαγὼν γὰρ ἐν ταὐτῷ τοὺς λιμοῦ τραυματίας, ἔστι δὲ οὓς καὶ μικρὸν ἀναπνέοντας, ἄνδρας, γυναῖκας, νηπίους, γέροντας, πᾶσαν ἡλικίαν ἐλεεινήν, πᾶν εἶδος τροφῆς ἐρανίζων ὅση τυγχάνει
20 λιμοῦ βοήθεια, ἔτνους τε πλήρεις προθεὶς λέβητας καὶ τοῦ
D ταριχευτοῦ παρ' ἡμῖν ὄψου καὶ πένητας τρέφοντος, ἔπειτα τὴν τοῦ Χριστοῦ διακονίαν μιμούμενος, ὃς καὶ λεντίῳ
545 A διαζωννύμενος οὐκ ἀπηξίου νίπτειν τοὺς πόδας τῶν μαθητῶν, καὶ τοῖς ἑαυτοῦ παισίν, εἴτουν συνδούλοις, πρὸς τοῦτο
25 συνεργοῖς χρώμενος, ἐθεράπευε μὲν τὰ σώματα τῶν δεομένων, ἐθεράπευε δὲ τὰς ψυχάς, συμπλέκων τῇ χρείᾳ τὸ τῆς τιμῆς καὶ ῥᾴους ποιῶν ἀμφοτέρωθεν.

36. Τοιοῦτος ἦν ὁ νέος σιτοδότης ἡμῖν καὶ δεύτερος Ἰωσήφ, πλὴν ὅτι καὶ πλέον τι λέγειν ἔχομεν. Ὁ μὲν γὰρ καταπραγματεύεται τοῦ λιμοῦ καὶ τὴν Αἴγυπτον ἐξωνεῖται τῷ φιλανθρώπῳ[a], τὸν τῆς ἀφθονίας καιρὸν εἰς τὸν τοῦ
5 λιμοῦ διαθέμενος καὶ τοῖς ἑτέρων ὀνείροις εἰς τοῦτο διατταττόμενος· ὁ δὲ προῖκα χρηστὸς ἦν καὶ τῆς σιτοδείας ἐπίκουρος ἀπραγμάτευτος, πρὸς ἓν ὁρῶν, τῷ φιλανθρώπῳ
B τὸ φιλάνθρωπον κτήσασθαι καὶ τῶν ἐκεῖθεν τυχεῖν ἀγαθῶν διὰ τῆς ἐνταῦθα σιτομετρίας. Ταῦτα μετὰ τῆς τοῦ λόγου

35, 14 τοὺς πτωχοὺς SD || 18 ἄνδρας : add. καὶ Bv Bo || 20 τε om. JW || προθεὶς : προτιθεὶς SDC || 21 ὄψου : add. τοῦ SP || 22 τοῦ : s.l. Q om. SC

AQBJWVT SDP (lac. P post **36,** 16 πόθον) C

36, 1 ἦν om. AQBJWVT || 6 διατταττόμενος : ὠφελούμενος TDPC (mg ὀ- D) ὀφελούμενος S^{ac} || 6 σιτοδοσίας ABJWSDP || 8 τὸ : om. S τὸν P || 9 ἐνταῦθα : ἐντεῦθεν DP

réalise le mot de l'Écriture : il rompt la nourriture pour les affamés[e], rassasie les pauvres de pain[f], les nourrit pendant la famine[g] et comble de biens les âmes affamées[h]. Et de quelle manière? Cela n'est pas non plus sans importance pour contribuer à son éloge. Il rassemble au même endroit les victimes de la famine — il y en avait même qui respiraient à peine —, hommes, femmes, petits enfants, vieillards, tous les âges dignes de pitié ; il fait une collecte de vivres de toute espèce, de tout ce qui constitue un secours contre la faim ; il fait disposer des marmites pleines de purée de légumes et de cette conserve salée, qu'on trouve chez nous, dont les pauvres se nourrissent. Puis il imite la façon dont le Christ s'est fait serviteur, lui qui, ceint d'un linge, ne dédaignait pas de nettoyer les pieds de ses disciples, et, avec l'assistance de ses propres serviteurs, ou plutôt de ses compagnons d'esclavage, il se mit à soigner les corps des nécessiteux, à soigner aussi leurs âmes, en associant au nécessaire les marques de la considération et en les soulageant de l'une et l'autre manière.

36. Tel était le nouveau distributeur de blé que nous avions, le second Joseph[1]. Sauf que nous avons quelque chose de plus à dire. L'un tire profit de la famine et achète l'Égypte grâce à sa philanthropie[a], en organisant le temps de l'abondance en vue de celui de la famine et en se réglant à cette fin sur les songes d'autrui ; l'autre rendait service gratuitement et venait en aide contre la pénurie sans en tirer avantage, n'ayant en vue qu'un seul but : se concilier la bonté par sa bonté et obtenir les biens de l'au-delà par la distribution de pain ici-bas. A cela

35. e. Is. 58, 7. f. Ps. 131, 15. g. Ps. 32, 19. h. Lc 1, 53.
36. a. Cf. Gen. 41, 1 s.

1. Cf. *infra*, 72.

10 τροφῆς καὶ τῆς τελεωτέρας εὐεργεσίας καὶ διαδόσεως, τῆς ὄντως οὐρανίου καὶ ὑψηλῆς, εἴπερ ἄρτος ἀγγέλων λόγος ᾧ ψυχαὶ τρέφονται καὶ ποτίζονται, Θεὸν πεινῶσαι καὶ ζητοῦσαι τροφὴν οὐ ῥέουσαν οὐδὲ ἀπιοῦσαν, ἀλλ' ἀεὶ μένουσαν, ἧς σιτοδότης ἦν ἐκεῖνος, καὶ μάλα πλούσιος, ὁ πενέστατος ὧν 15 ἴσμεν καὶ ἀπορώτατος, οὐ λιμὸν ἄρτων οὐδὲ δίψαν ὕδατος ἐξιώμενος, λόγου δὲ πόθον τοῦ ἀληθῶς ζωτικοῦ καὶ τροφίμου καὶ εἰς αὔξησιν ἄγοντος πνευματικῆς ἡλικίας τὸν καλῶς τρεφόμενον.

37. Ἐκ δὴ τούτων καὶ τῶν τοιούτων — τί γὰρ δεῖ πάντα λέγοντα διατρίβειν ; —, ἄρτι τοῦ φερωνύμου τῆς εὐσεβείας μετατεθέντος καὶ ταῖς ἐκείνου χερσὶν ἡδέως ἐναποψύξαντος, ἐπὶ τὸν ὑψηλὸν τῆς ἐπισκοπῆς θρόνον 5 ἀνάγεται · οὐκ ἀμογητὶ μὲν οὐδὲ ἄνευ βασκανίας καὶ πάλης τῶν τε τῆς πατρίδος προεδρευόντων καὶ τῶν πονηροτάτων τῆς πόλεως ἐκείνοις συντεταγμένων. Πλὴν ἔδει νικῆσαι τὸ Πνεῦμα τὸ ἅγιον, καὶ μέντοι νικᾷ πολλῇ τῇ περιουσίᾳ. Κινεῖ γὰρ ἐκ τῆς ὑπερορίας τοὺς χρίσοντας, ἄνδρας ἐπ'

36, 13 οὐδ' JSDPCv Bo ‖ ἀεὶ : εἰς ἀεὶ DPC ‖ 15 ἄρτων : ἄρτου SDP ‖ 16 ζωτικοῦ : δεξιοῦ T ‖ 17 ἡλικίας πνευματικῆς SD

AQBJ (lac. J : **37,** 9-**39,** 7) WVT SDC

37, 6 πατρίδος : τριάδος AW^{ac} ‖ 8 μέντοι : add. καὶ Q^{ac}WVv Bo

1. Jeu de mots sur le nom de l'évêque Eusèbe, analogue à ceux qui concernaient plus haut les noms de Basile et d'Emmélie (cf. n. 4, p. 134 et 5, p. 135).

2. Il faut comprendre cette expression dans son sens le plus concret, puisque le siège de l'évêque domine toute l'assemblée.

3. L'élection de Basile s'était heurtée à la résistance de plusieurs évêques de la province, y compris l'un de ses oncles. Les faits dataient en 382 de douze ans à peine, et il est probable que tous les opposants de 370 n'avaient pas disparu. Ils avaient en tout cas laissé des parents et des amis. Associer leur image à celle des «pires individus de la ville» relevait de la provocation. Est-ce à dire que tous ces évêques

s'ajoutent la nourriture de la parole ainsi qu'une bienfaisance et une largesse plus parfaites, vraiment célestes et sublimes, puisque la parole est le pain des anges, la nourriture et le breuvage des âmes qui ont faim de Dieu et qui sont en quête, non d'une nourriture qui s'écoule et qui s'en va, mais d'une nourriture qui demeure toujours. De cette nourriture, il était, lui, le dispensateur et il y apportait une richesse extrême, lui qui était l'homme le plus pauvre et le plus démuni que nous ayons connu : il ne calmait pas une faim de pain et une soif d'eau, mais un besoin de parole, de celle qui est vraiment vivifiante et nourricière, qui conduit à la croissance spirituelle celui qui s'en nourrit comme il faut.

37. A la suite donc de ces faits et d'autres du même genre — quel besoin y a-t-il de s'attarder à tout dire ? —, peu après le décès de celui qui portait le nom de la piété[1] et qui avait expiré doucement dans ses mains, il est élevé jusqu'au sublime trône de l'épiscopat[2]. Non sans difficulté, sans doute, ni sans jalousie et sans lutte de la part de ceux qui occupaient les sièges de notre patrie ainsi que des pires individus de la ville rangés à leurs côtés[3]. Il fallait pourtant que l'Esprit-Saint eût la victoire ; et, en vérité, il l'obtient très largement[4]. Il suscite, en effet, d'au-delà des frontières ceux qui allaient conférer l'onc-

versaient plus ou moins dans l'arianisme ? Il est très probable que non, mais qu'il y avait là des gens soucieux d'éviter les positions tranchées : la doctrine de Nicée apparaissait alors comme une position extrémiste et la personnalité de Basile était sans doute perçue comme affectée par la raideur et l'intransigeance.

4. Pour comprendre le déroulement de cette élection difficile, il faut combiner les divers passages où Grégoire s'en est expliqué. Il dira un peu plus loin que l'intervention *in extremis* de son propre père emporta la décision. Or l'expression πολλῇ τῇ περιουσίᾳ signifie qu'il finit par y avoir une nette majorité. La suite du texte donne la clé du problème.

10 εὐσεβείᾳ γνωρίμους καὶ ζηλωτάς, καὶ μετὰ τούτων τὸν νέον Ἀβραὰμ καὶ πατριάρχην ἡμέτερον, τὸν ἐμὸν λέγω πατέρα, περὶ ὅν τι καὶ συμβαίνει θαυμασίον. Οὐ γὰρ τῷ πλήθει τῶν ἐτῶν μόνον ἐκλελοιπώς, ἀλλὰ καὶ νόσῳ τετρυχωμένος καὶ πρὸς ταῖς ἐσχάταις ἀναπνοαῖς ὤν, κατατολμᾷ τῆς ὁδοῦ 15 βοηθήσων τῇ ψηφῷ καὶ θαρσήσας τῷ Πνεύματι. Καί τι σύντομον φθέγξομαι· νεκρὸς ἐντεθεὶς ὡς τάφῳ τινὶ τῷ 548 A φορείῳ, νέος ἐπάνεισιν, εὐσθενής, ἄνω βλέπων, ῥωσθεὶς ἐκ τῆς χειρὸς καὶ τῆς χρίσεως, οὐ πολὺ δὲ εἰπεῖν ὅτι καὶ τῆς κεφαλῆς τοῦ χρισθέντος. Τοῦτο προσκείσθω τοῖς παλαιοῖς 20 διηγήμασιν ὅτι πόνος ὑγίειαν χαρίζεται καὶ προθυμία νεκροὺς ἀνίστησι καὶ πηδᾷ γῆρας χρισθὲν τῷ Πνεύματι.

38. Οὕτω δὲ τῆς προεδρίας ἀξιωθείς, ὡς τοὺς τοιούτους μὲν γεγονότας, τοιαύτης δὲ χάριτος τετυχηκότας, οὕτω δὲ ὑπειλημμένους εἰκός, οὐ κατῄσχυνεν οὐδενὶ τῶν ἑξῆς ἢ τὴν ἑαυτοῦ φιλοσοφίαν ἢ τὰς τῶν πεπιστευκότων ἐλπίδας, ἀλλὰ 5 τοσοῦτον ἑαυτὸν ὑπερβάλλων ἀεὶ ὅσον πρὸ τούτου τοὺς ἄλλους ἐδείκνυτο, κάλλιστά τε καὶ φιλοσοφώτατα περὶ τούτων διανοούμενος. Ἡγεῖτο γὰρ ἰδιώτου μὲν ἀρετὴν εἶναι B τὸ μὴ κακὸν εἶναι ἤ τι καὶ ποσῶς ἀγαθόν, ἄρχοντος δὲ καὶ προστάτου κακίαν, καὶ μάλιστα τὴν τοιαύτην ἀρχήν, τὸ μὴ 10 πολὺ τῶν πολλῶν προέχειν μηδὲ ἀεὶ κρείττω φαίνεσθαι

37, 12 περὶ ὅν τι : περιόντι AS || 15 θάρρησας SDC || 20 ὑγείαν AQBWVv Bo
38, 5-6 τοῖς ἄλλοις SDC || 6 τε om. AQBWVT

---

1. En pratique, ce sont les évêques de la province qui procèdent au choix d'un nouvel évêque, mais les évêques du monde entier peuvent concourir au vote. En l'occurrence, le nom de Basile n'arrivait pas à obtenir la majorité : c'est l'arrivée d'évêques venus d'au-delà des frontières de la Cappadoce qui a fait le résultat. Il s'agit d'évêques des provinces d'Arménie et d'Euphratensis groupés autour d'Eusèbe de Samosate, ami et correspondant de Basile. Quand Grégoire déclare qu'il s'agissait d'hommes «connus pour leur piété», il veut certainement dire qu'ils s'opposaient à l'arianisme, mais il joue aussi sur le

tion[1], des hommes connus pour leur piété et pleins de zèle, et, parmi eux, le nouvel Abraham, notre patriarche, — c'est de mon père que je parle —, qui est l'occasion d'une sorte de prodige. Non seulement affaibli par le nombre des années[2]; mais encore épuisé par la maladie et parvenu à son dernier souffle, il affronte le voyage pour apporter l'appui de son vote après s'être confié à l'Esprit[3]. Je serai bref dans mes propos : on avait déposé un mort dans la litière comme dans un tombeau ; il revient jeune, vigoureux, avec le regard droit, revêtu de la force issue de la main qui avait donné l'onction et, ce n'est pas trop dire, issue aussi de la tête qui l'avait reçue. On doit ajouter cet événement aux vieux récits qui disent que le travail donne la santé, que l'entrain ressuscite les morts et que la vieillesse bondit quand elle a reçu l'onction de l'Esprit.

38. Ainsi revêtu de la première place, comme il est normal que le soient ceux qui sont ainsi nés, qui ont reçu une telle grâce et qui ont une telle réputation, il ne fit rien par la suite qui pût mettre une tache sur sa philosophie ou compromettre les espérances de ceux qui lui avaient fait confiance, mais on le vit toujours se surpasser lui-même autant qu'on l'avait vu auparavant surpasser les autres, professant en cela les idées les plus belles et les plus sages. Il estimait, en effet, que chez un particulier la vertu consiste à éviter le mal ou à montrer ses qualités jusqu'à un certain point, mais que chez un chef et un dirigeant — surtout quand il s'agit d'une autorité de cette nature —, le mal consiste à ne pas surpasser de beaucoup la foule, à ne pas se montrer

nom de cet Eusèbe. Eusèbe de Samosate est laissé dans la pénombre pour ne pas ravir le premier rôle à Grégoire l'Ancien.

2. Il avait 95 ans en 370.

3. La distance à franchir avoisinait les 150 kilomètres à une altitude moyenne de 1 000 mètres.

μηδὲ συμμετρεῖν τῇ ἀξίᾳ καὶ τῷ θρόνῳ τὴν ἀρετήν. Μόγις γὰρ εἶναι τῷ ἄκρῳ τοῦ μέσου κατατυγχάνειν καὶ τῷ περιόντι τῆς ἀρετῆς ἕλξειν τοὺς πολλοὺς εἰς τὸ μέτριον· μᾶλλον δέ, ἵνα τι φιλοσοφήσω περὶ τούτων ἄμεινον, ὅπερ
15 ἐπὶ τοῦ σωτῆρος ἐγὼ θεωρῶ, οἶμαι δὲ καὶ τῶν σοφωτέρων ἕκαστος, ἡνίκα μεθ'ἡμῶν ἐγένετο μορφωθεὶς τὸ ὑπὲρ ἡμᾶς καὶ ἡμέτερον, τοῦτο κἀνταῦθα συμβεβηκέναι λογίζομαι. Ἐκεῖνός τε γὰρ προέκοπτε, φησίν, ὥσπερ ἡλικίᾳ, οὕτω δὴ καὶ σοφίᾳ καὶ χάριτι[a], οὐ τῷ ταῦτα λαμβάνειν αὔξησιν
C 20 — τί γὰρ τοῦ ἀπ' ἀρχῆς τελείου γένοιτ' ἂν τελεώτερον; —, ἀλλὰ τῷ κατὰ μικρὸν ταῦτα παραγυμνοῦσθαι καὶ παρεκφαίνεσθαι. Τήν τε τοῦ ἀνδρὸς ἀρετὴν οὐχὶ προσθήκην, ἀλλ' ἐργασίαν οἶμαι μείζω τηνικαῦτα λαμβάνειν, ὕλῃ πλείονι τῇ ἐξουσίᾳ χρωμένην.

39. Πρῶτον μὲν ἐκεῖνο πᾶσι ποιεῖ φανερὸν ὡς οὐκ ἀνθρωπίνης χάριτος ἦν αὐτῷ ἔργον, ἀλλὰ Θεοῦ δῶρον τὸ δεδομένον· δηλώσει δὲ καὶ τὸ ἡμέτερον. Οἷα γάρ μοι φιλοσοφοῦντι περὶ τὸν καιρὸν ἐκεῖνον συνεφιλοσόφει. Τῶν
5 γὰρ ἄλλων ἁπάντων οἰομένων καὶ προσδραμεῖσθαί με τῷ γεγονότι καὶ περιχαρήσεσθαι — ὅπερ ἑτέρου καὶ παθεῖν ἴσως ἦν —, καὶ συνδιανεμεῖσθαι τὴν ἀρχὴν μᾶλλον ἢ
D παραδυναστεύειν, καὶ τῇ φιλίᾳ τοῦτο τεκμαιρομένων, ἐπειδὴ τὸ φορτικὸν φεύγων ἐγώ, — καὶ γὰρ ἐν ἅπασι εἴπερ ἄλλος
10 τις —, καὶ ἅμα τοῦ καιροῦ τὸ ἐπίφθονον, ἄλλως τε καὶ τῶν κατ' αὐτὸν ὠδινόντων ἔτι καὶ ταρασσομένων, οἴκοι κατέμεινα, βίᾳ χαλινώσας τὸν πόθον. Μέμφεται μέν,

38, 11 μόγις : μόλις ABWVTSC || 18 δὴ : δὲ AQWVTSD || 20 τελείοτερον BSD
39, 11 αὐτὸν : αὐτῶν WS[ac]

38. a. Lc 2, 52.

1. On sait que Grégoire, appelé par Basile à Césarée, avait appris en chemin la mort de l'évêque Eusèbe et l'ouverture de sa succession. Comprenant que Basile l'invitait à prendre part à sa campagne électorale, il avait fait aussitôt demi-tour.

toujours meilleur et à ne pas mettre sa vertu au niveau de la dignité et du trône. Il lui paraissait, en effet, insuffisant d'atteindre la moyenne quand on occupe le sommet, et il croyait que c'est la surabondance de la vertu qui entraînera la foule à atteindre la moyenne. Ou plutôt, pour exprimer sur ce sujet des pensées meilleures, ce que j'observe pour ma part chez le Sauveur — en compagnie, me semble-t-il, de tous ceux qui ont atteint quelque degré de sagesse —, lorsque celui-ci se trouvait parmi nous, revêtu d'une forme supérieure à la nôtre ainsi que de la nôtre, c'est aussi ce qui s'est produit, à mon sens, dans ce cas. Il progressait, est-il dit, en âge, mais de la même façon en sagesse et en grâce [a] : non qu'il y eût croissance en ces domaines — que pourrait-il y avoir de plus parfait chez celui qui est parfait dès l'origine ? — mais ces qualités se dévoilaient et se manifestaient peu à peu. La vertu de notre personnage, elle aussi, ne connaissait pas d'accroissement, mais je pense qu'elle manifestait une activité plus grande à cette époque parce qu'elle trouvait dans le pouvoir exercé une matière plus abondante.

39. Dans un premier temps, il rend clair aux yeux de tous que l'événement qui le concernait n'était pas dû à une faveur humaine, mais qu'il s'agissait d'un don reçu de Dieu. Son attitude à notre égard contribuera à le montrer. Par quelle philosophie ne répondit-il pas à la mienne en pareille circonstance [1] ! Alors que tous les autres sans exception croyaient que ce qui s'était passé me ferait accourir et me comblerait de joie — il est bien possible qu'un autre que moi eût éprouvé ces sentiments —, que je partagerais le pouvoir avec lui plutôt que d'y être associé — c'est notre amitié qui leur inspirait cette hypothèse —, comme je voulais échapper à ce fardeau — c'est bien ce que je recherche toujours plus que quiconque — et éviter en même temps l'odieux des circonstances, d'autant plus que sa situation était encore affectée par les perturbations de la crise, et que j'étais resté chez moi en me contraignant à brider mes désirs, il me fait des

549 A συγγινώσκει δέ. Καὶ μετὰ τοῦτο ἐπιστάντα μέν, τὴν δὲ τῆς καθέδρας τιμὴν οὐ δεξάμενον τῆς αὐτῆς ἕνεκεν αἰτίας
15 οὐδὲ τὴν τῶν πρεσβυτέρων προτίμησιν, οὔτε ἐμέμψατο καὶ προσεπήνεσεν, εὖ ποιῶν, τῦφον κατηγορηθῆναι μᾶλλον ὑπ' ὀλίγων ἑλόμενος, τῶν ταύτην ἀγνοησάντων τὴν οἰκονομίαν ἤ τι πρᾶξαι τῷ λόγῳ καὶ τοῖς αὐτοῦ βουλεύμασιν ἐναντίον. Καίτοι πῶς ἂν μᾶλλον ἔδειξεν ἄνθρωπος πάσης θωπείας
20 καὶ κολακείας κρείττω τὴν ψυχὴν ἔχων καὶ πρὸς ἓν μόνον βλέπων, τὸν τοῦ καλοῦ νόμον, ἢ περὶ ἡμῶν οὕτω διανοηθεὶς οὓς ἐν πρώτοις τῶν ἑαυτοῦ φίλων καὶ συνήθων ἐγνώρισεν;

B **40.** Ἔπειτα τὸ στασιάζον πρὸς ἑαυτὸν μαλάσσει καὶ θεραπεύει λόγοις ἰατρικῆς μεγαλόφρονος. Οὐ γὰρ θωπευτικῶς οὐδ' ἀνελευθέρως τοῦτο ποιεῖ, ἀλλὰ καὶ λίαν νεανικῶς καὶ μεγαλοπρεπῶς, ὡς ἄν τις οὐ τὸ παρὸν σκοπῶν
5 μόνον, ἀλλὰ καὶ τὴν μέλλουσαν εὐπείθειαν οἰκονομῶν. Ὁρῶν γὰρ τὸ μὲν ἁπαλὸν ἔκλυτον καὶ μαλάκιζον, τὸ δὲ αὐστηρὸν τράχυνον καὶ αὐθαδίαζον, ἀμφοτέροις βοηθεῖ δι' ἀλλήλων, ἐπιεικείᾳ μὲν τὸ ἀντιτυπές, στερρότητι δὲ τὸ ἁπαλὸν κερασάμενος, ὀλίγα μὲν λόγου προσδεηθείς, ἔργῳ δὲ
10 τὰ πλείω δυνηθεὶς πρὸς τὴν θεραπείαν, οὐ τέχνῃ δουλούμενος, ἀλλ' εὐνοίᾳ σφετεριζόμενος, οὐ δυναστείαις προσχρώμενος, ἀλλὰ τῷ δύνασθαι μέν, φείδεσθαι δὲ προσαγό-
C μενος. Τὸ δὲ μέγιστον, τῷ πάντας ἡττᾶσθαι τῆς αὐτοῦ διανοίας καὶ ἀπρόσιτον εἰδέναι τὴν ἀρετήν, καὶ μίαν μὲν
15 αὐτοῖς σωτηρίαν ἡγεῖσθαι τὸ μετ' ἐκείνου τε καὶ ὑπ' ἐκείνῳ τετάχθαι, ἕνα δὲ κίνδυνον τὸ προσκρούειν ἐκείνῳ καὶ

39, 14 καθέδρας : προκαθεδρίας D || 15 οὐδὲ τὴν τῶν πρεσβυτέρων προτίμησιν om. S || 18 τι πρᾶξαι : διαπρᾶξαι S τι διαπρᾶξαι D || 21 διανοηθεὶς : διανοηθῆναι SC

40, 2 μεγαλοφρόνος : μεγαλοφρόνως SC μεγαλοφροσύνης D || 3 οὐδὲ v Bo || 7 αὐθαδίαζον : ἀπαυθαδίαζον Dv Bo || 11 δυναστείᾳ v Bo || 14 τὴν ἀρετήν, καὶ μίαν om. S || 15 αὐτοῖς : αὐτοῖς V ἑαυτοῖς Dv Bo

1. Sur cette accusation, cf. *infra*, 64, 1.

reproches tout en me pardonnant. Et, comme dans la suite j'étais arrivé, mais que je n'avais pas accepté l'honneur de la chaire pour les mêmes raisons, non plus que le premier rang parmi les prêtres, il ne me fit pas de reproches, mais me félicita. Il avait de bonnes raisons de le faire, car il préférait se voir accuser d'être atteint des fumées de l'orgueil[1] par quelques personnes qui ne connaissaient pas ses principes de conduite, plutôt que de commettre un acte contraire à la raison et à ses desseins. En vérité, quel moyen avait-il de se poser en homme dont l'âme était au-dessus de toute adulation et de toute flatterie, en homme qui n'avait en vue que la règle du bien, en dehors de l'attitude qu'il adopta à notre égard, alors qu'il nous avait distingué comme figurant au premier rang de ses amis et de ses familiers ?

40. Par la suite, il calme l'opposition et la traite avec les arguments d'une médecine empreinte de hauteur de vues. Car il le fait sans recourir à la flatterie et sans s'abaisser, mais avec beaucoup de hardiesse et de grandeur, en homme qui n'envisageait pas seulement le présent, mais qui préparait la docilité à venir. Constatant, en effet, que la gentillesse entraîne relâchement et mollesse, tandis que la sévérité conduit à l'âpreté et à la présomption, il corrige l'un par l'autre ces deux comportements, en tempérant la résistance d'indulgence et la gentillesse de fermeté, en recourant peu à la parole pour prodiguer ses soins, mais en parvenant le plus souvent à ses fins par des actes, en ne subjuguant pas au moyen d'artifices, mais en captivant par la bonté, en ne faisant pas appel aux actes d'autorité, mais en attirant à soi parce qu'il avait le pouvoir de le faire mais se dispensait d'en user. Le point le plus important, c'est que, comme tout le monde était vaincu par son intelligence, par la conscience du caractère inaccessible de sa vertu et par le sentiment qu'on n'avait pas d'autre issue que de se ranger à ses côtés et sous ses ordres, comme le seul danger consistait à se heurter à lui, et comme on pensait que se

ἀλλοτρίωσιν ἀπὸ Θεοῦ νομίζειν τὴν ἀπ' ἐκείνου διάστασιν, οὕτως ἑκόντες ὑπεχώρησαν καὶ ἡττήθησαν καὶ ὡς ἤχῳ βροντῆς ὑπεκλίθησαν, ἄλλος ἄλλον εἰς ἀπολογίαν προφθάνοντες καὶ τὸ μέτρον τῆς ἀπεχθείας εἰς μέτρον μετενεγκόντες εὐνοίας καὶ τῆς εἰς ἀρετὴν ἐπιδόσεως ἣν δὴ μόνην ἀπολογίαν ἰσχυροτάτην ηὕρισκον· πλὴν εἴ τις διὰ κακίαν ἀνίατον ἠμελήθη καὶ παρερρίφη, ἵν' αὐτὸς ἐν ἑαυτῷ συντριβῇ καὶ καταναλωθῇ, καθάπερ ἰὸς σιδήρῳ συνδαπανώμενος.

41. Ἐπεὶ δὲ τὰ οἴκοι κατὰ νοῦν εἶχεν αὐτῷ καὶ ὡς οὐκ ἄν τις ᾠήθη τῶν ἀπίστων κἀκεῖνον ἠγνοηκότων, περινοεῖ τι τῇ διανοίᾳ μεῖζον καὶ ὑψηλότερον. Τῶν γὰρ ἄλλων ἁπάντων τὸ ἐν ποσὶ μόνον ὁρώντων καὶ τὸ κατ' αὐτοὺς ὅπως ἀσφαλῶς ἕξει λογιζομένων, εἴπερ τοῦτο ἀσφαλές, περαιτέρω δὲ οὐ προϊόντων, οὐδέ τι μέγα καὶ νεανικὸν ἢ ἐννοῆσαι ἢ καταπράξασθαι δυναμένων, καίτοι τἄλλα μέτριος ὢν ἐν τούτοις οὐ μετριάζει, ἀλλ' ὑψοῦ τὴν κεφαλὴν διάρας καὶ κύκλῳ τὸ τῆς ψυχῆς ὄμμα περιαγαγών, πᾶσαν εἴσω ποιεῖται τὴν οἰκουμένην ὅσην ὁ σωτήριος λόγος ἐπέδραμεν. Ὁρῶν δὲ τὸν μέγαν τοῦ Θεοῦ κλῆρον καὶ τοῖς αὐτοῦ λόγοις καὶ νόμοις καὶ πάθεσι περιποιηθέντα, τὸ ἅγιον ἔθνος, τὸ βασίλειον ἱεράτευμα[a], κακῶς διακείμενον, εἴς τε μυρίας δόξας καὶ πλάνας διεσπασμένον, καὶ τὴν ἐξ Αἰγύπτου μετηρμένην καὶ μεταπεφυτευμένην ἄμπελον[b] ἐκ τῆς ἀθέου καὶ σκοτεινῆς ἀγνοίας εἰς κάλλος τε καὶ μέγεθος ἄπειρον προελθοῦσαν ὡς καλύψαι πᾶσαν τὴν γῆν καὶ ὀρῶν καὶ κέδρων ὑπερεκτείνεσθαι, ταύτην πονηρῷ καὶ ἀγρίῳ συὶ [τῷ διαβόλῳ] λελυμασμένην[c], οὐκ αὔταρκες ὑπολαμβάνει θρηνεῖν ἡσυχῇ τὸ πάθος καὶ πρὸς Θεὸν μόνον αἴρειν τὰς χεῖρας καὶ παρ' ἐκείνου τῶν κατεχόντων κακῶν λύσιν ζητεῖν, αὐτὸς

40, 22 εὕρισκον V^pc^T^ac^SDC || 23 παρερρίφη : ἀπερρίφη VC
41, 2 τι om. SC || 5 δ' SDv Bo || 20 τὸ πάθος : τὸ τοῦ πάθους S

---

41. a. I Pierre 2, 9. b. Ps. 79, 9. c. Ps. 79, 14.

détacher de lui revenait à se séparer de Dieu, dans de telles conditions ils reculèrent de bon gré, se firent battre et furent, pour ainsi dire, terrassés par le bruit du tonnerre, chacun cherchant à devancer l'autre pour se disculper, la mesure de la haine devenant celle du dévouement et des progrès en direction de la vertu, progrès dont on découvrait qu'ils constituaient la seule excuse vraiment solide. Ne restait en dehors que celui qu'une perversité incurable fit délaisser et rejeter pour qu'il s'use et s'abîme tout seul, de la même façon que la rouille se détruit elle-même en détruisant le fer.

41. Comme la situation intérieure se trouvait dans un état qui lui donnait satisfaction et que personne parmi les incrédules qui ne le connaissaient pas n'aurait pu imaginer, il conçoit un projet plus vaste et plus ambitieux. Tous les autres hommes ne voient que ce qui est devant eux et ils ne pensent qu'à assurer la sécurité de ce qui les concerne — si toutefois c'est bien là une sécurité — ; ils ne vont pas plus loin et ils sont incapables de concevoir ou de réaliser quelque chose de grand et de hardi ; lui qui gardait pourtant la mesure en tout autre domaine, il ne l'observe pas ici. Levant haut la tête et promenant à la ronde le regard de son âme, il se représente en lui-même dans son entier le monde que la parole du salut avait parcouru. Voyant que le grand héritage de Dieu, acquis par ses leçons, ses lois et ses souffrances — le peuple saint, le sacerdoce royal[a] —, est en piteux état, déchiré entre une infinité de doctrines et d'errements, que la vigne, enlevée d'Égypte et transplantée[b], passée de l'ignorance et des ténèbres de l'athéisme à une beauté et une grandeur infinies au point de couvrir toute la terre et de s'étendre au-dessus des montagnes et des cèdres, est ravagée par un méchant et farouche sanglier[c] [le diable], il n'estime pas suffisant de déplorer en silence ce malheur, de se contenter de lever les mains vers Dieu, de lui demander la délivrance des maux régnants et, personnellement, de

δὲ καθεύδειν, ἀλλά τι καὶ βοηθεῖν καὶ παρ' ἑαυτοῦ συνεισφέρειν ᾤετο δεῖν.

C **42.** Τί γὰρ εἶναι τῆς συμφορᾶς ταύτης ἀνιαρότερον, ὑπὲρ δὲ τοῦ χρῆναι μᾶλλον σπουδάζειν τὸν ἄνω βλέποντα ; Ἑνὸς μὲν γὰρ εὖ πράττοντος ἢ κακῶς, οὐδὲν τῷ κοινῷ τοῦτο ἐπισημαίνειν· τοῦ κοινοῦ δὲ οὕτως ἢ ἐκείνως ἔχοντος, καὶ 5 τὸν καθ' ἕκαστον ὁμοίως ἔχειν πᾶσαν εἶναι ἀνάγκην. Ταῦτ' οὖν ἐννοῶν καὶ σκοπῶν ἐκεῖνος ὁ τοῦ κοινοῦ κηδεμὼν καὶ προστάτης — ἐπειδὴ σὴς ὀστέων καρδία αἰσθητική, ὡς Σολομῶντι καὶ ἀληθείᾳ δοκεῖ [a], καὶ τὸ μὲν ἀνάλγητον εὔθυμον, τὸ δὲ συμπαθὲς λυπηρόν, καὶ τῆξις καρδίας 10 ἔμμονος λογισμός —, διὰ τοῦτο ἐσφάδαζεν, ἠνιᾶτο, κατετιτρώσκετο, ἔπασχε τὸ Ἰωνᾶ [b], τὸ Δαβίδ, ἀπελέγετο τὴν ψυχήν, οὐκ ἐδίδου ὕπνον τοῖς ὀφθαλμοῖς οὐδὲ νυσταγμὸν D τοῖς βλεφάροις [c], προσεδαπάνα τὸ λειπόμενον τῶν σαρκῶν ταῖς φροντίσιν ἕως εὕρῃ τοῦ κακοῦ τὴν λύσιν· ἐπιζητεῖ θείαν 15 βοήθειαν ἢ ἀνθρωπίνην ἥτις στήσει τὸν κοινὸν ἐμπρησμὸν καὶ τὴν ἐπέχουσαν ἡμᾶς σκοτόμαιναν.

43. Ἓν μὲν οὖν ἐκεῖνο ἐπινοεῖ καὶ λίαν σωτήριον· 553 A συναγαγὼν ἑαυτὸν ὡς οἷόν τε ἦν καὶ συγκλείσας τῷ Πνεύματι καὶ πάντας μὲν ἀνθρωπίνους λογισμοὺς κινήσας, πᾶν δὲ τῶν γραφῶν βάθος ἀναλεξάμενος, λογογραφεῖ τὴν 5 εὐσέβειαν καὶ ἀντιθέτοις πάλαις καὶ μάχαις τὸ πολὺ τῶν αἱρετικῶν ἀποκρούεται θράσος, τοὺς μὲν καὶ εἰς χεῖρας ἰόντας ἀγχεμάχοις ὅπλοις τοῖς ἀπὸ γλώσσης καταστρεφόμενος, τοὺς δὲ πόρρωθεν βάλλων τοξεύμασι τοῖς ἐκ μέλανος,

42, 2 τοῦ : add. κοινοῦ AQ[pc]WSCv Bo || 3 γὰρ : add. ἀνδρὸς SC || 8 ἀληθείᾳ : τῇ ἀληθείᾳ VSDCv Bo || 11 τὸ Ἰωνᾶ : τῷ Ἰωνᾶ W[ac]S || τὸ Δαβίδ : τῷ Δαβίδ W[ac]SD || συναπελέγετο SC || 16 ἐπέχουσαν : συνεπέχουσαν S κατεπέχουσαν C || σκοτόμηναν SD

42. a. Prov. 14, 30. b. Cf. Jonas 4, 9. c. Ps. 131, 4.

dormir : il pensait, au contraire, qu'il devait aussi apporter du secours et payer de sa personne.

42. Qu'y avait-il, en effet, de plus affligeant que cette calamité et quel sujet devait-il exciter davantage le zèle d'un homme dont le regard était tourné vers le haut ? Si un individu est dans la prospérité ou dans le malheur, cela ne signifie rien pour la communauté, mais si la communauté se trouve dans telle situation ou telle autre, il est absolument inévitable que le sort de chacun soit affecté de la même façon. Pensant à cela et se situant dans ces perspectives, ce grand gardien et protecteur de la communauté — étant donné que c'est un ver dans les os qu'un cœur sensible selon l'avis de Salomon et de la Vérité [a], que l'insensibilité donne le confort moral, la compassion la tristesse et que la réflexion prolongée ronge le cœur —, s'en trouvait agité, chagriné, blessé, dans la situation de Jonas [b], de David : il renonçait à la vie, il n'accordait ni sommeil à ses yeux ni assoupissement à ses paupières [c], il consumait ce qui lui restait de chair dans les soucis jusqu'à ce qu'il eût trouvé une issue au mal. Il se met en quête d'une assistance, divine ou humaine, susceptible de mettre fin à l'embrasement général et à l'obscurité qui s'étendait sur nous.

43. Voici donc le premier moyen, bien fait pour apporter le salut, qu'il imagine : après s'être recueilli autant qu'il était possible et s'être enfermé avec l'Esprit, après avoir mis en branle tous les raisonnements humains, après avoir fait le tri de tout ce que les Écritures contiennent de profond, il compose un traité de la piété [1] et il repousse l'extrême audace des hérétiques en lui opposant luttes et combats, en réduisant les uns, ceux qui l'affrontaient, avec les armes à courte portée, celles de la langue, et en frappant ceux qui étaient au loin avec les traits d'une

1. Le *Contre Eunome* remonte à la période 363-365. Cf. *infra*, n. 5, p. 273.

οὐδὲν ἀτιμοτέρου τῶν ἐν ταῖς πλαξὶ χαραγμάτων, οὐδὲ ἑνὶ
10 τῆς Ἰουδαίας ἔθνει, καὶ μικρῷ τούτῳ, νομοθετοῦντος περὶ βρωμάτων καὶ πομάτων καὶ προσκαίρων θυσιῶν καὶ σαρκὸς καθαρσίων [a], ἀλλὰ παντὶ γένει καὶ μέρει τῆς οἰκουμένης περὶ τοῦ λόγου τῆς ἀληθείας, ἐξ οὗ καὶ τὸ σῴζεσθαι περιγίνεται.

15 Δεύτερον δέ — καὶ γὰρ ὁμοίως ἀτελὲς ἄλογος πρᾶξις καὶ λόγος ἄπρακτος —, προσετίθει τῷ λόγῳ καὶ τὴν ἐκ
B τοῦ πράττειν ἐπικουρίαν, τοῖς μὲν ἐπιδημῶν, πρὸς δὲ τοὺς πρεσβεύων, τοὺς δὲ καλῶν, νουθετῶν, ἐλέγχων, ἐπιτιμῶν [b], ἀπειλῶν, ὀνειδίζων, προπολεμῶν ἐθνῶν, πολέων, τῶν καθ'
20 ἕκαστον, πᾶν εἶδος ἐπινοῶν σωτηρίας, πανταχόθεν ἰώμενος, ὁ Βεσελεὴλ ἐκεῖνος, ὁ τῆς θείας ἀρχιτέκτων σκηνῆς [c], πάσῃ πρὸς τὸ ἔργον ὕλῃ καὶ τέχνῃ χρώμενος καὶ πάντα πλέκων εἰς κάλλους ἑνὸς περιουσίαν καὶ ἁρμονίαν.

44. Τί τἄλλα χρὴ λέγειν; Ἀλλ' ἧκεν αὖθις ἡμῖν ὁ χριστομάχος βασιλεὺς καὶ τῆς πίστεως τύραννος μετὰ
C πλείονος τῆς ἀσεβείας καὶ θερμοτέρας τῆς παρατάξεως, ὡς πρὸς ἀνταγωνιστὴν ἰσχυρότερον ὄντος αὐτῷ τοῦ λόγου,
5 κατὰ τὸ ἀκάθαρτον ἐκεῖνο πνεῦμα καὶ πονηρὸν ὅ, τοῦ ἀνθρώπου λυθὲν καὶ περιπλανηθέν, πρὸς τὸν αὐτὸν ἀναστρέφει μετὰ πλειόνων πνευμάτων εἰσοικισθησόμενον,

43, 11 πομάτων : πωμάτων v Bo ποτῶν D || 11-12 καὶ σαρκὸς καθαρσίων om. S || 18 καλῶν : παρακαλῶν SD
44, 6-7 ἀναστρέφει : ἀνατρέχει V ὑποστρέφει D

43. a. Cf. Hébr. 9, 9. b. II Tim. 4, 2. c. Cf. Ex. 31, 2 s.

1. Basile entreprit une vaste action diplomatique pour obtenir une intervention des évêques d'Italie auprès de l'empereur Valentinien afin que ce dernier obtienne le relâchement de la pression exercée par son frère Valens sur les orthodoxes d'Orient. La négociation était compliquée par l'affaire du schisme d'Antioche dans laquelle les évêques orientaux soutenaient Mélèce tandis que les occidentaux et Alexandrie embrassaient le parti de Paulin. Or l'Occident était

encre qui ne le cédait en rien aux caractères des Tables de la Loi, et qui ne légiférait pas pour le seul peuple juif, un petit peuple, sur des aliments, des boissons, des sacrifices frappés de caducité et des rites de purification de la chair[a], mais qui légiférait pour toute race et pour toute portion de la terre sur la doctrine de vérité qui engendre le salut.

En second lieu, puisque l'action sans la parole est chose aussi incomplète que la parole sans l'action, il ajoutait à la parole le secours qui provient de l'action : en se rendant chez les uns, en envoyant chez les autres, en faisant appel à d'autres[1]; en avertissant, reprenant, censurant, menaçant[b], blâmant, en prenant la défense des peuples, des villes, des individus, en imaginant toute forme de salut, en guérissant par tous les moyens, ce Béséléel, cet architecte de la demeure divine[c] qui utilisait pour son ouvrage toute espèce de matériaux et de techniques, et qui entrelaçait toutes choses les unes aux autres pour obtenir la magnificence et l'harmonie d'un chef d'œuvre unique.

44. Est-il nécessaire de dire le reste ? En tout cas, il était revenu vers nous, le roi ennemi du Christ et tyran de la foi, avec une impiété accrue et dans un ordre de bataille plus fiévreux puisqu'il avait affaire à un antagoniste plus fort, à la manière de cet esprit impur et pervers qui, après avoir été chassé d'un homme et avoir erré à la ronde, revient à la même personne en compagnie d'un plus grand nombre d'esprits pour faire d'elle sa

accoutumé à envisager les affaires d'Orient à travers les vues d'Alexandrie depuis le long séjour d'Athanase exilé à Rome. Il fallait donc obtenir dans cette affaire le soutien d'Alexandrie sans abandonner pour autant la cause de Mélèce. Cf. M. Richard, « Saint Basile et la mission du diacre Sabinus », *Analecta Bollandiana* (= *Mélanges Paul Peeters* I) LXVII (1949), 178-202, repris dans *Opera minora*, Turnhout 1977, II, n° 34.

ὥσπερ ἐν τοῖς εὐαγγελίοις ἠκούσαμεν [a]. Τούτου γίνεται μιμητὴς ἐκεῖνος, ὁμοῦ τε τὴν προτέραν ἧτταν ἀνακαλεσό-
10 μενος καὶ προσθήσων τι τοῖς πρώτοις παλαίσμασι. Δεινὸν γὰρ εἶναι καὶ σχέτλιον, πολλῶν μὲν ἐθνῶν ἐπάρχοντα, πολλῆς δὲ δόξης ἠξιωμένον, πάντας δὲ τοὺς κύκλῳ καταστρεψάμενον τῷ κράτει τῆς ἀσεβείας καὶ χειρωσάμενον πᾶν τὸ προστυχόν, ἑνὸς ἀνδρὸς καὶ μιᾶς πόλεως ἥττω ὀφθῆναι
15 καὶ γέλωτα ὄφλειν οὐ τοῖς ἄγουσι μόνον αὐτὸν προστάταις τῆς ἀθείας, ἀλλὰ καὶ πᾶσιν ἀνθρώποις, ὡς ὑπελάμβανεν.

D **45.** Τὸν μὲν δὴ Περσῶν βασιλέα φασίν, ἐπειδή ποτε κατὰ τῆς Ἑλλάδος ἐστράτευσε πᾶν μὲν γένος ἀνθρώπων ἐπ' αὐτοὺς ἐλαύνων, παντὶ δὲ ζέων θυμῷ καὶ φρονήματι,
556 A οὐ ταύτῃ μόνον ἐπαίρεσθαι καὶ ἄμετρον εἶναι ταῖς ἀπειλαῖς,
5 ἀλλ' ὡς ἂν μᾶλλον αὐτοὺς καταπλήξειε, φοβερὸν ἑαυτὸν ποιεῖν καὶ ταῖς κατὰ τῶν στοιχείων καινοτομίαις. Γῆ τις ἠκούετο ξένη καὶ θάλασσα τοῦ νέου δημιουργοῦ καὶ στρατὸς ἤπειρον πλέων καὶ πεζεύων πέλαγος, νῆσοί τε ἁρπαζόμεναι καὶ θάλασσα μαστιζομένη καὶ ὅσα τῆς ἐμπλήκτου σαφῶς
10 ἦν στρατιᾶς καὶ στρατηγίας, κατάπληξις μὲν τοῖς ἀγεννεστέροις, γέλως δὲ τοῖς ἀνδρικωτέροις καὶ στερροτέροις τὸ φρόνημα. Ὁ δὲ τοιούτου μὲν οὐδενὸς ἐδεῖτο καθ' ἡμῶν στρατεύων, ὃ δὲ ἦν ἐκείνων χεῖρον καὶ βλαβερώτερον, τοῦτο ποιῶν καὶ λέγων ἠκούετο. Ἔθετο εἰς οὐρανὸν τὸ στόμα

44, 14 ἥττω : ἥττων AQBJWVT^{ac} ἧττον SDC || 16 ὑπελάμβανε WVTSCv Bo

45, 1 φησίν J^{pc}S || 2 ἐστράτευε v Bo || 7 θάλαττα BJ || 9 ἐκπλήκτου SD || 11 στερροτέροις : στερροῖς AQBJWVT || 13 βλαβερώτερον : βλαβερώτατον WV^{pc}T || τοῦτο : add. καὶ AQ

44. a. Cf. Lc 11, 24 s.

1. L'accusation d'athéisme est courante en ce qui concerne les ariens parce qu'ils ne reconnaissent pas la pleine divinité du Christ. En fait, tous ceux qui acceptaient l'ὅμοιος et que les orthodoxes considéraient comme ariens ne partageaient pas nécessairement cette conception.

demeure, comme nous l'avons appris dans les évangiles[a]. C'est cet esprit qui fournit le modèle dont il se fait l'imitateur avec l'intention de faire appel de sa première défaite et d'ajouter à la liste des épreuves primitives. Il lui semblait, en effet, pénible et lamentable, alors qu'il était à la tête de tant de peuples et couvert de tant de gloire, alors qu'il avait soumis tout le monde autour de lui au pouvoir de l'impiété et réduit tout ce qu'il rencontrait sur son passage, de donner le spectacle d'un homme dépassé par une seule personne et par une seule ville, et de prêter à rire non seulement aux patrons de l'athéisme qui le menaient[1], mais encore au monde entier, comme il le soupçonnait.

45. On raconte que le roi de Perse, à l'époque où il était entré en campagne contre la Grèce en entraînant contre elle des hommes de toute race et tout bouillant de colère et d'orgueil, ne s'était pas contenté de se lever contre elle et de prodiguer les menaces : pour impressionner davantage les Grecs, il se rendit effrayant en allant jusqu'à attenter contre les éléments. On entendit parler d'une terre étrange ainsi que d'une mer due à ce nouveau démiurge, d'une armée qui naviguait sur la terre ferme et qui traversait la mer à pied[2]. C'était aussi des îles capturées, la mer fouettée[3] et tout ce qui caractérise nettement une armée et un commandement frappés de démence : cause d'épouvante pour les âmes basses, mais de rire pour qui a du courage et de la fermeté. Notre homme n'avait nul besoin de rien de tel à son entrée en campagne contre nous, mais on lui attribuait des actes et des paroles d'un caractère pire et plus nuisible. Il a levé

2. Au début de la deuxième guerre médique. Xerxès avait fait couper par un canal l'isthme du mont Athos afin de mettre ses navires à l'abri des coups de vent au large de la presqu'île. D'autre part, les troupes perses franchirent l'Hellespont sur un double pont de bateaux. Cf. Hérodote, VII, 22-24, 35.

3. Cf. Hérodote, VII, 35; Eschyle, *Perses*, 745-748.

15 αὐτοῦ, βλασφημίαν λαλῶν εἰς τὸ ὕψος, καὶ ἡ γλῶσσα αὐτοῦ
B διῆλθεν ἐπὶ τῆς γῆς[a]. Καλῶς γὰρ αὐτὸν ὁ θεῖος Δαβὶδ πρὸ ἡμῶν ἐστηλίτευσε, τὸν οὐρανὸν εἰς γῆν κλίνοντα καὶ μετὰ τῆς κτίσεως ἀριθμοῦντα φύσιν τὴν ὑπερκόσμιον, ἣν οὐδὲ χωρεῖν ἡ κτίσις δύναται, κἂν μεθ' ἡμῶν τι γένηται λόγῳ
20 φιλανθρωπίας, ἵν' ἡμᾶς ἑλκύσῃ πρὸς ἑαυτὴν χαμαὶ κειμένους.

46. Καὶ δὴ λαμπρὰ μὲν αὐτοῦ τὰ πρῶτα νεανιεύματα, λαμπρότερα δὲ τὰ τελευταῖα καθ' ἡμῶν ἀγωνίσματα. Τίνα δὴ λέγω τὰ πρῶτα ; Ἐξορίαι, φυγαί, δημεύσεις, ἐπιβουλαὶ φανεραί τε καὶ ἀφανεῖς, τὸ πείθειν οὐ καιρὸς ἦν, τὸ
5 βιάζεσθαι τοῦ πείθειν οὐκ ὄντος. Οἱ μὲν ἐξωθούμενοι τῶν
C ἐκκλησιῶν, ὅσοι τοῦ ὀρθοῦ λόγου καὶ τοῦ καθ' ἡμᾶς· οἱ δὲ εἰσαγόμενοι, ὅσοι τῆς βασιλικῆς ἀπωλείας ἐτύγχανον, οἱ τὰ χειρόγραφα τῆς ἀσεβείας ἀπαιτοῦντες, οἱ γράφοντες τὰ τούτων ἔτι χαλεπώτερα. Πρεσβυτέρων ἐμπρησμοὶ θαλάτ-
10 τιοι· στρατηγοὶ δυσσεβεῖς, οὐ Περσῶν κρατοῦντες, οὐ Σκύθας χειρούμενοι, οὐκ ἄλλο τι βαρβαρικὸν ἔθνος ἀνακαθαίροντες, ἀλλ' ἐκκλησίαις ἐπιστρατεύοντες καὶ θυσιαστηρίων κατορχούμενοι καὶ τὰς ἀναιμάκτους θυσίας ἀνθρώπων καὶ θυσιῶν αἵμασι χραίνοντες καὶ παρθένων αἰδῶ
15 καθυβρίζοντες. Ἵνα τί γένηται ; Ἵν' ἐξωσθῇ μὲν Ἰακὼβ ὁ πατριάρχης, ἀντεισαχθῇ δὲ Ἠσαῦ, ὁ μεμισημένος καὶ πρὸ γενέσεως[a]. Ταῦτα τῶν πρώτων αὐτοῦ νεανιευμάτων τὰ

45, 17 κλίναντα Sv Bo
46, 3 δὴ : δὲ AQBJWVT || ἐπιβουλαὶ om. AQBJWVT

45. a. Ps. 72, 9.
46. a. Cf. Rom. 9, 11.

1. A la suite de l'installation sur le siège de Constantinople de l'arien Démophile (370), 80 ecclésiastiques étaient venus protester auprès de Valens à Nicomédie. L'empereur aurait donné l'ordre de les embarquer et de les abandonner après avoir mis le feu au navire (cf.

la bouche contre le ciel en proférant le blasphème contre la hauteur, et sa langue s'est répandue sur la terre[a], le divin David a bien su le stigmatiser avant nous, cet homme qui rabaissait le ciel vers la terre et qui mettait au nombre des créatures la nature qui est au-dessus du monde, cette nature que la créature ne peut même pas contenir, même si elle se range dans une certaine mesure à nos côtés en raison de son amour, pour nous attirer jusqu'à elle, nous qui sommes à ras de terre.

46. En vérité, ses premières audaces étaient éclatantes, mais ses ultimes exploits contre nous l'ont été davantage. De quoi s'agit-il donc quand je parle de *premier* ? Il s'agit de bannissements, d'exils, de confiscations, d'intrigues ouvertes ou dissimulées, de persuasion quand les circonstances le permettaient, de violence quand on ne pouvait y recourir. Les uns étaient chassés des églises : c'étaient tous ceux qui appartenaient à la bonne doctrine et à notre parti ; les autres y étaient installés : c'étaient tous ceux qui relevaient du fléau royal, ceux qui exigeaient les déclarations écrites d'impiété comme ceux qui rédigeaient des écrits encore pires que le texte de ces déclarations. C'étaient des embrasements de prêtres en pleine mer[1], des généraux impies qui ne triomphaient pas des Perses, qui ne domptaient pas les Scythes, qui n'exterminaient pas quelque autre peuple barbare, mais qui entraient en campagne contre des Églises, qui dansaient sur des autels, qui souillaient les sacrifices non sanglants du sang des hommes et des victimes, et qui insultaient la pudeur des vierges. Dans quel but ? Pour chasser le patriarche Jacob et mettre à sa place cet Ésaü qui avait été haï dès avant sa naissance[a]. Voilà ce que l'on raconte

Socrate, IV, 16 ; Sozomène, VI, 14, 2-4 ; Théodoret, IV, 24). Grégoire évoque ailleurs l'événement (*D.* 25, 10), mais en ne parlant que d'un seul prêtre ; cf. également *D.* 42, n. 3, p. 101.

557 A διηγήματα, ἃ καὶ μέχρι τοῦ νῦν κινεῖ τοῖς πολλοῖς δάκρυον εἰς μνήμην ἰόντα καὶ ἀκουόμενα.

47. Ἐπεὶ δὲ πάντα διεξελθὼν ἐπὶ τὴν ἄσειστον καὶ ἀνεπηρέαστον, εἰς τήνδε τὴν ἐκκλησιῶν μητέρα, ὡς δουλωσόμενος ὥρμησε καὶ τὸν λειπόμενον ἔτι μόνον ζωτικὸν σπινθῆρα τῆς ἀληθείας, τότε πρῶτον ᾔσθετο κακῶς βου-
5 λευσάμενος. Ὡς γὰρ βέλος ἰσχυροτέρῳ προσπεσὸν ἀπεκρούσθη καὶ ὡς κάλως ῥαγεὶς ὑπεχώρησε, τοιούτῳ τῷ προστάτῃ τῆς ἐκκλησίας ἐνέτυχε καὶ τοσούτῳ προβόλῳ περιρραγεὶς διελύθη. Τὰ μὲν οὖν ἄλλα λεγόντων τε καὶ ἱστορούντων τῶν τότε πεπειραμένων ἔστιν ἀκούειν, ἱστορεῖ
B 10 δὲ οὐδεὶς ὅστις οὐ τῶν ἁπάντων. Ἀλλὰ τοσοῦτοι θαυμάζουσιν ὅσοι τοὺς τότε ἀγῶνας γνωρίζουσι, τὰς προσβολάς, τὰς ὑποσχέσεις, τὰς ἀπειλάς, τοὺς ἐκ τοῦ δικαστικοῦ τάγματος προσπεμπομένους αὐτῷ καὶ πείθειν ἐπιχειροῦντας, τοὺς ἐκ τοῦ στρατιωτικοῦ, τοὺς ἐκ
15 τῆς γυναικωνίτιδος, τοὺς ἐν γυναιξὶν ἄνδρας καὶ ἐν ἀνδράσι γυναῖκας, τοὺς τοῦτο μόνον ἀνδρικοὺς τὴν ἀσέβειαν, οἳ τὸ φυσικῶς ἀσελγαίνειν οὐκ ἔχοντες, ᾧ δύνανται μόνον, τῇ γλώσσῃ, πορνεύουσι, τὸν ἀρχιμάγειρον Ναβουζαρδὰν [a] τὰς ἐκ τῆς τέχνης μαχαίρας ἐπαπειλοῦντα
20 καὶ τῷ οἰκείῳ πυρὶ πεμπόμενον. Ὃ δὲ μάλιστά μοι τῶν ἐκείνου θαυμάσιον καὶ οὐδὲ βουλομένῳ παρελθεῖν δυνατόν, τοῦτο δώσω τῷ λόγῳ συνελὼν ὅσον ἐνδέχεται.

46, 18 τοῦ om. AQBJWV

AQBJ (lac. J : **47,** 14 - τοὺς ἐκ τοῦ - **49,** 6 γὰρ ἡμῖν) WVT SDC

47, 1 post διεξελθὼν interpungitur v Bo || 2 εἰς om. v Bo || 5 προσπεσὼν AQJWVTSD[ac] || 6 κάλως : κάλος AQBJS καλῶς v || τοιούτῳ : καὶ τοιούτῳ SDC || τῷ om. SC || 8 διελύθη : διεχύθη A || 13 προπεμπομένους Q[ac]JS

47. a. Jér. 47, 1 (LXX).

1. Sur les eunuques de la cour, qui étaient en majorité ariens, cf. *supra, D.* 42, n. 5, p. 111.
2. Le texte massorétique fait de Nabuzardan le chef des gardes du

de ses premières audaces : ce sont des choses qui, aujourd'hui encore, excitent les larmes du public quand elles viennent en mémoire et qu'on en entend parler.

47. Quand, après avoir tout épuisé contre celle qui est à l'abri des secousses et des attentats, il se fut élancé, pour l'asservir, sur la mère des Églises qui se trouve ici et sur la seule étincelle encore vivante de la vérité, c'est alors qu'il commença à se rendre compte de ce qu'il avait pris un mauvais parti. Un trait qui frappe un corps trop résistant est rejeté et un câble qui se brise revient en arrière : c'est ainsi qu'il vint se heurter sur ce défenseur de l'Église, se briser et se désagréger sur ce puissant ouvrage avancé. Le reste, on peut l'apprendre de ceux qui ont passé par les épreuves de cette époque, qui le racontent et qui en font l'histoire : cette histoire, il n'en est pas un qui ne la fasse. Tous, autant qu'ils sont, s'émerveillent quand ils découvrent les luttes de cette période, les agressions, les promesses, les menaces; les membres du corps judiciaire qu'on lui dépêchait pour tenter de le convaincre; ceux du service public; le personnel du gynécée, hommes parmi les femmes et femmes parmi les hommes, gens qui n'ont de virilité que dans l'impiété, qui, dans l'incapacité physique de se livrer à la débauche, utilisent pour se prostituer le seul instrument dont ils disposent : leur langue[1], le chef des cuisiniers, Nabuzardan[a 2], qui le menaçait des couteaux de son métier et qu'on lui envoyait avec son feu familier. Mais, ce qui me paraît le plus admirable dans son histoire et que je ne pourrais passer sous silence, même si je le voulais, je vais l'exposer en le résumant autant que possible.

corps de Nabuchodonosor (cf. *Jérémie*, 39, 9 s.), chargé de convoyer à Babylone le premier convoi de déportés juifs. La *LXX* traduit par ἀρχιμάγειρος (*Jérémie*, 47, 1). Ailleurs c'est le préfet d'Égypte, Palladios, qui est appelé Nabuzardan (*D.* 33, 3, 12).

C **48.** Τίς οὐκ οἶδε τὸν τηνικαῦτα ὕπαρχον, πολλῷ μὲν τῷ οἰκείῳ θράσει καθ' ἡμῶν μάλιστα χρώμενον ἐπειδὴ καὶ παρ' ἐκείνων ἦν τῷ βαπτίσματι τελεσθεὶς ἢ συντελεσθείς, πλείω δὲ τῶν ἀναγκαίων ὑπηρετοῦντα τῷ ἐπιτάττοντι καὶ
5 διὰ τοῦ πάντα χαρίζεσθαι τὸ κράτος ἑαυτῷ συντηροῦντα καὶ φυλάττοντα χρονιώτερον ; Τούτῳ βρέμοντι κατὰ τῆς ἐκκλησίας καὶ λεόντειον μὲν τὸ εἶδος προβεβλημένῳ, λεόντειον δὲ βρυχομένῳ καὶ μηδὲ προσιτὸν πλείοσιν ὁ γεννάδας ἐκεῖνος εἰσάγεται· μᾶλλον δὲ εἴσεισιν ὥσπερ εἰς
10 ἑορτήν, οὐκ εἰς κρίσιν καλούμενος. Πῶς ἂν ἀξίως διηγησαίμην ἢ τὴν τοῦ ὑπάρχου θρασύτητα ἢ τὴν τοῦ ἀνδρὸς πρὸς αὐτὸν μετὰ συνέσεως ἔνστασιν ;
560 A — Τί σοι, φησίν, ὦ οὗτος, βούλεται, τοὔνομα προσειπών — οὔπω γὰρ ἐπίσκοπον ἠξίου καλεῖν —, τὸ κατὰ τοσούτου
15 κράτους τολμᾶν καὶ μόνον τῶν ἄλλων ἀπαυθαδιάζεσθαι ; — Τοῦ χάριν, φησὶν ὁ γεννάδας, καὶ τίς ἡ ἀπόνοια ; Οὔπω γὰρ ἔχω γινώσκειν. — Ὅτι μὴ τὰ βασίλεως, φησί, θρησκεύεις, τῶν ἄλλων ἁπάντων ὑποκλιθέντων καὶ ἡττημένων. — Οὐ γὰρ ταῦτα, ἔφη, βασιλεὺς ὁ ἐμὸς βούλεται,

48, 1 ὕπαρχον : gl. Μόδεστον D || 8 βρυχωμένῳ ACv Bo || πλείοσιν : τοῖς πλείοσιν SDv Bo || 10-11 διηγησάμην v Bo || 13 σοι om. AQBWVT || 15 ἀπαυθαδιάζεσθαι (cf. *D.* 4, 57, 10) : ἀπαυθαδίζεσθαι AQBWVT || 16 ὁ γεννάδας φησίν Dv || 18 θρησκεύεις, φησίν Dv

1. Il s'agit du préfet du prétoire d'Orient, Domitius Modestus, qui a exercé ces fonctions de 369 à 377 après avoir été comte d'Orient (358-362) et préfet de Constantinople sous Julien (362-363). Il est consul en 372. Ce très important personnage a été le destinataire d'une trentaine de constitutions impériales.

2. Ammien Marcelln, XXIX, 1.10.11, parle d'une *prodigiosa feritas*. Grégoire semble dire que Modestus réservait sa brutalité aux orthodoxes : en fait, c'est le même homme qui avait exilé Eunome, le théologien de l'arianisme radical, vers 369/370.

3. Les ariens.

4. Grégoire joue sur les mots τελεῖν/συντελεῖν. Τελεῖν signifie *achever*, d'où *initier* et désigne ici le baptême. Le composé συντελεῖν veut dire *parachever*, d'où *détruire* (cf. II *Chroniques*, 20, 23). Autant

48. Qui ne connaît le préfet de cette époque[1], qui déployait surtout contre nous toute la brutalité qui le caractérisait[2] depuis qu'il avait été admis au baptême pour ces gens-là[3], ou plutôt achevé[4], qui servait celui dont il recevait ses ordres au-delà de ce qu'il était obligé de faire et qui acceptait tout pour garder le pouvoir et s'en ménager une possession plus durable? C'est devant cet homme qui grondait contre l'Église, qui arborait des apparences de lion, qui poussait des rugissements de lion et qui se gardait inaccessible au public, que ce héros[5] est introduit. Ou plutôt, il fait son entrée comme si on l'invitait à une fête et non pas à comparaître. Comment pourrais-je exposer comme il convient la brutalité du préfet aussi bien que la résistance intelligente qu'il lui opposa[6]?

— Eh toi[7], dit-il en ajoutant son nom, car il se refusait absolument à lui donner le titre d'évêque, que signifie cette audace devant une autorité si haute et cette arrogance chez un homme complètement isolé? — Pourquoi cette question, dit le héros? Où est cette présomption? Je n'arrive pas à comprendre de quoi il s'agit. — C'est que tu ne suis pas la religion du roi, alors que tous sans exception se sont inclinés et soumis. — C'est que mon roi, à moi, s'y oppose, et que je ne me résigne pas

dire que c'est un homme fini, définitivement perdu pour s'être ancré dans une secte qui nie la divinité du Christ. Ouvertement païen sous Julien, Modestus va jusqu'au baptême sous Valens (lui-même baptisé), sans doute pour se racheter et sauver sa carrière.

5. Le mot γεννάδας est volontiers employé par Grégoire qui l'applique à Julien (*D.* 4, 55; *D.* 5, 17.20) par antiphrase.

6. Une personne citée à comparaître est reçue en public et peut fort bien être accompagnée. Il est probable que Grégoire était venu à Césarée pour prêter main forte à son ami et qu'il a assisté à la scène qu'il décrit.

7. Le ton est plus que cavalier.

20 οὐδὲ κτίσμα τι προσκυνεῖν ἀνέχομαι, Θεοῦ τε κτίσμα τυγχάνων καὶ Θεὸς εἶναι κεκλευσμένος. — Ἡμεῖς δέ, τί σοι δοκοῦμεν ; — Ἢ οὐδέν, ἔφη, ταῦτα προστάττοντες. — Τί δέ ; Οὐ μέγα σοι τὸ μεθ' ἡμῶν τετάχθαι καὶ κοινωνοὺς ἔχειν ἡμᾶς ; — Ὕπαρχοι μέν, φησίν, ὑμεῖς καὶ τῶν 25 ἐπιφανῶν, οὐκ ἀρνήσομαι, οὔπω δὲ Θεοῦ τιμιώτεροι. Καὶ το κοινωνοὺς ἔχειν, μέγα μέν· πῶς γὰρ οὔ ; Πλάσμα Θεοῦ B καὶ ὑμεῖς, ἀλλ' ὡσεί τινας ἄλλους τῶν ὑφ' ἡμῖν τεταγμένων· οὐ γὰρ προσώποις τὸν χριστιανισμόν, ἀλλὰ πίστει χαρακτηρίζεσθαι.

49. Τότε δὴ κινηθέντα τὸν ὕπαρχον ζέσαι τε πλέον τῷ θυμῷ καὶ τῆς καθέδρας ἐξαναστῆναι καὶ τραχυτέροις πρὸς αὐτὸν χρήσασθαι λόγοις. — Τί δέ, οὐ φοβῇ τὴν ἐξουσίαν ; φησίν. — Μὴ τί γένηται μηδὲ τί πάθω ; — Μή τι τῶν 5 πολλῶν ἓν ἃ τῆς ἐμῆς δυναστείας ἐστίν. — Τίνα ταῦτα ; Γνωρίζεσθω γὰρ ἡμῖν. — Δήμευσιν, ἐξορίαν, βασάνους, C θάνατον. — Εἴ τι ἄλλο, φησίν, ἀπείλει· τούτων γὰρ ἡμῶν οὐδὲν ἅπτεται. Καὶ τὸν εἰπεῖν· — Πῶς καὶ τίνα τρόπον ; — Ὅτι τοι, ἔφη, δημεύσει μὲν οὐχ ἁλωτὸς ὁ

48, 23 δέ : δαί VTv || 27 ἡμῖν : ὑμῖν AQBWTC ἡμῶν S
49, 3 δέ : δαί VTv Bo || 5 ἓν : add. κάμψῃ σε S || 8 ἡμῶν οὐδὲν : ἡμῖν οὐδὲν S οὐδὲν ἡμῶν v Bo

---

1. L'expression est ambiguë à un point tel qu'il est impossible que Basile l'ait prononcée de cette façon. La προσκύνησις fait partie depuis longtemps du cérémonial de la cour : on se prosterne devant l'empereur. Entendue littéralement, cette phrase signifierait que Basile refuse de rendre à l'empereur l'hommage habituel. En réalité, Basile refuse de se prosterner devant le faux dieu qu'est le Christ arien.

2. Ce pluriel de majesté, ou plutôt de politesse, est usuel dans le style de l'époque. Modestus fuit le terrain théologique sur lequel il ne se sent pas sûr.

3. Πρόσταγμα est l'équivalent du latin *edictum*.

à me prosterner devant une créature[1], alors que je suis une créature de Dieu et que je suis appelé à être Dieu. — Et nous[2], que sommes-nous à tes yeux? — En vérité, rien, dit-il, quand vous donnez ces ordres-là[3]. — Quoi! Il n'est pas important pour toi d'avoir place à nos côtés et de nous avoir dans ta communion[4]? — Vous êtes préfet, et vous êtes au nombre des hommes illustres[5], je ne le nierai pas; mais vous n'avez aucun droit à être respecté plus que Dieu. Quant à vous avoir dans ma communion, c'est une chose importante : comment ne le serait-elle pas? Vous aussi, vous avez été formé par Dieu; mais ce sera sur le même plan que d'autres qui sont soumis à notre direction[6] : ce qui fait le christianisme, ce n'est pas le personnage, mais la foi.

49. C'est alors que le préfet, secoué, se mit à bouillir d'une colère accrue, qu'il se leva de son siège et lui tint un langage plus dur. — Quoi, dit-il, tu n'as pas peur du pouvoir? — Que peut-il arriver? Que puis-je subir? — Un des nombreux traitements qui relèvent de ma charge. — Quels sont-ils? Il faut me le faire connaître. — Confiscation, exil, torture, mort. — S'il y a autre chose, tu peux m'en menacer, car aucun de ceux-là ne nous atteint. Et l'autre de dire : — Comment? De quelle manière? — C'est qu'en vérité la confiscation n'a pas de

4. Les deux expressions se complètent : la première traduit l'intégration éventuelle de l'évêque dans la clientèle du préfet, la seconde celle du préfet dans la communauté religieuse dont l'évêque est le chef.

5. Autrement dit, Modestus appartient à la catégorie sociale des *illustres*. Cf. *infra*, n. 3, p. 242.

6. L'évêque reprend, en les inversant, les mots du préfet, μεθ' ἡμῶν τετάχθαι.

10 μηδὲν ἔχων, πλὴν εἰ τούτων χρήζεις τῶν τρυχίνων μου ῥακίων καὶ βιβλίων ὀλίγων ἐν οἷς ὁ πᾶς ἐμοὶ βίος· ἐξορίαν δὲ οὐ γινώσκω, ὁ μηδενὶ τόπῳ περιγραπτὸς καὶ μήτε ταύτην ἔχων ἐμὴν οἰκῶ νῦν, καὶ πᾶσαν ἐμὴν εἰς ἣν ἂν ῥιφῶ, μᾶλλον δὲ τοῦ Θεοῦ πᾶσαν, οὗ πάροικος ἐγὼ καὶ παρεπίδημος· αἱ 15 βάσανοι δὲ τί ἂν λάβοιεν, οὐκ ὄντος σώματος, πλὴν εἰ τὴν πρώτην λέγοις πληγήν; Ταύτης γὰρ σὺ μόνης κύριος, ὁ δὲ θάνατος εὐεργέτης· καὶ γὰρ θᾶττον πέμψει με πρὸς Θεόν, ᾧ ζῶ καὶ πολιτεύομαι καὶ τῷ πλείστῳ τέθνηκα καὶ πρὸς ὃν ἐπείγομαι πόρρωθεν [a].

D **50.** Τούτοις καταπλαγέντα τὸν ὕπαρχον· — Οὐδείς, φάναι, μέχρι τοῦ νῦν οὕτως ἐμοὶ διείλεκται καὶ μετὰ τοσαύ- 561 A της τῆς παρρησίας, τὸ ἑαυτοῦ προσθεὶς ὄνομα. — Οὐδὲ γὰρ ἐπισκόπῳ, φησίν, ἴσως ἐνέτυχες, ἢ πάντως ἂν τοῦτον 5 διελέχθη τὸν τρόπον, ὑπὲρ τοιούτων ἀγωνιζόμενος. Τἄλλα μὲν γὰρ ἐπιεικεῖς ἡμεῖς, ὕπαρχε, καὶ παντὸς ἄλλου ταπεινότεροι, τοῦτο τῆς ἐντολῆς κελευούσης, καὶ μὴ ὅτι τοσούτῳ κράτει, ἀλλὰ μηδὲ τῶν τυχόντων ἑνὶ τὴν ὀφρὺν αἴροντες. Οὗ δὲ Θεὸς τὸ κινδυνευόμενον καὶ προκείμενον,

49, 10 χρήσεις v ‖ 16 μόνης : μόνος VC
50, 2 ἐμοὶ : μοι AQBJWVT ‖ 3 προθεὶς JS ‖ 4 ἴσως φησίν v Bo ‖ τοῦτον ἂν SD ‖ 5 διειλέχθη BJv Bo

49. a. Cf. Rom. 6, 10-11 ; 14, 8.

1. Il convient cependant de rappeler la valeur marchande élevée des livres et une rareté qui poussait l'empereur Julien à donner des instructions pour récupérer la bibliothèque de l'évêque Georges de Cappadoce, mort à Alexandrie, cf. JULIEN, *Lettre* 107, éd. J. Bidez, p. 185. Le moine dépouillé de tout qu'est Basile est resté un intellectuel.

2. L'exil est une peine fréquemment appliquée aux évêques : elle a pour but d'isoler l'intéressé et de créer les conditions de son remplacement.

3. Cette thèse, d'origine stoïcienne, reçoit une traduction chrétienne dès l'épître *A Diognète*, V, 5.

prise sur celui qui ne possède rien ; à moins que tu ne tiennes à ces misérables chiffons et à quelques livres[1] qui constituent toutes mes ressources. Quant à l'exil[2], je ne peux pas le connaître, moi qu'aucun lieu ne circonscrit, qui ne regarde pas non plus comme mien celui où j'habite actuellement, mais qui considère comme à moi tout endroit où je puis être projeté[3]. Ou plutôt, qui tiens toute terre comme appartenant à Dieu dont je suis l'hôte de passage. Quant aux tortures, sur quoi auraient-elles prise là où il n'y a pas de corps ? A moins que tu ne parles du premier coup ? C'est le seul dont tu es le maître, mais la mort est une bienfaitrice, puisqu'elle m'enverra plus tôt vers Dieu, pour qui je vis et j'agis, pour qui je suis en très large partie mort, et auprès de qui depuis longtemps je me hâte d'arriver[a].

50. Ces paroles stupéfièrent le préfet : — Personne jusqu'à présent ne m'avait parlé, à moi, en ces termes et avec tant de liberté, dit-il en ajoutant son propre nom[4]. — C'est que peut-être tu n'as pas non plus rencontré d'évêque[5], ou bien, défendant une cause pareille, il se serait exprimé exactement de la même manière. Dans les autres domaines nous sommes accommodants, préfet, et plus humbles que personne d'autre — c'est ce que le commandement nous ordonne[6], et ce n'est pas seulement devant « une autorité aussi haute », mais jusque devant le premier venu, que nous nous gardons de hausser le sourcil. Mais quand c'est Dieu qui est mis en cause et en question,

4. Cf. le début du ch. 48 : ce sont là des détails qui sentent le témoin oculaire.

5. Il y avait probablement des évêques ariens dans la salle d'audience.

6. On n'a que l'embarras du choix pour déterminer quel est le commandement précis auquel l'évêque fait allusion. Les Béatitudes recommandent aux chrétiens l'humilité et le Christ leur prescrit de « rendre à César ce qui est à César ».

10 τἄλλα περιφρονοῦντες πρὸς αὐτὸν μόνον βλέπομεν. Πῦρ δὲ καὶ ξῖφος καὶ θῆρες καὶ οἱ τὰς σάρκας τέμνοντες ὄνυχες τρυφὴ μᾶλλον ἡμῖν εἰσιν ἢ κατάπληξις. Πρὸς ταῦτα ὕβριζε, ἀπείλει, ποίει πᾶν ὁτιοῦν ἂν ᾖ βουλομένῳ σοι, τῆς ἐξουσίας ἀπόλαυε. Ἀκουέτω ταῦτα καὶ βασιλεύς, ὡς ἡμᾶς γε οὐκ
15 αἱρήσεις οὐδὲ πείσεις συνθέσθαι τῇ ἀσεβείᾳ, κἂν ἀπειλῇς χαλεπώτερα.

B **51.** Ἐπειδὴ ταῦτα εἰπεῖν καὶ ἀκοῦσαι τὸν ὕπαρχον καὶ τὴν ἔνστασιν μαθεῖν τοῦ ἀνδρὸς οὕτως ἀκατάπληκτον καὶ ἀήττητον, τὸν μὲν ἔξω πέμψαι καὶ μεταστήσασθαι οὐκέτι μετὰ τῆς αὐτῆς ἀπειλῆς, ἀλλά τινος αἰδοῦς καὶ ὑπο-
5 χωρήσεως. Αὐτὸν δὲ τῷ βασιλεῖ προσελθόντα ὡς εἶχε τάχους· — Ἡττήμεθα, βασιλεῦ, εἰπεῖν, τοῦ τῆσδε προβεβλημένου τῆς ἐκκλησίας. Κρείττων ἀπειλῶν ὁ ἀνήρ, λόγων στερρότερος, πειθοῦς ἰσχυρότερος. Ἄλλον δεῖ τινα πειρᾶν τῶν ἀγεννεστέρων, τοῦτον δὲ ἢ βιάζεσθαι φανερῶς
10 ἢ μὴ προσδοκᾶν εἴξειν ταῖς ἀπειλαῖς. Ἐφ' οἷς, ἑαυτοῦ
C καταγνόντα τὸν βασιλέα καὶ τῶν ἐγκωμίων τοῦ ἀνδρὸς ἡττηθέντα — θαυμάζει γὰρ ἀνδρὸς ἀρετὴν καὶ πολέμιος — μήτε βιάζεσθαι κελεῦσαι καὶ ταὐτὸν τῷ σιδήρῳ παθεῖν, ὃς μαλάσσεται μὲν τῷ πυρί, μένει δὲ ὅμως σίδηρος, καὶ
15 τρέψαντα εἰς θαῦμα τὴν ἀπειλήν, τὴν μὲν κοινωνίαν οὐ δέξασθαι, τὴν μετάθεσιν αἰσχυνόμενον, ζητεῖν δὲ ἀπολογίαν ἥτις εὐπρεπεστάτη· δηλώσει δὲ καὶ ταύτην ὁ λόγος.

AQBJ (lac. J : **51,** 10-**54,** 12 ἀνασῴζεται) WVT SDC

51, 3 οὐκ ἔτι AQJWCv Bo || 8 δεῖ v : δὴ codd. || 9 ἀγενεστέρων Jv Bo || 16 δέξασθαι : add. τῇ μεταβολῇ S

---

1. Les mots font ressortir le contraste qui oppose la parfaite impassibilité de l'évêque avec les rugissements de colère du préfet : ἀκατάπληκτον répond au καταπλαγέντα τὸν ὕπαρχον de 50, 1.

2. Valens est donc présent à Césarée et le préfet n'a été chargé que d'une première approche sans avoir le pouvoir de prendre une sanction (cf. n. 4, *infra*). Sur le changement d'attitude de Modestus, cf. *infra*, 55.

nous méprisons tout le reste pour ne regarder que lui seul. Feu, glaive, bêtes féroces et crochets qui déchirent les chairs font nos délices plus qu'ils ne nous épouvantent. Après cela, injurie, menace, fais tout ce que tu voudras, jouis de ton pouvoir. Que le roi l'apprenne aussi, car sur nous tu n'auras pas gain de cause et tu ne nous convaincras pas d'adhérer à l'impiété, même si tes menaces se font plus graves.

51. Quand le préfet eut échangé avec lui ces répliques et qu'il se fut rendu compte jusqu'où allait la résistance du personnage à l'intimidation et son caractère indomptable[1], il le fit sortir et le congédia, non plus avec les mêmes menaces, mais avec une sorte de respect et de déférence. De son côté, il se rendit en toute hâte auprès du roi[2] : « Nous voilà battus, roi, par le chef de cette Église, dit-il. C'est un homme au-dessus des menaces, inaccessible aux raisonnements, résistant à la persuasion. C'est un autre qu'il faut soumettre à l'épreuve[3], un homme choisi parmi des personnalités plus vulgaires ; mais celui-là, il faut, soit lui faire violence de façon ouverte[4], soit ne pas s'attendre à le voir céder aux menaces ». — Là-dessus, le roi comprit ses torts et fut désarmé par les éloges qu'on faisait de Basile — la valeur d'un homme excite l'admiration, même chez un ennemi — : il défendit de lui faire violence. Mais il lui arriva la même chose qu'au fer qui s'amollit au feu, mais ne cesse pas pourtant d'être du fer : passant de la menace à l'admiration, il n'accepta pas sa communion par honte du changement, mais il se mit en quête de l'excuse qui aurait l'aspect le plus décent. La suite nous la fera connaître.

3. On cherche à provoquer un ralliement des évêques de la région au symbole de Rimini. L'essentiel est de trouver la première signature : celle de l'archevêque était la plus intéressante.

4. Il semble, d'après ce mot, que l'empereur avait prescrit à son préfet de s'en tenir aux pressions morales.

52. Εἰς γὰρ τὸ ἱερὸν εἰσελθὼν μετὰ πάσης τῆς περὶ αὐτὸν δορυφορίας — ἦν δὲ ἡμέρα τῶν Ἐπιφανίων καὶ ἀθροίσιμος —, καὶ τοῦ λαοῦ μέρος γενόμενος, οὕτως ἀφοσιοῦται τὴν ἕνωσιν. Ἄξιον δὲ μηδὲ τοῦτο παραδραμεῖν.
5 Ἐπειδὴ γὰρ ἔνδον ἐγένετο καὶ τὴν ἀκοὴν προσβαλλούσῃ
D τῇ ψαλμῳδίᾳ κατεβροντήθη, τοῦ τε λαοῦ τὸ πέλαγος εἶδε καὶ πᾶσαν τὴν εὐκοσμίαν, ὅση τε περὶ τὸ βῆμα καὶ ὅση πλησίον, ἀγγελικὴν μᾶλλον ἢ ἀνθρωπίνην, τὸν μὲν τοῦ λαοῦ προτεταγμένον ὄρθιον, οἷον τὸν Σαμουὴλ ὁ λόγος γράφει [a],
10 ἀκλινῆ καὶ τὸ σῶμα καὶ τὴν ὄψιν καὶ τὴν διάνοιαν ὥσπερ
564 A οὐδενὸς καινοῦ γεγονότος, ἀλλ᾽ ἐστηλωμένον, ἵν᾽ οὕτως εἴπω, Θεῷ καὶ τῷ βήματι, τοὺς δὲ περὶ αὐτὸν ἑστηκότας ἐν φόβῳ τινὶ καὶ σεβάσματι, ἐπειδὴ ταῦτα εἶδε καὶ πρὸς οὐδὲν παράδειγμα ἐδύνατο θεωρεῖν τὰ ὁρώμενα, ἔπαθέ τι
15 ἀνθρώπινον· σκότου καὶ δίνης πληροῦται τὴν ὄψιν καὶ τὴν ψυχὴν ἐκ τοῦ θάμβους. Καὶ τοῦτο ἦν τοῖς πολλοῖς ἄδηλον ἔτι, ἐπεὶ δὲ τὰ δῶρα τῇ θείᾳ τραπέζῃ προσενεγκεῖν ἔδει ὧν αὐτουργὸς ἦν, συνεπελάβετο δὲ οὐδεὶς ὥσπερ ἦν ἔθος,

52, 3 ἀθροισίμος : ἀθρύσιμος S^ac ἀθρυσμὸς S^pc ἀθροισμὸς DC || 5 προσβαλούσῃ AWDv Bo || 7 βῆμα : add. τέτακται S add. τέτακτο DC || 9 καὶ ὄρθιον SDC || 10 καὶ τὴν ὄψιν : om. C καὶ τὴν ψυχὴν S || 14 ἠδύνατο Dv || 15 σκότους A^ac SC

---

52. a. Cf. I Sam. 19, 20.

---

1. L'indication chronologique est précieuse : la scène se déroule à Césarée un 6 janvier, probablement en 371, la cour étant présente dans la ville depuis quelques jours. On sait que l'Épiphanie était alors, avec Pâques, la plus grande fête de l'année.

2. La chose n'est pas nouvelle depuis Constantin, mais elle mérite d'être soulignée : il existe maintenant un lieu où cette majesté impériale qu'on n'aborde qu'en se prosternant se trouve ramenée au niveau des simples fidèles, en position subordonnée par rapport à l'évêque. Il est bien évident que les cinq régiments de 500 gardes des *scholae palatinae* ne sont pas dans l'église de Césarée ni même

52. Il se rendit dans le sanctuaire avec toute sa garde autour de lui — c'était le jour de l'Épiphanie et il y avait affluence[1] —, et il prit place parmi le peuple[2], en consacrant l'union de cette manière. Mais il vaut la peine de ne pas laisser non plus ceci sous silence. Quand il se trouva à l'intérieur et que le tonnerre de la psalmodie se répercuta à ses oreilles[3], qu'il vit cet océan que formait le peuple et toute la belle ordonnance qui régnait tant sur la tribune qu'aux alentours, un ordre plus angélique qu'humain — pour lui, il se dressait face au peuple dans l'attitude où l'Écriture représente Samuel[a], sans un mouvement ni du corps ni des yeux ni de la pensée, comme s'il ne s'était produit rien de nouveau[4], mais figé, pour ainsi dire, devant Dieu et pétrifié à la tribune[5]; quant à son entourage, il se tenait debout, plongé dans une sorte de crainte et de vénération —, quand il vit cela et qu'il se trouva dans l'incapacité de se référer à un précédent pour juger de ce spectacle, il éprouva une réaction humaine : ténèbres et vertige envahissent ses yeux et son âme sous l'effet de la stupeur. Le fait échappait encore au public[6]. Mais quand il lui fallut apporter à la table divine les présents qu'il avait préparés de ses mains et que personne ne vint l'en décharger comme c'était l'usage, car on ne savait pas encore s'ils seraient

groupés au complet autour d'elle. Quelques-uns des 40 *candidati* qui formaient la garde rapprochée devaient entourer Valens.

3. Même si on juge exagérée l'évocation du tonnerre, il en reste que la foule chantait à pleine voix les psaumes qui figuraient au début de la liturgie.

4. L'empereur est donc arrivé en retard dans l'église sans que l'évêque ait changé quoi que ce fût au déroulement de la liturgie.

5. Cette attitude hiératique est aussi celle qu'affectaient en public les empereurs du Bas-Empire : cf. à propos de Constance, AMMIEN, XVI, 10, 10-12; XXI, 16, 1 et 7.

6. La masse des fidèles se trouve derrière l'empereur et ne peut voir son visage; en revanche, un membre du clergé situé sur le βῆμα est bien placé pour le faire, puisqu'il lui fait face à courte distance.

ἄδηλον ὃν εἰ προσήσεται, τηνικαῦτα τὸ πάθος γνωρίζεται.
20 Περιτρέπει γὰρ καὶ εἰ μή τις τῶν ἐκ τοῦ βήματος ὑποσχὼν τὴν χεῖρα τὴν περιτροπὴν ἔστησε, κἂν κατηνέχθη πτῶμα δακρύων ἄξιον. Εἶεν.

B **53.** Ἃ δὲ αὐτῷ διείλεκται τῷ βασιλεῖ καὶ μεθ' ὅσης τῆς φιλοσοφίας, ἐπειδή γε αὖθις τρόπον τινὰ συνεκκλησιάσας ἡμῖν εἴσω τοῦ παραπετάσματος ἑαυτὸν ἐποιήσατο εἴς τε ὄψιν ἦλθε καὶ λόγους, ποθῶν ἐκ πλείονος, τί χρὴ λέγειν,
5 τί δ'ἄλλο γε ἢ Θεοῦ φωνὰς αἳ τοῖς περὶ τὸν βασιλέα καὶ ἡμῖν τοῖς συνεισελθοῦσιν, ἠκούσθησαν; Αὕτη γίνεται τῆς τοῦ βασιλέως περὶ ἡμᾶς φιλανθρωπίας ἀρχὴ καὶ κατάστασις πρώτη, τοῦτο τὸ λῆμμα τῆς τότε διοχλούσης ἐπηρείας τὸ πλεῖστον, ὥσπερ τι ῥεῦμα, διέλυσεν.

54. Ἕτερον δὲ τῶν εἰρημένων οὐκ ἔλαττον. Ἐνίκων οἱ
C πονηροὶ καὶ κυροῦται κατὰ τοῦ ἀνδρὸς ἐξορία, καὶ οὐδὲν

52, 20 τῶν ἐκ τοῦ βήματος om. S || 21 κἂν : ἂν SDC || 22 εἶεν om. DC
53, 4 καὶ λέγειν v Bo

1. Aucun des diacres, dont c'était la mission, n'ose s'approcher de l'hérétique pour recevoir son offrande sans un ordre de l'évêque. L'expression *comme c'était l'usage* utilise un imparfait, ce qui semble dire que ce qui se faisait en 371 ne se fait plus une douzaine d'années plus tard. On peut supposer que les fidèles déposent désormais leurs offrandes eux-mêmes sur une table disposée à cet effet. La multiplication du nombre des fidèles expliquerait le changement.

2. C'est donc bien un prêtre qui est intervenu. Grégoire se met suffisamment lui-même en scène lorsque l'occasion s'en présente pour qu'on ne se croie pas autorisé à l'identifier avec ce prêtre anonyme, contrairement à la note marginale de S (αὐτὸς ὁ θεολόγος).

3. Grégoire abrège son récit d'une façon qui n'est peut-être pas innocente. Valens était baptisé et son offrande a été acceptée : a-t-il été admis par Basile à la communion? L'auteur choisit de parler d'autre chose pour ne pas avoir à s'expliquer sur ce point délicat.

4. Ce rideau, qui est à l'origine de l'iconostase orientale, séparait l'autel des fidèles.

5. La phrase est embarrassée et le style trahit peut-être la gêne de l'auteur à relater cette affaire à une époque où la mémoire de

acceptés, à ce moment-là ce qui lui arrivait devint visible[1]. Il chancelle et, si l'un de ceux qui se trouvaient sur la tribune[2] ne l'avait arrêté dans sa culbute en lui prêtant l'appui de sa main, il aurait même fait une chute lamentable. Mais passons[3].

53. Quant aux propos qu'il a tenus au roi en personne — et avec quelle philosophie —, quand ce dernier, qui était revenu pour se joindre en quelque façon à notre Église, se transporta derrière le rideau[4] et instaura une entrevue et un entretien qu'il souhaitait avoir depuis longtemps, que peut-on en dire, sinon que c'étaient les paroles de Dieu qui se firent entendre à l'entourage royal comme à nous qui étions entrés avec eux[5]? Ce fut l'origine de l'humanisation du roi à notre égard et le début de l'apaisement : cette attitude résolue brisa le plus gros de la campagne qui nous harcelait encore comme une sorte de torrent[6].

54. Autre événement, qui n'est pas moins important que ceux qui ont été exposés[7]. Les méchants avaient la victoire : l'exil est décidé contre notre homme[8], et rien

l'hérétique est flétrie. L'auteur s'est plu à donner de son héros l'image d'un être inflexible : or l'événement montre qu'il savait, le cas échéant, faire des concessions. Notons que Grégoire est présent à un entretien certainement plus confidentiel que ne l'aurait été une audience accordée par l'empereur à l'évêque : aucun évêque arien, en tout cas, n'y assiste. L'occasion de cette nouvelle visite à l'église n'est pas précisée : il pourrait s'agir du dimanche suivant l'Épiphanie.

6. Nous ne saurons rien de cette négociation. On peut imaginer que l'empereur consentit momentanément à laisser tranquilles les évêques orthodoxes en place à l'intérieur d'un certain périmètre, à la condition que les orthodoxes renoncent à s'étendre ailleurs.

7. Il y a des chances pour que ce deuxième événement corresponde à un deuxième passage de l'empereur dans la ville. Les empereurs du IVe siècle sont de grands voyageurs et la Cappadoce est sur la route qui unit Constantinople à Antioche où ils séjournent souvent. Il se situe en tout cas à quelque distance du premier, puisque Valens envisage à nouveau une politique plus dure.

8. La décision est prise : il n'y manque que la signature impériale.

ἀπῆν τῶν εἰς τοῦτο φερόντων. Ἡ νὺξ παρῆν, ὁ δίφρος εὐτρεπής, οἱ μισοῦντες ἐν κρότοις, ἐν ἀθυμίᾳ τὸ εὐσεβές,
5 περὶ τὸν πρόθυμον ὁδοιπόρον ἡμεῖς, τἄλλα ὅσα τῆς καλῆς ἀτιμίας πάντ' ἀπεπλήρωτο. Τί οὖν ; Λύει ταύτην Θεός. Ὁ γὰρ πατάξας Αἰγύπτου τὰ πρωτότοκα τραχυνομένης κατὰ τοῦ Ἰσραήλ [a], οὗτος καὶ τὸν παῖδα τοῦ βασιλέως θραύει νόσου πληγῇ· καὶ τὸ τάχος ὅσον. Ἐκεῖθεν τὸ γράμμα τῆς
10 ἐξορίας, ἐντεῦθεν τὸ δόγμα τῆς ἀρρωστίας, καὶ ἡ χεὶρ ἐπέχεται τοῦ πονηροῦ γραφέως καὶ ὁ ἅγιος ἀνασώζεται καὶ γίνεται πυρετοῦ δῶρον ἀνὴρ εὐσεβὴς βασιλέα θρασὺν σωφρονίζοντος. Τί τούτων ἐνδικώτερον ἢ ταχύτερον ; Τὰ δὲ τούτων ἑξῆς. Ἔκαμνεν ὁ παῖς τῷ βασιλεῖ καὶ πονηρῶς
15 εἶχε τοῦ σώματος, συνέκαμνε δὲ ὁ πατήρ — καὶ τί γὰρ ἢ
565 A πατήρ ; —, πανταχόθεν ἐπιζητῶν ἐπικουρίαν τῷ πάθει καὶ ἰατρῶν τοὺς ἀρίστους ἐκλεγόμενος καὶ λιταῖς προσκείμενος, εἴπερ ἄλλοτέ ποτε, καὶ κατὰ γῆς ἐρριμμένος. Ποιεῖ γὰρ καὶ βασιλέας ταπεινοὺς πάθος· καὶ θαυμαστὸν οὐδέν, ἐπεὶ
20 καὶ Δαβὶδ πρότερον ταὐτὸ ἐπὶ τῷ παιδὶ πεπονθὼς ἀναγέγραπται [b]. Ὡς δὲ οὐδὲν ηὕρισκεν οὐδαμόθεν τοῦ κακοῦ φάρμακον, ἐπὶ τὴν πίστιν τοῦ ἀνδρὸς καταφεύγει, καὶ δι' ἑαυτοῦ μὲν οὐκ εἰσκαλεῖ, τὸ τῆς ὕβρεως ὑπόγυον αἰσχυνόμενος, ἑτέροις δὲ τὴν πρεσβείαν ἐπιτρέπει τῶν οἰκειοτάτων
25 ἑαυτῷ καὶ φιλτάτων. Καὶ ὃς παρῆν, οὐδὲν ἀναδυεὶς οὐδὲ

54, 6 πάντ' ἀπεπλήρωτο : πάντα πεπλήρωτο AQBWVTDC πάντα ἐπλήρωτο S πάντα πεπλήρωται v Bo || τί : τίς SDC || 15 ἢ : ὁ v || 18 ἄλλοτε : ἄλλο τι AQ || 21 εὕρισκεν T^{ac}SDCv Bo || 23 ὑπόγυιον v Bo || 25 ἑαυτῷ : αὐτῷ BJT || ἀναδὺς v Bo

54. a. Cf. Ex. 12, 20. b. Cf. II Sam. 12, 16.

1. Il ne s'agit pas d'un détail poétique : le choix du moment limite

ne manquait de ce qui pouvait y concourir. C'était la nuit[1], la voiture était prête, ceux qui le détestaient battaient des mains, le parti de la piété se livrait à l'abattement, nous entourions le voyageur plein de courage[2]; bref, tout ce qui devait accompagner cette belle flétrissure était accompli. Que se passe-t-il alors? Dieu l'abroge. Celui qui a frappé les premiers-nés d'une Égypte qui sévissait contre Israël[a] est aussi celui qui broie le fils du roi sous les coups de la maladie. Et avec quelle rapidité! Là, le décret d'exil; ici, la sentence de la maladie : la main du méchant qui écrivait est retenue, le saint est sauvé et le pieux personnage devient un présent de la fièvre qui assagissait un roi téméraire. Quoi de plus équitable et de plus rapide? Mais voyons la suite. L'enfant du roi souffrait et se trouvait dans un mauvais état physique; son père souffrait avec lui — y avait-il en lui autre chose qu'un père? —, cherchant de tout côté un remède à cette affection, choisissant les meilleurs des médecins, s'adonnant plus que jamais aux supplications et se prosternant à terre. C'est que la souffrance rend humbles les rois eux-mêmes, et il n'y a là rien d'étonnant, puisque auparavant David est, lui aussi, cité pour avoir passé par les mêmes épreuves à propos de son fils[b]. Comme il ne trouvait nulle part de remède au mal, il cherche un refuge dans la foi de notre personnage; il ne fait pas appel à lui personnellement par honte devant le caractère récent de l'outrage, mais il charge de cette mission d'autres personnes prises parmi ses plus proches et ses amis les plus intimes. Voilà que celui-ci se présente sans chercher à se dérober et sans s'insurger contre ce qui se passait alors, comme l'aurait fait un autre que lui. Dès qu'il est là, la maladie s'apaise et le père reprend espoir.

les possibilités d'une émeute, toujours à craindre quand il s'agit d'un personnage très populaire (cf. *infra*, 57).

2. Une fois de plus, Grégoire est aux côtés de son ami.

τοῦ καιροῦ κατεξαναστάς, ὥσπερ ἄλλος τις, καὶ ὁμοῦ τῇ παρουσίᾳ ῥᾴων ἡ νόσος γίνεται καὶ χρηστοτέρων ὁ πατὴρ τῶν ἐλπίδων. Καὶ εἰ μὴ τὴν ἅλμην τῷ ποτίμῳ ὕδατι συνεκέρασεν, ὁμοῦ τε τοῦτον εἰσκαλέσας καὶ τοῖς ἑτεροδό-
30 ξοις πιστεύσας, κἂν ὑγιείας τυχὼν ὁ παῖς ταῖς τοῦ πατρὸς
B χερσὶν ἀπεσώθη. Καὶ τοῦτο ἐπιστεύετο παρὰ τῶν τηνικαῦτα παρόντων καὶ κοινωνούντων τοῦ πάθους.

55. Τὸ δ' αὐτὸ καὶ τῷ ὑπάρχῳ μικρὸν ὕστερόν φασι συμβῆναι. Κάμπτει καὶ τοῦτον ταῖς τοῦ ἁγίου χερσὶ συμπεσοῦσά τις ἀρρωστία. Καὶ ὄντως πληγὴ τοῖς εὖ φρονοῦσι παίδευμα γίνεται, καὶ κρείττων εὐημερίας πολλά-
5 κις κακοπάθεια. Ἔκαμνεν, ἐδάκρυεν, ἐδυσφόρει, προσεπέμπεν, ἠντιβόλει. Τὴν ἀπολογίαν ἔχεις, ἐβόα, δὸς σωτηρίαν. Καὶ μέντοι καὶ τυγχάνει ταύτης, ὡς αὐτός τε ὡμολόγει καὶ πολλοὺς ἔπειθε τῶν οὐκ εἰδότων· οὐ γὰρ ἐπαύετο τὰ ἐκείνου καὶ θαυμάζων καὶ διηγούμενος.
C 10 Ἆρ' οὖν τὰ μὲν πρὸς ἐκείνους αὐτῷ τοιαῦτα καὶ εἰς τοῦθ' ἥκοντα τέλους, τὰ δὲ πρὸς ἑτέρους ἑτέρως, ἢ περὶ μικρῶν ἢ μικρὰ πεπολέμηται, ἢ μετρίως πεφιλοσόφηται ἢ σιγῆς ἀξίως ἢ οὐ λίαν ἐπαινετῶς; Οὐ μὲν οὖν, ἀλλ' ὁ κινήσας ποτὲ τῷ Ἰσραὴλ Ἀδὲρ τὸν ἀλιτήριον [a], οὗτος κινεῖ
15 καὶ τούτῳ τὸν τῆς Ποντικῆς μοίρας ὕπαρχον, προφάσει

54, 27 ῥᾷον B[pc]JSC ‖ 30 κἂν ὑγίειας : ἂν ὑγίειας S κἂν ὑγείας AQBWVTCv

55, 1 δὲ v Bo ‖ 3 συμπεσοῦσα : συνεισπεσοῦσα S ‖ 5-6 προσέπιπτεν VS ‖ 11 τέλους : τέλος SC ‖ δὲ : τε v ‖ 12 ἢ μετρίως πεφιλοσόφηται om. C ‖ 15 τῆς Ποντικῆς μοίρας τὸν ὕπαρχον SDC ‖ προφάσει : πρόφασιν ABJWT

55. a. Cf. III Rois 11, 14.

1. Il résulte de ce récit que l'empereur Valens a perdu un enfant à Césarée. Il n'est pas surprenant que les historiens n'aient pas noté le fait, car les morts d'enfants étaient trop fréquentes dans l'antiquité pour qu'on les ait remarquées.

2. Quelques jours ou quelques semaines après, Modestus tombe à son tour malade à Césarée et fait appel, comme Valens, aux prières de l'évêque.

S'il n'avait pas mêlé à l'eau potable de l'eau saumâtre en se fiant aux hétérodoxes en même temps qu'il faisait appel à lui, l'enfant aurait retrouvé la santé et il aurait été rendu sain et sauf aux mains de son père[1]. C'est aussi ce que croyaient ceux qui étaient alors présents et qui partageaient sa souffrance.

55. La même chose arriva aussi, dit-on, au préfet un peu plus tard[2]. Une maladie s'abat sur lui et le ploie à son tour aux mains du saint homme. Il est bien vrai qu'un coup reçu constitue pour les hommes de bon sens une leçon, et que souvent mieux vaut subir le mal qu'avoir affaire à la prospérité. Il souffrait, il pleurait, il s'impatientait, il envoyait auprès de lui, il suppliait. «Tu as gain de cause, clamait-il, donne-moi la guérison.» Et de fait il l'obtient, comme il le reconnaissait lui-même et le certifiait à bien des personnes qui ne le savaient pas, car il ne cessait de dire son admiration pour ce que notre homme avait accompli et d'en faire le récit[3].

Voilà ce qu'ont été ses rapports avec eux et l'aboutissement qu'ils ont eu. Serait-ce qu'il en alla autrement de ses relations avec d'autres? A-t-il livré combat pour des objets mesquins ou de façon mesquine? Sa philosophie est-elle restée dans des limites modestes? Mérite-t-elle qu'on fasse sur elle le silence? Faut-il se garder d'aller trop loin dans l'éloge? Certainement pas. Celui qui suscita autrefois contre Israël le criminel Ader[a 4], c'est celui qui suscite également contre lui le préfet de la région

3. L'événement explique le revirement du préfet à l'égard de Basile, revirement dont témoigne la correspondance que Basile lui a adressée, à commencer par la *Lettre* 104. Sur ce point, cf. notre étude sur «La lettre 104 de saint Basile, le préfet du prétoire Modestus et le statut des clercs», à paraître dans les *Mélanges Henri Crouzel.*

4. Le texte massorétique nomme Hadad ce prince d'Édom. La *LXX* en a fait Ader par confusion du daleth final avec un resh.

μὲν ὡς ὑπὲρ γυναίου τινὸς ἀγανακτοῦντα, τὸ δὲ ἀληθὲς τῆς ἀσεβείας ὑπερμαχοῦντα καὶ κατὰ τῆς εὐσεβείας ἱστάμενον. Ἐῶ τἄλλα ὅσα καὶ οἷα κατὰ τοῦ ἀνδρὸς ἐξύβρισεν, ἴσον δὲ εἰπεῖν καὶ κατὰ τοῦ Θεοῦ, πρὸς ὃν καὶ δι' ὃν ὁ
20 πόλεμος. Ὃ δὲ μάλιστα καὶ τὸν ὑβριστὴν ᾔσχυνε καὶ τὸν ἀγωνιστὴν ὕψωσεν, εἴπερ τι μέγα καὶ ὑψηλὸν ἡ φιλοσοφία καὶ τὸ κρατοῦντα τῶν πολλῶν ταύτῃ φαίνεσθαι, τοῦτο δώσω τῷ λόγῳ.

568 A **56.** Γυναῖκά τινα τῶν ἐπιφανῶν, ἐξ ἀνδρὸς οὐ πρὸ πολλοῦ τὸν βίον ἀπολιπόντος, ὁ τοῦ δικαστοῦ σύνεδρος ἐβιάζετο, πρὸς γάμον ἕλκων ἀπαξιοῦσαν. Ἡ δὲ οὐκ ἔχουσα ὅπως διαφύγῃ τὴν τυραννίδα, βουλὴν βουλεύεται οὐ τολμηρὰν
5 μᾶλλον ἢ συνετήν. Τῇ ἱερᾷ τραπέζῃ προσφεύγει καὶ Θεὸν ποιεῖται προστάτην κατὰ τῆς ἐπηρείας. Τί οὖν ἔδει ποιεῖν, ὦ πρὸς τῆς Τριάδος αὐτῆς, ἵν' εἴπω τι καὶ δικανικῶς μεταξὺ τῶν ἐπαίνων, μὴ ὅτι τὸν μέγαν Βασίλειον καὶ τῶν τοιούτων

55, 16-17 τὸ δὲ... ὑπερμαχοῦντα om. W || 22-23 τοῦτο δώσω τῷ λόγῳ om. AQBJWVT

---

1. Ce que Grégoire appelle la région pontique est le diocèse du Pont, dont la Cappadoce faisait partie. Le titre du fonctionnaire qui gouvernait un diocèse était celui de vicaire, mais les termes officiels latins sonnaient mal quand on les transposait en grec : Grégoire les évite donc. Cf. en sens inverse la pratique de la *Vision de Dorothéos*, Papyrus Bodmer XXIX, Cologny-Genève 1984. On connaît les noms de deux vicaires du Pont. L'un d'eux, qui s'appelait Démosthénès, fit arrêter Grégoire de Nysse en 376 (Basile lui adresse sa *Lettre* 225, cf. *Lettre* 237). Le nom de l'autre, Eusèbe, qui figure dans les marges de S et D, est proposé par le scoliaste Nicétas de Serres à propos de ce passage (cf. Jones, *Prosopography, s.v.* Eusebius 19) et retenu par les Mauristes. Il aurait été l'oncle de l'impératrice. Le vicaire du Pont ne résidait pas à Césarée, mais à Nicomédie. Il est donc en tournée à Césarée.

2. Sur ce terme un peu dédaigneux, cf. Basile, *Lettre* 55. Les marges de deux manuscrits proposent un nom qui pourrait être celui de Prudentia (Προθεντίαν S Προδεντίαν C).

3. Sur le sens de τῶν ἐπιρανῶν cf. *supra*, n. 5, p. 229.

pontique[1]. Il avait pour prétexte l'indignation ressentie à propos de je ne sais quelle pauvre femme[2], mais, en réalité, il entrait en guerre pour la défense de l'impiété et prenait position contre la vraie piété. Je laisse de côté le reste, toutes les insultes, quelles qu'elles soient, qu'il proféra contre un tel homme, autant vaudrait dire aussi contre Dieu qui était l'objet de la guerre et son motif. Mais ce qui couvrit surtout de honte l'insulteur et grandit son adversaire — s'il y a de la grandeur et de l'élévation dans la philosophie ainsi que dans le spectacle d'un homme qui triomphe par elle du vulgaire —, c'est ce que je confierai à ce discours.

56. Une femme de l'aristocratie[3], veuve d'un homme qui n'était pas décédé depuis longtemps, subissait la pression de l'assesseur du juge[4], qui voulait la traîner au mariage malgré son refus[5]. Ne sachant comment échapper à la tyrannie, elle prend une résolution moins hardie qu'avisée : elle se réfugie à la sainte table et se met sous la protection de Dieu contre cet attentat[6]. Que devait donc faire, je le demande à la Trinité elle-même[7] — pour mêler quelque peu le style judiciaire à celui de l'éloge —, non seulement le grand Basile, qui avait arrêté

4. Depuis que Dioclétien avait mis à part la hiérarchie militaire, les fonctions judiciaires constituent l'essentiel de l'activité des gouverneurs.

5. Il n'est pas nécessaire que ce haut fonctionnaire ait eu des vues personnelles sur cette veuve pour que la machine administrative se soit mise en mouvement. Depuis Dioclétien, la politique constante vise à assurer le maximum de stabilité sociale : dans cette perspective, les grands domaines ne doivent pas tomber en quenouille. A la fin du siècle, Théodose lui-même fera pression sur la jeune Olympias, la fille spirituelle de Jean Chrysostome, pour qu'elle accepte de se remarier.

6. Les pressions ont été assez fortes pour amener la jeune femme à recourir à la mesure extrême en invoquant le droit d'asile des églises. Le fait ne signifie pas nécessairement qu'elle entendait faire profession monastique.

7. Invoquer la Trinité relève du seul langage orthodoxe.

ἅπασι νομοθέτην, ἄλλον δέ τινα τῶν πολὺ μετ' ἐκεῖνον,
10 ἱερέα δὲ ὅμως; Οὐκ ἀντιποιεῖσθαι, κατέχειν, κήδεσθαι, χεῖρα ὀρέγειν Θεοῦ φιλανθρωπίᾳ καὶ νόμῳ τῷ τετιμηκότι θυσιαστήρια; Οὐ πάντα δρᾶσαι καὶ παθεῖν ἐθελῆσαι
B πρότερον ἤ τι βουλεύσασθαι κατ' αὐτῆς ἀπάνθρωπον καὶ καθυβρίσαι μὲν τὴν ἱερὰν τράπεζαν, καθυβρίσαι δὲ
15 τὴν πίστιν μεθ' ἧς ἱκέτευεν; Οὔ, φησὶν ὁ καινὸς δικαστής, ἀλλ' ἡττᾶσθαι χρὴ πάντας τῆς ἐμῆς δυναστείας, καὶ προδότας γενέσθαι χριστιανοὺς τῶν οἰκείων νόμων. Ὁ μὲν ἐζήτει τὴν ἱκέτιν, ὁ δ' εἴχετο κατὰ κράτος. Ὁ δ' ἐξεμαίνετο, καὶ τέλος πέμπει τινὰς τῶν ἐπ' ἐξουσίας τὸν τοῦ ἁγίου
20 κοιτωνίσκον ἐξερευνήσοντας, οὐ κατὰ χρείαν μᾶλλον ἢ ἀτιμίαν. Τί λέγεις; Οἶκον ἐκείνου τοῦ ἀπαθοῦς ὃν περιέπουσιν ἄγγελοι, ᾧ καὶ προσβλέπειν ὀκνοῦσι γυναῖκες; Καὶ οὐ τοῦτο μόνον, ἀλλὰ καὶ αὐτὸν παρεῖναι καὶ ἀπολογεῖσθαι κελεύει, οὐδὲ ἡμέρως καὶ φιλανθρώπως, ἀλλ' ὡς ἕνα τῶν
C 25 κατακρίτων. Ὁ μὲν παρῆν, ὁ δὲ προὐκάθητο γέμων θυμοῦ καὶ φρονήματος. Εἱστήκει δὲ οἷον ὁ ἐμὸς Ἰησοῦς Πιλατοῦ κρίνοντος. Οἱ κεραυνοὶ δὲ ἠμέλουν, ἡ δὲ τοῦ Θεοῦ μάχαιρα ἐστιλβοῦτο ἔτι καὶ ἀνεβάλλετο, καὶ τὸ τόξον ἐνετείνετο μέν, κατείχετο δέ, τῇ μετανοίᾳ καιρὸν ὑπανοῖγον, ὅσπερ δὴ τοῦ
30 Θεοῦ νόμος.

57. Ἄθρει δὴ πάλην ἑτέραν ἀγωνιστοῦ καὶ διώκτου. Τὸ περιαυχένιον ῥάκος σφενδονᾶσθαι προσέταττεν. Ὁ δέ· Προσ-

56, 15 κενὸς ABWS^{ac}Cv || 25 ὁ μὲν : καὶ ὁ μὲν v Bo || προὐκάθητο : προκάθητο A προὐκαθέζετο SD || 29 ὅσπερ : ὥσπερ JS ὅστις D^{ac}v Bo

1. Il s'agit de canons promulgués par Basile à propos du droit d'asile. Sa correspondance comprend plusieurs lettres canoniques qui communiquent à Amphilochios d'Iconium les canons en vigueur à Césarée.

2. La comparution de Basile devant Modestus ressemblait assez à une citation en justice, mais elle n'en avait que les apparences. Ici, il s'agit bien d'une audience criminelle.

3. L'ordre est donné à un garde et sa brutalité signifie que l'évêque est traité comme un vulgaire criminel. Le port d'une étoffe enroulée autour du cou, généralement blanche, correspondait à un usage déjà

sur les cas de ce genre des lois générales[1], mais n'importe lequel de ses inférieurs les plus humbles, pourvu qu'il fût revêtu du sacerdoce? Ne devait-il pas faire valoir ses droits, la retenir, s'occuper d'elle, prêter main forte à la bonté de Dieu et à la loi qui fait respecter les autels? Ne devait-il pas être résolu à tout faire et à tout subir avant de prendre contre elle une décision inhumaine, avant d'insulter la sainte table et d'insulter aussi à la confiance qu'elle mettait dans ses supplications? «Non, dit cet étrange juge : tout le monde doit céder à mon pouvoir, et les chrétiens doivent trahir leurs propres lois.» L'un recherchait la suppliante; l'autre la retenait de toutes ses forces. Celui-là devient furieux et finit par envoyer quelques-uns de ses subordonnés pour fouiller la chambre du saint, moins par nécessité que pour le déshonorer. Que dis-tu? La demeure de cet homme exempt de passion, que les anges entourent de leur prévenance, que les femmes hésitent même à regarder? Ce n'est pas tout : il le cite à comparaître pour présenter sa défense, et il le fait sans douceur et sans humanité, mais en le traitant comme un inculpé banal[2]. Il comparaît; l'autre siégeait, plein de fierté et d'arrogance. Il se tenait debout comme mon Jésus quand Pilate le jugeait. La foudre ne s'en souciait pas; le glaive de Dieu étincelait et demeurait encore en suspens; l'arc était bandé, mais retenu pour laisser une occasion au repentir, car telle est bien la loi de Dieu.

57. Regarde bien cette deuxième passe d'armes entre lutteur et persécuteur. Il ordonnait de jeter l'écharpe qu'il portait autour du cou[3]. Mais lui : «Je me dépouillerai

ancien et profane, mais, à partir du IVe siècle, il en est fait un usage liturgique, attesté par les canons 22 et 23 du concile de Laodicée, une lettre de saint Jérôme à Népotien (*Ep.* 52, 9, PL 22, 535) et un texte de saint Ambroise, *De excessu fratris Satyri*, II, 78 (*PL* 16, 1332). Si le juge dépouille Basile de ce vêtement, c'est que celui-ci a une signification précise : c'est le signe de sa dignité épiscopale ou sacerdotale. Nous sommes aux origines de ce qui est devenu l'étole, symbole de juridiction.

ἀποδύσομαί σοι, φησίν, εἰ βούλει, καὶ τὸ χιτώνιον. Τύπτειν ἠπείλει τὸν ἄσαρκον, ὁ δὲ ὑπέκυπτε· ξύειν τοῖς ὄνυξιν, ὁ
5 δέ· Ἰατρεύεις, φησί, τὸ ἧπαρ — ὁρᾷς ὅπως με κατατρύχον
569 A — τοῖς τοιούτοις θεραπεύων σπαράγμασιν. Οἱ μὲν οὖν ἐν τούτοις ἦσαν, ἡ δὲ πόλις, ὡς ᾔσθετο τοῦ κακοῦ καὶ τοῦ κοινοῦ πάντων κινδύνου — κίνδυνον γὰρ ἕκαστος ἑαυτοῦ τὴν ὕβριν ταύτην ἐνόμιζεν —, ἐκμαίνεται πᾶσα καὶ
10 ἀνάπτεται καὶ ὡς καπνοῦ σμῆνος κινήσαντος, ἄλλος ἐπ᾽ἄλλῳ διεγείρεται καὶ ἀνίσταται, γένος ἅπαν καὶ ἡλικία πᾶσα, οἱ περὶ τὴν ὁπλοποιητικὴν καὶ βασίλειον ἱστουργικὴν μάλιστα. Καὶ γάρ εἰσι περὶ τὰ τοιαῦτα θερμότεροι καὶ τὸ τολμᾶν ἐκ τῆς παρρησίας ἔχοντες. Καὶ πᾶν ἦν ὅπλον ἑκάστῳ, τὸ
15 παρὸν ἐκ τῆς τέχνης, εἴ τέ τι ἄλλο τῷ καιρῷ τύχοι σχεδιασθέν. Αἱ δᾷδες ἐν χερσίν, οἱ λίθοι προβεβλημένοι, τὰ ῥόπαλα εὐτρεπῆ, δρόμος ἁπάντων εἷς, βοὴ μία, προθυμία
B κοινή. [Θυμὸς ὁ δεινὸς ὁπλίτης ἢ στρατηγός.] Οὐδὲ γυναῖκες ἄοπλοι τηνικαῦτα, τοῦ καίρου θήγοντος, μελίαι δὲ ἦσαν
20 αὐταῖς αἱ κερκίδες, αἳ οὐδὲ γυναῖκες ἔμενον ἔτι, τῷ ζήλῳ ῥωσθεῖσαι καὶ εἰς ἀνδρῶν θάρσος μεταλλαττόμεναι. Βραχὺς ὁ λόγος· μερίζεσθαι τὴν εὐσέβειαν ᾤοντο εἰ τοῦτον διέλοιντο, καὶ οὗτος αὐτοῖς εὐσεβέστερος ἦν, ὃς πρῶτος ἐπιβαλεῖ χεῖρα τῷ τολμητῇ τῶν τοιούτων. Τί οὖν ὁ σοβαρὸς ἐκεῖνος καὶ
25 θρασὺς δικαστής; Ἱκέτης ἦν, ἐλεεινός, ἄθλιος, τίνος οὐ ταπεινότερος; ἕως ἐπιφανεὶς ὁ χωρὶς αἵματος μάρτυς καὶ

AQBJ (lac. J : **57,** 15 τῷ καιρῷ - **60,** 7 ἄγαν) WVT SDC

57, 4 ξύειν : ξέειν v Bo ξένειν S || 5 κατατρύχων AQ^ac^W^ac^V^ac^T^ac^SC || 6 θεραπεύον S θεραπεύεις AQWVTC || 7 ᾔσθετο : ᾔσθοντο AQWC || 13 τὰ τοιαῦτα : ταῦτα BJT || 18 [θυμὸς ὁ δεινὸς ὁπλίτης ἢ στρατηγός] : vide notam || 19 δ' SDv Bo

1. L'aveu est de prix, car il montre que l'événement n'est pas exceptionnel : le personnel des manufactures d'État devait être assez remuant.

2. Il est à peine besoin de noter que les ressources de l'armurerie étaient singulièrement dangereuses. Néanmoins, Grégoire ne mentionnera que l'utilisation d'armes improvisées. Ou bien les ouvriers de l'armurerie ont puisé dans les stocks de leur fabrique et l'auteur

aussi de ma tunique, si tu le veux», dit-il. Il menaçait de coups cet homme qui n'avait pas de chair : mais lui, il acquiesçait; de le faire déchirer par des crochets, mais lui : «C'est soigner mon foie (tu vois comment il me fait souffrir) que de m'appliquer ces scarifications.» Ils en étaient là. Mais la ville, dès qu'elle eut connaissance de ce malheur et du danger commun à tous — car chacun considérait cet outrage comme un danger qui le concernait —, devient tout entière furieuse et elle prend feu. Comme un essaim que la fumée a mis en mouvement, ils se dressent et s'insurgent l'un après l'autre, toutes catégories et tous âges réunis, en particulier les personnels de l'armurerie et de l'atelier de tissage royal, car, en pareil cas, ils s'échauffent particulièrement et ils tirent leur audace de la liberté dont ils jouissent[1]. Et tout devenait une arme pour chacun : ce que leur métier leur offrait ou tout autre objet improvisé pour la circonstance[2]. Torches en mains, pierres brandies, matraques toutes prêtes, ce n'est qu'une course générale, qu'un cri, qu'un élan collectif. [Colère : le soldat ou le général efficace[3].] Même les femmes ne restaient pas sans armes cette fois, excitées par les circonstances : les fuseaux servaient d'épieux à ces femmes qui n'étaient même plus des femmes, car l'émulation leur avait donné des forces et elle les transformait en leur conférant l'intrépidité masculine. Je serai bref : ils pensaient faire, eux aussi, œuvre pie en le mettant en pièces, et le plus pieux à leurs yeux était celui qui porterait le premier la main sur celui qui avait montré une audace pareille. Que fait donc ce personnage hautain, ce juge sévère? C'était un suppliant, un homme pitoyable, un malheureux, plus rampant que n'importe qui, jusqu'au moment où apparut ce martyr non sanglant, ce couronné

préfère passer sous silence une action très grave, ou bien, ce qui paraît le plus probable, ils s'en s'ont abstenu devant les sanctions encourues.

3. Cette note elliptique et mal rédigée est une glose qui trouve son origine chez Platon, *République*, 375ab.

χωρὶς πληγῶν στεφανίτης καὶ βίᾳ τὸν λαὸν κατασχὼν αἰδοῖ κρατηθέντα τὸν ἱκέτην ἑαυτοῦ καὶ ὑβριστὴν διεσώσατο. Ταῦτα ὁ τῶν ἁγίων Θεός, ὁ ποιῶν πάντα καὶ μετασκευάζων
30 ἐπὶ τὸ βέλτιον, ὁ τοῖς ὑπερηφάνοις ἀντιτασσόμενος, ταπει-
C νοῖς δὲ χάριν ἐπιμετρῶν[a]. Τί δὲ οὐκ ἔμελλεν ὁ τεμὼν θάλασσαν[b] καὶ ποταμὸν ἀνακόψας[c] καὶ στοιχεῖα τυραννήσας[d] καὶ χειρῶν ἐκτάσει τρόπαια στήσας[e] ἵνα διασώσῃ λαὸν φυγάδα, καὶ τοῦτον ἐξαιρήσεσθαι τῶν
35 κινδύνων ;

58. Ὁ μὲν δὴ κοσμικὸς πόλεμος ἐνταῦθα ἐτελεύτησε καὶ πέρας εἶχεν ἐκ Θεοῦ δεξιὸν καὶ τῆς ἐκείνου πίστεως ἄξιον. Ἄρχεται δὲ ὁ πόλεμος ἐνθένδε ἤδη τῶν ἐπισκόπων καὶ τῶν ἐκείνοις συμμάχων, οὗ πολὺ μὲν τὸ ἄδοξον, πλείων
5 δὲ ἡ βλάβη τοῖς ἀρχομένοις. Τίς γὰρ ἂν τοὺς ἄλλους πείσειε μετριάζειν, οὕτω τῶν προεστώτων διακειμένων ; Εἶχον μὲν γὰρ οὐδὲ ἐκ πλείονος ἐπιεικῶς πρὸς αὐτόν, τριῶν ὄντων τῶν ὑπαιτίων. Οὔτε γὰρ τῷ τῆς πίστεως λόγῳ συνέβαινον, ὅτι μὴ πᾶσα ἀνάγκη, τοῖς πλήθεσι βιαζόμενοι, οὔτε τὴν
10 ἐπὶ τῇ χειροτονίᾳ μικροψυχίαν τελέως κατελελύκεσαν· καὶ τὸ παρὰ πολὺ τῆς δόξης κρατεῖσθαι πάντων βαρύτατον ἦν
572 A αὐτοῖς, εἰ καὶ ὁμολογεῖν αἴσχιστον. Ἐπεγένετο δὲ καὶ ἄλλη τις διαφορὰ ἣ ταῦτα ἐκαινοποίησεν. Τῆς γὰρ πατρίδος ἡμῶν

57, 31 τί δὲ : τί δαὶ VT
58, 7 οὐδὲ : οὐδ' BSDv Bo οὐκ T || πρὸς : τὰ πρὸς SD || 10 κατελελύκεσαν : καταλελύκασιν AQBWv καταλελύκασι VT καταλελύκεσαν SDC || 12 ἐπεγένετο : ἐγένετο SCv || 13 ἐκαινοποίησε VTSv Bo || ἡμῶν om. AQBWVT

57. a. Cf. Jac. 4, 6. b. Cf. Ex. 14, 21-29. c. Cf. Jos. 3, 13-17. d. Cf. Matth. 8, 23-27. e. Cf. Ex. 17, 9-12.

1. Le vicaire ne songe pas à réprimer l'émeute par la force parce que, venu en tournée, il ne dispose que d'une escorte légère.
2. Dans un cas semblable, Grégoire parlait de «guerre sacrée», cf. *D.* 42, 21, 1.

sans blessures, où il contint par la force ce peuple dominé par le respect, et où il sauva celui qui le suppliait en même temps qu'il l'insultait[1]. Voilà l'œuvre du Dieu des saints, de celui qui fait tout et qui transforme tout en bien, celui qui résiste aux orgueilleux, mais prodigue sa grâce aux humbles[a]. Celui qui a fendu la mer[b], arrêté un fleuve[c], dompté les éléments[d], qui, en étendant des mains, a érigé des trophées pour sauver un peuple fugitif[e], comment n'aurait-il pas soustrait celui-ci également aux dangers ?

58. La guerre avec le monde s'est terminée là, et elle trouva, grâce à Dieu, une fin heureuse et digne de la foi du personnage. Mais à partir de là commence désormais la guerre menée par les évêques et leurs alliés[2], guerre qui est à l'origine d'une sérieuse perte de considération, mais qui a nui davantage à leurs subordonnés, car, qui pourrait convaincre les autres de garder la mesure, quand les dirigeants ont une telle attitude ? Il y avait longtemps qu'ils étaient sans indulgence envers lui, et cela pour trois motifs. Ils n'étaient pas d'accord avec sa doctrine de foi, sauf quand ils y étaient absolument obligés, sous la pression des masses ; ils n'avaient pas non plus complètement renoncé à leurs réserves devant son élection[3] ; et puis, ce qui leur était le plus pénible, c'était la grande infériorité de leur prestige, encore qu'il fût particulièrement honteux de le reconnaître[4]. Un autre différend vint encore s'ajouter à ceux-là et les raviver. Notre patrie

3. L'élection de Basile avait été acquise grâce à la participation d'évêques étrangers, probablement venus de l'Arménie voisine et d'Euphratensis, mais, l'élection passée, ces alliés n'étaient plus là pour le soutenir quotidiennement.

4. Grégoire, on l'a vu, n'est pas tendre pour ses collègues dans l'épiscopat à cause de son expérience de 381 au concile de Constantinople. Il est bien possible qu'il ait tendance à noircir la situation en projetant sa propre expérience sur ce qui était arrivé à Basile dix ans plutôt.

εἰς δύο διαιρεθείσης ἡγεμονίας καὶ μητροπόλεις, καὶ πολλὰ
15 τῶν ἐκ τῆς προτέρας τῇ νέᾳ προσαγούσης, ἐντεῦθεν καὶ τὰ
ἐκείνων ἐστασιάσθη. Ὁ μὲν γὰρ ἠξίου τοῖς δημοσίοις
συνδιαιρεῖσθαι καὶ τὰ ἡμέτερα, καὶ διὰ τοῦτο μετεποιεῖτο
τῶν νεωστὶ προσελθόντων ὡς αὐτῷ διαφερόντων ἤδη
κἀκείνου κεχωρισμένων. Ὁ δὲ τῆς παλαιᾶς εἴχετο συ-
20 νηθείας καὶ τῆς ἐκ τῶν πατέρων ἄνωθεν διαιρέσεως. Ἐξ
ὧν πολλὰ καὶ δεινά, τὰ μὲν συνέβαινεν ἤδη, τὰ δὲ ὠδίνετο.
Ὑπεσπῶντο σύνοδοι παρὰ τοῦ νέου μητροπολίτου, πρόσοδοι διηρπάζοντο· πρεσβύτεροι τῶν ἐκκλησιῶν, οἱ μὲν
ἀνεπείθοντο, οἱ δὲ ὑπηλλάττοντο. Ἐξ ὧν συνέβαινε καὶ τὰ
B 25 τῶν ἐκκλησιῶν χεῖρον ἔχειν, διισταμένων καὶ τεμνομένων.
Καὶ γάρ πως ταῖς καινοτομίαις χαίρουσιν ἄνθρωποι καὶ τὰ
σφῶν ἡδέως παρακερδαίνουσι, καὶ ῥᾷόν τι καταλῦσαι τῶν
καθεστώτων ἢ καταλυθὲν ἐπαναγαγεῖν. Ὃ δὲ πλεῖον αὐτὸν
ἐξέμηνεν, αἱ Ταυρικαὶ πρόσοδοι καὶ παρόδιοι, αὐτῷ μὲν
30 ὁρώμεναι, ἐκείνῳ δὲ προσγινόμεναι, καὶ τὸν ἅγιον Ὀρέστην
ἐκκαρποῦσθαι μέγα ἐτίθετο, ὡς καὶ τῶν ἡμιόνων λαβέσθαι
ποτὲ τοῦ ἀνδρὸς ἰδίαν ὁδὸν ὁδεύοντος, εἴργων τοῦ πρόσω
μετὰ ληστρικοῦ συντάγματος. Καὶ ἡ σκῆψις, ὡς εὐπρεπής·
τὰ γὰρ πνευματικὰ τέκνα καὶ αἱ ψυχαὶ καὶ ὁ τῆς πίσ-
35 τεως λόγος καὶ ταῦτα τὰ τῆς ἀπληστίας ἐπικαλύμματα

58, 18 προελθόντων BS[ac] || 24 οἱ δὲ ὑπηλλάττοντο om. S || 27 καταλῦσαι : add. τι S || 30 προσγενόμεναι v Bo || 35 ἀπληστίας : ἀπιστίας DC (mg -πλη- D[2])

---

1. Césarée restant la métropole de la Cappadoce I, Tyane devenait celle de la Cappadoce II, située à l'ouest et au sud. On observe une tendance constante à augmenter le nombre des provinces et à diminuer leur taille. L'opération visait à améliorer l'encadrement administratif ; elle pouvait faciliter une augmentation de la pression fiscale.

2. Il s'agit de l'évêque de Tyane, Anthime.

avait été, en effet, divisée en deux provinces et entre deux métropoles, et elle voyait bien des éléments quitter l'ancienne province pour se joindre à la nouvelle : ce fut l'origine d'un conflit là-bas[1]. L'un entendait que notre organisation s'adaptât au découpage officiel et il revendiquait pour ce motif les parties rattachées à la nouvelle province comme le concernant désormais et comme séparées de l'autre[2]. Quant à ce dernier, il s'en tenait à l'ancienne coutume et à la division qui remontait à nos pères. Il en résultait bien des événements fâcheux, dont les uns étaient déjà en train de se produire, tandis que les autres couvaient. Des communautés étaient accaparées par le nouveau métropolitain, des revenus confisqués[3]. Les prêtres des Églises se laissaient convaincre ou étaient changés. Il en résultait une aggravation de la situation des Églises, qui étaient séparées et divisées. C'est que les hommes prennent un certain plaisir aux innovations et en retirent volontiers avantage ; il est également plus facile d'abolir l'ordre installé que de le rétablir quand il a été aboli. Mais ce qui le mettait davantage en fureur, c'étaient les revenus du Taurus et leur circulation — il les voyait, mais ils étaient destinés à l'autre —, ainsi que l'importance qu'il attribuait à jouir des profits tirés de Saint-Oreste[4]. C'est au point qu'il lui arriva de porter la main sur les mulets de notre homme qui voyageait à titre privé, en l'empêchant avec l'aide d'une troupe de brigands d'aller plus loin. Quant au prétexte, comme il avait belle allure ! C'étaient ses fils spirituels, les âmes, la doctrine de foi et autres écrans propres à dissimuler la cupidité — c'est un

3. L'évêque de Tyane exige d'être reconnu par les évêques de la nouvelle province comme leur métropolitain et revendique la possession des biens d'Église qui s'y trouvaient situés.

4. L'Église de Césarée possédait des biens dans le Taurus, en particulier le domaine dénommé Saint-Oreste, ainsi que les mines de fer.

— πρᾶγμα τῶν εὐποριστων — καὶ τὸ μὴ χρῆναι δασμοφορεῖν κακοδόξοις. Πᾶς γὰρ ὁ λυπῶν κακόδοξος.

C **59.** Οὐ μὴν ὁ ἅγιος τοῦ Θεοῦ καὶ τῆς ἄνω Ἱερουσαλὴμ ὄντως μητροπολίτης ἢ συναπήχθη τοῖς πταίουσιν ἢ παριδεῖν ταῦτα ἠνέσχετο ἢ μικρὰν τοῦ κακοῦ λύσιν ἐπινοεῖ. Ἀλλὰ σκοπῶμεν ὡς μεγάλην καὶ θαυμασίαν — καὶ τί γάρ ; —
5 ἢ τῆς ἐκείνου ψυχῆς ἀξίαν. Προσθήκην γὰρ τῆς ἐκκλησίας ποιεῖται τὴν στάσιν, καὶ τὴν συμφορὰν ὡς κάλλιστα διατίθεται πλείοσιν ἐπισκόποις τὴν πατρίδα καταπυκνώσας.
573 A Ἐξ οὗ τί γίνεται ; Τρία τὰ κάλλιστα· ψυχῶν ἐπιμέλεια πλείων καὶ τὸ πόλιν ἑκάστην τὰ ἑαυτῆς ἔχειν καὶ τὸ λυθῆναι
10 ταύτῃ τὸν πόλεμον.

Ταύτης τῆς ἐπινοίας δέδοικα μὴ καὶ αὐτὸς ἐγενόμην πάρεργον, ἢ οὐκ οἶδ' ὅ τι καὶ εἰπεῖν εὐπρεπὲς χρή. Πάντα γὰρ τοῦ ἀνδρὸς θαυμάζων — οὐ μὲν οὖν ὁπόσον εἰπεῖν δυνατόν —, ἓν τοῦτο ἐπαινεῖν οὐκ ἔχω — καὶ γὰρ ὁμο-
15 λογήσω τὸ πάθος οὐδὲ ἄλλως τοῖς πολλοῖς ἀγνοούμενον —, τὴν περὶ ἡμᾶς καινοτομίαν καὶ ἀπιστίαν ἧς οὐδὲ ὁ χρόνος τὴν λύπην ἀνάλωσεν. Ἐκεῖθεν γάρ μοι πᾶσα συνέπεσεν ἡ περὶ τὸν βίον ἀνωμαλία καὶ σύγχυσις καὶ τὸ φιλοσοφεῖν μὴ δυνηθῆναι ἢ μὴ νομίζεσθαι, εἰ καὶ βραχὺς

58, 36 πρᾶγμα τῶν : πραγματων B πραγμάτων SD
59, 2 πταίουσιν : πταίσμασιν A || 3 ἐπενόει v Bo || 4 ὡς : add. τάχιστα S || 12 εὐπρεπὲς : εὐτρεπὲς v || 13-14 δυνατὸν εἰπεῖν SD

1. Cf. le poème *De Vita sua* (II, I, 11), v. 460 : ψυχαὶ πρόφασις
2. L'orthodoxie d'une région tenait pour une large part à la doctrine de ses évêques : assurer l'avenir de l'orthodoxie (ou de l'homéisme) exigeait le contrôle de la majorité des évêques afin, notamment, de garantir le choix des futurs titulaires des sièges. Tel est l'enjeu de la situation. En créant de nouveaux sièges épiscopaux et en y installant des évêques de son choix, Basile assurait de façon durable la majorité dans la nouvelle province et liait les mains du

article facile à trouver —, et ceci encore : il ne fallait pas payer tribut aux mécréants. Tout homme gênant est, en effet, un mécréant[1].

59. Pourtant, le saint de Dieu, le vrai métropolitain de la Jérusalem d'en haut, ne s'est pas laissé entraîner dans la chute, il ne s'est pas résigné à tolérer ce qui se passait, il n'imagine pas une issue mesquine au mal. Considérons au contraire ce qu'elle eut de grand, de merveilleux et — que dire encore ? — de digne de cette grande âme. Il fait du conflit un moyen de développer l'Église et il donne à ce malheur la meilleure solution possible en couvrant sa patrie d'évêques en nombre accru[2]. Qu'en résulte-t-il ? Trois choses magnifiques : pour les âmes, une plus grande sollicitude ; pour chaque ville, la maîtrise de ses propres affaires et, par là, la fin de la guerre.

Dans ce projet, j'ai peur d'avoir été moi-même traité comme un accessoire[3] : je ne vois pas quel autre terme décent il faudrait employer. Moi qui admire tout dans cet homme — et je ne saurais dire à quel point —, il y a une seule chose que je ne puis approuver — je ferai l'aveu de ce que j'ai ressenti : le public, d'ailleurs, ne l'ignore pas —, c'est l'attentat et le manque de loyauté dont nous avons été l'objet[4], dont le temps lui-même n'a pas effacé l'amertume. Là se trouve, en effet, l'origine de tout ce qui s'est abattu sur moi : le cours irrégulier pris par ma vie, la perturbation de celle-ci et l'impossibilité de pratiquer la philosophie ou d'avoir la réputation de le

nouveau métropolite. La mesure était assurée d'un accueil favorable dans les villes ou villages promus aux rangs d'évêché.

3. Il est tout à fait improbable que le développement qui précède, tout comme celui qui s'amorce ici, soit parvenu aux oreilles d'auditeurs. Ce n'est pas dans un éloge public qu'on peut s'écrier : ἓν τοῦτο ἐπαινεῖν οὐκ ἔχω.

4. De son côté, Basile était fondé à accuser son ami de naïveté.

20 τοῦ δευτέρου λόγος. Πλὴν εἴ τις ἐκεῖνο δέξαιτο, ἡμῶν τοῦ ἀνδρὸς ὑπεραπολογουμένων, ὅτι, μείζω φρονῶν κατὰ τὰ ἀνθρώπινα καὶ τῶν ἐνθένδε πρὶν ἀποβιῶναι μεταναστάς,
B πάντα ἐποιεῖτο τοῦ Πνεύματος καί, φιλίαν αἰδεῖσθαι εἰδώς, ἐνταῦθα μόνον ἠτίμαζεν οὗ Θεὸν ἔδει προτιμηθῆναι καὶ
25 πλέον ἔχειν τῶν λυομένων τὰ ἐλπιζόμενα.

60. Δέδοικα μὲν οὖν μὴ ῥᾳθυμίας ἔγκλημα φεύγων παρὰ τοῖς τὰ ἐκείνου πάντα ἐπιζητοῦσιν, ἀπληστίας περιπέσω γραφῇ παρὰ τοῖς ἐπαινοῦσι τὸ μέτριον, ὃ μηδ' ἐκεῖνος ἠτίμαζε, τὸ πᾶν μέτρον ἄριστον ἐν τοῖς μάλιστα ἐπαινῶν
5 καὶ παρὰ πάντα τὸν ἑαυτοῦ βίον φυλάξας. Ὅμως δὲ ἀμφοτέρους περιφρονῶν, τούς τε λίαν συντόμους καὶ τοὺς
C ἄγαν ἀπλήστους, ὡδί πως τῷ λόγῳ χρήσομαι. Ἄλλοι μὲν οὖν ἄλλο τι κατορθοῦσιν, οἱ δέ τινα τῶν τῆς ἀρετῆς εἰδῶν ὄντων πλειόνων. Ἅπαντα δὲ οὐδεὶς ἐπῆλθε πρὸς τὸ
10 ἀκρότατον, οὔκουν τῶν νῦν ἡμῖν γινωσκομένων, ἀλλ' οὗτος ἄριστος ἡμῖν ὃς ἂν τὰ πλείω τυγχάνῃ κατωρθωκὼς ἢ ἓν ὅτι μάλιστα. Ὁ δὲ οὕτω διὰ πάντων ἀφίκετο ὡς εἶναι φιλοτιμία τις φύσεως. Σκοπῶμεν δὲ οὕτως.

Ἀκτησίαν τις ἐπαινεῖ καὶ βίον ἄσκευον καὶ ἀπέριττον;
15 Ἐκείνῳ δὲ τί ποτε ἦν, πλὴν σώματος καὶ τῶν ἀναγκαίων

59, 20 δέξαιτο : δόξαιτο A || 25 πλεῖον v Bo
60, 3 μηδὲ VSv Bo

1. Cf. n. 3, p. 162. En se résignant en 372 à recevoir la consécration épiscopale, Grégoire acceptait une charge pastorale qui n'était pas en accord avec la vie monastique qu'il souhaitait mener ; c'est parce qu'il est évêque et sans responsabilité qu'on l'appelle à Constantinople en 378. C'est parce qu'on le sait évêque (non installé) de Sasimes qu'Alexandrins et Occidentaux réunis contestent au concile de 381 sa présence sur le siège de Constantinople, et c'est pour le même motif que Maxime le Cynique trouve une oreille favorable à Alexandrie, en Italie et jusqu'auprès d'Ambroise et de Damase.

2. C'est ici que reprend le fil interrompu de l'éloge, l'auteur entreprenant de définir et d'illustrer quelques-unes des qualités maîtresses de son héros. Ἀκτησία est un mot que Grégoire emploie

faire, bien que ce second point ait peu d'importance[1]. A moins qu'on ne me permette de dire, à la décharge de cet homme, que, doué de sentiments plus élevés que ne le comporte la condition humaine, ayant quitté les choses d'ici-bas avant d'être sorti de la vie, il subordonnait tout à l'Esprit et que, tout en sachant respecter l'amitié, il la méprisait seulement dans la circonstance où l'honneur de Dieu devait être préféré et où ce que nous espérons devait passer avant ce qui est périssable.

60. Je crains assurément qu'en tentant d'échapper au reproche de négligence de la part de ceux qui sont avides de tout ce qui le concerne, je ne donne prise à l'accusation de prolixité de la part de ceux qui prônent cette mesure qu'il ne dédaignait pas de son côté, puisqu'il approuvait tout particulièrement le principe d'après lequel « la mesure constitue en tout domaine la perfection », et qu'il l'a observé tout au long de sa vie. Quoi qu'il en soit, je ne tiendrai pas compte des uns et des autres, de ceux qui vont trop loin dans la brièveté comme de ceux qui exagèrent dans la prolixité, et je tiendrai à peu près le langage suivant. Les uns réussissent dans un domaine, les autres dans un autre, et il y en a qui le font dans certaines formes de la vertu, qui sont assez nombreuses, mais personne n'a atteint le sommet le plus haut dans tous les domaines, en tout cas parmi ceux qui sont actuellement connus de nous : le meilleur est pour nous celui qui a réussi dans le plus grand nombre de domaines, ou encore dans un seul domaine à la perfection. Lui, il a passé par tous les chemins au point de constituer un défi de la nature. Procédons à un examen de la façon que voici.

Fait-on l'éloge du dénuement, d'une vie dépouillée et dépourvue de superflu[2] ? Mais lui, que posséda-t-il jamais, en dehors de son corps et de ce qui est

ailleurs (cf. le *Poème* I, 11, 10, v. 267 et 509) et qui appartient également au vocabulaire de Basile.

τῆς σαρκὸς καλυμμάτων ; Πλοῦτος δὲ τὸ μηδὲν ἔχειν καὶ
ὁ σταυρὸς ᾧ συνέζη μόνῳ, ὃν πολλῶν χρημάτων ἐνόμιζεν
ἑαυτῷ τιμιώτερον. Ἅπαντα μὲν γάρ, οὐδ' ἂν εἰ βούλοιτό
D τις, δυνατὸν εἶναι κτήσασθαι, πάντων δὲ εἰδέναι καταφρονεῖν
20 καὶ οὕτω κρείττω τῶν πάντων φαίνεσθαι. Οὕτω δὲ
διανοηθεὶς καὶ οὕτως ἔχων, βωμοῦ μὲν οὐκ ἐδεήθη καὶ
τῆς κενῆς δόξης οὐδὲ δημοσίου κηρύγματος τοῦ· Κράτης
576 A Κράτητα Θηβαῖον ἐλευθεροῖ. Εἶναι γάρ, οὐ δοκεῖν ἐσπού-
δαζεν ἄριστος. Οὐδὲ πίθον ᾤκει καὶ μέσην τὴν ἀγοράν, ὥστε
25 πᾶσι παρατρυφᾶν, καινὴν εὐπορίαν τὸ ἀπορεῖν ποιούμενος·
ἀφιλοτίμως δὲ πένης ἦν καὶ ἀνήροτος, καὶ πάντων ἐκβολὴν
στέρξας ὧν ποτε εἶχε, κούφως διέπλει τὴν τοῦ βίου
θάλασσαν.

61. Θαυμαστὸν ἡ ἐγκράτεια καὶ ὀλιγάρκεια καὶ τὸ μὴ
B κρατεῖσθαι τῶν ἡδονῶν μηδ' ὡς ὑπὸ πικρᾶς καὶ ἀνελευθέρου
δεσποίνης τῆς γαστρὸς ἄγεσθαι. Τίς οὕτω μᾶλλον ἄτροφος
ἦν, οὐ πολὺ δὲ εἰπεῖν καὶ ἄσαρκος ; Τὰς μὲν γὰρ πλησμονὰς
5 καὶ τοὺς κόρους τοῖς ἀλογωτέροις ἀπέρριψε καὶ ὧν ἀνδραπο-
δώδης καὶ κάτω νενευκὼς ὁ βίος. Αὐτὸς δὲ οὐδὲν ᾔδει μέγα
τῶν μετὰ τὸν λαιμὸν ὁμοτίμων, ἀλλὰ τοῖς ἀναγκαίοις διέζη
μόνον ἕως ἐζῆν, καὶ μόνην ᾔδει τρυφὴν τὸ μὴ τρυφῶν

60, 17 συνέζη : συνέζειν A || 24 πίθον : gl. Διογένης ὁ κυνικὸς AJVTSD || 26 ἀφιλότιμος $Q^{pc}BW^{pc}VTSDCv$ Bo || 27 κοῦφος $Q^{ac}D$ || 28 θάλατταν BJ

61, 1 τὸ : τοῦ BJ || 8 ἕως... ᾔδει om. S || ᾔδει : εἴδει A || τρυφῶν : τρυφᾶν A

1. Allusion probable à Apollonios de Tyane, objet en divers endroits d'un culte, érigé en concurrent du Christ par Philostrate et plus récemment par Hiéroclès. Cf. Eusèbe de Césarée, *Contre Hiéroclès*, éd. M. Forrat et Éd. des Places (*SC* 333), Paris 1986.

2. Origène avait allégué l'exemple de Cratès de Thèbes pour justifier l'estime portée par les chrétiens à la pauvreté volontaire (cf. *Contre Celse*, II, 41 ; VI, 28). Grégoire, qui s'efforce d'établir la supériorité des chrétiens, reprend l'exemple, mais en minimisant la vertu du philosophe cynique (cf. *D.* 4, 72). Le *Poème* I, II, 10, v. 218-243 cite les exemples de Cratès et de Diogène, la formule prêtée au

indispensable pour recouvrir la chair? Sa richesse, c'était de ne rien avoir, c'était aussi la croix, qui constituait son unique accompagnement au cours de sa vie, qu'il jugeait plus précieuse pour lui-même qu'une grande fortune. Posséder tous les biens n'est au pouvoir de personne, en dépit des désirs, mais on peut savoir les mépriser tous et se montrer ainsi supérieur à tout le monde. Avec ces idées et ce comportement, il n'a pas eu besoin d'autel et d'une vaine gloire[1], non plus que d'une proclamation publique du genre «Cratès à Cratès de Thèbes donne la liberté[2]». C'est qu'il visait à être le meilleur, non à le paraître. Il n'habitait pas non plus un tonneau et le milieu de la place publique[3] de façon à emprunter son confort à tout le monde en tirant de l'indigence une aisance nouvelle : c'est sans prétendre à rien qu'il était pauvre et rustique, et c'est après avoir consenti à la perte de tout ce qu'il possédait jadis qu'il traversait, léger, l'océan de la vie.

61. C'est une chose admirable que d'être maître de soi-même et de se contenter de peu, que de ne pas être dominé par les plaisirs et mené par ce maître cruel et grossier qu'est le ventre. Qui était autant que lui étranger à la nourriture[4] et, ce n'est pas exagéré de le dire, dépouillé de chair? Se gorger et se gaver, il avait laissé cela aux êtres moins doués de raison, qui mènent une vie d'esclave, tournée vers ce qui est bas. Lui, il savait que tout ce qui a même valeur une fois le gosier franchi n'a aucune importance, mais, dans la mesure du possible, c'est le nécessaire seul qui l'a maintenu en vie, et le seul luxe qu'il connaissait consistait à montrer qu'il se passait de

philosophe cynique étant à nouveau citée avec une légère modification de l'ordre des mots pour la faire tenir dans un trimètre iambique (v. 234). Cf. également *D.* 25, 7, poèmes II, I, 12, v. 595-597 ; II, I, 11, v. 270-273. Sur Cratès, cf. Diogène Laërce, *Vies des philosophes*, VI, 87.

3. Cf. Diogène.

4. Cf. *Poème* I, I, 5, v. 68.

φαίνεσθαι μηδὲ διὰ τοῦτο δεῖσθαι πλειόνων· ἀλλὰ πρὸς τὰ
10 κρίνα βλέπειν καὶ τὰ πτηνά, οἷς ἄτεχνον τὸ κάλλος καὶ
σχέδιος ἡ τροφὴ κατὰ τὴν μεγάλην παραίνεσιν τοῦ ἐμοῦ
Χριστοῦ [a] καὶ σάρκα δι' ἡμᾶς πτωχεύσαντος, ἵν' ἡμεῖς
πλουτισθῶμεν θεότητα. Ἐντεῦθεν αὐτῷ τὸ ἓν χιτώνιον καὶ
τριβώνιον καὶ ἡ χαμευνία καὶ ἡ ἀγρυπνία καὶ ἡ ἀλουσία,
15 τὰ ἐκείνου σεμνολογήματα, καὶ τὸ ἥδιστον δεῖπνον καὶ ὄψον,
C ὁ ἄρτος καὶ οἱ ἅλες, ἡ καινὴ καρυκεία, καὶ ποτὸν νηφάλιόν
τε καὶ ἄφθονον ὃ γεωργοῦσι πηγαὶ μηδὲν πονουμένοις. Ἐξ
ὧν ἢ μεθ' ὧν νοσοκομίαι καὶ ἰατρεῖαι, τὸ κοινὸν ἡμῶν
ἐμφιλοσόφημα. Ἔδει γάρ με τῶν ἀνιαρῶν τὸ ἴσον ἔχειν,
20 τοῖς ἄλλοις λειπόμενον.

62. Μέγα παρθενία καὶ ἀζυγία καὶ τὸ μετ' ἀγγέλων
τέταχθαι καὶ τῆς μοναδικῆς φύσεως· ὀκνῶ γὰρ εἰπεῖν
Χριστοῦ, ὃς καὶ γεννηθῆναι δεῆσαν διὰ τοὺς γεννητοὺς ἡμᾶς,
ἐκ παρθένου γεννᾶται, παρθενίαν νομοθετῶν ὡς ἐνθένδε
5 μετάγουσαν καὶ κόσμον συντέμνουσαν, μᾶλλον δὲ κόσμον
κόσμῳ παραπέμπουσαν, τὸν ἐνεστῶτα τῷ μέλλοντι. Τίς οὖν
577 A ἐκείνου μᾶλλον ἢ παρθενίαν ἐτίμησεν ἢ σαρκὶ ἐνομοθέτησεν,
οὐ τῷ καθ' ἑαυτὸν ὑποδείγματι μόνον, ἀλλὰ καὶ οἷς
ἐσπούδασεν; Τίνος οἱ παρθενῶνες καὶ τὰ ἔγγραφα διατάγ-
10 ματα, οἷς πᾶσαν μὲν αἴσθησιν ἐσωφρόνιζε, πᾶν δὲ μέλος
ἐρύθμιζε καὶ ὄντως παρθενεύειν ἔπειθεν, εἴσω τὰ κάλλη

61, 12 καὶ σάρκα : τοῦ καὶ σάρκα SD
62, 3 δεῆσαν : ἐδέησε SD (mg δεῆσαν D) θέλησας BJv Bo || 5 κόσμον : κόσμου AS || 6 κόσμῳ om. BJSDC || ἐνεστῶτα : ἑστῶτα AQ[ac]BJT[ac]S || 7 σαρκὶ : ἀσαρκίαν SDC || 9 ἐσπούδασε VTSv Bo

61. a. Cf. Matth. 6, 26 s.; II Cor. 8, 9.

1. Sur la médecine, cf. *supra*, 23.
2. Sur ce mot, cf. Basile, *Contre Eunome*, éd. B. Sesboüé, G.-M d[e] Durand, L. Doutreleau, III, 7, 35; *Sur le Saint-Esprit*, 45, 32 éd. B. Pruche, p. 408.
3. Malgré Épiphane, *Hær.* 58, 4, le mot παρθενών n'est pa

luxe et que, pour ce motif, il n'avait pas besoin d'avoir plus, mais de regarder les lis et les créatures ailées dont la beauté est sans artifice et la nourriture improvisée, en se conformant à la grande recommandation de mon Christ[a] qui, à cause de nous, s'est fait pauvre dans la chair pour nous faire riches de la divinité. De là vient qu'il n'avait qu'une seule tunique et un seul manteau, qu'il dormait à même le sol, qu'il veillait et se privait de bains — c'étaient là ses titres de noblesse —, que son repas et son mets favori, c'étaient le pain et le sel, cet assaisonnement inédit ; que sa boisson, frugale et abondante, était celle que les sources produisent sans exiger de peine pour l'obtenir. Là se trouvait l'origine ou l'accompagnement de soins et de traitements médicaux dont nous élaborions en commun la philosophie, car il me fallait être à son niveau dans le domaine des inconvénients subis, tout en lui cédant sur le reste[1].

62. C'est une grande chose que la virginité et le célibat, ainsi que le fait d'être rangé aux côtés des anges et de la nature singulière[2], car j'hésite à dire du Christ, qui, devant lui aussi être enfanté à cause de nous qui le sommes, prend naissance d'une vierge et donne force de loi à la virginité pour le motif qu'elle rompt avec le monde, ou plutôt qu'elle fait passer d'un monde à l'autre, de celui qui est là à celui qui est à venir. Qui donc a plus que lui estimé la virginité ou imposé des lois à la chair, non seulement par l'exemple de sa propre personne, mais encore par ce qui a fait l'objet de ses soins ? A qui doit-on les demeures de virginité[3] et ces règles écrites par lesquelles il modérait tous les sens, réglait tous les membres et recommandait la vraie virginité, en trans-

spécialisé dans le sens de monastère féminin tandis que μοναστήριον désignerait les monastères d'hommes. Tout ce qui est dit dans ce chapitre de la παρθενία concerne d'abord les hommes, tandis que la *Lettre* 55 de Basile recommande à un prêtre de se séparer d'une femme qui vit sous son toit et de la mettre ἐν μοναστηρίῳ.

στρέφων ἀπὸ τῶν ὁρωμένων ἐπὶ τὰ μὴ βλεπόμενα, καὶ τὸ μὲν ἔξωθεν ἀπομαραίνων καὶ τὴν ὕλην ὑποσπῶν τῆς φλογός, τὸ δὲ κρυπτὸν τῷ Θεῷ δεικνύς, ὅς μόνος τῶν καθαρῶν
15 ψυχῶν ἐστι νυμφίος καὶ τὰς ἀγρύπνους ἑαυτῷ συνεισάγει ψυχάς, ἐὰν μετὰ λαμπρῶν τῶν λαμπάδων αὐτῷ καὶ δαψιλοὺς τῆς τοῦ ἐλαίου τροφῆς ἀπαντήσωσι ; Τοῦ τοίνυν ἐρημικοῦ βίου καὶ τοῦ μιγάδος μαχομένων πρὸς ἀλλήλους
B ὡς τὰ πολλὰ καὶ διισταμένων, καὶ οὐδετέρου πάντως ἢ τὸ
20 καλὸν ἢ τὸ φαῦλον ἀνεπίμικτον ἔχοντος, ἀλλὰ τοῦ μὲν ἡσυχίου μὲν ὄντος μᾶλλον καὶ καθεστηκότος καὶ Θεῷ συνάγοντος, οὐκ ἀτύφου δὲ διὰ τὸ τῆς ἀρετῆς ἀβασάνιστον καὶ ἀσύγκριτον, τοῦ δὲ πρακτικωτέρου μὲν μᾶλλον καὶ χρησιμωτέρου, τὸ δὲ θορυβῶδες οὐ φεύγοντος, καὶ τούτους
25 ἄριστα κατήλλαξεν ἀλλήλοις καὶ συνεκέρασεν, ἀσκητήρια καὶ μοναστήρια δειμάμενος μέν, οὐ πόρρω δὲ τῶν κοινωνικῶν καὶ μιγάδων οὐδ' ὥσπερ τειχίῳ τινὶ μέσῳ ταῦτα διαλαβὼν καὶ ἀπ' ἀλλήλων χωρίσας, ἀλλὰ πλησίον συνάψας καὶ διαζεύξας, ἵνα μήτε τὸ φιλόσοφον ἀκοινώνητον ᾖ μήτε
30 τὸ πρακτικὸν ἀφιλόσοφον, ὥσπερ δὲ γῆ καὶ θάλασσα τὰ παρ' ἑαυτῶν ἀλλήλοις ἀντιδιδόντες εἰς μίαν δόξαν Θεοῦ συντρέχωσι.

D **63.** Τί ἔτι ; Καλὸν φιλανθρωπία καὶ πτωχοτροφία καὶ τὸ τῆς ἀνθρωπίνης ἀσθενείας βοήθημα. Μικρὸν ἀπὸ τῆς

62, 18 ἐρημικοῦ : μοναδικοῦ SD^{ac} || 19 οὐδετέρου : οὐθ' ἑτέρου AQBJWVTSC οὐθετέρου D || 27 οὐδὲ v Bo

1. Cf. *D.* 21, 10, 18.
2. Même mouvement dans le *D.* 8, 8 pour comparer mariage et célibat.
3. La πτωχοτροφία est un des thèmes importants de la prédication des Cappadociens (cf. notamment Grégoire de Nazianze, *D.* 14 ; Basile, *H.D.* 6, 7, 8 ; Grégoire de Nysse, *De pauperibus amandis* I

posant la beauté de l'extérieur à l'intérieur, de ce qui est visible à ce qui ne l'est pas, en vouant à la flétrissure ce qui est de l'extérieur, et en soustrayant à la flamme son aliment, mais en montrant l'homme caché à Dieu, qui est l'unique époux des âmes pures et qui admet dans son intimité celles qui sont vigilantes si elles viennent à sa rencontre avec des lampes brillantes et pourvues d'huile en abondance? Or, comme la vie érémitique et celle de ceux qui se mêlent aux autres[1] se combattent l'une l'autre le plus souvent et s'opposent, comme aucune d'elles ne possède avantages ou inconvénients absolument sans mélange — l'une étant plus paisible, plus stable et unissant davantage à Dieu, mais n'étant pas exempte d'orgueil parce que la vertu y échappe à l'épreuve et à la comparaison, tandis que l'autre est plus active et plus utile, mais n'évite pas l'agitation[2] —, il a su très bien les réconcilier et les mêler l'une à l'autre en construisant des lieux d'ascèse et de solitude, mais à peu de distance de ceux qui pratiquent la vie en commun et se mêlent aux autres, sans mettre non plus au milieu une sorte de mur de clôture et sans les séparer les uns des autres : il les a, au contraire, rapprochés, réunis et distingués, afin qu'il n'y eût pas de philosophie sans vie commune ni de vie active sans philosophie, et que, à la façon de la terre et de la mer, ils pussent, en se communiquant réciproquement leurs caractéristiques propres, concourir à l'unique gloire de Dieu.

63. Que dire encore? C'est une belle chose que l'amour des hommes, l'entretien des pauvres et l'aide apportée à la faiblesse humaine[3]. Sors un peu de la ville et regarde

et II). L'εὐεργεσία était une ancienne vertu conseillée aux riches et aux puissants et elle était assez largement pratiquée par eux sous la forme de dons faits aux cités. Ce sont les prédicateurs chrétiens qui orientent cette générosité vers les plus pauvres.

πόλεως πρόελθε καὶ θέασαι τὴν καινὴν πόλιν, τὸ τῆς εὐσεβείας ταμιεῖον, τὸ κοινὸν τῶν ἐχόντων θησαύρισμα, εἰς
5 ὃ τὰ περιττὰ τοῦ πλούτου, ἤδη δὲ καὶ τὰ ἀναγκαῖα, ταῖς ἐκείνου παραινέσεσιν ἀποτίθεται, σῆτας ἀποσειόμενα καὶ κλέπτας οὐκ εὐφραίνοντα καὶ φθόνου πάλην καὶ καιροῦ φορὰν διαφεύγοντα, ἐν ᾧ νόσος φιλοσοφεῖται καὶ συμφορὰ μακαρίζεται καὶ τὸ συμπαθὲς δοκιμάζεται. Τί μοι πρὸς
580 A τοῦτο τὸ ἔργον ἑπτάπυλοι Θῆβαι καὶ Αἰγύπτιαι καὶ τείχη
11 Βαβυλώνια καὶ Μαυσώλου Καρικὸς τάφος καὶ Πυραμίδες καὶ Κολοσσοῦ χαλκὸς ἄμετρος ἢ ναῶν μεγέθη καὶ κάλλη τῶν μηκέτι ὄντων, ἄλλα τε ὅσα θαυμάζουσιν ἄνθρωποι καὶ ἱστορίαις διδόασιν, ὧν οὐδὲν τοὺς ἐγείραντας πλὴν δόξης
15 ὀλίγης ὤνησεν; Ἐμοὶ δὲ θαυμασιώτατον ἡ σύντομος τῆς σωτηρίας ὁδός, ἡ ῥᾴστη πρὸς οὐρανὸν ἀνάβασις.

Οὐκέτι πρόκειται τοῖς ὀφθαλμοῖς ἡμῶν θέαμα δεινὸν καὶ ἐλεεινόν, ἄνθρωποι νεκροὶ πρὸ θανάτου, τετελευτηκότες τοῖς πλείστοις τοῦ σώματος μέλεσιν, ἀπελαυνόμενοι πόλεων,
20 οἰκιῶν, ἀγορῶν, ὑδάτων, αὐτῶν τῶν φιλτάτων, ὀνόμασι μᾶλλον ἢ σώμασι γνωριζόμενοι· οὐδὲ προτίθενται συνόδοις
B τε καὶ συλλόγοις κατὰ συζυγίαν τε καὶ συναυλίαν, μηκέτι ἐλεούμενοι διὰ τὴν νόσον, ἀλλὰ μισούμενοι, σοφισταὶ μελῶν

AQBJ (lac. J : **63,** 14 διδόασιν-**64,** 12 βλέπειν) WVT SDC

63, 4 ταμεῖον Jv Bo add. καὶ S || 8 φορὰν : φθορὰν W^pc Sv Bo || 9 καὶ τὸ συμπαθὲς δοκιμάζεται om. T^ac SC || 10 τὸ om. JS^ac || ἑπτάπυλαι SC || 11 Μαυσόλου v Bo || 18 θανάτου : add. καὶ Dv Bo

1. L'œuvre essentielle de Basile dans ce domaine est une œuvre de bâtisseur, ce en quoi il s'inscrivait dans la tradition la mieux établie de l'εὐεργεσία. La Basiliade, élevée en dehors de la ville, jouait le rôle d'hôpital, d'asile et de caravansérail, de magasin pour stocker les dons en nature des fidèles, toutes activités qui supposent l'existence d'un personnel nombreux et varié, c'est-à-dire d'une communauté monastique.

2. Les listes des sept merveilles du monde sont fluctuantes. Sur les «temples qui n'existent plus», cf. le temple d'Artémis à Éphèse, qu'on ne s'étonnera pas de voir traité par prétérition par un auteur chrétien, tout comme le Zeus de Phidias.

3. La formule reprend mot à mot, mais en l'inversant une phrase du *D.* 14, 10. On y lisait Πρόκειται τοῖς ὀφθαλμοῖς ἡμῶν θέαμα δεινὸν

la ville nouvelle[1], l'intendance de la piété, la réserve amassée en commun par les propriétaires, où va se déposer le superflu de la richesse, mais aussi désormais leur nécessaire sur les exhortations d'un tel homme, en secouant les vers, sans faire la joie des voleurs et en échappant aux assauts de l'envie ainsi qu'au poids des circonstances, où la maladie est objet de philosophie, le malheur considéré comme un bonheur et la compassion mise à l'épreuve. Que sont à mes yeux, par rapport à cet ouvrage, la Thèbes aux sept portes comme celle d'Égypte, les murailles de Babylone, le tombeau carien de Mausole, les Pyramides et le bronze de Colosses dans son immensité, ou bien encore les dimensions et les beautés de temples qui ne sont plus, tout le reste aussi de ce que les hommes admirent et qu'ils consignent dans l'histoire, toutes choses qui n'ont rapporté à leurs constructeurs aucun profit en dehors d'un peu de gloire[2]? Ce qui est pour moi le plus admirable, c'est ce chemin abrégé vers le salut, c'est cette montée au ciel devenue si facile.

Nous n'avons plus sous les yeux ce spectacle terrible et lamentable[3], ces hommes transformés en cadavres avant de mourir, morts dans la plupart de leurs membres, tenus à l'écart des villes, des maisons, des places publiques, de l'eau, des êtres les plus chers même, plus faciles à reconnaître à leur nom qu'à leur physique. On ne les voit plus s'exhiber devant les assemblées et les réunions par couples de duettistes dans des conditions où leur maladie ne faisait plus d'eux des objets de pitié, mais de haine,

καὶ ἐλεεινὸν. Dans les deux cas, il s'agit de bandes de lépreux, mais, entre temps, est intervenue la construction de la Basiliade où les lépreux sont recueillis et soignés. Le deuxième des sermons de Grégoire de Nysse *De pauperibus amandis* concerne les lépreux. Sur les analogies entre les *D.* 14 et 43 de Grégoire de Nazianze et le sermon de Grégoire de Nysse, cf. le commentaire de A. van Heck, *Gregorii Nysseni de pauperibus amandis orationes duo*, Leyde 1964, p. 120-124. Sur la maladie, cf. M. D. Grmek, *Les maladies à l'aube de la civilisation occidentale*, Paris 1983, p. 227-260.

ἐλεεινῶν εἴ τισι καὶ φωνὴ λείπεται. Τί ἂν πάντα ἐκτραγῳ-
25 δοίην τὰ ἡμέτερα, οὐκ ἀρκοῦντος τοῦ λόγου τῷ πάθει;
Ἀλλ᾽ ἐκεῖνός γε μάλιστα πάντων ἔπεισεν ἀνθρώπους ὄντας
ἀνθρώπων μὴ καταφρονεῖν μηδ᾽ἀτιμάζειν Χριστόν, τὴν μίαν
πάντων κεφαλήν, διὰ τῆς εἰς ἐκείνους ἀπανθρωπίας, ἀλλ᾽
ἐν ταῖς ἀλλοτρίαις συμφοραῖς τὰ οἰκεῖα εὖ τίθεσθαι καὶ
30 δανείζειν Θεῷ τὸν ἔλεον, ἐλέου χρῄζοντας. Διὰ τοῦτο οὐδὲ
τοῖς χείλεσιν ἀπηξίου τιμᾶν τὴν νόσον ὁ εὐγενής τε καὶ
τῶν εὖ γεγονότων καὶ τὴν δόξαν ὑπέρλαμπρος, ἀλλ᾽ ὡς
ἀδελφοὺς ἠσπάζετο, οὐχ ὅπερ ἄν τις ὑπολάβοι κενοδοξῶν
— τίς γὰρ τοσοῦτον ἀπεῖχε τοῦ πάθους; —, ἀλλὰ τὸ
35 προσιέναι τοῖς σώμασιν ἐπὶ θεραπείᾳ διὰ τῆς ἑαυτοῦ
C φιλοσοφίας τυπῶν καὶ φθεγγομένη καὶ σιωπῶσα παραίνεσις.
Καὶ οὐχ ἡ μὲν πόλις οὕτως, ἡ χώρα δὲ καὶ τὰ ἐκτὸς
ἑτέρως· ἀλλὰ κοινὸν ἅπασιν ἀγῶνα προὔθηκε τοῖς τῶν λαῶν
προεστῶσι, τὴν εἰς αὐτοὺς φιλανθρωπίαν καὶ μεγαλοψυχίαν.
40 Καὶ ἄλλων μὲν οἱ ὀψοποιοὶ καὶ αἱ λιπαραὶ τράπεζαι καὶ
τὰ μαγείρων μαγγανεύματα καὶ κομψεύματα καὶ οἱ φιλό-
καλοι δίφροι καὶ τῆς ἐσθῆτος ὅση μαλακή τε καὶ περιρ-
ρέουσα, Βασιλείου δὲ οἱ νοσοῦντες καὶ τὰ τῶν τραυμάτων
ἄκη καὶ ἡ Χριστοῦ μίμησις, οὐ λόγῳ μέν, ἔργῳ δὲ λέπραν
45 καθαίροντος.

D **64.** Πρὸς ταῦτα τί φήσουσιν ἡμῖν οἱ τὸν τῦφον
ἐγκαλοῦντες ἐκείνῳ καὶ τὴν ὀφρύν, οἱ πικροὶ τῶν τηλικού-

63, 24 πάντα : ἅπαντα Dv Bo || 38 τῶν λαῶν : τῷ λαῷ v || 41 καὶ κομψεύματα om. S

1. Cf. *supra*, 34. La même idée est exprimée à propos de Grégoire l'Ancien, *D.* 18, 21.

2. Sur les emplois de μεγαλοψυχία chez Grégoire de Nazianze, cf. B. Coulie, *op. cit.*, p. 27, n. 83.

3. Cf. *supra*, n. 1, p. 158. On aimerait pouvoir situer l'origine de ces critiques : on ne se trompera probablement pas beaucoup en la cherchant du côté des évêques. Au cours de deux périodes Grégoire a participé aux réunions des évêques de la Cappadoce II autour d'Anthime de Tyane, une première fois lorsqu'il assistait son père ou

gens habiles à inventer des complaintes quand il leur reste un peu de voix. Pourquoi donner une couleur tragique à tous mes propos, puisque la parole ne peut suffire à exprimer les sentiments éprouvés ? C'est bien lui, en tout cas, qui, plus que quiconque, a convaincu des hommes de ne pas mépriser d'autres hommes et de ne pas refuser leur respect au Christ, l'unique tête de tous, en faisant preuve d'inhumanité envers ces gens, mais de faire un bon placement de leurs biens sur les malheurs d'autrui et de prêter à Dieu leur pitié[1], puisqu'ils avaient besoin de pitié. Voilà pourquoi il ne dédaignait pas non plus d'honorer la maladie de ses lèvres, cet homme noble, issu d'une noble famille et revêtu d'une gloire éclatante : ils les embrassait au contraire comme des frères, non pas, comme on pourrait le penser, par vaine gloire — qui était plus éloigné que lui d'un tel sentiment ? —, mais, en donnant l'exemple de sa propre philosophie, il formait à l'approche des corps en vue de les soigner, exhortation parlante aussi bien que silencieuse. Et on ne peut dire qu'il en allait ainsi de la ville tandis qu'il en était autrement à la campagne et à l'extérieur : il a, au contraire, proposé à tous les dirigeants des peuples, comme un commun objet d'émulation, l'amour de ces hommes et la générosité[2]. A d'autres les traiteurs, les tables opulentes, les sortilèges des cuisiniers et leurs raffinements, les voitures élégantes et ce qu'il peut y avoir de plus moelleux et de flottant en matière d'habillement : à Basile les malades, les remèdes contre les plaies, ainsi que l'imitation d'un Christ qui ne guérissait pas la lèpre en paroles, mais en réalité.

64. Là-dessus, que nous diront ceux qui lui reprochent une attitude infatuée et hautaine[3], ces âpres censeurs

pendant les mois où il l'a remplacé après sa mort, c'est-à-dire autour de 375, une seconde fois à son retour de Constantinople. C'est dans la première période que quelques hobereaux mitrés étaient le plus tentés d'exhaler leur mauvaise humeur à l'égard de leur ancien archevêque.

των κριταὶ καὶ τῷ κανόνι τοὺς οὐ κανόνας προσάγοντες ;
Ἔστι λεπροὺς μὲν ἀσπάζεσθαι καὶ μέχρι τούτου συνταπει-
5 νοῦσθαι, τῶν δὲ ὑγιαινόντων κατοφρυοῦσθαι ; Καὶ τήκειν
581 A μὲν τὰς σαρκὰς δι' ἐγκρατείας, τὴν ψυχὴν δὲ οἰδαίνειν κενῷ
φρυάγματι ; Καὶ τοῦ μὲν Φαρισαίου καταγινώσκειν καὶ
διηγεῖσθαι τὴν ἐξ ὄγκου ταπείνωσιν, καὶ Χριστὸν εἰδέναι
μέχρι δούλου μορφῆς κατελθόντα καὶ τελώναις συνεσθίοντα
10 καὶ νίπτοντα τοὺς πόδας τῶν μαθητῶν καὶ σταυρὸν οὐκ
ἀπαξιοῦντα ἵνα προσηλῷση τὴν ἐμὴν ἁμαρτίαν — καίτοι
τί τούτου παραδοξότερον, Θεὸν σταυρούμενον βλέπειν, καὶ
τοῦτον μετὰ λῃστῶν, καὶ ὑπὸ τῶν παριόντων γελώμενον τὸν
ἀνάλωτον καὶ τοῦ παθεῖν ὑψηλότερον ; —, αὐτὸν δὲ
15 ὑπερνεφεῖν καὶ μηδὲν γινώσκειν ὁμότιμον, ὃ δοκεῖ τοῖς
ἐκείνῳ βασκαίνουσιν ; Ἀλλ' οἶμαι, τὸ τοῦ ἤθους εὐσταθὲς
καὶ βεβηκὸς καὶ ἀπεξεσμένον τῦφον ὠνόμασαν. Οἱ δ'αὐτοί
μοι δοκοῦσι ῥᾳδίως ἂν καὶ τὸν ἀνδρεῖον καλέσαι θρασὺν
B καὶ δειλὸν τὸν περιεσκεμμένον καὶ τὸν σώφρονα μισάν-
20 θρωπον καὶ τὸν δίκαιον ἀκοινώνητον. Καὶ γὰρ οὐ φαύλως
τοῦτό τινες πεφιλοσοφήκασιν, ὅτι παραπεπήγασι ταῖς
ἀρεταῖς αἱ κακίαι καί εἰσί πως ἀγχίθυροι, καὶ ῥᾷστον ἄλλο
τι ὄντα ἕτερον νομισθῆναι τοῖς μὴ τὰ τοιαῦτα πεπαιδευμέ-
νοις.

25 Τίς γὰρ ἐκείνου μᾶλλον ἢ ἀρετὴν ἐτίμησεν ἢ κακίαν
ἐκόλασεν ἢ χρηστὸς ὤφθη τοῖς κατορθοῦσιν ἢ τοῖς
ἁμαρτάνουσιν ἐμβριθής, οὗ καὶ τὸ μειδίαμα πολλάκις
ἔπαινος ἦν καὶ τὸ σιωπᾶν ἐπιτίμησις, οἰκείῳ συνειδότι τὸ
κακὸν βασανίζουσα ; Εἰ δὲ μὴ στωμύλος τις ἦν μηδὲ
30 γελοιαστὴς καὶ ἀγοραῖος μηδὲ τοῖς πολλοῖς ἀρέσκων ἐκ τοῦ
πᾶσι πάντα γίνεσθαι καὶ χαρίζεσθαι, τί τοῦτο ; Οὐκ
ἐπαινετέος μᾶλλον ἢ μεμπτέος, τοῖς γε νοῦν ἔχουσιν ; Εἰ

64, 5 καταφρυῶσθαι AQBWVT κατοφρυᾶσθαι v Bo ‖ 6 τὰς σάρκας : τὸ σῶμα SC ‖ 9 συνέσθοντα AQ[pc]BWVT

d'une telle grandeur, qui appliquent à l'étalon des étalons qui n'en sont pas ? Peut-on embrasser des lépreux, s'abaisser jusqu'à ce point, et regarder de haut ceux qui sont en bonne santé ? Consumer sa chair dans l'austérité et avoir une âme enflée de vaine arrogance ? Condamner le Pharisien, raconter l'humiliation que lui a value sa suffisance, savoir que le Christ s'est abaissé jusqu'à une apparence d'esclave, qu'il mangeait avec les publicains, qu'il lavait les pieds de ses disciples, qu'il ne reculait pas devant une croix pour y clouer mon péché — qu'y a-t-il en vérité de plus extraordinaire que cela : contempler un Dieu crucifié, et encore en compagnie de brigands, moqué par les passants, lui qui était inaccessible et au-dessus de la souffrance ? —, et planer soi-même sur les nuées sans vouloir reconnaître aucune dignité comme égale à la sienne, comme le croient ses détracteurs ? En vérité, je pense que c'est ce qu'il y avait dans son caractère de ferme, d'assuré et de raffiné qu'on a appelé infatuation. Je crois que les mêmes personnes qualifieraient facilement de témérité le courage, la circonspection de lâcheté, la réserve de misanthropie et la justice d'insociabilité. En fait, on n'a pas eu tort de formuler le principe d'après lequel les vices sont attachés aux vertus et constituent en quelque sorte leurs voisins de palier. Il est aussi très facile d'être pris pour différent de ce que l'on est par les gens mal instruits de ce genre de chose.

Qui a honoré plus que lui la vertu, puni le vice, témoigné de la bonté à qui marchait dans le droit chemin ou fait sentir son poids à qui déviait dans l'erreur, lui dont le sourire constituait souvent un éloge et le silence un blâme, pierre de touche pour la conscience individuelle ? Qu'il n'y ait pas eu en lui un bavard non plus qu'un plaisantin ou un de ces habitués des places publiques, de ces individus qui cherchent à plaire aux foules et qui mettent leur complaisance à jouer tous les rôles et à plaire à tout le monde, qu'est-ce que cela signifie ? Ne mérite-t-il pas des éloges plutôt que des reproches aux yeux de qui a

μὴ καὶ τὸν λέοντα αἰτιῷτό τις ὅτι μὴ πιθήκειον βλέπει, ἀλλὰ βλοσυρὸν καὶ βασιλικόν, οὗ καὶ τὰ σκιρτήματα γενναῖα καὶ μετὰ θαύματος ἀγαπώμενα· καὶ τοὺς ἐπὶ σκηνῆς θαυμάζοι, ὡς ἡδεῖς τε καὶ φιλανθρώπους, ὅτι τοῖς δήμοις χαρίζονται καὶ κινοῦσι γέλωτα τοῖς ἐπὶ κόρρης ῥαπίσμασι καὶ ψοφήμασι. Καίτοι κἂν εἰ τοῦτο ζητοίημεν, τίς μὲν οὕτως ἡδὺς ἐν ταῖς συνουσίαις, ὅσα ἐμὲ γινώσκειν τὸν μάλιστα ἐκείνου πεπειραμένον, τίς δὲ διηγήσασθαι χαριέστερος; Τίς μὲν σκῶψαι παιδευτικός, τίς δὲ καθάψασθαι ἁπαλὸς <ὡς> καὶ μήτε τὴν ἐπιτίμησιν θράσος ποιήσασθαι μήτε τὴν ἄνεσιν ἔκλυσιν, ἀλλ' ἀμφοτέρων τὴν ἀμετρίαν φυγεῖν, ἀμφοτέροις σὺν λόγῳ καὶ καιρῷ χρώμενον, κατὰ τοὺς Σολομῶντος νόμους, παντὶ πράγματι καιρὸν διατάξαντος [a].

65. Ἀλλὰ τί ταῦτα πρὸς τὴν ἐν λόγοις τοῦ ἀνδρὸς ἀρετὴν καὶ τὸ τῆς διδασκαλίας κράτος, τὰ πέρατα οἰκειούμενον; Ἔτι περὶ τοὺς πρόποδας τοῦ ὄρους στρεφόμεθα, τῆς ἄκρας ἀπολειπόμενοι, ἔτι πορθμὸν διαπερῶμεν ἀφέντες τὸ μέγα καὶ βαθὺ πέλαγος. Οἶμαι γάρ, εἴ τις ἐγένετο ἢ γενήσεται σάλπιγξ ἐπὶ πολὺ τοῦ ἀέρος φθάνουσα ἢ Θεοῦ φωνὴ τὸν κόσμον περιλαμβάνουσα ἢ σεισμὸς οἰκουμένης ἔκ τινος καινοτομίας καὶ θαύματος, ταῦτα εἶναι τὴν ἐκείνου φωνὴν καὶ διάνοιαν, τοσοῦτον ἅπαντας ἀπολείπουσαν καὶ κάτω τιθεῖσαν ὅσον τὴν τῶν ἀλόγων φύσιν ἡμεῖς. Τίς μὲν ἑαυτὸν

64, 35 τῆς σκηνῆς Dv Bo || 37 γέλωτας AQBJWTD || 38 τίς μὲν : add. ἦν C || 40 δὲ om. vBo || 41 παιδευτικῶς AQBJWTSDv Bo || 42 ἁπαλὸς <ὡς> : ἁπαλῶς AQBJWTSDv Bo || ποιήσασθαι : ποιῆσαι AQBJWVTv Bo

---

64. a. Cf. Eccl. 3, 1.

---

1. Thème fréquemment évoqué par l'auteur : cf. *D.* 4, 112 et *Poèmes* I, II, 27, v. 1 ; I, II, 33, v. 96 ; II, I, 11, v. 409 ; II, I, 39, v. 80.

2. Le texte des manuscrits et celui des Mauristes ne sont guère

son bon sens ? A moins qu'on ne fasse au lion grief de ne pas avoir l'air d'un singe[1], mais une allure imposante et royale, lui dont les bonds eux-mêmes ont de la noblesse et qu'on admire en même temps qu'on les aime ; à moins aussi qu'on n'admire les gens du spectacle en leur trouvant de l'agrément et de l'humanité parce qu'ils plaisent au peuple et qu'ils excitent le rire par les coups qu'ils reçoivent sur la figure et les bruits qu'ils font. Pourtant, si nous en venons à faire une enquête sur ce sujet, qui était aussi agréable dans les réunions, pour autant que je le connaisse, moi qui ai eu affaire à lui plus que n'importe qui ? Qui avait meilleure grâce à conter, qui pratiquait la plaisanterie avec plus de souci d'instruire et reprenait avec plus de délicatesse[2], au point même de ne jamais tourner la réprimande en dureté ni l'indulgence en faiblesse, d'éviter l'excès dans les deux cas et d'agir dans les deux cas avec raison et à propos, en se conformant aux règles posées par Salomon, qui a marqué un temps pour toute chose[a] ?

65. Mais qu'est-ce que cela en comparaison des qualités d'expression de l'homme et de l'emprise d'un enseignement qui attirait les confins de la terre ? Nous en sommes encore aux contreforts de la montagne, loin du sommet, nous en sommes encore à la traversée de la rade, sans aborder l'étendue et les profondeurs du large. J'estime que, s'il a existé ou s'il doit exister une trompette qui pénètre l'immensité des airs, une voix de Dieu qui couvre le monde, ou un ébranlement de l'univers consécutif à quelque événement, révolution ou prodige, il s'agit bien là de la voix et de la pensée de cet homme qui dépassaient tout le monde et le reléguaient en bas tout autant que nous le faisons, nous, pour la nature des êtres dépourvus

satisfaisants. En restituant ὡς (disparu par haplographie avec harmonisation d'un mot sur l'autre) devant les infinitifs ποιήσασθαι et φυγεῖν, on redonne sa cohérence à la phrase.

ἐκάθηρε μᾶλλον τῷ Πνεύματι καὶ ἄξιον τοῦ διηγεῖσθαι τὰ θεῖα παρεσκεύασεν ; Τίς δὲ μᾶλλον ἐφωτίσθη φῶς γνώσεως καὶ διέκυψεν εἰς τὰ βάθη τοῦ Πνεύματος καὶ μετὰ Θεοῦ τὰ περὶ Θεοῦ διεσκέψατο ; Τίς δὲ λόγον ἔσχεν ἀμείνω τῶν 15 νοηθέντων ἑρμηνευτὴν ὡς μηδετέρῳ σκάζειν κατὰ τοὺς B πολλούς, ἢ νῷ λόγον οὐκ ἔχοντι ἢ λόγῳ μὴ κατὰ νοῦν βεβηκότι, ἀλλ' ἀμφοτέρωθεν ὁμοίως εὐδοκιμεῖν καὶ αὐτὸν ἴσον ἑαυτῷ φαίνεσθαι καὶ ὄντως ἄρτιον ; Πάντα μὲν ἐρευνᾶν, καὶ τὰ βάθη τοῦ Θεοῦ, τῷ Πνεύματι μεμαρτύρηται [a], οὐχ 20 ὡς ἀγνοοῦντι, ἀλλ' ὡς ἐντρυφῶντι τῇ θεωρίᾳ. Πάντα δ' ἐκείνῳ διηρεύνηται τὰ τοῦ Πνεύματος, ἐξ ὧν ἦθος ἅπαν ἐπαίδευσε καὶ ὑψηγορίαν ἐδίδαξε καὶ τῶν παρόντων ἀπανέστησε καὶ πρὸς τὰ μέλλοντα μετεσκεύασεν.

C **66.** Ἡλίου μὲν ἐπαινεῖται παρὰ τῷ Δαβὶδ κάλλος καὶ μέγεθος καὶ δρόμου τάχος καὶ δύναμις, λάμποντος ὡς νυμφίου, εὐμεγέθους ὡς γίγαντος [a], οὗ καὶ τὸ πολὺ διαβαίνειν ἔχει δύναμιν τοσοῦτον ὡς ἀπ' ἄκρων τὰ ἄκρα 5 ἰσοτίμως καταφωτίζειν καὶ μηδὲν ἐλαττοῦσθαι τὴν θερμὴν τοῖς διαστήμασιν. Τοῦ δὲ κάλλος μὲν ἡ ἀρετή, μέγεθος δὲ ἡ θεολογία, δρόμος δὲ τὸ ἀεικίνητον καὶ μέχρι Θεοῦ φέρον ταῖς ἀναβάσεσι, δύναμις δὲ ἡ τοῦ λόγου σπορὰ καὶ διάδοσις · ὥστ' ἔμοιγε οὐδὲ τοῦτο εἰπεῖν ὀκνητέον, τὸ εἰς πᾶσαν τὴν 10 γῆν ἐξελθεῖν τὸν φθόγγον αὐτοῦ καὶ εἰς τὰ πέρατα τῆς οἰκουμένης τῶν ῥημάτων τὴν δύναμιν [b], ὃ περὶ τῶν ἀποστόλων ὁ Παῦλος ἔφησε παρὰ Δαβὶδ ἐκδεξάμενος. Τίς μὲν ἄλλη συλλόγου σήμερον χάρις ; Τίς δὲ συμποσίων D ἡδονή ; Τίς δὲ ἀγορῶν ; Τίς δὲ ἐκκλησιῶν ; Τίς τῶν ἐν τέλει 15 καὶ τῶν μετ' ἐκείνους τρυφή ; Τίς μοναστῶν ἢ μιγάδων ;

65, 20 δ' : δὲ BJTv Bo

66, 6 διαστήμασι AQWDCv Bo || 9 ὥστε v Bo || 12 ἐκδεξάμενος : ἐκλεξάμενος AQW^{ac}VT

---

65. a. I Cor. 2, 10.

66. a. Cf. Ps. 18, 6. b. Ps. 18, 5 ; Rom. 10, 18.

de raison. Qui s'est purifié davantage pour l'Esprit et s'est mieux préparé à se rendre digne d'exposer les choses divines ? Qui a été plus que lui illuminé des lumières de la connaissance, qui a pénétré les profondeurs de l'Esprit et scruté avec Dieu les choses de Dieu ? Qui eut un langage plus apte à interpréter les idées conçues, de façon à éviter de boiter d'un côté ou de l'autre, comme il arrive à la plupart des gens, quand la pensée ne trouve pas son expression ou que l'expression ne s'adapte pas à la pensée, mais de façon à briller de la même façon dans les deux domaines, à se montrer égal à lui-même et vraiment cohérent ? Scruter toutes choses, y compris les profondeurs de Dieu, c'est le témoignage qui a été rendu à l'Esprit [a], non pas qu'il soit ignorant, mais parce qu'il jouit de la contemplation. Lui, il avait scruté toutes les choses de l'Esprit : de là vient que son enseignement concernait tout le domaine moral, qu'il a donné une leçon d'expression des choses sublimes et qu'il a détourné du présent pour orienter vers l'avenir.

66. Le soleil reçoit chez David des éloges pour sa beauté, sa grandeur, la rapidité de sa course et sa force, parce qu'il a l'éclat d'un fiancé et la taille d'un géant [a], parce que tout au long de son trajet il a une force assez grande pour répandre la lumière d'une extrémité à l'autre sans que sa chaleur soit diminuée en rien par les distances. Quant à lui, la vertu était sa beauté, la théologie sa grandeur ; sa course, c'était le mouvement incessant qui le portait jusqu'à Dieu dans des élévations ; sa force consistait à semer la parole et à la diffuser, de sorte que je ne dois pas hésiter à dire que sa voix a parcouru toute la terre et que la puissance de ses paroles a atteint les confins de l'univers [b], comme l'a dit à propos des apôtres Paul, qui empruntait cette expression à David. Où trouver ailleurs aujourd'hui la joie d'un entretien ? Les plaisirs des banquets ? Des places publiques ? Des églises ? Qu'est-ce qui fait les délices des hommes en charge et de leur entourage ? Des solitaires comme de ceux qui se mêlent

Τίς τῶν ἀπραγμόνων ἢ τῶν ἐν πράγμασι ; Τίς τῶν τὰ ἔξωθεν φιλοσοφούντων ἢ τὰ ἡμέτερα ; Μιὰ καὶ διὰ πάντων καὶ ἡ μεγίστη, τὰ ἐκείνου συγγράμματα καὶ πονήματα. Οὐδὲ γραφεῦσιν εὐπορία τις ἄλλη μετ' ἐκεῖνον ἢ τὰ ἐκείνου
20 γράμματα. Σιωπᾶται τὰ παλαιὰ ὅσα τινὲς τοῖς θείοις λογίοις
585 A ἐνίδρωσαν, βοᾶται τὰ νέα καὶ οὗτος ἄριστος ἡμῖν ἐν λόγοις ὃς ἂν τὰ ἐκείνου μάλιστα τυγχάνῃ γινώσκων καὶ διὰ γλώσσης φέρων καὶ συνετίζων τὰς ἀκοάς· ἤρκεσε γὰρ εἷς ἀντὶ πάντων τοῖς σπουδαιοτέροις εἰς παίδευσιν.

67. Ἐγὼ τοῦτο μόνον αὐτοῦ διηγήσομαι. Ὅταν τὴν Ἑξαήμερον αὐτοῦ μεταχειρίζωμαι καὶ διὰ γλώσσης φέρω, μετὰ τοῦ κτίστου γίνομαι καὶ γινώσκω κτίσεως λόγους καὶ θαυμάζω τὸν κτίστην πλέον ἢ πρότερον ὄψει μόνῃ διδασ-
5 κάλῳ χρώμενος. Ὅταν τοῖς ἀντιρρητικοῖς ἐντύχω λόγοις,
B τὸ Σοδομητικὸν ὁρῶ πῦρ ᾧ τεφροῦνται γλῶσσαι πονηραὶ καὶ παράνομοι[a], ἢ τὸν Χαλάνης πύργον[b] κακῶς μὲν

66, 16 πράγματι v ‖ 20 γράμματα : συγγράμματα QW^{pc}TSDv ‖ λογίοις : λόγοις AQWVTSDC

67. a. Cf. Gen. 19, 24. b. Is. 10, 9 (LXX).

1. Il faut faire ici comme ailleurs la part de l'exagération oratoire. Comment expliquer cependant qu'une œuvre exégétique aussi importante que celle d'un Origène soit considérée comme périmée ? C'est peut-être que tout est vu à travers la problématique d'un siècle dominé par la querelle trinitaire, mais l'explication la plus probable est à chercher dans la note qui suit.

2. Ce sont les évêques qui sont les prédicateurs habituels. On croira volontiers que cette vogue soudaine d'une doctrine jusque-là suspecte parmi eux, quand elle n'était pas combattue, doit quelque chose à la politique de Théodose. La doctrine officielle étant maintenant celle de Nicée, les évêques s'y rallient. Ils s'en inspirent dans leur prédication, mais aussi dans les propos qu'ils tiennent devant ceux de leurs collègues qui étaient chargés par empereur et concile de les inspecter. C'est pourquoi l'ironie n'est pas absente d'un verbe comme βοᾶται. Par conséquent, τὰ παλαιά désigne d'une façon très ironique l'ancienne théologie arienne qui avait cours sous Valens.

au monde? De ceux qui se tiennent à l'écart de toute activité comme des actifs? De ceux qui pratiquent la philosophie du dehors ou bien la nôtre? Une seule chose, en tout domaine et au plus haut point : les œuvres qu'il a composées et auxquelles il a travaillé. Après lui, ceux qui tiennent la plume n'ont pas de ressources comparables à ses écrits. Le silence se fait sur les commentaires des paroles divines élaborés autrefois[1] : ce sont les commentaires récents que l'on déclame, et l'orateur qui est à nos yeux le meilleur est celui qui connaît le mieux ses œuvres, celui qui les a dans la bouche et qui les met à la portée des auditeurs : c'est qu'un seul homme a suffi à remplacer tout le monde pour ceux qui s'appliquent à s'instruire[2].

67. Pour moi, je me contenterai d'exposer ce qui suit, le concernant. Quand je pratique son *Hexaéméron*[3] et que celui-ci se trouve dans ma bouche[4], je suis avec le créateur, je comprends les raisons de la création et j'admire le créateur plus que je ne le faisais auparavant, quand je n'avais pour m'instruire que la vue. Quand je lis ses ouvrages de controverse[5], je vois le feu de Sodome, qui réduit en cendres les langues perverses et criminelles[a], ou la tour de Chalané[b][6], dont l'édification

3. *Homélies sur l'Hexaéméron*, éd. St. Giet (*SC* 26), Paris 1950. Ces neuf sermons ont été prêchés matin et soir au cours d'une même semaine du carême de 378, et plus probablement du lundi 12 au vendredi 16 mars : cf. J. Bernardi, «La date de l'Hexaéméron de saint Basile», *Studia Patristica* III, Berlin 1961, p. 165-169. Il s'agit de la dernière œuvre de Basile, et c'est ce qui conduit l'auteur à la citer en premier lieu.

4. Il faut rappeler que l'antiquité ignorait la lecture silencieuse.

5. *Contre Eunome*, éd. B. Sesboüé, G.-M. de Durand et L. Doutreleau, tome I (*SC* 299), Paris 1982; tome II (*SC* 305), *ib.* 1983.

6. La tour de Babel d'après *Genèse*, 11, 9 *(TM)*, que la *LXX* traduit par Σύγχυσις. En fait, c'est le texte d'*Isaïe* 10, 9 *(LXX)* que Grégoire a ici en mémoire. Même appellation dans *D.* 21, 22, 5; *D.* 32, 17, 16.

οἰκοδομούμενον, καλῶς δὲ λυόμενον. Ὅταν τοῖς περὶ Πνεύματος, εὑρίσκω Θεὸν ὃν ἔχω καὶ παρρησιάζομαι τὴν
10 ἀλήθειαν, ἐπιβατεύων τῆς ἐκείνου θεολογίας καὶ θεωρίας. Ὅταν ταῖς ἄλλαις ἐξηγήσεσιν, ἃς τοῖς μικρὰ βλέπουσιν ἀναπτύσσει, τρισσῶς ἐν ταῖς στερραῖς ἑαυτοῦ πλαξὶ τῆς καρδίας ἀπογραψάμενος, πείθομαι μὴ μέχρι τοῦ γράμματος ἵστασθαι μηδὲ βλέπειν τὰ ἄνω μόνον, ἀλλὰ καὶ περαιτέρω
15 διαβαίνειν καὶ εἰς βάθος ἔτι χωρεῖν ἐκ βάθους, ἄβυσσον ἀβύσσῳ προσκαλούμενος[c] καὶ φωτὶ φῶς εὑρίσκων[d] μέχρις ἂν φθάσω πρὸς τὸ ἀκρότατον. Ὅταν ἀθλητῶν ἐγκωμίοις
C προσομιλήσω, περιφρονῶ τὸ σῶμα καὶ σύνειμι τοῖς ἐπαινουμένοις καὶ πρὸς τὴν ἄθλησιν διεγείρομαι. Ὅταν ἠθικοῖς
20 λόγοις καὶ πρακτικοῖς, καθαίρομαι ψυχὴν καὶ σῶμα, καὶ ναὸς Θεοῦ γίνομαι δεκτικὸς καὶ ὄργανον κρουόμενον Πνεύματι καὶ θείας ὑμνῳδὸν δόξης τε καὶ δυνάμεως· τούτῳ μεθαρμόζομαι καὶ ῥυθμίζομαι καὶ ἄλλος ἐξ ἄλλου γίνομαι, τὴν θείαν ἀλλοίωσιν ἀλλοιούμενος.

68. Ἐπεὶ δὲ θεολογίας ἐμνήσθην καὶ τῆς περὶ τοῦτο τοῦ ἀνδρὸς μάλιστα μεγαλοφωνίας, ἔτι κἀκεῖνο προσθήσω τοῖς εἰρημένοις· χρησιμώτατον γὰρ τοῖς πολλοῖς, τοῦ μὴ βλάπτεσθαι, τὴν χείρω περὶ αὐτοῦ δόξαν ἔχοντας. Πρὸς δὲ
5 τοὺς κακούργους ὁ λόγος, οἳ τοῖς ἑαυτῶν κακοῖς βοηθοῦσιν ἐξ ὧν ἄλλοις ἐπηρεάζουσιν.

67, 15 βάθος ἔτι χωρεῖν ἐκ om. S

---

67. c. Ps. 41, 8. d. Cf. Ps. 35, 10.

---

1. Le traité *Sur le Saint-Esprit* (éd. B. Pruche, *SC* 17 *bis*, Paris 1968) date de 375.

2. Ce terme recouvre la plupart des homélies de Basile regroupées sous les titres *Homélies sur les psaumes* et *Homélies diverses* (*PG* 29 et 31).

3. Les éloges concernant les martyrs, Julitta, Gordios, Mamas ainsi que les XL, font partie des *Homélies diverses*.

était un mal, mais la destruction un bien. S'il s'agit de ceux qui traitent du Saint-Esprit[1], je découvre le Dieu qui est le mien et j'exprime franchement la vérité en m'appuyant sur sa théologie et sa contemplation. S'il s'agit des autres commentaires[2] qu'il développe à l'intention de ceux qui ont la vue courte, après les avoir inscrits trois fois sur les solides tablettes de son cœur, je me laisse convaincre de ne pas m'arrêter à la lettre et de ne pas me contenter de regarder les choses d'en haut, mais de m'avancer plus loin, de progresser encore de profondeur en profondeur, appelé d'abîme en abîme[c] et trouvant la lumière grâce à la lumière[d], jusqu'à ce que je sois parvenu au sommet. Quand j'aborde les éloges des athlètes[3], je méprise le corps, je suis avec ceux dont il fait l'éloge et je me sens excité à la lutte. S'il s'agit des traités de morale et de conduite pratique[4], je me sens purifié âme et corps, je deviens temple réceptif pour Dieu, instrument dont joue l'Esprit et qui chante la gloire et la puissance divines : par lui je suis accordé, j'obéis à sa cadence et, subissant une transformation divine, je deviens tout autre que celui que j'étais.

68. Puisque j'ai évoqué la théologie ainsi que la voix particulièrement forte dont notre homme usait dans ce domaine, j'ajouterai encore ceci à ce qui a été dit, car cela est extrêmement utile au public, pour éviter de nuire à ce dernier en lui inspirant une mauvaise opinion à son sujet. C'est à l'intention des méchants que je m'exprime, eux qui confortent leurs propres défauts en les appuyant sur ceux qu'ils prêtent calomnieusement à d'autres.

4. On possède sous le nom de *Moralia* (Τὰ ἠθικά) une collection de 80 règles morales appuyées chacune sur une citation du NT. C'est la partie la plus ancienne de l'œuvre de Basile, cf. J. Gribomont, «Les règles morales de saint Basile», article repris dans *Saint Basile. Évangile et Église*, Abbaye de Bellefontaine, Bégrolles-en-Mauges 1984, p. 146.

D 'Ἐκεῖνος γὰρ ἕνεκα μὲν τοῦ ὀρθοῦ λόγου καὶ τῆς κατὰ τὴν ἁγίαν Τριάδα συναφείας καὶ συνθείας, ἢ οὐκ οἶδ' ὅ τι κυριώτερον εἰπεῖν χρὴ καὶ συναφέστερον, μὴ ὅτι θρόνων
10 ἐκπεσεῖν, οἷς οὐδὲ ἀπ' ἀρχῆς ἐπεπήδησεν, ἀλλὰ καὶ φυγὴν
588 A καὶ θάνατον καὶ τὰς πρὸ τοῦ θανάτου κολάσεις προθύμως ἐδέξατο ἂν ὡς κέρδος, οὐ κίνδυνον. Δηλοῖ δὲ οἷς τε ἤδη πεποίηκεν, οἷς τε πέπονθεν, ὅς γε καὶ ἐξορίαν ὑπὲρ τῆς ἀληθείας κατακριθείς, τοσοῦτον ἐπραγματεύσατο μόνον
15 ὅσον ἑνὶ τῶν ἀκολούθων εἰπεῖν ἀραμένῳ τὸ πτυκτίον ἀκολουθεῖν. Οἰκονομεῖν δὲ τοὺς λόγους ἐν κρίσει τῶν ἀναγκαίων ἐνόμιζε [a], τῷ θείῳ Δαβὶδ περὶ τούτου συμβούλῳ χρώμενος, καὶ μικρὸν ὅσον τὸν τοῦ πολέμου καιρὸν διαφέρειν καὶ τὴν τῶν αἱρετικῶν δυναστείαν, ἕως ὁ
20 τῆς ἐλευθερίας καὶ τῆς αἰθρίας ἐπιλάβῃ καιρὸς καὶ δῷ τῇ γλώσσῃ τὴν παρρησίαν. Οἱ μὲν γὰρ ἐζήτουν λαβέσθαι γυμνῆς τῆς περὶ τοῦ Πνεύματος φωνῆς, ὡς εἴη Θεός —
B ὅπερ, ὂν ἀληθές, ἀσεβὲς ἐκείνοις ὑπελαμβάνετο καὶ τῷ κακῷ προστάτῃ τῆς ἀσεβείας —, ἵνα τὸν μὲν τῆς πόλεως μετὰ
25 τῆς θεολόγου γλώσσης ὑπερορίσωσιν, αὐτοὶ δὲ κατασχόντες τὴν ἐκκλησίαν καὶ τῆς ἑαυτῶν κακίας ὁρμητήριον ποιησάμενοι ἐντεῦθεν τὸ λειπόμενον ἅπαν ὡς ἔκ τινος ἀκροπόλεως καταδράμωσιν. Ὁ δὲ ἐν ἄλλαις μὲν φωναῖς γραφικαῖς καὶ μαρτυρίαις ἀναμφιλέκτοις [ταὐτὸν δυναμέναις] καὶ ταῖς ἐκ

AQBJ (lac. J : **68,** 27 τινος - **77,** 6) WVT SDC

68, 7 ἕνεκα μὲν : ἕνεκεν SD ἕνεκα v Bo || 8 συνθείας : συμφυίας C || 9 χρὴ εἰπεῖν v Bo || συναφέστερον : σαφέστερον QV T[mg] S[pc]v Bo || 12 καὶ ὡς SDC || 15 ἀκολούθων : ἀκολουθούντων SC || πυκτίον SCv Bo || 17 τούτου : τούτων SD || 20 ἐπιλάβῃ : ἐπιλάβοι Dv Bo || 25 γλώττης BJTS || 29 [ταὐτὸν δυναμέναις] ut glossema seclusi

68. a. Ps. 111, 5.

1. Cf. *supra*, 54.
2. La *LXX* donne un texte un peu différent de celui de l'hébreu.
3. Le problème du Saint-Esprit divisant les orthodoxes, les ariens s'efforcent de susciter les occasions de faire éclater le conflit entre eux,

Lui, en faveur de la vraie doctrine, de la conjonction et de la co-divinité qu'il y a dans la Sainte Trinité — je ne sais quel autre terme employer qui soit mieux approprié et plus unitaire — il aurait volontiers accueilli, comme une aubaine et non pas comme une épreuve, non seulement la déchéance d'un trône qu'il n'avait pas brigué au départ, mais encore l'exil, la mort et les supplices qui la précèdent. La preuve, c'est ce qu'il avait déjà fait comme ce qu'il avait subi, lui qui, condamné à l'exil pour la vérité, n'avait pas eu d'autre préoccupation que d'inviter un membre de sa suite à emporter son écritoire pour l'accompagner[1]. Mais il estimait nécessaire de régler ses paroles avec jugement[a 2], en suivant sur ce point le conseil du divin David, et, tant que durait la guerre et le pouvoir des hérétiques, de gagner un peu de temps jusqu'à ce que le moment de la liberté et de l'éclaircie survienne et donne la faculté de s'exprimer. Eux[3], ils ne cherchaient à surprendre qu'un simple mot relatif à l'Esprit, à savoir qu'il est Dieu. Ce qui est vrai, mais ces gens-là et le méchant protecteur de l'impiété[4] tenaient la formule pour impie : leur but était de l'expulser de la ville, lui et sa langue de théologien, de s'emparer eux-mêmes de l'Église, d'en faire une base pour leur perversité et de ravager tout le reste à partir de là comme d'une sorte de citadelle. Lui, usant d'autres termes scripturaires[5] et avec des assertions non équivoques [qui avaient la même portée[6]], en recourant à des syllogismes

tandis que Basile veille à les éviter. Eustathe de Sébaste, très lié jusqu'à 373 avec Basile comme il l'était auparavant avec sa famille, est appelé par Basile «le chef de la secte des adversaires de l'Esprit», *Lettre* 263. Cf. Socrate, 2, 45.

4. Valens.

5. Basile évite de prononcer en public le mot Dieu à propos du Saint-Esprit.

6. 'Αναμφιλέκτος, *non équivoque*, est un mot rare qu'un lecteur a cru bon d'expliquer en marge.

30 τῶν συλλογισμῶν ἀνάγκαις οὕτως ἦγχε τοὺς ἀντιλέγοντας ὥστε μὴ ἀντιβαίνειν ἔχειν, ἀλλ' οἰκείαις συνδεῖσθαι φωναῖς, ἥπερ δὴ καὶ μεγίστη λόγου δύναμις καὶ σύνεσις. Δηλώσει δὲ καὶ ὁ λόγος ὃν περὶ τούτου συνέγραψε, κινῶν τὴν γραφίδα ὡς ἐκ πυξίδος τοῦ Πνεύματος· τὴν δὲ κυρίαν φωνὴν 35 τέως ὑπερέθετο, παρά τε τοῦ Πνεύματος αὐτοῦ καὶ τῶν C γνησίων τούτου συναγωνιστῶν χάριν αἰτῶν τῇ οἰκονομίᾳ μὴ δυσχεραίνειν μηδὲ μιᾶς ἀντεχομένους φωνῆς τὸ πᾶν ἀπολέσαι δι' ἀπληστίαν, τῷ καιρῷ παρασυρείσης τῆς εὐσεβείας. Αὐτοῖς μὲν γὰρ οὐδεμίαν εἶναι ζημίαν, ὑπαλλατ- 40 τομένων μικρὸν τῶν λέξεων καὶ φωναῖς ἄλλαις τὸ ἴσον διδασκομένοις· οὐδὲ γὰρ ἐν ῥήμασιν ἡμῖν εἶναι τὴν σωτηρίαν μᾶλλον ἢ πράγμασι, μηδὲ γὰρ τὸ Ἰουδαίων ἔθνος ἀποβαλεῖν ἂν εἰ τὴν τοῦ ἠλειμμένου φωνὴν ἀντὶ τῆς Χριστοῦ πρὸς ὀλίγον ἐπιζητοῦντες ἠξιοῦν μεθ' ἡμῶν τάττεσθαι· τῷ δὲ 45 κοινῷ μεγίστην ἂν βλάβην γενέσθαι τῆς ἐκκλησίας κατασχεθείσης.

589 A **69.** Ἐπεὶ ὅτι γε παντὸς μᾶλλον ᾔδει τὸ Πνεῦμα Θεόν, δῆλον μὲν ἐξ ὧν καὶ δημοσίᾳ τοῦτο πολλάκις ἐκήρυξεν, εἴ ποτε καιρὸς ἦν, καὶ ἰδίᾳ τοῖς ἐρωτῶσι προθύμως ἀνωμολόγησε, σαφέστερον δὲ πεποίηκεν ἐν τοῖς πρὸς ἐμὲ λόγοις, 5 πρὸς ὃν οὐδὲν ἀπόρρητον ἦν αὐτῷ περὶ τούτων κοινολογουμένῳ, μηδὲ ἁπλῶς τοῦτο ἀποφηνάμενος, ἀλλ' ὃ μηδέπω πρότερον πολλάκις πεποίηκεν, ἐπαρασάμενος ἑαυτῷ τὸ φρικωδέστατον, αὐτοῦ τοῦ Πνεύματος ἐκπεσεῖν εἰ μὴ σέβοι τὸ Πνεῦμα μετὰ Πατρὸς καὶ Υἱοῦ ὡς ὁμοούσιον καὶ

68, 30 ἦγχε : ἤλεγχε D^{ac} ἦρχε v Bo || 35 ὑπερέθετο : ὑπερετίθετο Q^{pc}SDC || 42 ἀποβαλεῖν : ἀπολαβεῖν Sv
69, 6 μηδέπω: μήπω SD

1. Basile s'en explique dans ses *Lettres* 113 et 114. Cf. la *Lettre* 58 de Grégoire.
2. Cf. *infra*, n. 2, p. 280.

rigoureux, il étreignait ses contradicteurs de telle façon qu'ils ne pouvaient s'opposer à lui, mais qu'ils étaient garottés par leurs propres paroles, ce qui constitue bien le degré suprême de force et de science que la parole peut atteindre. C'est ce que l'on verra dans le traité qu'il a composé sur ce sujet, dans lequel il manie une plume qui semble sortir de l'encrier de l'Esprit. Mais le mot propre, il en avait différé provisoirement l'usage, en demandant comme une grâce à l'Esprit lui-même et à ses loyaux défenseurs de ne pas s'offenser de cette tactique et de ne pas s'attacher à un mot unique de façon à tout perdre par insatisfaction dans une époque qui emportait la piété comme un torrent[1]. Il n'y avait aucun inconvénient pour eux dans une légère modification de vocabulaire, s'ils recevaient le même enseignement avec d'autres mots ; notre salut résidait moins dans des expressions que dans les réalités, et on ne repousserait pas la nation juive si elle acceptait de rejoindre nos rangs en demandant à user pendant quelque temps du mot *oint* à la place de celui de Christ. Mais le plus grand dommage collectif susceptible de survenir, c'était qu'on vînt à mettre la main sur l'Église[2].

69. De fait, il savait mieux que personne que l'Esprit est Dieu : cela ressort de ce qu'il l'a proclamé publiquement à plusieurs reprises quand les circonstances s'y prêtaient, et de ce qu'il l'a confessé volontiers en privé devant ceux qui lui posaient des questions, mais il l'a manifesté plus clairement dans les propos qu'il me tenait, à moi pour qui il n'avait aucun secret, quand il m'entretenait de ce sujet : sans se contenter d'une simple déclaration, il a fait à plusieurs reprises ce qu'il n'avait jamais fait auparavant, en formulant contre sa propre personne la plus effroyable des imprécations : de se voir rejeté par l'Esprit lui-même s'il ne vénérait pas l'Esprit avec le Père et le Fils comme possédant identité de sub-

10 ὁμότιμον. Εἰ δέ μέ τις δέξαιτο κοινωνὸν ἐκείνου κἂν τοῖς τοιούτοις, ἐξαγορεύσω τι καὶ τῶν τοῖς πολλοῖς τέως ἀγνοουμένων, ὅτι, τοῦ καιροῦ στενοχωροῦντος ἡμᾶς, ἑαυτῷ μὲν τὴν οἰκονομίαν ἐπέτρεψεν, ἡμῖν δὲ τὴν παρρησίαν, οὓς οὐδεὶς ἔμελλε κρίνειν οὐδὲ ἀποβάλλειν τῆς πατρίδος, ἀφανείᾳ
B 15 τετιμημένους, ὡς ἐξ ἀμφοτέρων ἰσχυρὸν εἶναι τὸ καθ' ἡμᾶς εὐαγγέλιον.

Καὶ ταῦτα διῆλθον, οὐχ ἵνα τῆς ἐκείνου δόξης ὑπεραπολογήσωμαι — κρείττων γὰρ τῶν ἐγκαλούντων, εἴπερ τινές εἰσιν, ὁ ἀνήρ —, ἀλλ' ἵνα μὴ τοῦτον ὅρον τῆς εὐσεβείας
20 γινώσκοντες, τὰς ἐν τοῖς γράμμασι μόνας τοῦ ἀνδρὸς εὑρισκομένας φωνάς, ἀσθενεστέραν τὴν πίστιν ἔχωσι καὶ ἀπόδειξιν τῆς ἑαυτῶν κακουργίας τὴν ἐκείνου θεολογίαν, ἣν ὁ καιρὸς ἐποίει μετὰ τοῦ Πνεύματος, ἀλλά, τὸν τῶν γεγραμμένων νοῦν δοκιμάζοντες καὶ τὸν σκοπὸν ἀφ' οὗ
25 ταῦτα ἐγράφετο, μᾶλλον τῇ τε ἀληθείᾳ προσάγωνται καὶ τοὺς ἀσεβοῦντας ἐπιστομίζωσιν. Ἐμοὶ γοῦν εἴη καὶ ὅστις
C ἐμοὶ φίλος ἡ ἐκείνου θεολογία. Καὶ τοσοῦτον θαρρῶ τῇ περὶ τὸ πρᾶγμα τοῦ ἀνδρὸς καθαρότητι, ὥστε καὶ τοῦτο κοινοποιοῦμαι πρὸς ἅπασι, κἀκείνῳ μὲν τὰ ἐμά, ἐμοὶ δὲ
30 τὰ ἐκείνου λογίζοιτο παρά τε Θεῷ καὶ τῶν ἀνθρώπων τοῖς εὐγνωμονεστέροις. Οὐδὲ γὰρ τοὺς εὐαγγελιστὰς φαίημεν ἂν ὑπεναντία ποιεῖν ἀλλήλοις ὅτι οἱ μὲν τῷ σαρκικῷ τοῦ

69, 13 ἐπέτρεψεν : ἐπέγραψεν A || 20 γινώσκοντες : νομίζοντες εἶναι S εἶναι νομίζοντες D νομίζοντες v Bo || 25 μᾶλλον : add. τι S || τε om. SD || προσάγονται SDC

1. Ὁμοούσιος était le terme essentiel introduit dans le Credo de Nicée à propos du Fils. Le concile de Constantinople ne l'avait pas repris (malgré les efforts de Grégoire?) pour définir la divinité du Saint-Esprit.

2. Ce partage des rôles montre bien que la possession du siège de Césarée était l'objectif essentiel de la tactique adoptée.

3. Les écrits et les paroles de Basile relatifs au Saint-Esprit, sur lesquels pesait l'hypothèque de précautions à prendre, sont antérieurs à la définition donnée au concile de 381. Depuis, les évêques doivent

stance[1] et de dignité. Si l'on veut bien me permettre d'associer ma personne à la sienne aussi en pareille matière, je ferai connaître un fait resté jusqu'à présent ignoré du public : devant les contraintes que les circonstances nous imposaient, il s'était chargé lui-même de l'utilisation des tempéraments, mais c'est à nous, qui n'avions à craindre le jugement de personne non plus que d'être chassé de notre patrie, et qui étions relégué dans l'obscurité, qu'il avait confié l'usage du franc-parler, de telle façon que notre évangile tirât sa force de nos deux personnes[2].

Si j'ai exposé ces détails, ce n'est pas pour prendre la défense de sa réputation — le personnage et au-dessus de ses détracteurs, s'il en existe —, c'est pour éviter qu'en prenant connaissance d'une telle règle de piété — les seuls mots que l'on trouve dans ses écrits — on n'ait une foi trop faible et qu'on ne tire argument en faveur de ses propres mauvaises dispositions d'une théologie qui découlait des circonstances avec l'assistance de l'Esprit[3]; et pour qu'au contraire, en examinant la signification des écrits ainsi que le but qui les faisait écrire, on se rapproche davantage de la vérité et qu'on ferme la bouche aux impies. Quant à moi, en tout cas, puissé-je avoir, avec tous ceux qui me sont chers, sa théologie! J'ai tellement confiance dans l'intégrité de notre personnage en ce domaine que je fais cause commune avec lui là aussi : que, devant Dieu et devant les personnes qui ont un peu de jugement, soit mis à son compte ce qui me concerne et au mien ce qui le concerne. Nous ne saurions, en effet, soutenir que les évangélistes se contredisent parce que les uns se sont préoccupés davantage de l'aspect charnel du

souscrire au concile de Nicée complété à Constantinople, mais ils doivent aussi être examinés par deux évêques désignés dans chaque province. Ce que Grégoire veut éviter, c'est qu'à cette occasion certains ne se réfugient derrière les formulations prudentes de Basile en invoquant la garantie de son nom.

Χριστοῦ πλέον ἐνησχολήθησαν, οἱ δὲ τῇ θεολογίᾳ προσέβησαν, καὶ οἱ μὲν ἐκ τῶν καθ' ἡμᾶς, οἱ δὲ τῶν ὑπὲρ ἡμᾶς
35 ἐποιήσαντο τὴν ἀρχήν, οὕτω τὸ κήρυγμα διελόμενοι πρὸς τὸ χρήσιμον οἶμαι τοῖς δεχομένοις καὶ οὕτω παρὰ τοῦ ἐν αὐτοῖς τυπούμενοι Πνεύματος.

D **70.** Φέρε δή, πολλῶν ἐν τοῖς πάλαι καὶ νῦν γεγονότων ἀνδρῶν ἐπ' εὐσεβείᾳ γνωρίμων, νομοθετῶν, στρατηγῶν,
592 A προφητῶν, διδασκάλων, τῶν ἀνδρικῶν μέχρις αἵματος, παρ' ἐκείνους τὰ ἡμέτερα θεωρήσαντες κἀντεῦθεν τὸν ἄνδρα
5 γνωρίσωμεν.

Ἀδὰμ ἠξιώθη Θεοῦ χειρὸς καὶ παραδείσου τρυφῆς καὶ πρώτης νομοθεσίας[a], ἀλλ' εἰ μή τι λέγω βλάσφημον αἰδοῖ τοῦ προπάτορος, τὴν ἐντολὴν οὐκ ἐφύλαξεν. Ὁ δὲ καὶ ἐδέξατο ταύτην καὶ διεσώσατο καὶ τῷ ξύλῳ τῆς γνώσεως
10 οὐκ ἐβλάβη καὶ τὴν φλογίνην ῥομφαίαν παρελθών, εὖ οἶδα, τοῦ παραδείσου τετύχηκεν.

Ἐνὼς ἤλπισε πρῶτος ἐπικαλεῖσθαι τὸν Κύριον. Ὁ δὲ καὶ ἐπικέκληται καὶ τοῖς ἄλλοις ἐκήρυξεν, ὃ τοῦ ἐπικαλεῖσθαι πολὺ τιμιώτερον[b].

15 Ἐνὼχ μετετέθη[c], μικρᾶς εὐσεβείας — ἔτι γὰρ ἐν σκιαῖς ἦν ἡ πίστις —, ἆθλον εὑρόμενος τὴν μετάθεσιν, καὶ τοῦ ἑξῆς βίου τὸν κίνδυνον διαπέφευγεν. Τοῦ δὲ ὅλος ὁ βίος μετάθεσις ἦν, τελείως ἐν βίῳ τελείῳ δοκιμασθέντος.

B Νῶε κιβωτὸν ἐπιστεύθη καὶ κόσμου δευτέρου σπέρματα
20 ξύλῳ μικρῷ πιστευθέντα καὶ καθ' ὑδάτων σωζόμενα[d]. Ὁ

69, 34 οἱ δὲ τῶν : οἱ δὲ ἐκ τῶν Dv Bo
70, 4 ἐκείνοις QW^{ac}TSDCv || 7 εἰ : ἵνα SDC || 16 εὑράμενος BWSCv Bo || 17 διαπέφευγε ATSDCv Bo

70. a. Cf. Gen. 1, 27 s. b. Gen. 4, 26. c. Cf. Gen. 5, 21 s. d. Cf. Gen. 6, 13 s.

1. Ici s'amorce une longue comparaison (70-76) au cours de laquelle Basile sera rapproché d'une longue série de personnages de l'AT, puis du nouveau. C'est bien le genre de développement qui avait

Christ tandis que les autres l'ont approché en théologiens, et parce que les uns ont commencé par ce qui est à notre niveau, tandis que les autres sont partis de ce qui nous dépasse, en se partageant de cette façon les tâches de la prédication, dans l'intérêt, me semble-t-il, de ceux qui la recevaient, et parce que telle était la marque imprimée par l'Esprit qui était en eux.

70. Mais poursuivons. Puisqu'il y a eu, dans l'antiquité et de nos jours, bien des hommes qui se sont fait connaître par leur piété, des législateurs, des chefs d'armée, des prophètes, des docteurs, des hommes qui ont été courageux jusqu'au sang, considérons ce qui nous occupe par comparaison avec ces hommes-là et apprenons à connaître par là notre personnage[1].

Adam a été jugé digne de la main de Dieu, des délices du paradis et de la première législation[a], mais, pour ne rien dire d'outrageant pour le respect dû à notre ancêtre, il n'a pas gardé le commandement. Lui, il l'a reçu et il l'a observé, il n'a pas eu à souffrir de l'arbre de la science et, après avoir échappé au glaive flamboyant, il a, j'en suis sûr, atteint le paradis.

Énos a espéré, le premier, invoquer le Seigneur. Lui, il l'a invoqué et il l'a proclamé devant les autres, ce qui est bien plus important que de l'invoquer[b].

Énoch a été enlevé[c], obtenant cet enlèvement en récompense d'une piété qui avait ses limites, car la foi était encore sous le régime des ombres, et il a échappé aux dangers d'une vie prolongée. Lui, c'est sa vie tout entière qui constituait un enlèvement, puisque dans une vie complète il a complètement soutenu l'épreuve.

Noé s'est vu remettre l'arche ainsi que les semences d'un deuxième monde, confiées à un morceau de bois et sauvées des eaux[d]. Lui, il a échappé à un déluge d'impiété

sa place dans un éloge public. Les éloges de Grégoire l'ancien (*D.* 18, 14-15) et d'Athanase (*D.* 21,3) esquissent le même développement.

δὲ κατακλυσμὸν ἀσεβείας διέφυγε καὶ κιβωτὸν σωτηρίας τὴν ἑαυτοῦ πεποίηται πόλιν, κούφως τῶν αἱρετικῶν ὑπερπλέουσαν, ἐξ οὗ κόσμον ὅλον ἀνεκαλέσατο.

71. Μέγας ὁ Ἀβραὰμ καὶ πατριάρχης καὶ θύτης καινῆς θυσίας, τὸν ἐκ τῆς ἐπαγγελίας τῷ δεδωκότι προσαγαγὼν ἱερεῖον ἕτοιμον καὶ πρὸς τὴν σφαγὴν ἐπειγόμενον[a], ἀλλ' οὐδὲ τὸ ἐκείνου μικρόν. Ἑαυτὸν προσήγαγε τῷ Θεῷ καὶ
5 οὐδὲν ὡς ἰσότιμον ἀντεδόθη, — τί γὰρ καὶ ἦν ; —, ὥστε καὶ τελειωθῆναι τὸ καλλιέρημα.

C Ἰσαὰκ ἐπηγγέλθη καὶ πρὸ γενέσεως[b]. Ὁ δὲ αὐτεπάγγελτος ἦν καὶ τὴν Ῥεβέκκαν — λέγω τὴν ἐκκλησίαν —, οὐ πόρρωθεν, ἀλλ' ἐγγύθεν ἠγάγετο, οὐδὲ διὰ πρεσβείας
10 οἰκετικῆς[c], ἀλλ' ἐκ Θεοῦ δοθεῖσαν καὶ πιστευθεῖσαν, οὐδὲ κατεσοφίσθη περὶ τὴν τῶν τέκνων προτίμησιν, ἀλλ' ἑκάστῳ τὰ πρὸς ἀξίαν ἀπαραλογίστως ἔνεμε μετὰ τῆς τοῦ Πνεύματος κρίσεως.

Ἐπαινῶ τὴν Ἰαβῶβ κλίμακα καὶ τὴν στήλην ἣν ἤλειψε
15 τῷ Θεῷ καὶ τὴν πρὸς αὐτὸν πάλην[d], ἥτις ποτὲ ἦν, — οἶμαι δὲ τοῦ ἀνθρωπείου μέτρου πρὸς τὸ θεῖον ὕψος ἀντιπαρέκτασις καὶ ἀντίθεσις, ὅθεν καὶ ἄγει τὰ σύμβολα τῆς ἡττωμένης γενέσεως. Ἐπαινῶ καὶ τὴν περὶ τὰ θρέμματα τοῦ ἀνδρὸς εὐμηχανίαν καὶ εὐημερίαν, καὶ τοὺς δώδεκα ἐξ αὐτοῦ
D 20 πατριάρχας, καὶ τὸν τῶν εὐλογιῶν μερισμὸν σὺν οὐκ ἀγεννεῖ προφητείᾳ τοῦ μέλλοντος, ἀλλ' ἐπαινῶ καὶ τούτου τὴν οὐχ ὁραθεῖσαν μόνον, ἀλλὰ καὶ διαβαθεῖσαν κλίμακα ταῖς κατὰ μέρος εἰς ἀρετὴν ἀναβάσεσι, καὶ τὴν στήλην ἣν οὐκ ἤλειψεν,
593 A ἀλλ' ἤγειρε τῷ Θεῷ, τὰ τῶν ἀσεβῶν στηλιτεύουσαν, καὶ
25 τὴν πάλην ἣν οὐκ ἐπάλαισε πρὸς Θεόν, ἀλλ' ὑπὲρ Θεοῦ, τὰ τῶν αἱρετικῶν καταβάλλουσαν, τήν τε ποιμαντικὴν τοῦ

71, 8 λέγω : add. δὴ Dv Bo ‖ 10 καὶ πιστευθεῖσαν om. S

---

71. a. Cf. Gen. 22, 1 s. b. Cf. Gen. 18, 10 s. c. Cf. Gen. 24, 3 s. d. Cf. Gen. 28, 12 s.

et il a fait de sa propre ville une arche de salut qui naviguait aisément au-dessus des hérétiques : grâce à quoi, c'est un monde entier qu'il a ranimé.

71. Il fut grand, Abraham ; il fut patriarche et sacrificateur d'un sacrifice nouveau quand il offrit à celui qui lui en avait fait don le fruit de la promesse en victime toute prête et qui marchait à l'égorgement[a] ; mais la conduite de celui-là n'est pas non plus sans grandeur : il s'est offert lui-même à Dieu sans que rien lui fût substitué en échange — de quoi d'ailleurs aurait-il pu s'agir ? —, en sorte que cette noble consécration fût consommée.

Isaac fut promis dès avant sa naissance[b]. Lui, il s'est offert lui-même, et sa Rébecca — je veux dire l'Église —, il ne l'a pas épousée au loin, mais tout près ; non par l'entremise d'un serviteur[c], mais comme un don reçu de Dieu et confié par lui. Il ne s'est pas laissé tromper sur la préférence à donner à ses enfants, mais il rendait à chacun selon son mérite, en dehors de tout faux calcul, assisté du discernement de l'Esprit.

Je rends éloge à l'échelle de Jacob, à la stèle qu'il oignit en l'honneur de Dieu et à la lutte qu'il soutint contre lui[d], de quoi qu'il s'agisse — je pense que cela désigne l'humaine mesure mise en parallèle et en opposition avec la hauteur divine, ce dont elle garde les marques de la défaite de la créature. Je rends éloge aussi à l'habileté industrieuse de l'homme et aux succès obtenus dans l'élevage, aux douze patriarches issus de lui, ainsi qu'au partage des bénédictions lié à une prédiction de l'avenir qui ne manquait pas de grandeur. Mais je fais aussi l'éloge chez notre homme de l'échelle qu'il ne s'est pas contenté de voir, mais qu'il a aussi gravie en des ascensions graduelles en direction de la vertu ; de la stèle qu'il n'a pas ointe, mais qu'il a érigée à Dieu et qui stigmatise les impies ; de la lutte aussi qu'il a soutenue, non pas contre Dieu, mais pour Dieu, et qui jetait à bas les hérétiques : et encore de son activité pastorale, qui l'a enrichi en lui

ἀνδρὸς ἐξ ἧς ἐπλούτησε, πλείω τῶν ἀσήμων προβάτων κτησάμενος τὰ ἐπίσημα, τήν τε καλὴν πολυτεκνίαν τῶν κατὰ Θεὸν γεννηθέντων καὶ τὴν εὐλογίαν ᾗ πολλοὺς
30 ἐστήριξεν.

72. Ἰωσὴφ ἐγένετο σιτοδότης [a], ἀλλ' Αἰγύπτου μόνης καὶ οὐ πολλάκις καὶ σωματικῶς. Ὁ δὲ πάντων καὶ ἀεὶ καὶ
B πνευματικῶς, ὅπερ ἐμοὶ τῆς σιτοδοσίας ἐκείνης αἰδεσιμώτερον.
5 Μετὰ Ἰὼβ τοῦ Αὐσίτου καὶ πεπείραται καὶ νενίκηκε καὶ ἀνηγόρευται λαμπρῶς ἐπὶ τέλει τῶν ἄθλων, μηδενὶ τῶν τινασσόντων πολλῶν ὄντων κατασεισθείς [b], ἀλλὰ πολλῷ τῷ περιόντι τὸν πειραστὴν καταπαλαίσας καὶ τῶν φίλων τὴν ἀλογίαν ἐπιστομίσας ἀγνοούντων τὸ τοῦ πάθους μυστήριον.
10 Μωυσῆς καὶ Ἀαρὼν ἐν τοῖς ἱερεῦσιν αὐτοῦ [c]. Καὶ μέγας Μωυσῆς μὲν Αἴγυπτον βασανίσας, λαὸν διασώσας ἐν σημείοις πολλοῖς καὶ τέρασι [d], τῆς νεφέλης εἴσω χωρήσας, νομοθετήσας τὸν διπλοῦν νόμον, τόν τε τοῦ γράμματος ἔξωθεν καὶ ὅσος ἔνδοθεν [τὸν τοῦ Πνεύματος]. Ἀαρὼν δὲ
15 Μωυσέως ἀδελφὸς καὶ τὸ σῶμα καὶ τὸ πνεῦμα, τοῦ λαοῦ
C προθυόμενος καὶ προευχόμενος [e], μύστης τῆς ἱερᾶς καὶ μεγάλης σκηνῆς ἣν ἔπηξεν ὁ Κύριος καὶ οὐκ ἄνθρωπος [f]. Τούτων δὲ ἀμφοτέρων ζηλωτὴς ἐκεῖνος, βασανίζων μὲν οὐ σωματικαῖς μάστιξι, πνευματικαῖς δὲ καὶ λογικαῖς, ἔθνος
20 αἱρετικὸν καὶ Αἰγύπτιον, ἄγων δὲ λαὸν περιούσιον, ζηλωτὴν καλῶν ἔργων [g], ἐπὶ τὴν γῆν τῆς ἐπαγγελίας, πλαξὶ δὲ νόμους

72, 5 πεπείρασται A[ac]TDC ‖ 10 Μωσῆς AQBWVT ‖ 11 Μωσῆς A[pc]QBWVT ‖ 14 τὸν om. DC ‖ 15 Μωσέως AQBWVTC ‖ 16 προσευχόμενος QT[ac]SCv ‖ 17 καὶ οὐκ : οὐκ AQBWV

---

72. a. Cf. Gen. 41, 40 s. b. Cf. Job 1, 12 s. c. Ps. 98, 6. d. Cf. Ex. 7, 8 s. e. Cf. Ex. 29, 4 s. f. Hébr. 8, 2. g. Tite 2, 14.

---

1. Cf. *supra*, 36 et *D.* 4, 18, 11-14; *D.* 16, 19; *D.* 33, 10, 11-14; *D.* 34, 3, 1-4.

faisant gagner plus de brebis marquées que de brebis non marquées ; et aussi de cette belle fécondité en enfants engendrés selon Dieu, ainsi que de la bénédiction dont il a fait pour beaucoup un ferme appui.

72. Joseph fut dispensateur de nourriture[a], mais pour la seule Égypte, peu fréquemment et dans le domaine physique[1]. Lui, il l'a été pour tout le monde, toujours et dans le domaine spirituel, ce qui commande à mes yeux plus de vénération que ces distributions-là[2].

Avec Job du pays d'Ous il a été tenté, il a remporté la victoire et il a fait l'objet d'une brillante proclamation au terme des épreuves, sans s'être jamais laissé ébranler par des secousses pourtant nombreuses[b], mais après avoir très largement dominé dans la lutte le tentateur et fermé la bouche à la sottise d'amis ignorants du mystère de ce qu'il subissait.

Moïse et Aaron furent parmi ses prêtres[c]. Grand est Moïse, qui a infligé des tourments à l'Égypte, qui a sauvé le peuple en accomplissant un grand nombre de signes et de prodiges[d], qui a pénétré à l'intérieur de la nuée, qui a institué la double loi, une loi littérale et extérieure ainsi que celle qui est intérieure [celle de l'Esprit][3]. Aaron l'est aussi, qui était frère de Moïse par le corps et par l'esprit, qui offrait pour le peuple sacrifices et prières[e], qui entrait dans le mystère de la sainte et grande tente dressée par le Seigneur et non par l'homme[f]. De tous deux il a été l'émule, lui qui infligeait à une nation hérétique et égyptienne non des fléaux physiques, mais des tourments spirituels et intellectuels ; qui conduisait un peuple élu zélé pour les bonnes œuvres[g], dans la terre promise ; qui écrivait, non sur des tables qui se brisent,

2. Cf. *D.* 34, 2.
3. Ὅσος ἔνδοθεν et τὸν τοῦ Πνεύματος font double emploi, la seconde expression élucidant la première.

ἐγγράφων οὐ συντριβομέναις, ἀλλὰ σωζομέναις, οὐκέτι σκιοειδεῖς, ἀλλ' ὅλον πνευματικούς· εἰς δὲ τὰ ἅγια τῶν ἁγίων, οὐχ ἅπαξ τοῦ ἐνιαυτοῦ, πολλάκις δὲ καὶ καθ' ἑκάστην
25 ὡς εἰπεῖν εἰσιὼν τὴν ἡμέραν, ὅθεν τὴν ἁγίαν ἡμῖν ἀνακαλύπτει Τριάδα, καὶ λαὸν καθαίρων οὐ προσκαίροις ῥαντίσμασιν, ἀλλ' ἀιδίοις ἁγνίσμασιν.

Τί τὸ κάλλιστον Ἰησοῦ [h]; Στρατηγία καὶ κληροδοσία καὶ γῆς τῆς ἁγίας κατάσχεσις. Ὁ δὲ οὐκ ἔξαρχος; Οὐ
D 30 στρατηγὸς τῶν διὰ πίστεως σωζομένων; Οὐ κληροδότης τῶν διαφορῶν παρὰ Θεῷ κλήρων καὶ μονῶν, ἃς διανέμει τοῖς ἀγομένοις; Ὥστε κἀκείνην δύνασθαι τὴν φωνὴν εἰπεῖν ὅτι· Σχοινία ἐπέπεσόν μοι ἐν τοῖς κρατίστοις [i], καί· Ἐν
596 A ταῖς χερσίν σου οἱ κλῆροί μου [j], κλῆροι τῶν χαμαὶ
35 ἐρχομένων καὶ ἁρπαζομένων πολλῷ τιμιώτεροι.

73. Καὶ ἵνα τοὺς κριτὰς παραδράμωμεν ἢ τῶν κριτῶν τοὺς εὐδοκιμωτάτους, Σαμουὴλ ἐν τοῖς ἐπικαλουμένοις τὸ ὄνομα αὐτοῦ [a] καὶ δοτὸς πρὸ γενέσεως [b] καὶ μετὰ τὴν γέννησιν εὐθὺς ἱερὸς καὶ χρίων βασιλέας καὶ ἱερέας διὰ τοῦ
5 κέρατος [c]. Οὗτος δέ, οὐκ ἐκ βρέφους Θεῷ καθιερωμένος ἀπὸ μήτρας καὶ μετὰ τῆς διπλοΐδος [d] ἐπιδεδομένος τῷ βήματι καὶ βλέπων τὰ ἐπουράνια καὶ χριστὸς Κυρίου καὶ χρίστης τῶν τελειουμένων ἐκ Πνεύματος;

B Δαβὶδ ἐν βασιλεῦσιν ἀοίδιμος [e], οὗ πολλαὶ μὲν ἱστοροῦνται
10 κατὰ τῶν ἐχθρῶν νῖκαι καὶ τρόπαια, ἡ πρᾳότης δὲ τὸ

72, 22 οὐκ ἔτι QTDCv Bo || 23 σκιοειδεῖς : σκιοειδέσιν SD[ac] σκιώδεις C || ἀλλ' ὅλον : ἀλλὰ μᾶλλον S ἀλλὰ D || πνευματικαῖς SD[ac] || 27 ἀλλ' ἀειδίοις A ἀλλ' ἰδίοις QBWTS[ac] ἀλλὰ ἰδίοις D || ἁγνίσμασι AQVTSv Bo || 29-30 οὐ στρατηγὸς... σωζομένων om. C || 33 ἐπέπεσον : ἐπέπεσε TC ἐπέπεσαν S || 34 χερσί QVTCv Bo

73, 3 δοτὸς : Θεῷ δοτὸς BTv || 6 μήτρας : μητρὸς A[pc]W μρς QBVT || 7 Κυρίου : add. ἦν v Bo || 9 ἱστοροῦνται om. AQVBWV[ac]

---

72. h. Cf. Jos. 1, 2 s. i. Ps. 15, 6. j. Ps. 30, 16.
73. a. Ps. 98, 6. b. Cf. I Sam. 1, 20. c. Cf. I Sam. 16, 13. d. Cf. I Sam. 2, 19. e. Cf. II Sam. 5, 1 s.

mais sur des tables qui se conservent, des lois qui n'étaient plus semblables à des ombres portées, mais entièrement spirituelles ; qui pénétrait, non pas une fois par an, mais souvent et, pour ainsi dire, chaque jour, dans le saint des saints, d'où il tire pour nous la révélation de la sainte Trinité ; et qui purgeait le peuple, non point par des aspersions passagères, mais au moyen de purifications éternelles[1].

Qu'y a-t-il de plus beau en Josué[h] ? Le commandement des troupes, la distribution des lots et la prise de possession de la terre sainte. Mais lui, ne fut-il pas un conducteur d'hommes ? N'a-t-il pas commandé la troupe de ceux qui sont sauvés par la foi ? Ne fut-il pas le répartiteur des divers lots et domaines qui sont auprès de Dieu, qu'il partage entre ceux qu'il conduit, de façon à pouvoir dire cette parole : les corbeaux sont tombés pour moi dans ce qu'il y a de meilleur[i] et encore : mes lots sont entre tes mains[j], des lots qui sont bien plus précieux que ceux qui restent à ras de terre et qui se laissent ravir ?

73. Pour ne rien dire des Juges, ou plutôt des plus illustres des Juges, Samuel fut au nombre de ceux qui invoquaient son nom[a], il fut donné avant sa conception[b], consacré aussitôt après sa naissance, et il oignait rois et prêtres par le moyen de sa corne[c]. Mais lui, n'a-t-il pas été consacré à Dieu dès la petite enfance, dès le sein maternel ? N'a-t-il pas été réservé pour la tribune et revêtu de la chape[d] ? N'avait-il pas le regard fixé sur les choses célestes ? Ne fut-il pas un oint du Seigneur et ne conférait-il pas l'onction à ceux qui recevaient de l'Esprit la perfection ?

David ne fut-il pas fameux entre les rois[e], lui dont l'histoire conte un grand nombre de victoires et de trophées remportés sur ses ennemis, lui dont la douceur

1. Le *D.* 11, 2-3 comparait Basile et son frère, Grégoire de Nysse, au couple fraternel de Moïse et Aaron.

ἐπισημότατον[f] καὶ πρὸ τῆς βασιλείας ἡ τῆς κινύρας δύναμις, καὶ πονηροῦ πνεύματος κατεπᾴδουσα.

Σολομὼν πλάτος καρδίας ᾐτήσατο παρὰ Θεοῦ καὶ τετύχηκεν[g], ἐπὶ πλεῖστον προελθὼν σοφίας καὶ θεωρίας ὥστε γενέσθαι τῶν καθ' ἑαυτὸν ἁπάντων εὐδοκιμώτατος.

Ὁ δέ, τοῦ μὲν τῷ πρᾴῳ, τοῦ δὲ τῇ σοφίᾳ, κατὰ τὸν ἐμὸν λόγον οὐδὲν ἢ μικρῷ λείπεται, ὥστε καὶ βασιλέων θράσος δαιμονώντων καταμαλάσσειν καὶ μὴ βασίλισσαν νότου μόνον ἢ τὸν δεῖνα ἢ τὸν δεῖνα κατὰ κλέος τῆς αὐτοῦ σοφίας ἐκ τῶν περάτων τῆς γῆς ἀπαντᾶν, ἀλλὰ πᾶσι τοῖς πέρασι τὴν ἐκείνου σοφίαν γνωρίζεσθαι. Καὶ τὰ ἑξῆς παρήσω τοῦ Σολομῶντος· πᾶσι δὲ δῆλα κἂν ἡμεῖς φειδώμεθα.

74. Ἐπαινεῖς Ἠλίου τὴν πρὸς τοὺς τυράννους παρρησίαν καὶ τὴν διὰ πυρὸς ἁρπαγὴν[a], Ἐλισσαίου τε τὴν καλὴν κληρονομίαν, τὴν μηλωτὴν ᾗ τὸ Ἠλίου πνεῦμα συνηκολούθησεν[b]; Ἐπαίνει κἀκείνου τὴν ἐν πυρὶ ζωήν — τῷ πλήθει λέγω τῶν πειρασμῶν —, καὶ τὴν διὰ πυρὸς σωτηρίαν, καίοντος μέν, οὐ κατακαίοντος δέ, τὸ περὶ τὴν βάτον θαῦμα[c], καὶ τὸ καλὸν ἐξ ὕψους δέρος, τὴν ἀσαρκίαν.

Ἐῶ τἄλλα, τοὺς δροσισθέντας ἐν πυρὶ νεανίας[d], τὸν ἐν γαστρὶ κήτους εὐξάμενον προφήτην φυγάδα καὶ ὡς ἀπὸ θαλάμου τοῦ θηρὸς προελθόντα[e], τὸν ἐν λάκκῳ δίκαιον

73, 18 δαιμονόντων S δαιμονούντων v || 19 ἢ τὸν δεῖνα ἢ τὸν δεῖνα : μηδὲ τὸν δεῖνα ἢ τὸν δεῖνα D μηδὲ τὸν δεῖνα ἢ τὴν δεῖνα S ἢ τὸν δεῖνα καὶ τὸν δεῖνα C ἢ τὸν δεῖνα v Bo || 20 ἀλλὰ πᾶσι : ἀλλὰ καὶ πᾶσι Sv Bo ἀλλ' ἅπασι D

74, 7 δέρος : δέρρος WSD^{pc}

---

73. f. Cf. Ps. 131, 1. g. Cf. II Sam. 4, 29 s.

74. a. Cf. IV Rois 1, 1 s. b. Cf. IV Rois 2, 9 s. c. Cf. Ex. 3, 2. d. Cf. Dan. 3, 5 s. e. Cf. Jonas 2, 1 s.

---

1. Le texte est douteux. Il y a une certaine gaucherie dans la manière d'expliquer une expression obscure comme τὴν διὰ πυρὸ

était la marque essentielle[f], ainsi que, avant son avènement, la puissance d'une cithare qui charmait jusqu'à l'esprit malin ?

Salomon avait demandé à Dieu la largeur du cœur, et il l'avait obtenue[g], lui qui s'est avancé à un si haut degré de sagesse et de contemplation qu'il devint le plus illustre de tous ses contemporains. Lui, il ne le cède en rien à la douceur du premier et à la sagesse du second selon moi, ou bien il leur cède si peu, au point de calmer l'audace des rois possédés du démon et en sorte que ce ne soit pas seulement la reine du Midi, ou bien tel ou tel, qui sont venus le rencontrer depuis les extrémités de la terre sur le bruit de sa sagesse, mais que cette sagesse est connue de tous les confins du monde. Quant à la suite de ce qui concerne Salomon, je la laisserai de côté, mais tout le monde la connaît bien, quelle que soit notre réserve.

74. Tu fais l'éloge du franc-parler d'Élie à l'égard des tyrans et de son enlèvement au milieu du feu[a], ainsi que du bel héritage reçu par Élisée, la peau de mouton qu'accompagna l'esprit d'Élie[b]. Fais également l'éloge de la vie que cet homme a menée au milieu du feu — je veux parler de la multitude de ses épreuves —, de sa préservation au milieu d'un feu qui brûlait, mais ne consumait pas[c] — c'est le miracle du buisson —, ainsi que de cette belle peau reçue d'en haut qu'est l'absence de chair[1].

Je passe le reste : les jeunes gens mouillés de rosée au milieu du feu[d] ; le prophète fugitif qui pria dans le ventre de la baleine et qui sortit du monstre comme d'une chambre[e] ; le juste dans la fosse, qui enchaîna la férocité

σωτηρίαν, καίοντος μέν, οὐ κατακαίοντος δέ par τὸ περὶ τῆν βάτον θαῦμα, ou encore τὸ καλὸν ἐξ ὕψους δέρος par τὴν ἀσαρκίαν. Ce besoin d'expliquer et la maladresse de l'exécution font penser à des gloses. La symétrie des termes contestés avec τῷ πλήθει λέγω τῶν πειρασμῶν me fait hésiter devant l'athétèse.

λεόντων θράσος πεδήσαντα [f], ἢ τὴν τῶν ἑπτὰ Μακκαβαίων ἄθλησιν σὺν ἱερεῖ καὶ μητρὶ τελειωθέντων ἐν αἵματι καὶ παντοίοις βασάνων εἴδεσιν [g], ὧν ἐκεῖνος, ζηλώσας τὴν καρτερίαν, καὶ τὴν δόξαν ἠνέγκατο.

75. Ἐπὶ δὲ τὴν νέαν μέτειμι διαθήκην καὶ τοῖς ἐνταῦθα 597 A εὐδοκίμοις τὰ ἐκείνου παρεξετάσας, τιμήσω τὸν μαθητὴν ἐκ τῶν διδασκάλων.

Τίς Ἰησοῦ πρόδρομος; Ἰωάννης [a], ὡς φωνὴ λόγου καὶ 5 ὡς λύχνος φωτός, οὗ καὶ προεσκίρτησεν ἐν γαστρὶ καὶ προέδραμεν εἰς ᾅδου διὰ τῆς Ἡρώδου μανίας παραπεμφθείς, ἵνα κηρύξῃ κἀκεῖ τὸν ἐρχόμενον. Καὶ εἴ τῳ φαίνεται τολμηρὸς ὁ λόγος, ἐκεῖνο προσεξεταζέτω τοῖς λεγομένοις ὅτι προτιθεὶς μηδὲ εἰς ἴσον ἄγων τὸν ἄνδρα τῷ 10 ἐν γεννητοῖς γυναικῶν ὑπὲρ ἅπαντας ταύτην ποιοῦμαι τὴν παρεξέτασιν, ἀλλὰ ζηλωτὴν ἀποφαίνων καί τι τοῦ χαρακτῆρος ἐκείνου ἐν ἑαυτῷ φέροντα. Οὐ γὰρ μικρὸν τοῖς σπουδαίοις καὶ μικρὰ τῶν μεγίστων ἡ μίμησις. Ἦ γὰρ οὐκ ἐναργὴς τῆς ἐκείνου φιλοσοφίας εἰκὼν ὁ ἀνήρ; Καὶ B 15 οὗτος ἔρημον ᾤκησε· καὶ τούτῳ τρίχινον ἔσθημα εἶχον αἱ νύκτες, ἀγνοούμενον, οὐκ ἐπιδεικνύμενον· καὶ οὗτος τὴν ἴσην τροφὴν ἠγάπησε, Θεῷ καθαίρων ἑαυτὸν διὰ τῆς ἐγκρατείας· καὶ οὗτος Χριστοῦ κῆρυξ ἠξιώθη γενέσθαι, εἰ καὶ μὴ πρόδρομος· καὶ ἐξεπορεύετο πρὸς αὐτὸν οὐχ ἡ 20 περίχωρος πᾶσα μόνον, ἀλλ' ἤδη καὶ ἡ ὑπερόριος· καὶ οὗτος μέσος τῶν δύο διαθηκῶν, τῆς μὲν καταλύων τὸ γράμμα, τῆς δὲ δημοσιεύων τὸ πνεῦμα καὶ ποιῶν πλήρωσιν τοῦ κρυπτοῦ νόμου τὴν τοῦ φαινομένου κατάλυσιν.

75, 8 ἐκεῖνο : ἐκείνῳ AQ[ac]D || προεξεταζέτω B[ac]Cv Bo || 9 ἄγων : μετάγων v || 13 καὶ : καὶ εἰ VT καν SDC || 15 τρίχινον (cf. *Matth.* 3, 4) : τρύχινον AQBWVTSDv || 18 ἠξιώθη γενέσθαι om. AQWV || 20 ἡ om. AQBSDC || 23 κρυπτοῦ : κρυπτομένου SCv Bo

74. f. Cf. Dan. 14, 28 s. g. Cf. II Macc. 7, 1 s.
75. a. Cf. Lc 3, 4.

des lions[f]; ou encore le combat des sept Macchabées qui, en compagnie d'un prêtre et d'une mère, furent parfaits dans le sang et toutes sortes de supplices[g]. Lui, qui avait rivalisé avec leur fermeté, il a conquis aussi leur gloire.

75. Je passe au Nouveau Testament et, en confrontant les faits et gestes du personnage avec ce qui s'y trouve distingué, j'accorderai au disciple des honneurs empruntés à ses maîtres.

Qui fut le précurseur de Jésus? Jean[a], voix d'un Verbe et flambeau d'une Lumière devant qui il tressaillit dans le sein le premier et qu'il précéda dans l'Hadès où la fureur d'Hérode l'envoya pour qu'il fût, là aussi, le héraut de celui qui venait. Et si quelqu'un trouve hardi ce langage, qu'il tienne également compte, en même temps que de mes paroles, du fait que ce n'est pas en donnant à l'homme la première place ou en le situant au même niveau que celui qui est supérieur à tout le monde parmi les enfants des femmes que je fais ce rapprochement, mais en signalant un émule, un homme qui portait en lui quelque chose des traits du premier personnage. Ce n'est pas peu de chose pour les personnes sérieuses que l'imitation, même limitée, de ce qu'il y a de plus grand. Or, est-ce que notre homme n'est pas l'image frappante de la philosophie du premier? Lui aussi, il a habité le désert; lui aussi, il portait un cilice la nuit, sans qu'on le sût, en dehors de toute ostentation; lui aussi, il s'est contenté de la même nourriture, se purifiant pour Dieu par l'abstinence; lui aussi, il a eu l'honneur de devenir le héraut du Christ, à défaut d'être son précurseur, et on voyait venir à lui non seulement toute la région d'alentour, mais encore les pays situés au-delà des frontières; lui aussi, il se situe entre les deux Testaments, abolissant la lettre du premier, propageant l'esprit du second, et accomplissant la plénitude de la loi cachée par l'abolition de celle qui était visible.

76. Ἐμιμήσατο Πέτρου τὸν ζῆλον [a], Παύλου τὸν τόνον,
C τῶν ὀνομαστῶν καὶ μετωνομασμένων ἀμφοτέρων τὴν πίστιν, τῶν υἱῶν Ζεβεδαίου τὸ μεγαλόφωνον, πάντων τῶν μαθητῶν τὸ εὐτελὲς καὶ ἀπέριττον. Διὰ ταῦτά τοι καὶ κλεῖς
5 οὐρανῶν πιστεύεται [b], καὶ οὐχ ὅσον ἀπὸ Ἱερουσαλὴμ μέχρι τοῦ Ἰλλυρικοῦ [c], μείζονα δὲ κύκλον τῷ εὐαγγελίῳ περιλαμβάνει, καὶ υἱὸς βροντῆς [d] οὐκ ὀνομάζεται μέν, γίνεται δέ, καὶ ἐπὶ τὸ στῆθος Ἰησοῦ κείμενος, ἐκεῖθεν ἕλκει τοῦ λόγου τὴν δύναμιν καὶ τὸ βάθος τῶν νοημάτων. Στέφανος
10 μὲν γὰρ ἐκωλύθη γενέσθαι [e], εἰ καὶ πρόθυμος ἦν, ἐπισχὼν αἰδοῖ τοὺς λιθάζοντας.

Ἔτι δὲ συντομώτερον εἰπεῖν ἔχω, ἵνα μὴ τοῖς καθ' ἕκαστον ἐπεξίω περὶ τούτων· ἐκεῖνος γὰρ τὸ μὲν ἐξεῦρε τῶν καλῶν, τὸ δὲ ἐζήλωσε, τὸ δὲ ἐνίκησε, τῷ δὲ διὰ πάντων
15 ἐλθεῖν τῶν νῦν πάντων ἐκράτησεν. Ἓν ἐπὶ πᾶσιν ἐρῶ καὶ σύντομον.

77. Τοσαύτη τοῦ ἀνδρὸς ἡ ἀρετὴ καὶ ἡ τῆς δόξης περιουσία ὥστε πολλὰ καὶ τῶν ἐκείνου μικρῶν, ἤδη δὲ καὶ
600 A τῶν σωματικῶν ἐλαττωμάτων, ἑτέροις εἰς εὐδοξίαν ἐπενοήθη. Οἷον ὠχρότητα λέγω καὶ γενειάδα καὶ βαδίσματος
5 ἦθος καὶ τὸ περὶ λόγον μὴ πρόχειρον σύννουν τε ὡς τὰ πολλὰ καὶ εἴσω συννενευκός, ὅ, τοῖς πολλοῖς μὴ καλῶς ζηλωθὲν μηδὲ νοηθέν, σκυθρωπότης ἐγένετο. Ἔτι δὲ εἶδος

76, 13 ἐπεξεῦρε SDC
77, 1 ἡ [1] : om. AQ[ac]BWV || ἀρετὴ add. γέγονε SC || 7 μηδὲ νοηθὲν om. AQBJWV || ἔτι δὲ : add. καὶ SC

---

76. a. Cf. Act. 4, 8 s. b. Matth. 16, 19. c. Rom. 15, 19. d. Mc 3, 17. e. Cf. Act. 7, 58.

---

1. Jacques et Jean.
2. De ce passage soudain de l'αὔξησις épique à la moquerie, Grégoire aurait sans doute volontiers dit qu'il relevait du goût attique. Il est bien vrai que les grands maîtres suscitent parfois des imitateurs serviles, généralement peu conscients du comportement

76. Il a imité de Pierre le zèle[a], de Paul l'énergie, de ces deux personnages renommés et qui avaient changé de nom la foi, des fils de Zébédée la grande voix, de tous les disciples la frugalité et la simplicité. Voilà bien pourquoi la clef des cieux lui est aussi confiée[b], mais ce n'est pas ce qui va de Jérusalem à l'Illyrie[c], c'est un cercle plus vaste que son évangile embrasse. Fils du tonnerre[d 1], il n'en porte pas le nom, mais il le devient et, reposant sur la poitrine de Jésus, il en tire la force de sa parole et la profondeur de ses pensées. Quant à devenir un Étienne, il en fut empêché[e], malgré tout son désir, parce qu'il tenait à distance les lapidateurs par le respect qu'il leur inspirait.

Je peux abréger encore davantage pour ne pas aborder sur ce sujet chaque point l'un après l'autre : en ce qui concerne telle vertu, c'est lui qui fut l'initiateur ; en ce qui concerne telle autre, il fut imitateur ; pour telle autre, il fut vainqueur ; mais, pour avoir passé par toutes, de tous les hommes d'aujourd'hui il fut le triomphateur. A tout cela j'ajouterai une seule chose, et je le ferai brièvement.

77. Si grande était la vertu du personnage et si haut le degré atteint par sa réputation que de beaucoup de ses aspects, et même de ses petits côtés, à commencer par ses défauts physiques, d'autres ont tiré des idées pour se faire valoir[2]. Je citerai par exemple sa pâleur, sa barbe, sa façon habituelle de marcher, une manière de parler qui excluait la précipitation et qui était généralement méditative et empreinte de recueillement intérieur : chez la plupart, cette imitation malheureuse et mal conçue a donné un air chagrin. Il y avait aussi sa façon de

qu'ils affichent. Ce sont les philosophes et les moines qui portaient alors la barbe : c'est pourquoi la population d'Antioche se moquait en 362 de la barbe de Julien (cf. le *Misopogon* de ce dernier). On croirait volontiers que des évêques « improvisés », comme les appelle Grégoire, affectaient de porter une barbe coupée à la manière de celle de Basile.

ἐσθῆτος καὶ σκίμποδος σχῆμα καὶ τρόπος βρώσεως, ὧν οὐδὲν ἐκείνῳ διὰ σπουδῆς ἦν, ἀλλ' ἁπλῶς ἔχον καὶ
10 συμπίπτον ὡς ἔτυχεν. Καὶ πολλοὺς ἂν ἴδοις Βασιλείους ἄχρι τοῦ ὁρωμένου, τοὺς ἐν ταῖς σκιαῖς ἀνδριάντας· πολὺ γὰρ εἰπεῖν ὅτι καὶ τὸ τῆς ἠχοῦς ὑστερόφωνον. Ἐκείνη μὲν γάρ, εἰ καὶ τὰ τελευταῖα τῆς φωνῆς, ἀλλ' οὖν ἐναργέστερον ὑποκρίνεται· οἱ δὲ πλεῖον ἀπέχουσι τοῦ ἀνδρὸς ἢ ὅσον
15 πλησιάζειν ἐπιθυμοῦσιν. Ἐκεῖνο δὲ οὐκέτι μικρόν, ἀλλὰ καὶ μέγιστον εἰς φιλοτιμίαν εἰκότως, τὸ τυχεῖν ἐκείνῳ ποτὲ
B πλησιάσαντας ἢ θεραπεύσαντας ἤ τι κατὰ παιδιὰν ἢ σπουδὴν εἰρημένον ἢ πεπραγμένον φέρειν ἀπομνημόνευμα, ὥσπερ οὖν κἀγὼ πολλάκις οἶδα καλλωπισάμενος, ἐπεὶ καὶ
20 τὰ πάρεργα τοῦ ἀνδρὸς τῶν πονουμένων ἑτέροις πολὺ τιμιώτερα καὶ περιφανέστερα.

78. Ἐπεὶ δὲ τὸν δρόμον τελέσας καὶ τὴν πίστιν τηρήσας[a] ἐπόθει τὴν ἀνάλυσιν[b] καὶ ὁ τῶν στεφάνων ἐνειστήκει καιρὸς κἀκεῖνο μὲν οὐκ ἤκουσεν· Εἰς τὸ ὄρος ἀνάβηθι καὶ τελεύτα[c], τελεύτα δὲ καὶ ἀνάβαινε πρὸς ἡμᾶς,
5 θαυματουργεῖ τι κἀνταῦθα τῶν προειρημένων οὐκ ἔλαττον.
C Νεκρὸς γὰρ ὢν ἤδη σχεδὸν καὶ ἄπνους καὶ τοῦ βίου τὸ

77, 10 συμπίπτων JS || ἔτυχε TCv Bo || 15 οὐκέτι : οὐκ ἔτι QTDCv Bo || 18 πεπραγμένον : πεφραγμένον S || 19 οὖν : add. πολλαχοῦ S || 21 καὶ περιφανέστερα om. JS

78, 5 θαυματουργεῖν A || τι om. AQBJW || 6-7 τὸ τοῦ βίου πλεῖστον v Bo

---

78. a. II Tim. 4, 7. b. Cf. Phil. 1, 23. c. Deut. 32, 49.

---

1. Qu'est ce qu'un σκίμπους dans ce contexte (cf. *infra*, le début du ch. 80)? Ce n'est pas un siège de repos, car on voit mal l'ascète qu'était Basile user de l'équivalent d'un moderne canapé ou d'une bergère. Un évêque actif est amené à des déplacements fréquents. Il peut utiliser une litière comme le père de notre Grégoire, mais ce dernier emploie alors le mot φορεῖον (cf. *supra*, 37) et il s'agit d'un grand vieillard très malade. Le σκίμπους tient du palanquin plus que de la chaise à porteurs.

s'habiller, la forme de sa chaise[1] et son régime alimentaire, toutes choses dont aucune n'était de sa part l'objet de préoccupation, mais qui se faisaient simplement et s'instauraient au hasard des circonstances. C'est ainsi qu'on peut voir bien des Basiles d'apparence : ce sont des statues du royaume des ombres, car ce serait beaucoup dire que d'évoquer ici les sons renvoyés par l'écho. Si ce dernier se limite à la fin d'un mot, il la reproduit tout de même d'une façon assez nette : eux, ils sont éloignés d'un tel homme par une distance que tout leur désir de proximité ne saurait couvrir. Mais il y a une chose qui, cette fois, n'est pas de mince importance, mais qui est probablement du plus grand poids pour asseoir une réputation : c'est d'avoir eu l'occasion de l'approcher un jour ou de le servir et d'en rapporter quelque souvenir, mot ou geste, plaisant ou sérieux, comme de mon côté je sais bien qu'il m'est arrivé de m'en faire une parure[2] : c'est qu'il y avait dans les moindres côtés d'un tel homme bien plus de prix et d'éclat que dans ce qui est élaboré avec application par les autres.

78. Comme, ayant achevé sa course et gardé la foi[a], il aspirait à la délivrance[b], que le temps des couronnes était arrivé et qu'il avait entendu, non pas «monte sur la montagne et meurs[c]», mais «meurs et monte auprès de nous», il opère encore à ce moment-là un miracle qui ne le cède en rien à ceux dont j'ai parlé précédemment. Il était déjà presque mort et sans respiration, la vie s'était

2. L'auteur de ces réflexions veut mettre en garde ses lecteurs éloignés de la scène cappadocienne contre de faux disciples de l'évêque disparu, en se posant lui-même avec quelques autres intimes comme ses seuls héritiers légitimes. Dans cette perspective, ce qui paraissait comme un abus dans la mise en scène de sa propre personne revêt une signification toute nouvelle. Le climat de cette mise en garde correspond aux années où un nouveau conformisme était en train de s'installer sous l'impulsion de Théodose.

πλεῖστον καταλελοιπώς, εὐτονώτερος γίνεται περὶ τοὺς
ἐξιτηρίους τῶν λόγων, ἵνα τοῖς τῆς εὐσεβείας συναπέλθῃ
ῥήμασι καὶ χειροτονίαις τῶν γνησιωτάτων αὐτοῦ θερα-
10 πευτῶν, τὴν χεῖρα δίδωσι καὶ τὸ Πνεῦμα, ὥστε μὴ
ζημιωθῆναι τὸ βῆμα τοὺς ἐκείνου μαθητὰς καὶ τῆς
ἱερωσύνης συλλήπτορας. Τοῖς δὲ ἑξῆς ὀκνεῖ μὲν προσελ-
θεῖν ὁ λόγος, προσβήσεται δὲ ὅμως, εἰ καὶ ἄλλοις μᾶλλον
ἡμῶν πρέπων ὁ λόγος. Οὐ γὰρ ἔχω φιλοσοφεῖν ἐν τῷ πάθει,
15 καὶ εἰ σφόδρα φιλοσοφεῖν ἐσπούδακα, τῆς κοινῆς μεμνημέ-
νος ζημίας καὶ τοῦ κατασχόντος πάθους τὴν οἰκουμένην.

79. Ἔκειτο μὲν ὁ ἀνὴρ τὰ τελευταῖα πνέων καὶ παρὰ
τῆς ἄνω χοροστασίας ἐπιζητούμενος, πρὸς ἣν ἐκ πλείονος
ἔβλεπεν. Ἐχεῖτο δὲ περὶ αὐτὸν πᾶσα ἡ πόλις, τὴν ζημίαν
οὐ φέροντες καὶ τῆς ἐκδημίας ὡς τυραννίδος καταβοῶντες
5 καὶ τῆς ψυχῆς λαμβανόμενοι ὡς καθεκτῆς καὶ βιασθῆναι
601 A δυναμένης ἢ χερσὶν ἢ δεήσεσιν. Ἐποίει γὰρ αὐτοὺς καὶ
παράφρονας τὸ πάθος, καὶ προσθεῖναί τι τῆς ἑαυτῶν ζωῆς
ἕκαστος ἐκείνῳ, εἴπερ οἷόν τε ἦν, πρόθυμος ἦν. Ὡς
δὲ ἡττήθησαν — ἔδει γὰρ αὐτὸν ἐλεγχθῆναι, ἄνθρωπον
10 ὄντα — καὶ Εἰς χεῖράς σου παραθήσομαι τὸ πνεῦμά μου [a]
τελευταῖον εἰπών, τοῖς ἀπάγουσιν αὐτὸν ἀγγέλοις οὐκ ἀηδῶς
ἐναπέψυξεν, ἔστιν ἃ τοὺς παρόντας μυσταγωγήσας καὶ

79, 3 ἐχεῖτο : ἐγχεῖτο v Bo ‖ 7 ἑαυτῶν : ἑαυτοῦ SC ‖ 12 ἐναπέψυξεν (cf. *supra* 37, 4) : ἀνέψυξεν v ‖ 12-13 καὶ βελτίους ποιήσας om. S

79. a. Ps. 30, 6.

1. Basile confère le sacerdoce, probablement à des moines qui l'assistaient jusque-là. Cela revenait à les imposer à l'évêque qui allait prendre sa succession.

2. L'auteur de ce récit ne saurait avoir été un témoin oculaire de

presque entièrement retirée, quand il retrouve une énergie nouvelle au moment des paroles d'adieu, pour que son départ soit accompagné des formules de la piété et pour employer la main et l'Esprit à l'ordination de ses plus généreux serviteurs[1], afin que la tribune ne soit pas frustrée de ceux qui étaient ses disciples et les collaborateurs de son sacerdoce. Ce qui suit, ma parole hésite à l'aborder : elle le fera pourtant, bien que d'autres soient mieux désignés que nous pour tenir ce langage. Je ne parviens pas, en effet, à faire preuve de philosophie dans ma douleur, bien que j'aie employé tous mes efforts à pratiquer cette philosophie, quand j'évoque le souvenir de notre perte commune et de la souffrance qui s'est abattue sur le monde.

79. L'homme était étendu, il était parvenu à son dernier souffle et les chœurs d'en haut, vers lesquels depuis longtemps ses regards étaient fixés, le réclamaient[2]. Autour de lui, toute la ville était répandue[3] : on ne supportait pas cette perte, on criait contre ce départ qu'on regardait comme une contrainte tyrannique et on cherchait à se saisir de cette âme comme s'il avait été possible de la retenir et de la contraindre à main forte ou par des supplications. La douleur leur faisait perdre l'esprit et chacun était tout prêt, si la chose avait été possible, à abandonner une part de sa propre vie pour l'ajouter à la sienne. Quand ils eurent perdu la partie — il devait bien donner la preuve qu'il était un homme — et qu'après avoir dit un ultime «entre tes mains, je remettrai mon esprit»[a][4], il eut rendu l'âme sans déplaisir aux anges qui l'emmenaient, non sans avoir donné quelque initiation aux mystères à ceux qui étaient là et les avoir rendus

la mort de Basile (1er janvier 379). Cf. la *Lettre* 76 à Grégoire de Nysse. Il sera donc relativement bref.

3. Ἔχεῖτο forme jeu de mots avec ἐκεῖτο.

4. Cf. les derniers mots de Gorgonie, *D.* 8, 22.

βελτίους ποιήσας ταῖς ἐπισκήψεσι, τότε δὴ θαῦμα γίνεται τῶν πώποτε γενομένων ὀνομαστότατον.

80. Προσεκομίζετο μὲν ὁ ἅγιος χερσὶν ἁγίων ὑψούμενος, B σπουδὴ δὲ ἦν ἑκάστῳ τῷ μὲν κρασπέδου λαβέσθαι [a], τῷ δὲ σκιᾶς [b], τῷ δὲ τοῦ ἱεροφόρου σκίμποδος καὶ ψαῦσαι μόνον — τί γὰρ ἐκείνου τοῦ σώματος ἱερώτερόν τε καὶ 5 καθαρώτερον ; — τῷ δὲ τῶν ἀγόντων ἐλθεῖν πλησίον, τῷ δὲ τῆς θέας ἀπολαῦσαι μόνης, ὥς τι κἀκείνης πεμπούσης ὄφελος. Πλήρεις ἀγοραί, στοαί, διώροφοι, τριώροφοι τῶν ἐκεῖνον παραπεμπόντων, προηγουμένων, ἑπομένων, παρεπομένων, ἀλλήλοις ἐπεμβαινόντων. Μυριάδες γένους παντὸς 10 καὶ ἡλικίας ἁπάσης, οὐ πρότερον γινωσκόμεναι. Ψαλμῳδίαι θρήνοις ὑπερνικώμεναι καὶ τὸ φιλόσοφον τῷ πάθει καταλυόμενον. Ἀγὼν δὴ τοῖς ἡμετέροις πρὸς τοὺς ἐκτός, Ἕλληνας, Ἰουδαίους, ἐπήλυδας, ἐκείνοις πρὸς ἡμᾶς, ὅστις πλέον ἀποκλαυσάμενος πλείονος μετάσχῃ τῆς ὠφελείας. 15 Πέρας τοῦ λόγου, καὶ εἰς κίνδυνον τελευτᾷ τὸ πάθος, C συναπελθουσῶν αὐτῷ ψυχῶν οὐκ ὀλίγων ἐκ τῆς τοῦ ὠθισμοῦ βίας καὶ συγκλονήσεως, αἳ καὶ τοῦ τέλους ἐμακαρίσθησαν ὡς ἐκείνῳ συνέκδημοι, καὶ θύματα ἐπιτάφια τάχα ἄν τις εἴποι τῶν θερμοτέρων. Μόγις δὲ τὸ σῶμα διαφυγὸν τοὺς 20 ἁρπάζοντας καὶ νικῆσαν τοὺς προπομπεύοντας οὕτω τῷ

80, 1 ἁγίων : ὁσίων SC || 2 δ' v Bo || 3-4 καὶ ψαῦσαι μόνον om. S || 12 δὴ : om. AQBWVT δὲ v Bo

80. a. Cf. Matth. 9, 20 ; Lc 8, 43-44. b. Cf. Act. 5, 15.

1. Tout récit des derniers instants d'un mourant s'inspire plus ou moins de la fin de Socrate, cf. A.-J. Festugière, « Vraisemblance psychologique et forme littéraire chez les Anciens », *Philologus* 102 (1958), p. 21-22, repris dans *Études de religion grecque et hellénistique*, Paris 1972, p. 249-270.

2. Si les Juifs du Ier siècle portaient des vêtements à franges, ce n'est pas le cas des compatriotes de Basile : le mot n'est utilisé que pour suggérer que la confiance populaire dans une force mystérieuse

meilleurs par ses recommandations[1], c'est alors que se produisit le prodige le plus fameux qui ait jamais existé.

80. Le convoi du saint, qui était porté haut par des mains de saints, s'avançait et chacun s'appliquait, l'un à atteindre une frange[a 2], l'autre son ombre[b]. Un autre voulait seulement toucher la chaise[3] porteuse de relique — car qu'y avait-il de plus sacré et de plus pur que ce corps ? —, tel autre voulait s'approcher des porteurs, un autre seulement jouir de sa vue, dans l'idée que même celle-ci lui porterait avantage. Places, portiques, maisons à un ou deux étages[4] étaient pleins des gens qui l'accompagnaient en marchant devant, derrière ou sur les côtés et en se bousculant : des milliers de personnes de tout genre et de tout âge, et c'était une chose qu'on n'avait jamais vue. Le chant des psaumes était couvert par les gémissements et la philosophie anéantie par la douleur. Il y avait concurrence entre les nôtres et ceux du dehors, Grecs, Juifs, étrangers, et entre ces derniers et nous : c'était à qui pleurerait davantage pour en retirer un bénéfice plus grand. En fin de compte, la douleur finit par devenir cause de péril, puisqu'un nombre d'âmes non négligeable s'en allèrent avec lui par suite de la violence de la mêlée et du tumulte : leur fin les fit considérer comme bienheureuses, puisqu'elles avaient pris le départ en sa compagnie et qu'elles étaient, dirait peut-être quelque exalté, des victimes funéraires. C'est avec peine que le corps, échappant aux ravisseurs et triomphant des gens du cortège[5], est remis dans ces conditions au

résidant dans le corps de Basile est analogue à celle qui poussait vers le Christ.

3. Cf. *supra*, n. 1, p. 296. Il semble donc que le corps de Basile ait été porté à sa dernière demeure sur le palanquin même qu'il utilisait dans ses déplacements, ce qui rendait le cadavre d'autant plus visible qu'il était porté haut (ὑψούμενος).

4. Cf. *D*. 33, 15 et *Poème* II, I, 11, v. 1332.

5. Autrement dit, le corps est déjà traité comme une relique.

τάφῳ τῶν πατέρων δίδοται καὶ προστίθεται τοῖς ἱερεῦσιν ὁ ἀρχιερεύς, τοῖς κήρυξιν ἡ μεγάλη φωνὴ καὶ τοῖς ἐμοῖς ὠσὶν ἔνηχος, ὁ μάρτυς τοῖς μάρτυσι.

Καὶ νῦν ὁ μέν ἐστιν ἐν οὐρανοῖς κἀκεῖ τὰς ὑπὲρ ἡμῶν, 25 οἶμαι, προσφέρων θυσίας καὶ τοῦ λαοῦ προευχόμενος· οὐδὲ γὰρ ἀπολιπὼν ἡμᾶς παντάπασιν ἀπολέλοιπεν. Ἡμιθνὴς δὲ 604 A Γρηγόριος καὶ ἡμίτομος, τῆς μεγάλης ἀπερρωγὼς συζυγίας καὶ βίον ἕλκων ὀδυνηρὸν καὶ οὐκ εὔδρομον, οἷον εἰκὸς τὸν ἐκείνου κεχωρισμένον, οὐκ οἶδα εἰς ὃ τελευτήσων μετὰ τὴν 30 ἐκείνου παιδαγωγίαν ᾧ καὶ νῦν ἔτι νουθετοῦμαι καὶ σωφρονίζομαι διὰ νυκτερινῶν ὄψεων εἴ ποτε τοῦ δέοντος ἔξω πέσοιμι. Καὶ οὐκ ἐγὼ μὲν οὕτω θρήνους ἀναμίγνυμι τοῖς ἐπαίνοις καὶ λογογραφῶ τὴν τοῦ ἀνδρὸς πολιτείαν καὶ προτίθημι τῷ χρόνῳ κοινὸν ἀρετῆς πίνακα καὶ πρόγραμμα 35 σωτήριον πάσαις ταῖς ἐκκλησίαις, ψυχαῖς ἁπάσαις, πρὸς ὃν βλέποντες ἀπευθυνοῦμεν τὸν βίον ὡς νόμον ἔμψυχον· ὑμῖν δὲ συμβουλεύσαιμ' ἂν ἄλλο τι τοῖς τὰ ἐκείνου τετελεσμένοις ἢ πρὸς αὐτὸν ἀεὶ βλέπειν καὶ ὡς ὁρῶντος καὶ ὡς ὁρωμένου τῷ Πνεύματι καταρτίζεσθαι.

B **81.** Δεῦρο δή περιστάντες με πᾶς ὁ ἐκείνου χορός, ὅσοι τοῦ βήματος καὶ ὅσοι τῶν κάτω, ὅσοι τῶν ἡμετέρων καὶ ὅσοι τῶν ἔξωθεν, τὴν εὐφημίαν μοι συνεργάζεσθε, ἄλλος ἄλλο τι τῶν ἐκείνου καλῶν διηγούμενοι καὶ ζητοῦντες, οἱ 5 τῶν θρόνων τὸν νομοθέτην, οἱ τῆς πολιτείας τὸν πολιστήν, οἱ τοῦ δήμου τὴν εὐταξίαν, οἱ περὶ λόγους τὸν παιδευτήν, αἱ παρθένοι τὸν νυμφαγωγόν, αἱ ὑπὸ ζυγὸν τὸν σωφρο-

80, 25 ὡς οἶμαι D^{pc} v || προσευχόμενος : BT^{pc} || 29 ὃ : ὅτι SDC || 34 προστίθημι A || 38 ὡς ὁρωμένου : ὁρωμένου Q^{pc}TCv Bo

1. Le corps de Basile rejoint un cimetière où se trouvent les tombes de ses ancêtres cappadociens, des évêques qui l'ont précédé ainsi que des martyrs locaux.

2. Le mouvement de ce chapitre et, parfois, les mots eux-mêmes sont repris de l'*Oraison funèbre d'Athanase, D.* 21, 10, cf. *Discours* 20-23 (*SC* 270), p. 130-132.

tombeau de ses pères, que le grand-prêtre est ajouté aux prêtres, la grande voix qui résonne encore à mes oreilles aux prédicateurs et le martyr aux martyrs[1].

Et maintenant lui, il est dans les cieux, il y offre pour nous, je le pense, des sacrifices, et il y prie pour le peuple, car, même après nous avoir quittés, il ne nous a pas abandonnés tout à fait. Quant à moi, Grégoire, à moitié mort et amputé d'une moitié, arraché à cette grande union et traînant une vie douloureuse dont la course est brisée, comme il est naturel après une telle séparation, je ne sais où j'aboutirai, privé de la direction d'un homme dont je reçois encore maintenant avertissements et corrections dans des visions nocturnes quand il m'arrive de m'écarter du devoir. Je ne saurais, moi qui mêle ainsi les gémissements aux éloges, qui raconte l'existence de cet homme, qui propose aux temps à venir, comme un commun tableau de vertu ainsi qu'un programme de salut pour toutes les Églises et pour toutes les âmes, celui que nous regarderons comme une loi vivante pour diriger notre vie, je ne saurais vous conseiller autre chose, à vous qui avez reçu ses leçons, que de garder toujours les yeux fixés sur lui et de vous laisser former par l'Esprit comme s'il vous voyait et comme si vous le voyiez.

81. Venez ici autour de moi[2], vous tous qui constituiez le chœur qui entourait cet homme, vous qui êtes sur la tribune et vous qui restez en bas[3], vous qui êtes des nôtres et vous qui êtes à l'extérieur : apportez-moi votre collaboration pour cet éloge en exposant chacun une de ses qualités et en vous occupant, vous qui êtes sur les hauts sièges, du législateur ; vous, les administrateurs de cités, du fondateur de ville[4] ; vous, les hommes du peuple, de son respect de l'ordre ; vous, les lettrés, de l'éducateur ; vous, les vierges, de l'introducteur des jeunes mariées ; vous qui êtes sous le joug du mariage, du maître

3. La tribune, sur laquelle se trouve le clergé, domine les fidèles.
4. Cf. *D.* 36, 12, 28.

νιστήν, οἱ τῆς ἐρημίας τὸν πτερωτήν, οἱ τῆς ἐπιμιξίας τὸν δικαστήν, οἱ τῆς ἁπλότητος τὸν ὁδηγόν, οἱ τῆς θεωρίας τὸν θεολόγον, οἱ ἐν εὐθυμίᾳ τὸν χαλινόν, οἱ ἐν συμφοραῖς τὴν παράκλησιν, τὴν βακτηρίαν ἡ πολιά, τὴν παιδαγωγίαν ἡ νεότης, ἡ πενία τὸν ποριστήν, ἡ εὐπορία τὸν οἰκονόμον. Δοκοῦσί μοι καὶ χῆραι τὸν προστάτην ἐπαινέσεσθαι καὶ ὀρφανοὶ τὸν πατέρα καὶ πτῶχοι τὸν φιλόπτωχον καὶ τὸν φιλόξενον οἱ ξένοι καὶ ἀδελφοὶ τὸν φιλάδελφον, οἱ νοσοῦντες τὸν ἰατρόν, ἣν βούλει νόσον καὶ ἰατρείαν, οἱ ὑγιαίνοντες τὸν φύλακα τῆς ὑγιείας, οἱ πάντες τὸν πάντα πᾶσι γενόμενον ἵνα κερδάνῃ τοὺς πάντας ἢ πλείονας[a].

82. Ταῦτά σοι παρ' ἡμῶν, ὦ Βασίλειε, τῆς ἡδίστης σοί ποτε γλώττης καὶ ὁμοτίμου καὶ ἥλικος. Εἰ μὲν τῆς ἀξίας ἐγγύς, σοὶ τοῦτο χάρις· σοὶ γὰρ θαρρῶν τὸν περὶ σοῦ λόγον ἐνεστησάμην. Εἰ δὲ πόρρω καὶ παρὰ πολὺ τῆς ἐλπίδος, τί χρὴ παθεῖν καὶ γήρᾳ καὶ νόσῳ καὶ τῷ σῷ πόθῳ τετρυχωμένους; Πλὴν καὶ Θεῷ φίλον τὸ κατὰ δύναμιν. Σὺ δὲ ἡμᾶς ἐποπτεύοις ἄνωθεν, ὦ θεία καὶ ἱερὰ κεφαλή, καὶ τὸν δεδομένον ἡμῖν παρὰ Θεοῦ σκόλοπα τῆς σαρκός, τὴν ἡμετέραν παιδαγωγίαν[a], ἢ στήσαις ταῖς σεαυτοῦ πρεσβείαις ἢ πείσαις καρτερῶς φέρειν, καὶ τὸν πάντα βίον ἡμῖν διεξάγοις πρὸς τὸ λυσιτελέστατον. Εἰ δὲ μετασταίημεν, δέξαιο κἀκεῖθεν ἡμᾶς ταῖς σεαυτοῦ σκηναῖς[b] ὡς ἂν ἀλλήλοις συζῶντες καὶ συνεποπτεύοντες τὴν ἁγίαν καὶ μακαρίαν

81, 17 ὑγιείας (cf. *D.* 2, 19, 13 ; 22, 2 ; 27, 8) : ὑγείας AQBJWVTC || 18 ἢ πλείονας ut glossema seclusit Bo

82, 3 σοὶ : σὴ SDCv || 9 σεαυτοῦ : ἑαυτοῦ AJ σαυτοῦ SDC || 12 δέξοιο SC

81. a. I Cor. 9, 22.

82. a. Cf. II Cor. 12, 7. b. Cf. Lc 16, 9.

1. Développement semblable dans le *D.* 21, 10.

2. On trouve une formule conclusive analogue à la fin de la *Lettre* 51 : τοσαῦτά σοι παρ' ἡμῶν.

de réserve ; vous, les adeptes de la solitude, de celui qui donnait des ailes ; vous qui pratiquez l'échange de relations, du juge ; vous, les chercheurs de simplicité, du guide ; vous, les hommes de contemplation, du théologien ; vous qui vivez dans la bonne humeur, du frein ; vous qui êtes dans le malheur, de la consolation ; que les cheveux blancs s'occupent du bâton et la jeunesse du pédagogue, la pauvreté de son pourvoyeur et l'aisance de son intendant. Je crois que les veuves feront l'éloge de leur protecteur, les orphelins de leur père, les mendiants de l'ami des mendiants, l'étranger de l'ami des étrangers, les frères de l'ami de ses frères, les malades de leur médecin — de quelque maladie et de quelque médecine qu'il s'agisse —, ceux qui sont en bonne santé du gardien de la santé, et tous de celui qui s'est fait tout pour tous afin de les gagner tous ou presque tous[a] [1].

82. Voilà, ô Basile, ce que tu reçois de nous[2], de cette langue qui te fut jadis si douce et de celui qui jouissait de la même dignité et qui avait le même âge. Si cela est proche de ton mérite, c'est à toi qu'il faut en rendre grâces, puisque c'est en mettant en toi ma confiance que j'ai abordé le discours dont tu es le sujet. Mais si cela en reste loin et déçoit profondément l'attente, que peut-il arriver à qui est accablé par la vieillesse, la maladie et le regret de ta personne ? Au demeurant, Dieu aime ce qu'on réalise à proportion de ses forces. Pour toi, puisses-tu veiller d'en haut sur nous, tête divine et sacrée, et, cette écharde dans la chair qui nous a été donnée par Dieu pour faire notre instruction[a], puisses-tu soit y mettre par ton intercession, soit nous donner la conviction nécessaire pour la supporter avec fermeté, et puisses-tu diriger notre vie entière pour notre plus grand avantage. Et si nous venions à changer de séjour, veuille nous accueillir là-bas aussi dans les tentes[b], afin que, vivant ensemble et nous initiant ensemble plus purement et plus complète-

Τριάδα καθαρώτερόν τε καὶ τελεώτερον, ἧς νῦν μετρίως
15 δεδέγμεθα τὰς ἐμφάσεις, ἐνταῦθα σταίημεν τῆς ἐφέσεως
καὶ ταύτην λάβοιμεν ὧν πεπολεμήκαμεν καὶ πεπολεμήμεθα
τὴν ἀντίδοσιν. Σοὶ μὲν οὖν οὗτος παρ' ἡμῶν ὁ λόγος, ἡμᾶς
δὲ τίς ἐπαινέσεται μετὰ σὲ τὸν βίον ἀπολείποντας, εἰ καί
τι παράσχοιμεν ἐπαίνου τοῖς λόγοις ἄξιον ;

82, 18 ἀπολιπόντας BJC

Explicit : 20 post ἄξιον : nihil VT εἰς τὸν ἅγιον Βασίλειον A εἰς τὸν ἅγιον Βασίλειον ἐπιτάφιος QBJWD ἐπιτάφιος εἰς τὸν μέγαν Βασίλειον SC add. ἐν Χριστῷ Ἰησοῦ τῷ κυρίῳ ἡμῶν, ᾧ ἡ δόξα εἰς τοὺς αἰῶνας. Ἀμήν. v Bo

1. Le mot se trouve dans le traité *Du Saint-Esprit* de Basile, 8, 20.

ment à la sainte et bienheureuse Trinité, dont nous avons maintenant recueilli de modestes reflets[1], nous puissions mettre ici un terme à nos aspirations et la recevoir, cette récompense des combats que nous avons menés et qu'on nous a livrés. Toi donc, tu reçois de notre part ce discours, mais qui fera notre éloge, à nous qui quittons cette vie après toi[2], à supposer que nous offrions, nous aussi, à la parole quelque chose qui vaille un éloge ?

2. La mélancolie qui inspire ces derniers mots semble émaner d'un homme sur qui pèse, dans sa retraite complète, le poids de la solitude. Cf. cependant les derniers mots de l'*Oraison funèbre de Gorgonie* (*D*. 8, 23), écrite beaucoup plus tôt ; mais la rédaction finale du *D*. 8 pourrait bien dater, elle aussi, des dernières années de la vie de l'auteur.

APERÇU BIBLIOGRAPHIQUE

J. Bernardi, *La prédication des Pères cappadociens. Le prédicateur et son auditoire*, Paris, 1968.

— «Un nouveau témoin de la tradition manuscrite des discours de Grégoire de Nazianze : le palimpseste *Vind. Suppl. gr. 189*», *Le Muséon* 97 (1984), 95-108.

— «Nouvelles perspectives sur la famille de Grégoire de Nazianze», *Vigiliae christianae* 38 (1984), 352-359.

— «La composition et la publication du *Discours* 42 de Grégoire de Nazianze», dans *Mémorial Dom Jean Gribomont*, Rome 1988, p. 131-143.

J. Daniélou, «La chronologie des sermons de saint Grégoire de Nysse», *Revue des Sciences Religieuses* (1955), 346-372.

P. Gallay, *La vie de saint Grégoire de Nazianze*, Lyon-Paris 1943.

Grégoire de Nazianze, *Discours, PG* 35-36 ; *Poèmes, PG* 37-38.

— *Discours funèbres en l'honneur de son frère Césaire et de Basile de Césarée*, éd. F. Boulenger, Paris 1908.

— *Discours* 1-3, éd. J. Bernardi, *SC* 247, Paris 1978.

— *Discours* 4-5, éd. J. Bernardi, *SC* 309, Paris 1983.

— *Discours* 20-23, éd. J. Mossay, *SC* 270, Paris 1980.

— *Discours* 24-26, éd. J. Mossay, *SC* 284, Paris 1981.

— *Discours* 27-31, éd. P. Gallay, *SC* 250, Paris 1978.

— *Discours* 32-37, éd. Cl. Moreschini - P. Gallay, *SC* 318, Paris 1985.

— *Discours* 38-41, éd. Cl. Moreschini - P. Gallay, *SC* 358, Paris 1990.

— *Lettres : Saint Grégoire de Nazianze, Lettres,* éd. P. Gallay, *CUF*, 2 volumes, Paris 1964-1967.

— *Lettres théologiques*, éd. P. Gallay, *SC* 208, Paris 1974.

— *De vita sua : Gregor von Nazianz, De vita sua*, éd. C. Jungck, Heidelberg 1974.

— *Une autobiographie romantique au* IV*e s. : le poème II, I, 1 de Grégoire de Nazianze*, éd. R. Bénin, Montpellier 1988 (thèse dactylographiée de l'Université Paul Valéry).

W. Jaeger - H. Langerbeck, *Gregorii Nysseni Opera*, IX, *Sermones*, Leyde 1967.

Himérios, *Declamationes et orationes*, éd. A. Colonna, Rome 1951.

R. Janin, *La géographie ecclésiastique de l'empire byzantin. I. Le siège de Constantinople et le patriarcat œcuménique*, t. III, *Les églises et les monastères*, Paris 1953.

T. Sinko, *De traditione orationum Gregorii Nazianzeni pars prima. Meletemata patristica* II, Cracovie 1917.

INDEX SCRIPTURAIRE

Les astérisques indiquent les allusions. Les chiffres de la colonne de droite renvoient aux deux discours et à leurs chapitres.

INDEX DES NOMS PROPRES

INDEX DE QUELQUES MOTS GRECS

Les chiffres renvoient au discours, au chapitre et à la ligne.

TABLE DES MATIÈRES

SOURCES CHRÉTIENNES

Fondateurs : † H. de Lubac, s.j.
† J. Daniélou, s.j.
† C. Mondésert, s.j.
Directeur : D. Bertrand, s.j.
Directeur-adjoint : J.-N. Guinot

Dans la liste qui suit, dite « liste alphabétique », tous les ouvrages sont rangés par nom d'auteur ancien, les numéros précisant pour chacun l'ordre de parution depuis le début de la collection. Pour une information plus complète, on peut se procurer deux autres listes au secrétariat de « Sources Chrétiennes » — 29, rue du Plat, 69002 Lyon (France) — Tél. : 78 37 27 08 :

1. La « liste numérique », qui présente les volumes et leurs auteurs actuels d'après les dates de publication ; elle indique les réimpressions et les ouvrages momentanément épuisés ou dont la réédition est préparée.
2. La « liste thématique », qui présente les volumes d'après les centres d'intérêt et les genres littéraires : exégèse, dogme, histoire, correspondance, apologétique, etc.

LISTE ALPHABÉTIQUE (1-384)

ACTES DE LA CONFÉRENCE DE CARTHAGE : *194, 195, 224* et *373.*
ADAM DE PERSEIGNE.
Lettres, I : *66.*
AELRED DE RIEVAULX.
Quand Jésus eut douze ans : *60.*
La vie de recluse : *76.*
AMBROISE DE MILAN.
Apologie de David : *239.*
Des sacrements : *25 bis.*
Des mystères : *25 bis.*
Explication du Symbole : *25 bis.*
La Pénitence : *179.*
Sur saint Luc : *45* et *52.*
AMÉDÉE DE LAUSANNE.
Huit homélies mariales : *72.*
ANSELME DE CANTORBÉRY.
Pourquoi Dieu s'est fait homme : *91.*
ANSELME DE HAVELBERG.
Dialogues, I : *118.*
APHRAATE LE SAGE PERSAN.
Exposés : *349* et *359.*
APOCALYPSE DE BARUCH : *144* et *145.*
ARISTÉE (LETTRE D') : *89.*
ATHANASE D'ALEXANDRIE.
Deux apologies : *56 bis.*
Discours contre les païens : *18 bis.*
Voir « Histoire acéphale » : *317.*
Lettre à Sérapion : *15.*
Sur l'Incarnation du Verbe : *199.*
ATHÉNAGORE.
Supplique au sujet des chrétiens : *379.*
Sur la résurrection des morts : *379.*
AUGUSTIN.
Commentaire de la première Épître de saint Jean : *75.*
Sermons pour la Pâque : *116.*
BARNABÉ (ÉPÎTRE DE) : *172.*
BASILE DE CÉSARÉE.
Contre Eunome : *299* et *305.*
Homélies sur l'Hexaéméron : *26 bis.*
Sur le baptême : *357.*
Sur l'origine de l'homme : *160.*
Traité du Saint-Esprit : *17 bis.*
BASILE DE SÉLEUCIE.
Homélie pascale : *187.*

SOUS PRESSE

Les Apophtegmes des Pères. Tome I. J.-C. Guy (†).
DIDYME L'AVEUGLE : **Traité du Saint-Esprit.** L. Doutreleau.
ORIGÈNE : **Commentaire sur saint Jean.** Tome V. C. Blanc.
ORIGÈNE : **Homélies sur les Juges.** M. Borret, P. Messié, L. Neyrand.

PROCHAINES PUBLICATIONS

CÉSAIRE D'ARLES : **Œuvres monastiques.** Tome II : **Œuvres pour les moines.** J. Courreau, A. de Vogüé.
CYRILLE D'ALEXANDRIE : **Lettres festales.** Tome II. L. Arragon, M.-O. Boulnois, P. Évieux, M. Forrat, B. Meunier.
ÉVAGRE LE PONTIQUE : **Scholies sur l'Ecclésiaste.** P. Gehin.
HERMIAS : **Moquerie au sujet des païens.** R. P. C. Hanson (†).
JEAN CHRYSOSTOME : **Homélies contre les anoméens.** A.-M. Malingrey.
Livre d'Heures ancien de Sainte-Catherine. M. Ajjoub.

Également aux Éditions du Cerf

LES ŒUVRES DE PHILON D'ALEXANDRIE

publiées sous la direction de

R. ARNALDEZ, C. MONDÉSERT, J. POUILLOUX.

Texte original et traduction française.

1. **Introduction générale. De opificio mundi.** R. Arnaldez.
2. **Legum allegoriae.** C. Mondésert.
3. **De cherubim.** J. Gorez.
4. **De sacrificiis Abelis et Caini.** A. Méasson.
5. **Quod deterius potiori insidiari soleat.** I. Feuer.
6. **De posteritate Caini.** R. Arnaldez.

7-8. **De gigantibus. Quod Deus sit immutabilis.** A. Mosès.

9. **De agricultura.** J. Pouilloux.
10. **De plantatione.** J. Pouilloux.

11-12. **De ebrietate. De sobrietate.** J. Gorez.

13. **De confusione linguarum.** J.-G. Kahn.
14. **De migratione Abrahami.** J. Cazeaux.
15. **Quis rerum divinarum heres sit.** M. Harl.
16. **De congressu eruditionis gratia.** M. Alexandre.
17. **De fuga et inventione.** E. Starobinski-Safran.
18. **De mutatione nominum.** R. Arnaldez.
19. **De somniis.** P. Savinel.
20. **De Abrahamo.** J. Gorez.
21. **De Iosepho.** J. Laporte.
22. **De vita Mosis.** R. Arnaldez, C. Mondésert, J. Pouilloux, P. Savinel.
23. **De Decalogo.** V. Nikiprowetzky.
24. **De specialibus legibus.** Livres I-II. S. Daniel.
25. **De specialibus legibus.** Livres III-IV. A. Mosès.
26. **De virtutibus.** R. Arnaldez, A.-M. Vérilhac, M.-R. Servel et P. Delobre.
27. **De praemiis et poenis. De exsecrationibus.** A. Beckaert.
28. **Quod omnis probus liber sit.** M. Petit.
29. **De vita contemplativa.** F. Daumas et P. Miquel.
30. **De aeternitate mundi.** R. Arnaldez et J. Pouilloux.
31. **In Flaccum.** A. Pelletier.
32. **Legatio ad Caium.** A. Pelletier.
33. **Quaestiones in Genesim et in Exodum. Fragmenta graeca.** F. Petit.

34 A. **Quaestiones in Genesim,** I-II (e vers. armen.). Ch. Mercier.

34 B. **Quaestiones in Genesim,** III-VI (e vers. armen.). Ch. Mercier et F. Petit.

34 C. **Quaestiones in Exodum,** I-II (e vers. armen.). A. Terian.

35. **De Providentia,** I-II. M. Hadas-Lebel.
36. **Alexander (De animalibus)** (e vers. armen.). A. Terian.

IMPRIMERIE A. BONTEMPS
LIMOGES (FRANCE)
Registre des travaux :
DÉPÔT LÉGAL : Septembre 1992
IMPRIMEUR Nº 1533-91 — ÉDITEUR Nº 9434